John A. Chiles · Kirk D. Strosahl · Laura Weiss Roberts

Clinical Manual
for Assessment
and Treatment of
SUICIDAL
PATIENTS

Second Edition

자살경향성에 대한
임상적 평가 및 치료

옮긴이
나경세 · 조서은

자살경향성에 대한 임상적 평가 및 치료 2판

2판 1쇄 인쇄 │ 2022년 02월 28일
2판 1쇄 발행 │ 2022년 03월 04일

지 은 이　　John A. Chiles, Kirk D. Strosahl, Laura Weiss Roberts
옮 긴 이　　나경세, 조서은
발 행 인　　장주연
출 판 기 획　　임경수
책 임 편 집　　김수진
편집디자인　　최정미
표지디자인　　김재욱
제 작 담 당　　이순호
발 행 처　　군자출판사(주)
　　　　　　등록 제 4-139호.(1991. 6. 24)
　　　　　　본사 (10881) 파주출판단지 경기도 파주시 서패동 474-1(회동길 338)
　　　　　　Tel. (031) 943-1888　　　Fax. (031) 955-9545
　　　　　　홈페이지 │ www.koonja.co.kr

ISBN 979-11-5955-824-5
정가 30,000원

저자 소개

John A. Chiles, M.D.는 미국 워싱턴주 시애틀에 있는 워싱턴대학교 의과대학 정신 및 행동과학과의 명예교수이다.

Kirk D. Strosahl, Ph.D.는 미국 오레곤주 포틀랜드에 있는 HeartMatters 컨설팅의 대표이다.

Laura Weiss Roberts, M.D., M.A.는 미국 캘리포니아주 스탠포드에 있는 스탠포드 대학교 의과대학 정신 및 행동과학과의 학과장이자 캐서린 덱스터 맥코믹 및 스탠리 맥코믹 기념 교수이다.

역자 소개

나경세
정신건강의학과 전문의, 의학박사
가천대 길병원 정신건강의학과 부교수
인천광역정신건강복지센터 센터장

조서은
정신건강의학과 전문의
가천대길병원 정신건강의학과 임상부교수
국제정신분석학회(IPA) KPSG 국제정신분석가 과정

서문

지난 10년 사이에 자살행동에 대한 연구와 논의가 지나치게 많아졌다. 최소한 미국 내에서 이렇게 많은 관심을 부추긴 주요 요인은 전쟁 군인들과 관련되어 있다. 미국재향군인회(U.S. Veterans Administration)의 자료에 따르면 매일 5명 혹은 그 이상이 스스로 목숨을 끊었다(Kemp와 Bossart 2012). 그리고 이들 중 많은 수가 흔히 3대 질환인 외상후스트레스장애, 물질사용장애, 우울증으로 진단을 받은 상태였다. 청소년 여성과 노인 남성의 자살률은 지난 5년 사이에 뚜렷하게 증가했다(Curtin 등 2016). 최근 미국 질병통제예방센터(U.S. Centers for Disease Control and Prevention)는 자살을 미국 젊은이들의 사망 원인 2위로 지목했다(Curtin et al. 2016). 이러한 비극적 사실들은 미국에서 자살행동을 유발하는 요인들과 효과적일 수도 있는 개입 방법들에 대한 훨씬 많은 경각심과 그에 상응하는 관심을 불러 일으켰다.

2004년에 이 책의 초판이 나온 이후 자살과 자기 파괴적 행동을 이해하는 데 도움이 되는 실용적이고 유용한 지식이 쌓여 왔다. 비록 자살에 대한 의미 있는 예측은 우리의 손에 닿을 수 없는 곳에 있지만, 자살행동을 조기에 식별해서 효과적인 임상적 개입이 가능하게 하는 것이 치료의 표준으로 자리잡았다. 바로 여기에서 딜레마가 생긴다. 임상가는 환자에게 자살경향성을 물어본 뒤 그렇다는 대답을 들으면 효과적이고 효율적으로 환자를 보호할 준비가 되어 있어야 하는 것이다. 임상가의 면담은 종종 분주한 1차의료현장에서 다른 대기 환자들이 기다리고 있거나 예약이 가득 차 있을 때처럼 시간이 촉박한 여건에서 이루어진다.

때때로 끔찍한 경험들을 통해 우리 모두가 아는 것처럼 환자 진료의 기준은 그 범위가 확장되었고, 서류 작업은 늘어나고 있으며, 행정수요는 버거울 정도여서 우리가 수련을 받았던 그 임상적 업무를 할 수 있는 시간은 점점 줄어들어 매우 귀하게 되어 버렸다. 우리가 만약 복잡한 평가와 개입 프로토콜을 제시한다면, 그것은 당장 활용할 수 있는 것보다 더 많은 시간을 필요로 하기에 실용성이 적을 것임을 잘 알고 있다. 우리는 현장에서 필요한 실용적이고 활용할 수 있는 좋은 지침을 제공하고자 노력했다.

우리의 주된 전제는 자살행동이 강렬한 정서적 고통을 조절하거나 없애기 위해 행하는 위험하고 단기간의 문제해결 행동이라는 것이다. 즉, 장기적인 해결책이 필요한 상황에서 본질적으로 임시방편인 대책을 적용하는 것이다. 우리가 권고하는 평가 및 치료 전략은 이 관점 위에 놓여 있다. 이 책은 학술 자료가 아니다. 여러 훌륭한 참고문헌들이 1장 "자살행동의 차원" 마지막에 나와 있다. 각 장의 마지막 부분에 나와 있는 '읽어볼 만한 문헌들'은 완전한 것은 아니지만 혹시 원하면 읽어볼 것을 권한다. 각 장의 마지막에 간략한 "요약" 섹션이 있는데, 여기에는 우리가 각 장에서 가장 중요하다고 여기는 내용들을 담고 있다. 이 책은 자살경향성 환자의 임상 진료에 대한 지침서로서, 당신과 당신의 환자가 활용할 수 있도록 본문, 도표, 연습이 모두 갖춰져 있어서 어떤 교육 현장에서도 동료들과 함께 시행할 수 있다. 만약 이 책이 당신이 참고하는 문헌들 중 일부가 되어서 추가지침이 필요할 때 반복해서 찾을 수 있다면 우리는 성공한 것이다. 만약 우리가 그런 유형의 서적을 만드는데 성공한다면, 우리가 이 거대한 프로젝트를 위해 쏟아 부은 수 년간의 작업은 더없이 가치 있는 일이 될 것이다.

우리는 개정판을 준비하는 과정에서 편집과 배경 연구에 도움을 준 앤테니어, 케이티 라이언, 개브리얼 테뮤엘른에게 깊은 감사를 전한다.

마지막 한가지: 우리는 책 전체에 걸쳐 여러 차례 핵심 개념을 반복했다. 그것이 유용한 과잉이라고 생각했기 때문이다. 이러한 방식이 우리가 전달해야 하는 개념들을 강화하고 풍부하게 만들기를 바라는 마음이다.

그럼 시작해보자.

참고문헌

Curtin SC, Warner M, Hedegaard H: Increase in Suicide in the United States, 1999–2014. National Center for Health Statistics Data Brief No. 241. Atlanta, GA, Centers for Disease Control and Prevention, National Center for Health Statistics, April 2016. Available at: www.cdc.gov/nchs/products/databriefs/db241.htm. Accessed November 20, 2017.

Kemp J, Bossart R: Suicide Data Report. Washington, DC, U.S. Department of Veterans Affairs Suicide Prevention Program, 2012

역자 서문

우리나라가 경제협력개발기구(Organization for Economic Coopera-tion and Development, OECD) 국가들 중에서 자살률이 가장 높은 나라라는 오명을 쓴 지도 벌써 10년이 훌쩍 지났다. 우울증이 심하면 자살로 이어질 수 있다. 그래서 자살을 예방하기 위해서는 우울증을 적극적으로 치료하는 것이 중요하다. 맞는 말이다. 하지만 우울증만으로 자살을 설명할 수는 없다. 우리나라에서는 특히 더 그렇다. 우리나라 우울증 유병률은 미국과 유럽의 여러 나라들에 비해서 낮으면 낮지 더 높지는 않기 때문이다. 환청과 망상과 같은 정신병적 증상으로 인해 현실검증력이 손상되어 자살을 하는 경우도 있지만, 전체 자살에서 그 비율은 낮다. 이는 역자들이 수행했던 체계적 문헌고찰과 메타분석 결과와도 일치한다. 자살 사망자들에 대한 심리부검 결과들을 종합적으로 검토하였을 때, 북미와 유럽 국가들에 비하여 동아시아에서는 자살 사망자들이 생전에 정신질환을 앓고 있는 비율이 확연히 낮았다(Cho 등 2016, 자세한 서지정보는 1장 맨 뒤 '읽어볼 만한 문헌들'에 수록되어 있다).

그렇다면 대체 무엇 때문일까? 중증의 우울증에 빠진 것도 아니고 현실적인 판단 능력을 상실한 채 정신병적 증상에 이끌린 것도 아니라면, 도대체 우리나라에서는 왜 1년에 1만 4천명이나 되는 사람들이 고귀한 생명을 스스로 끊는 것일까?

이 책의 저자들은 이러한 의문들에 대한 답을 제시한다. 자살을 시도하는 사람들에게는 자살 이외에 다른 선택을 할 수 없는 나름대로의 필연적인 이유가 있고, 소위 정신건강 전문가라고 해서 누가 자살로 사망할 것인지 정확하게 예측할 수 없으며, 안타깝게도 자살을 완벽하게 예방할 수 있는 치료법도 존재하지 않는다.

자살 자체를 당위적으로 '나쁜 것'으로 취급하기보다 저자들은 일관되게 문제해결 방법으로서 자살의 기능과 한계에 초점을 맞춘다. 어떤 이들에게 자살은 세 가지 I, 즉, 견딜 수 없고intolerable, 벗어날 수 없으며inescapable, 끝없이 계속되는interminable 고통에서 벗어날 수 있는 신속하고 확실한 문제해결 방법으로 다가온다. 만약 해결해야 할 유일한 문제가 고통이고, 사람이 살면서 지향하는 바가 단지 고통이 없는 상태일 뿐이라면, 자살은 꽤 매력적인 선택지로 느껴질지도 모른다. 수용전념치료(Acceptance and Commitment Therapy, ACT)에서는 이를 죽은 사람의 목표(dead man's goal)라 부른다. 오직 죽은 자만이 완벽하게 고통으로부터 벗어날 수 있기 때문이다.

하지만 우리네 삶의 목적은 고통의 회피에 있지 않다. 우리에게는 저마다 추구하고자 하는 삶의 가치가 있다. 이러한 가치를 추구하는 삶의 여정에서 고통은 삶 자체를 단념하게 할 정도의 비중을 차지하지 못한다. 저자들의 인식 역시 이에 근거하며, 이 책의 7장("반복적인 자살경향성 환자")에서 ACT의 원리와 기법을 구체적으로 적용하고 있다.

이 책은 미국정신의학회 출판부(American Psychiatric Association Publishing)에서 발간되었고 본문에 별도의 약물치료 장을 포함하는 등 정신건강의학과 의사들을 주요 독자층으로 설정하였다. 하지만 이 책에 나와 있는 자살에 대한 심도 깊고 폭넓은 고찰과 대처법은 자살경향성 환자를 대하는 정신건강 전문가라면 누구에게나 큰 도움이 될 것으로 확신한다.

이 책에 있는 모든 각주는 역자들이 단 것이다. 독자들의 이해를 돕기 위해 주요 용어나 혼동의 여지가 있는 단어들에 대하여는 영어 표현을 병기하였다. 번역을 하며 원문의 의미를 최대한 살리기 위해 수없이 많이 검토하고 논의를 하였으나, 그럼에도 불구하고 부족한 부분이 있다면 온전히 역자들이 부족한 탓이다.

이 번역서를 내는데 처음부터 끝까지 적극적으로 많은 도움을 주신 군자출판사의 임경수 과장님과 김수진 담당자님께 마음에서 우러나는 깊은 감사의 말씀을 전한다. 끝으로, 바쁜 수련 일정에도 불구하고 이 책으로 세미나를 함께 한 공윤나, 우수균, 박이레, 나혜수, 허준무 선생님에게 감사의 말을 전하고자 한다.

목차

표 리스트

그림 리스트

자살행동의 차원

자살경향성 체험

1. 찰스는 알코올 중독자 가정에서 자랐다. 과도한 음주는 여러 세대에 걸쳐 이어지는 문제였다. 찰스의 아버지는 만성 우울증을 앓고 있었는데 잦은 술자리로 인하여 기분이 더욱 안 좋아질 때가 자주 있었고, 결국 찰스가 12살 때 자살하였다. 찰스는 청소년기 후기부터 술을 많이 마시기 시작하였으며, 아버지처럼 우울감이 몰려오기 시작했다. 찰스는 자주 자살 생각을 하였지만 아무에게도 털어놓지 않았다. 32살에 찰스는 결혼을 하고 아이를 낳았다. 그는 지지적인 배우자의 격려로 3년 뒤 정신건강의학과 치료를 받기 시작했고 2년 동안 우울증, 알코올 중독, 자살사고에 대한 문제 없이 지냈다.

2. 앤드리아는 그동안 살아오면서 다양한 감정들을 빠르게 보이는 것으로 유명했다. 그녀가 다른 사람들과 맺는 관계는 대개 강렬했고, 종종 갈등을 겪었다. 청소년기 중반이 되자, 앤드리아는 스스로 목숨

을 끊어서 여러가지 좌절감을 끝내고 싶다는 말을 자주하였다. 가끔 그녀의 지인들은 그녀가 걱정되어 그녀에게 치료를 받도록 권했지만, 그녀는 한번도 치료를 받지 않았다. 40세 생일날, 앤드리아는 계속해서 자살사고를 얘기하였다. 그녀는 절대 자살시도는 하지 않았다.

3. 랠프는 편부모 가정에서 자랐다. 그의 어머니는 하루종일 일을 하였고 여섯 자녀들을 키웠다. 15살이 되던 해, 랠프는 같은 반 여학생과 깊이 사랑에 빠졌다. 그들은 한동안 데이트를 하였고, 그 여학생이 헤어지자고 했을 때 그는 매우 실의에 빠졌다. 랠프는 자살을 떠올렸고, 자신의 삶을 끝내기로 결심하였다. 그는 22 구경 소총으로 자신의 가슴을 쐈다. 가족들이 서둘러서 그를 병원으로 데려갔고, 얼마 지나지 않아 그는 회복되었다. 18년 뒤, 랠프는 생산적인 삶을 영위하고 있었으며, 자신이 살아 있는 것을 진심으로 감사히 여기고 있었다. 그는 더 이상 자살을 생각하지 않았다.

4. 매리얼은 34세로 지난 12년 동안 부정기적으로 우울증 치료를 받아왔다. 그동안 치료를 받으면서 총 6차례의 자살시도를 하였는데, 매번 처방약들을 과다복용한 것이었다. 매리얼은 어렵게 살고 있으며 자주 많은 문제들을 겪는다. 그녀는 주로 남편의 불륜, 자녀들의 질병, 고용주가 자신을 대하는 태도, 그리고 경제적 문제에 대해 걱정을 많이 한다. 이러한 문제들 중 하나가 심해지면 매번 자살시도를 했다. 매리얼의 주치의는 이러한 병력을 알고 한 번에 1주일치의 항우울제만 그녀에게 처방해준다.

5. 칼은 고등학교 3학년이었던 17세 어느 날, 동트기 직전 통근 열차에 몸을 던져 자살로 사망했다. 그는 집과 학교에서 적응하기 위해 무척 애를 많이 썼으며, 주요우울증이나 다른 정신질환은 없었다. 그는 대부분의 시간을 비디오 게임을 하면서 보냈다. 비록 그가 여러 좋은 대학들에 합격했지만, 자신이 최상위권 대학에 들어가지 못했다

는 것에 실망했다. 그의 죽음 이후에, 같은 반 학생들이 그를 조롱하고 그에게 죽으라는 내용의 문자 메시지를 보내거나 소셜미디어에 글을 올리며 그를 지속적으로 괴롭혔다는 것이 밝혀졌다.

6. 호세는 76살 때 자살하였다. 치사량의 심장약을 복용하기 전에, 호세는 자신의 유언이 잘 남겨졌는지 확인하였다. 그는 자녀들과 손주들에게 작별을 고하는 장문의 유서를 남겼다. 호세는 길고 생산적인 삶을 살아왔으며, 자살하는 그 주까지도 어떤 자살생각이나 자살시도의 병력도 확인되지 않았다. 호세가 자살하기 3달 전에 그의 아내는 사망하였고, 혼자 남겨진 그는 일상 생활을 하는데 어려움을 점점 더 많이 겪고 있었다.

매우 짧은 이 사례들은 자살행동의 중요한 측면들을 보여준다. 자살행동들은 다양한 스펙트럼의 생각, 의사소통, 행동을 포함한다. 자살행동들 사이에 가장 흔하지 않은 것은 자살사망, 즉 죽기로 결심한 상태에서 자해로 인해 사망한 경우이다. 그보다 흔한 것은 자살시도, 즉, 죽으려는 의도를 어느 정도 가지고 치명적이지 않은 자해를 한 경우이다. 가장 흔한 것은 자살사고로, 스스로 죽고자 하는 생각이다.

자살행동에 대해 명심해야 할 또 다른 중요한 사실은 그것이 매우 광범위하다는 것이다. 자살행동에 대한 많은 문헌들이 가장 흔하지 않은 자살사망에 초점을 맞추고 있다. 세계보건기구The World Health Organization, WHO는 자살에 대한 전세계의 데이터를 추적하고 있다(World Health Organization 2017). 미국의 경우, 전체 자살률은 1999년에 인구 10만명당 10.5명에서 2014년에 인구 10만명당 13명으로 증가하였다(Curtin 등 2016). 청소년기 후기와 성인기 초기에서의 자살로 인한 사망은 우려할 만하다. 가장 큰 폭의 증가는 10-14세 여성에서 나타났다. 중년 후기와 고령(65세 이상)에서의 자살률은 모든 연령대 중 가장 높은 수준이다. 남성에서 자살률이 가장 크게 증가한 연령대는 45-64세이고, 자살로 인한 사망률이 가장 높은 연령대는 75세 이상이었다. 여성들의 경우, 45-64세에서 자살로 인한 사망률이 가장 높았다(자료에 대한 더 자세한 검토가 필요한 경우 다음을 참조할 것: Curtin 등 2016).

이 수치는 대부분 부검 결과를 바탕으로 한 것이며 실제 자살률은 이보다 더 높을 수 있다. 사고사는 문제를 더 복잡하게 만든다. 예를 들어 애인과 헤어져서 격분한 18세 남자가 맑은 날 혼자 차를 운전하며 질주하다가 전신주를 들이받아 사망한 경우를 들 수 있다. 그의 상황을 아는 친구들은 자살을 의심하겠지만, 검시관은 사고사로 보고할 것이고, 진실은 절대 밝혀지지 않을 것이다. 미국의 많은 영역에서 자살에 대한 낙인 때문에, 죽음을 둘러싼 정황이 애매한 경우 카운티 검시관들은 자살보다는 사고로 인한 사망으로 분류한다.

자살시도는 자살사망에 비해 훨씬 흔하다. 자살시도의 빈도를 파악하기 위해 설계된 연구들은 연구 대상 집단에 따라 다양한 결과를 나타낸다. 응급 외상센터에서 1년 동안 자살시도자들을 확인하는 것과 일반인구집단에서 그들이 1년 동안 죽을 의도로 고의적으로 스스로에게 해를 끼친 적이 있는지 물어보는 것 사이에는 응답 결과에 큰 차이를 보일 것이다. 우리가 고찰한 문헌들을 볼 때 전반적으로 자살시도의 평생 유병률은 3-12% 정도였다. 우리가 그레이터 시애틀과 워싱턴 등지에서 일반인구를 대상으로 직접 시행한 연구들에서는, 응답한 성인들의 10-12%에서 최소한 한 번 이상 자살시도를 한 적이 있었다(Chiles 등 1986). 스스로 총으로 쏜 뒤 막대한 의학적 조치들을 받고 살아난 성인 남자의 경우는 자살시도로 보고될 가능성이 높다. 죽을 생각으로 아스피린 15알을 한꺼번에 먹었지만 아무에게도 말하지 않고 다른 시도까지는 하지 않은 감정적인 10대는 자살시도자 데이터베이스에 없을 가능성이 많다.

자살사고, 혹은 자살을 생각하는 것은 자살경향성의 가장 흔한 형태이다. 자살사고의 의미는 심각한 개인적인 위기의 맥락에서 명확하게 죽고 싶다는 의도(예, 만성 우울증, 원치 않는 이혼)에서부터 편안해지고 싶다는 생각에 이르기까지(예, "만약 더 안 좋아지면 난 언제든 자살할 수 있어.") 다양하다. 키에르케고르가 한 때 암울하게 했던 말이 있다. "자살에 대한 생각이 여러 어두운 밤 동안 나를 사로잡았다." 우리가 일반인구 집단을 대상으로 조사한 결과, 응답자들의 20%가 살면서 어느 순간에 적어도 한 번 이상의 중등도에서 중증의 자살사고(최소 2주 동안 자살계획을 세우고 자살수단을 마련해 놓는 것으로 정의됨)를 지니고 있었고, 또 다른 20%의 응답자들은 자살계획을 세우지는 않았지만 적어도 한 번 이상의 심한 자살사고가 있었다고 응답하였다. 더 최근의 연구에서는 미국에서 1천만 명, 혹은 전체 인구의 4% 이상이 평생 동안 어느 정도의 자살사고를 지니고 있다고 보고하였다. 게다가 의과대학생과 의사와 같은 특정 인구 집단들에서 의외로 자살사고나 높게 나타나기도 한다. 예를 들어, 7,000명 이상의 외과의사들을 대상으로 한 최근의 국가적 연구에서는 16명 중에 1명이 지난 한 해 동안 자살을 고려했다고 보고하였다(Shanafelt 등 2011).

이 책에서 우리는 자살경향성에 대해 자살사고, 자살시도, 자살사망이라는 세 가지 유형에 초점을 맞춰 논의할 것이다. 많은 유형의 자기 파괴적 행동들이 실제로 죽고자 하는 마음으로 한 것이 아닐 수도 있지만, 더 명백한 형태의 자살경향성과 동일한 결과를 가져올 수 있다. 자해행동은 그 문제가 점차 심각해지고 있으며, 특히 젊은이들 사이에서 그렇다. 최근 전국 청소년 위험 행동 조사National Youth Risk Behavior Survey 결과에 의하면, 6% 이상의 젊은이들이 6학년이 될 때까지 이러한 자해행동을 해본 적이 있다고 응답하였다(Centers for Disease Control and Prevention 2018). 자해행동은 현대사회에서 소외감의 표현 등 많은 기능을 가지고 있으며, 많은 경우 정신적 고통을 덜거나 자신의 몸과 외부 환경 사이의 경계를 명확히 하려는 목적으로 활용되기도 한다. 자해행동과 자살경향성에서 나온 행동 사이에는 명백히 겹치는 부분이 있다. 이 두 유형의 행동들은 종종 서로 바뀌어 나타날 수도 있다. 하지만 알려지지는 않았지만 자해행동을 하는 많은 사람들에게서 더 이상 자살경향성이 계속되지 않는다는 점을 이해하는 것이 중요하다.

우리가 이 책에서 논의하고 있다시피 여러가지 다른 문제 행동들이 자살경향성과 함께 나타날 수 있는데, 여기에는 약물 및 알코올 남용, 폭식 및 구토, 강박적인 도박, 그리고 난잡한 성행위 등이 있다. 우리는 이것들을 다른 문제로 보지 않고, 오히려 같은 부류로 여겨진다. 그것들은 모두 자살경향성과 공통되는 중요한 특징을 공유하고 있고, 그 중 한 개에 취약한 사람은 다른 것에도 취약하다. 또한 자동차 경주, 암벽 등반, 윙수트 다이빙, 지속적인 흡연처럼 사회적으로 더 용인되는 고위험 행동들도 있다. 일부 임상가들은 이러한 행동들을 잠재적으로 자살을 지향하는 행동 유형으로 보기도 한다. 이러한 행동이 이 책의 초점은 아니지만, 일부 환자들에서는 분명히 나타날 것이다. 이러한 환자들을 치료하기 위해서는 다양한 범위의 정신치료와 약물치료를 시행하여야 하며, 치료적 노력을 위해 각 문제별 치료에 초점을 맞춘 문헌을 읽어보면 좋을 것이다.

이 책의 인구통계 정보들은 대부분 미국과 유럽에서 진행한 연구를 통해 얻어졌다. 문헌들이 매우 광범위한데, 이에 대해서는 다음 단락에 정리했다. 다른 지역들에서 집계되는 통계는 흥미로운 대비를 보여주고 있다. 예를 들어, 미국에서는 남성의 자살률이 더 높지만, 중국의 연구에서는 여성들이 자살로 사망할 확률이 더 높은 것으로 보고되었다. 대부분의 자살 연구들은 연령이 증가하면서 더 자살률이 높아진다고 보고하고 있다. 미국에서는 정말 고령에서 자살이 더 흔하다. 자살률은 16-24세 사이에 급격히 증가하여, 중년기 때 정체되다가, 다시 75세 이상에서 인구 10만 명당 20명 이상으로 증가한다. 문화적 차이 역시 중요할 수 있다. 노년기의 자살률은 미국 내 흑인 및 인디언에서 감소하는데 이는 대부분 이들 집단에서 고령 여성의 자살률이 낮기 때문이다.

이와 대조적으로, 자살시도는 젊은 사람들에게 훨씬 더 흔하게 나타나며, 특히 45세 이상에서 처음으로 자살시도를 하는 경우는 거의 없다. 청소년기에서의 자살시도 비율은 해당 연령대의 자살사망률에 비해서 높다(대략 200 대 1). 이 비율은 노년기에는 4 대 1 정도로 낮아진다. 미국에서 많은 사람들이 자살시도를 반복한다. 자살시도로 입원했던 사람들이 다시 자살시도를 하는 비율은 거의 50% 가까이 된다. 연령, 성별과 더불어 인종, 혼인상태, 종교, 직업, 계절 변화 등이 중요한 인구통계학적 요인이다.

미국에서 자살은 백인에게서 더 흔하다. 또한, 독거, 별거, 이혼, 사별 등에서도 흔하다. 자살률은 게이, 레즈비언, 양성애자들에서 더 높을 수 있다. 최근의 연구에서는 동성 결혼이 합법화된 주들에서는 게이, 레즈비언, 트랜스젠더 집단의 자살률이 상당히 낮은 것으로 보고되었다. 배우자와 사별 후 최소 4년 동안 자살 위험이 증가한다. 자살률은 가톨릭이나 유대교보다 개신교에서 더 높으며, 많은 나라에서 자살률과 실업률이 정적positive 상관관계를 보인다. 다른 요인들로는 신체질환, 애도(최근의 상실이나 과거의 상실에 대한 지속적인 반응), 신체적 학대 등이 있다. 마지막으로 중요한 것은, 경기침체가 자살행동을 증가시키는 데 일정한 역할을 한다는 것이다. 어떤 집단이든 경제적 고난이나 위기 상황에서는 자살률이 높아지는 경향이 있다.

비록 자살행동에 대한 논의가 종종 자살사고, 자살시도, 자살사망을 연결짓지만, 자살경향성은 복합적이다. 자살경향성이 단일하고 단순한 연속체라는 근거는 거의 없다. 표 1-1은 자살 관련 형태들 사이의 몇몇 차이점

표 1-1. 미국과 유럽에서 자살행동의 공통된 특징

	자살행동		
	자살사고	자살시도	자살사망
성별	미상	여성에서 더 발생	남성에서 더 발생
연령	미상	젊은이	고령
정신질환 진단	미상	50%에서 진단을 받은 적 없음	우울증, 외상후스트레스장애, 조현병, 알코올 중독, 공황장애, 동반이환
방법	해당 없음	절단, 약물과다복용이 더 흔함	총기, 목맴이 더 흔함

을 설명한다. 자살을 생각하는 대부분의 사람들은 자살시도를 하거나 자살로 죽지 않는다. 미국에서 매년 수백만 명의 사람들이 자살사고를 지니고 있으나 그들 중 실제로 자살로 사망하는 사람은 거의 없다. 또한, 자살시도를 하는 사람들 대부분은 결국 자살로 사망하지 않는다. 응급실을 기반으로 시행한 연구 결과들에서는 오직 자살시도자의 1%만이 그 해 자살로 사망한다. 이렇게 자살경향성의 한 형태에서 다른 형태로 연속성이 거의 없는 것이 이 책에서 제시하는 논의, 관찰, 기법의 주요한 근거가 된다.

자살행동의 유병률 및 그에 대한 많은 인과적 영향을 고려할 때, 우리는 자살행동이 종종 삶을 끝내기 위해서라기보다는 개인의 삶의 문제를 해결하기 위한 것으로 본다. 우리는 자살경향성에 대한 많은 치료들이 학습이론에 기반하여 접근한다고 믿는다. 학습이론은 개인의 문제 해결에 대한 새로운 접근법과 더불어, 고통스러운 정서적 경험을 받아들이거나 분리하는 방법을 가르쳐준다. 이는 예방 지향적 접근과는 다른 것이다. 이러한 접근들 모두 특정 진단에서 치료로 사용될 수 있다. 예방 모형에서는 자살이 부분적으로는 개인적인 수준에서 예방이 가능하다는 것을 전제로 하는데,

종종 다음의 주요 3개 전략들에 근거한다. 첫 번째 전략은 *병리를 강조하는 것*으로 자살경향성이 있는 사람이 우울증과 같이 자살충동을 부추기는 병적인 과정을 경험하고 있다는 것이다. 두 번째 전략은 *부정적 행동에 최대한으로 반응하는 것*이다. 자살경향성 행동이 늘어나면 전문가로 하여금 그 사람의 취약함과 결핍에 초점을 맞춰서 더 고도의 대응을 하도록 만든다. 세 번째 전략은 *개인의 자율성을 낮춤으로써* 자살 위험성을 감소시키려고 하는 것이다. 자율성을 가장 제한하는 방법으로 비자의입원이 있다.

　학습기반 접근은 자살행동을 예측하고 통제할 수 있다는 가정에 덜 의존하고 있으며, 예방적인 접근과는 다른 전략을 사용한다. 환자가 자살행동으로 해결하려고 한 정서적인 문제들을 다루기 위해 새로운 개입 계획을 개발하는 것을 도와주는 데 초점을 맞춘다. 다른 기저 문제들을 기술하고, 진단하고, 치료하는 것뿐만 아니라 개인의 힘을 강화하는데 초점을 맞추기 위해 노력한다. 임상가는 긍정적인 행동들을 북돋아 주는 식으로 반응한다. 어려운 삶의 문제들로 인한 정서적인 파급력을 다루기 위해 새로운 접근법을 발견하며, 따라 삶의 가치를 통해 자살행동을 파악하고 변형하기 위한 독특한 내적 자원을 만든다. 자살위험을 낮추려는 노력은 개인의 자율성을 극대화하는 기법을 통해 달성된다. 자살경향성을 보이는 사람은 삶의 괴로움들을 다루는 그 순간에 자신이 할 수 있는 최선을 다 하고 있는 것으로 여겨야 한다. 임상가가 초반에 해야 할 일은 판단하거나 비판하는 것이 아니라 환자 안의 내적 고통과 투쟁을 인정하고 무수한 문제들을 헤쳐나갈 수 있는 다른 방법을 탐색하기 시작하는 것이다. 이 책의 많은 부분이 다양한 임상 현장에서 나타날 수 있는 자살경향성 환자들의 감정을 조절하고 실용적인 문제해결 전략들을 개발하고 찾는 데 초점이 맞춰져 있다.

> **성공의 팁**
>
> 자살행동의 세 가지 기본적인 유형(자살사고, 자살시도, 자살사망)은 단순한 연속선상에 있지 않다. 따라서, 자살 위험성을 관리하는 것이 임상적 최우선순위라고 단정짓지 말아야 한다.
>
> 자살경향성 환자들의 대부분은 실제로 자살로 사망하지 않는다. 자살행동에 한정된 협소한 접근보다는, 환자의 긍정적인 대처 자원들을 활용하고 자율성을 극대화할 수 있는 접근을 해야 한다.
>
> 자해는 자살경향성과 동시에 발생할 수 있지만, 자살경향성과 무관한 임상적 문제로 나타날 수도 있다. 일부 환자들은 자해로 시작해서 자살경향성으로 발전하기도 하지만, 다른 환자들은 그렇지 않다.

자살은 예측할 수 있는가?

치료자는 어떤 행동에 대한 개입이 없었다면 그 행동이 발생하였을 것이라는 점을 증명할 수 있어야 그 행동을 예방했다고 주장할 수 있다. 각 사례별로 자살을 예측할 수 있다는 근거가 없는 그릇된 믿음이다. 자살을 예측하려는 시도를 상세히 이해하는 것은 매우 중요하기 때문에 우리는 이 주제로만 한 장을 할애했다(3장, "자살행동의 기본모형"). 하지만 시작은 미리 하겠다. 위기의 순간에 바로 자살을 예측하는데 활용할 수 있는 도구는 아직 없다. 비록 많은 정신건강 전문가들이 중요한 임상적 기술 중의 하나로 임박한 자살 위험성을 평가하는 능력을 꼽고 있지만, 이러한 능력은 한 번도 경험적으로 입증된 적이 없다. 예측을 못하는 것은 부분적으로는 사건의 낮은 확률에 기인한다. 자살 위험요인들은 고위험 집단을 식별하는 데에는 유용하지만 고위험 개인을 예측하는 데에는 훨씬 유용성이 떨어진다.

게다가 임상적으로 의미 있는 대부분의 예측은 단기간의 자살 위험성에 대한 것인데(몇 시간에서 몇 주), 대부분의 예측 문헌들은 장기간에 국한되어 있다(몇 년에서 평생). 또한, 일부 장기 위험 요인은 안정적이지 못할 수도 있다. 예를 들어 혼인 상태, 직업, 현재 정신질환 진단은 모두 변할 수 있는 것들이다.

요컨대 각 사례 별로 단기 혹은 장기 자살위험성을 예측하는 데에는 한계가 있다. 이렇게 까다로운 문제를 다루기 위해 예방적 접근법의 지지자들은 상대적 위험도라는 개념을 도입하였다. 이 개념은 지표가 없거나 적은 사람들에 비해 지표가 많은 사람들은 상대적으로 위험성이 높다는 것이다. 이러한 상대적 위험도에 대한 변명에서 한 번도 명확히 입증되지 않은 것은 얼마나 많은 위험도가 평가되었고 증가된 지표들의 실질적인 임상적 중요성이 무엇인지 하는 것이다. 이렇게 비유를 들어보자. 당신이 파워볼 복권을 구입하려고 한다. 한 친구가 첫 번째 공의 숫자가 무엇일지 알려준다. 이제 당신은 나머지 5개 공들의 숫자만 정확한 순서로 맞추면 된다. 당신은 나가서 로또 복권에 당첨되는 것에 목숨을 걸겠는가? 당신은 다른 사람들에 비해 훨씬 더 높은 승률을 지니고 있지만, 실제로 복권에 당첨될 확률 자체는 극히 낮다. 이 비유에서 당신의 초기 위험성이 버스에 치이면서 동시에 벼락을 맞을 확률이었다면, 이제 당신은 벼락 맞을 확률만 지니게 된다.

만약 여전히 중요한 새로운 예측 요인들이 개발되고 평가되고 있다면, 지금 자살을 예측할 수 있다고 가정하는 것은 온당치 못하다. 더 중요하게는, 이러한 잘못된 가정으로 인해 환자에게 실제로 해가 되는 협소한 개입을 더 많이 활용하게 된다는 것이다. 당신이 임상 현장에서 통계를 활용할 때마다 이 격언을 명심하라. 다수에게 사실인 것은 그 누구에게도 사실이 아니다.

성공의 팁

임박한 자살률에 대한 정확한 예측은 어렵기 때문에, 잠재적인 위험을 최소화하고 적절한 시기에 효과적인 개입 가능성을 높이기 위해서 경각심을 늦춰선 안 된다.

사례별로 자살사망을 예측하는 것은 사실상 불가능하다. 그것은 건초더미에서 바늘을 찾는 것과 같다. 환자가 "임박한 자살 위험"에 처해 있다고 당신이 판단할 때, 그 중 99%는 확실히 틀릴 것이다.

대부분의 자살 위험 지표는 오랜 기간에 걸친 자살 위험성을 예측한다. 반면에 우리는 몇 시간 또는 며칠 이내의 자살을 예측할 수 있는 지표가 필요하다. 현재 단기 지표는 존재하지 않기 때문에, 급성 자살 위험을 정확하게 예측할 수 있다고 주장하는 자살 위험 예측 조사 및 평가 체계는 일반적으로 경계해야 한다.

정신질환의 역할

자살경향성은 정신질환을 오래 앓고 있지 않아도 생길 수 있으며, 자살이라는 현상은 어떤 특정 정신질환 영역에서만 나타나는 것이 절대 아니다. 이는 임상가들도 알고 있는 것이고 자살과 관련한 문헌들에서 보고하고 있는 것이기도 하다. 다양한 정신질환들에서의 자살에 대한 연구에서 자살률은 일관되게 5-15% 수준으로 보고되어 왔다(Chiles 등 1986; Large 등 2016). 동반 질환들, 그 중에서도 반사회성 성격장애, 경계성 성격장애, 물질남용, 조현병, 공황장애, 외상후스트레스장애, 우울증 등은 특히 더 자살의 위험성이 높다. 정신과적 진단은 자살 연구에서 가장 강조되어 왔다. 자살시도자들은 자살사망자들에 비해서 주요 정신질환을 앓고 있을 비율이 낮으며, 간헐적으로 자살을 생각하는 수많은 사람들의 정신과적 상태에 대해서는 거의 알려진 바가 없다. 어떤 면에서 보면 자살경향성과 같은 흔한 현상이 무조건 정신질환에 의해서만 일어난다는 주장은 신뢰성이 떨어지는 것이다. 그보다는 차라리 많은 사람들이 극심한 정서적 고통이나 감당할 수 없는 삶의 위기에 놓인 것 같을 때 대처하는 하나의 일반적인 방식으로 자살행동을 생각한단 게 맞을 것이다. 그것은 기저의 병리를 반영하는 것이 아니라 고통에서 벗어나는 방법이다.

부분적으로 검시관의 보고서에 기반한 몇몇 주요 연구들에서는 자살로 사망한 성인의 50-90%가 생전에 정신질환을 앓고 있었다고 보고해왔다 (World Health Organization 2017). 이 연구들에는 본질적인 오류가 있다. 죽은 사람은 면담을 할 수 없기 때문에 자살의 여파로 쉽게 영향을 받을 수 있는 다른 사람들의 회상에 의한 면담을 활용하였다. 만약 누군가 자살이 정신질환 때문이라고 가정한다면, 그는 더욱 그 가정을 확인하는 사건과 진술을 회상할 가능성이 크다. 우울증은 일반인구에서 높은 유병률로 인하여 자살로 사망한 사람들이 가장 많이 지니고 있었던 정신질환으로 추정되고 있다. 하지만 우울증 집단에서 자살로 사망하는 비율은 다른 정신질환들(조현병, 성격장애)에서 자살로 사망하는 비율과 비슷하다.

우울증은 자살사망자의 평가에 있어 과다진단 및 과소진단 양쪽 측면에서 문제를 제기한다. 정신질환에 대한 진단 및 통계 편람 5판 The Diagnostic and Statistical Manual of Mental Disorders, 5th Edition (DSM-5)(American Psychiatric Association 2013)에서 자살행동은 주요 정신질환들 중에서 오직 우울증 하나에서만 진단적 범주로 속해 있다. 또 다른 진단적 범주에 있는 것은 경계성 성격장애다. 우리의 관점으로 볼 때 어쩌면 이렇게 임의로 분류하는 것은 득보다 실이 많아 보인다. 아마도 이러한 분류 덕분에 이 두 조건들은 종종 동일시된다(즉, 당신이 죽고 싶다면 우울증에 걸린 게 틀림 없다). 그리고 치료, 특히 약물치료가 시작된다. 우울증의 진단은 한 개가 아닌 여러 개의 진단 범주에 기반한다. 만약 우울증이 제대로 된 진단이 아니라면 항우울제 치료는 효과가 없을 것이다. 게다가 항우울제는 그 자체로 일부 연령대에서 의원성iatrogenic 자살경향성과 관련되어 실제로 자살위험성을 더 증가시키게 된다. 원칙은 간단하다. 자살경향성이 있는 사람에게서 "항상" 우울증에 대한 평가를 하되, 우울증을 앓고 있다고 단정하지는 않는 것이다. 우울증 진단이 없는 상태에서 항우울제를 처방하는 것은 금기이다. 항우울제는 도움이 되지 않을 뿐더러 자살행동을 더 악화시킬 수 있다.

우리는 전국적인 수준에서 우울증이 과소진단되고 있음을 알고 있다. 아주 오래 전에 시행된 역학조사구역Epidemiologic Catchment Area 연구 결과에서는, 우울증의 진단기준에 맞는 사람들의 50% 이상이 실제로 진단도 치료도 모두 안 받는다고 보고하였다(Sussman 등 1987). 우울증에 대해서는 효과적인 치료법이 있고 그 치료 효과가 개인적인 생산성과 웰빙에 잠재적으로 지대한 영향을 준다. 이를 고려하면 모든 자살경향성 환자를 평가할 때 우울증을 선별해야 한다. 가장 좋은 방법은 환자들에게 지난 2주 혹은 그 이상 동안 슬픔, 울적함, 우울감 등을 경험했는지, 일상생활에 흥미를 잃었는지, 기력이 없었는지, 절망감이나 무가치감, 쓸모없음, 죄책감 등을 느꼈는지 물어보는 것이다. 만약 이러한 짧은 질문들의 어떤 항목에도 예라는 응답이 나오면, 우울증의 진단 범주를 계속해서 검토하라. 만약 진단이 확정되면, 환자를 직접 치료하거나 다른 곳으로 의뢰하라.

우울증과는 별개로, 자살경향성은 DSM-5의 성격장애 중 하나인 경계성 성격장애의 진단기준에 포함되어 있다. 경계성 성격장애가 있는 사람들은 "어려운" 혹은 "극적인dramatic"환자들로 여겨지며 충분한 임상적 치료를 받지 못하는 경우가 있다. 또한, 우울증, 물질의존, 섭식장애 등 자살 위험성을 높이는 동반 질환들도 간과될 수 있다.

정신과적 진단을 인지하고 치료하는 것은 중요하며 확실히 강조해야 할 부분이다. 하지만 우리가 이 책에서 다양한 방식으로 제시하고 있는 바와 같이, 정신질환을 치료하는 것은 우리가 보는 환자들에게 꼭 필요하지도 않고 충분하지도 않다. 우리는 많은 자살경향성 환자들이(아마 거의 50% 가까이) 어떤 정신질환 진단에도 부합하지 않음을 알고 있다. 이러한 이유 들로 인하여 자살경향성이 있다는 것은 매우 중요하며, 임상적으로 잠재적 인 다른 질환들과의 관련성뿐만 아니라 자살경향성 그 자체만으로도 중요 하게 다루어야 한다.

우리는 다른 요인들에 대한 치료에 더하여 자살경향성 그 자체에 대해 서도 치료할 것을 권고한다. 우리의 권고는 다음의 근거들에 의한다. 첫째, 적절하게 치료받아온 사람들이나 인구집단에서 자살경향성이 발생했다(즉, 자살행동은 치료를 받고 있음에도 불구하고 발생한다). 핀란드에서 1년 동 안 71건의 자살사망 사례들을 분석한 연구에서, Isometsa 등은(1994) 자살 의 45%가 정신건강의학과 의사에게 진료를 받아오던 중에 발생한 것임을 밝혀냈다. 둘째, 지난 수년 동안 인지행동치료 및 다양한 약물치료와 같이 효과적인 치료들이 우울증, 조현병, 불안장애 등에 활용되기 시작했지만, 어떤 정신과적 약물도 자살경향성을 없앨 수 없었다. 약물치료 같은 것이 이들 자살경향성 집단에서 실제 자살률을 낮출 수 있다는 근거는 희박하 다. 6장("자살행동에 대한 약물치료")에 나와 있다시피 lithium은 양극성장 애 환자에서(이 주제에 대한 종설로 'Cipriani 등 2013'을 보라) clozapine은 정신병의 맥락에서 자살의 위험성을 현저히 줄인다는 강한 근거가 있다. ketamine이 자살사고를 빠르게 감소시킨다는 몇몇 연구결과들이 있지만, ketamine이 임상 현장에서 활용될 수 있을지 보기 위해서는 더 많은 연구들이 필요하다.* 마지막으로 전기경련치료electroconvulsive therapy, ECT가 자살행동을 줄인다는 증례 보고들이 있다. 하지만 우리가 아는 한, 자살경향성에 대한 ECT의 효과를 알아보는 대조군 임상연구는 아직 없었다.

성공의 팁

환자가 자살경향성이 있다고 해서 정신질환이 있는 것으로 단정할 수는 없다. 환자가 정신적 고통의 진정한 근원에 대처하려고 애쓰고 있을 가능성을 염두에 둬야 한다.

특히, 자살경향성 환자가 우울한 것이 틀림없다고 가정할 수는 없지만, 항상 우울증에 대해 평가해야 한다.

정신건강 문제는 자살행동 자체의 동인drivers이라기보다는, 정신적 고통의 중요한 원인으로 볼 여지가 더 크다. 자살경향성의 치료에서는 항상 환자의 정신적 고통의 근원을 파악하고 해결하는 것이 중요하다.

성격 특성의 역할

많은 연구자들이 자살 환자들의 성격 특성을 밝히려고 연구해왔다. 이들 성격 특성들을 이해하는 것은 우리가 제시하는 치료 모형을 이해하는데 필요하다. 4장("평가 및 사례 개념화")에서 우리는 많은 이슈들을 상세히 설명하고 있다. 그 중에서도 중요한 부분으로, 성격에 대한 연구는 자살시도자

---

* 우리나라 식품의약품안전처는 2020년 12월 16일에 '급성 자살생각 또는 행동이 있는 중등도-중증의 주요우울장애 성인 환자'의 우울 증상을 빠르게 개선하기 위해 경구용 항우울제와 병용한 '스프라바토 나잘스프레이(성분명 esketamine)'의 사용을 허가했다.

들과 자살사고를 지닌 사람들에게서 연구되어 왔고 인지, 정서적 처리, 그리고 대인관계 기능의 세 가지 영역을 규명하는 데 중점을 두었다. 이들 요인은 각각 중요해 보이며, 상호의존적인 방식으로 서로 영향을 주는 듯하다. 인지기능에 대한 많은 연구가 문제해결 능력에 초점을 맞추고 있다. 일반적으로, 자살경향성을 가진 사람은 문제를 잘 해결하지 못하는 것으로 알려져 있다. 그들은 이분법, 흑백논리, 선과 악, 옳고 그름을 나누는 방식으로 생각한다. 우리의 치료적 접근의 중요한 목표는 환자들이 사람들 간의 상호작용의 대부분을 차지하는 회색 영역을 볼 수 있도록 도와주는 것이다. 자살경향성 개인들은 생각에 유연성이 부족하며 더 수동적인 문제해결 방식에 의존한다. 그들이 하는 많은 것이 운명, 행운, 혹은 다른 사람들의 노력에 근거하는 것 같다. 또한, 자살경향성이 있는 사람은 종종 문제해결을 위한 자신의 노력이 얼마나 자주, 혹은 얼마나 많은 효과를 보는지에 대해 별로 신경쓰지 않는다. 그들은 자신들의 행동을 평가하는 능력이 부족하거나 혹은 평가에 대해 생각하지 못한다. 평가를 하지 못하기 때문에 문제에 대해 아주 짧게만 효과를 보고 비교적 짧은 시간 내에 자폭하게 되는 경향이 있는 해결책을 선택하고 그에 매달리게 될 위험이 높다. 우리는 치료적 접근을 상세히 설명하면서, 임상적 접근에 영향을 주는 성격 측면을 살펴볼 것이다.

인지적 문헌들에 따르면, 자살경향성 환자는 참을성이 많이 부족하다. 그들은 성공에 대해 비현실적으로 짧은 기간을 설정하고, 문제해결 방법이 즉각적인 결과를 내놓지 못하면 폐기하는 경향이 있다. 단기간에 얻을 수 있는 이득에 초점을 맞추며, 장기적인 결과에 대한 인식은 거의 없다. 우리는 연구를 통해 많은 자살시도자들이 자살을 효과적인 문제해결 방법으로 평가한다는 것을 밝혀냈다. 게다가 그들이 자살행동을 문제해결 방법으로 평가하는 정도는 얼마나 심각하게 자신을 죽이려고 했는지와 상관성이 높다. 이렇게 문제해결 전략의 장기적인 결과를 생각하는 능력이 부족한 것은 많은 자살경향성 내담자들의 명확한 특징이다. 그리고 아마 당신의 환자를 떠올릴 수도 있겠다. 자살은 일시적인 문제에 대한 영구적인 해결책이라는 점을 되새길 필요가 있으며, 환자에게 이를 상기시켜주어도 좋을 것이다.

자살에 대한 또 다른 중요한 인지적 요소인 절망감은 지금 당장은 아니더라도 최종적인(그러나 즉각적이지는 않은) 자살을 예측한다. 절망감의 핵심은 전반적으로 비관주의적이며, 삶이 더 나아질 것이라는 가망 없이 어차피 다 소용없을 것이라고 느낀다. 어떤 사람들에게는 절망감이 우울감에서 자살로 이어지게 하는 고리가 되기도 한다.

많은 자살경향성 환자는 곤경에 빠져 있다. 엄청난 수준의 정신적 고통을 느끼는 반면, 이를 감당할 수 있는 능력은 부족하다. 그들은 종종 불안, 공포, 외로움, 분노, 지루함, 수치심, 죄책감 등의 괴로운 감정 속에서 생활한다. 다른 한편으로는, 경직된 흑백논리사고가 상당 부분 감정적으로 격동하게 만든다. 선과 악, 옳고 그름, 공정과 불공정, 책임감과 비난이 주되게 작용하기 때문에 자살경향성 환자들은 자신과 타인들에 대해 가혹하고, 비판적이고 거부적인 마음가짐mind-set을 지니며 살아가게 된다. 이러한 서사는 종종 굳세게 유지되는데 이는 환자가 살면서 잘 안 되거나 낙담하는 것을 이해할 수 있도록 도와주기 때문이다. 문제는 이러한 마음가짐이 작동 매뉴얼로 기능하고 여기에만 항상 주의를 기울이게 됨으로써 앞서 언급했던 것과 같은 모든 부정적인 정서적 경험들이 자동으로 생긴다는 것이다.

다른 한편으로, 자살경향성 환자는 자신이 느끼는 방식을 싫어하고 자신의 부정적 정서적 경험을 수용하는 것을 꺼리고 그것들로부터 멀어지려고 한다. 자신의 감정을 회피하려고 시도하고(무감각해짐), 정신적 고통으로부터 분리하려 하고(예, 음주, 긋기cutting), 궁극적으로 실패할 수밖에 없는 방식인 감정을 억제하고 통제하려고 하며, 결과적으로 더 극단적인 해결책을 찾게 된다. 이러한 맥락에서 자살사고와 자살시도는 자신들의 괴로움을 다룰 수 있는 수단이 된다. 우리가 기술하는 많은 치료 기법들은 환자가 자신들의 정신적 환경 안에서 고통스러운 면을 모두 수용하기도 하고 분리할 수도 있는 능력을 증진시키도록 고안된 것이다.

많은 자살경향성 환자들은 협소한 사회적 관계 안에서 친구 및 가족들과 잦은 갈등이 있다. 개인적인 상실과 거절의 위협이 흔하며, 그런 것들은 모두 자살행동의 흔한 촉발 요인이다. 자살경향성 환자는 흔히 능숙한 사회적 지지를 받지 못한다. 동정심을 가지고 효과적인 도움을 줄 수 있는 사람들로부터 도움을 못 받는 것이다. 무능한 사회적 지지는 효과적으로 듣고, 지지하고, 가르쳐 주기보다는 꼬드기고 강의하는 경향의 사람들로 이루어진다. 많은 자살경향성 환자들은 종종 "당신이 해야 할 것이라고는 … 뿐이다."라는 식의 조언들을 들었을 것이다. 이는 마치 그들의 문 앞에 한 무리의 광신도들이 있고 이들이 각각 "당신의 삶을 바꾸기 위해" 30초의 시간을 달라고 하는 것과 같다. 많은 자살경향성 사람들은 관심 갖고 다가가고 의미 있는 지지적 관계를 형성하는 것이 어렵다. 새로운 대인관계 상황에서 괴로움을 느끼며, 종종 사회불안과 사회적 위축을 겪기도 한다.

성공의 팁

자살경향성 환자를 대할 때에는 세상을 대하는 그들의 흑백논리 사고에 주의를 기울이고, 회색 영역이 흑백보다 훨씬 많다는 것을 배우게끔 도와주어야 한다.

자살경향성 환자는 문제를 잘 해결하지 못하는 편이며, 삶의 많은 부정적인 문제들에 대해 수동적인 접근 방식을 선호한다. 당신은 이러한 경향을 중화시켜야 한다.

자살경향성 환자는 정서적 수용을 실천할 수 있는 기술이 부족
하고, 자신의 정신적 고통에 몰두하는 경향이 있다. 따라서 당
신은 그들에게서 수용과 분리 기술을 모두 향상시켜야 한다.

주의 깊게 환자의 사회적 지지 체계를 평가하라. 종종 그것은 공
감적 이해와 지지보다는 비판, 잔소리, 충고에 기반한 관계나 갈
등 관계로만 채워져 있을 수 있다.

환경적 요인의 역할

긍정적이든 부정적이든 생활 스트레스가 자살행동의 주요한 촉발 요인이라
는 일관된 연구 결과들이 있다. 자살경향성 환자는 스트레스를 많이 받는
데 특히 부정적 생활 사건들을 경험할 때 더 그렇다. 이들에게 삶이란 문제
의 바다일 뿐이고 세상은 번거로운 일로 가득한 곳이다. 신체질환, 경제적
불확실성, 삶의 주기에 따른 변화 등과 같은 장기적 스트레스와 더불어 매
일매일 짜증을 유발하는 어려움에도 시달린다. 자살시도를 하기 전의 24시
간은 사소한 문제들과 더불어 대인관계 갈등 및 상실이 나타날 가능성이
높은 상태로 점철되어 있다. 다른 사람들로부터 지원과 안심을 얻으려는 시
도는 보통 실패하고, 오히려 심리적 불편 및 정서적 고통만 더 커진다.

몇몇 흥미롭고 아주 특별한 환경적 요인들이 자살행동과 관련이 있다
는 연구 결과들이 보고된 바 있었다. 총기 규제 법안은 지난 20년 동안 상
당한 관심을 받아왔는데 이것과 자살행동과의 관련성에 대한 연구는 긍정
적인 것에서부터 혼합된 것까지 다양하다. 농약을 사용하는 나라에서 농약
사용을 제한하는 것은 긍정적인 효과를 지닌 것으로 보인다. 우리가 가장
흥미롭다고 생각하는 부분은 약 포장 상자 크기를 줄이는 것인데, 이게 약
물 과다복용으로 인한 사망을 줄이는데 효과가 있는 것으로 나타났다(고
찰에 대해서는 Hawton 등 2013를 참조). 만약 누군가 빠르고 충동적으로

행동한다면, 개별적인 약포장들을 뜯어야만 하는 것은 확실히 약통 하나에 들어 있는 약들을 한움큼 집어먹는 것에 비해 "천천히 다시 생각하게 되는" 과정이 될 수 있다.

유전적 요인의 역할

유전적 요인은 자살경향성에 어느 정도 역할을 하는 것 같지만, 그 정도에 대해서는 확실히 알 수 없다. 자살행동과 관련된 가족력은 있지만, 자살시도나 자살사고보다는 자살사망에 대한 정보가 더 많다. 자살은 가족 내에서 군집적으로 발생하는데 이는 유전적 요인을 시사하는 결과다. 일란성 쌍생아와 이란성 쌍생아를 바탕으로 한 연구들에서는 이러한 군집이 자살 그 자체보다는, 자살과 관련된 정신질환들에 대한 유전적 취약성을 의미하는 것이라고 보고하였다. 다시 말하지만 이것은 정신건강 상태가 정신적 고통의 원인이고 자살행동은 이와는 별도의 대처 과정이라는 것이 우리의 일관된 관점이다.

자살에 대한 독립적인 유전적 요인이 있는지에 대한 의문이 여전히 남아 있는데 자살경향성은 사회적으로 훈련된 복합적인 행동들이다. 특히 요즘 같은 인터넷 시대, 자살의 매력에 대한 소문이 순식간에 전 연령대의 집단으로 퍼져 나갈 수 있다. 스트레스 반응을 유전적으로 조절하는 것에 대한 최근의 연구에서 임상적으로 유용한 실험실 검사를 만들어낼지도 모른다. 자살시도 및 자살사고에서의 유전적 영향은 훨씬 불분명하다. 자살의 가족력은 자살시도의 위험성을 높이는데 이는 가족들 내에 이러한 행동이 군집되어 나타남을 의미한다. 우리의 연구에서는 자살시도자가 가족 안에서든 밖에서든 다른 시도자들을 알 확률은 다른 정신질환자나 정상 대조군들에 비해서 더 낮은 것으로 나타났다(Chiles 등 1986). 이러한 결과는 자살시도자가 자살경향성이 장기적으로 초래하는 부정적인 결과를 인식하지 못하며, 이 때문에 자살행동의 단기적이고 긍정적인 결과만 볼 가능성이 높음을 보여준다. 자살경향성에서 유전적 역할은 더 연구해야 할 부분이다. 우리는 최근에 진행되어 온 정신질환과 관련된 생물학적 및 유전적 연구에 힘입어 자살경향성과 관련된 결과도 더 규명되리라 믿는다.

성공의 팁

환자의 자살경향성을 평가할 때 가족 체계 내부와 외부 모두에서 자살 역할 모형들에 대해 질문해야 한다. 이는 문제 해결 전략으로서 자살의 장단점을 논의하기 위한 귀중한 출발점을 제공할 수 있기 때문이다.

환자가 자살로 사망한 1차 친족이 있다고 보고할 경우, 자살이 가족 내 군집으로 발생하는 경향이 있다는 사실을 고려하면 자살에 대한 우려가 더 커질 수 있다. 그러나 이러한 가족력은 당장 자살 여부를 예측하기에는 매우 제한적이다.

유전학은 단기적으로 더 많은 임상적 관련성을 가질 수 있기 때문에 자살행동에서 유전 및 후성유전학적인 요인들에 대한 연구를 계속 업데이트한다.

생화학적인 역할

1970년대 후반부터 실험실 검사들은 자살행동과 세로토닌과의 관계에 초점을 맞춰 왔다. 세로토닌은 주요 신경전달물질로, 뇌척수액에서 그 대사체의 농도가 낮은 것이 우울증 환자들에서의 자살행동을 예측할 수 있다고 알려졌다. 이러한 세로토닌과 자살행동과의 관련성은 조현병이나 성격장애, 알코올사용장애 등의 다른 진단을 받은 환자들에서도 나타났다. 이러한 결과들이 여러 진단들을 망라하여 확인되었기 때문에 향후 연구는 자살에 대한 약물치료를 우울증이 아닌 좀 더 특화된 부분에 초점을 맞추는 전략으로 옮겨갈 수도 있다. 세로토닌 기능에 초점을 맞추는 약물이 자살행동을 치료하는데 도움이 될지 여부는 향후 연구 결과에 달려 있을 것이다. 이는 ketamine이 효과를 나타내는 기전 역시 추가 연구에서 밝혀지게 될 것과 마찬가지이다. 한 마디로, 생물학적 요인들은 미래의 자살행동에 대한 약한 예측 인자로 보인다. 현재까지 미국 식품의약품안전국U.S. Food and Drug Administration, FDA에서 자살경향성 환자들의 치료로 승인을 받은 약은 clozapine뿐이며, 이 역시 정신병적 질환에 국한된다. 한편, lithium은 양극성장애 환자들에서 자살로 인한 사망을 낮추는 것으로 보고되고 있다.

영양소도 언급할 가치가 있다. 오늘날 영양제들은 광범위하게 사용되고 있으며 비교적 저렴하게 치료에 보조적으로 사용할 수 있다. 낮은 수준의 생선 기름 영양소들(오메가-3, 오메가-6, 단불포화지방산, 포화지방산)이 미래의 자살행동과 관련이 있을 수 있다(생물학적 요인들에 대한 종설로는 'Chang 등 2016'을 보라).

성공의 팁

자살경향성 환자가 자살충동을 일으키는 일종의 생화학적 불균형을 지니고 있다고 단정할 수 없다. 이에 대해서는 아직 뚜렷한 결론이 나지 않은 상태이다.

급성 자살경향성의 치료에 ketamine과, 언젠가는 향정신성 물질까지 포함하는 것은 향후 진행되는 연구 결과에 따라야 한다. 이러한 접근 방법을 통해 적극적인 장기 약물 전략을 개발할 수 있다.

식단과 영양제 선택에 대해 환자와 얘기하는 것은 전혀 나쁘지 않다. 환자가 다른 음식이나 물질을 섭취하는 것과 관련된 생각, 기분 및 충동의 패턴을 알도록 돕는 것은 그 자체로 치료적 가치를 가질 수 있다. 그들 중 많은 사람들(그리고 우리 중 많은 사람들)이 이 분야에서 약간의 도움을 받을 수 있다.

신체질환의 역할

신체질환은 자살위험성을 증가시키는 것으로 오랫동안 알려져 왔다. 많은 질환들에서 동반되는 통증, 기능의 상실, 외관상 손상, 심리적인 고통 등은 모두 환자들이 자살을 유일한 해결책이라고 생각하게 되는 문제를 유발할 수 있다. HIV 감염과 에이즈와 같은 몇몇 심각하고 만성적인 질환들은 특히 자살과 관련성이 높다. 일부 자가면역질환들 역시 자살과 관련성이 있다고 알려져 있는데 예를 들어 그런 질환들은 환자로 하여금 반복되는 끔찍한 시각적 심상과 침습적인 생각들을 하기 쉽게 만들 수 있다.

그래서 심각하고 만성적이며, 혹은 말기 상태의 환자들에서 자살경향성을 고려하는 것이 중요하다. 심각한 신체적 질환을 지니고 있는 환자가 임상적으로 의미있는 기분 변동을 보이면 반드시 자살사고를 탐색하는 질문을 해야 한다.

자살 평가는 정신건강 전문가들의 전유물이 아니다. 몇몇 연구들에서는 자살로 사망하는 사람들의 50-75%가 죽기 전 6개월 동안 의사에게 진료를 받아온 것으로 나타났다. 일반적인 건강 관리 종사자들은 자살행동을 줄이기 위한 노력의 최일선에 있다.

급성 및 만성 질환을 앓고 있는 사람들에서 자살경향성을 평가할 때에는, 환자가 질병을 치료하기 위해 복용하고 있는 전체 약물에 대한 정보를 수집해야 한다. 일부 약물은 의원성 자살경향성을 유발하거나 그 위험성을 증가시킬 수 있는 감정적 부작용을 유발할 수 있다. 현재와 같이 건강정보가 파편화되어 있고 정신 및 신체적인 건강 관리 시스템이 각각 따로 있는 상황에서는, 중요하고 잠재적으로 치명적일 수도 있는 약물 상호작용이 발생할 수 있다. 가장 확실한 것은 환자가 더 많은 약물을 복용하고 있을수록, 식별할 수 없는 상호작용의 가능성은 더 커진다는 것이다.

성공의 팁
고령환자의 신체질환에 대해 특히 주의를 기울여라. 고령에서 신체적 불편감은 종종 심각하지만 별로 관심을 기울이지 않게 된다. 임상가들은 종종 "○○○님 연세의 분들은 종종 예전만큼 많이 돌아다니지 않습니다."와 같은 간단한 말로 반응할 수 있다. 그런 사고방식은 위험하다는 것을 인식하라. (한 번 이상)물어볼 수 있는 좋은 질문은 "이 병이 당신에게 얼마나 부담이 됩니까?"이다.
정신과적 약물을 복용하고 있는 고령의 신체질환 환자들에서는 항상 현재 사용되는 전체 약물 목록을 확인하라.
새로 승인된 약물과 기존 약물과의 상호 작용에 대한 최신지견을 유지하라. 놀라울 정도로 많은 약물 상호작용 및 약물 부작용들이 급성 자살경향성을 유발할 수 있는 정신적 고통을 악화시킨다.

결론

자살경향성을 다루기 위해 개발된 정신치료들은 부분적으로만 성과를 보이고 있다. 일부 약물은 자살경향성을 줄일 수 있지만, 자살경향성을 없앨 수 있는 약물치료는 없다. 다양한 상황과 임상적 집단을 통틀어 효과를 보이는 예방적 치료 전략은 거의 없다. 게다가 정신건강의 어떤 분야도 어떤 유형의 자살행동에도 큰 영향을 끼치지 못했다. 사람들은 도움을 받아오고 있지만, 자살이라는 현상은 지속되고 있다. 이 책에서 우리는 마치 해답을 알고 있는 척하지 않는다. 우리는 환자들이 겪고 있는 골칫거리들과 걱정들로 매일 고군분투하며, 다른 모든 사람들과 마찬가지로, 우리가 대하는 각각의 경우에 가장 최선인 방법을 찾는다. 우리는 자살경향성을 급성 스트레스 상황에서 마땅한 대처 전략이 없는 사람이 문제를 해결하는 한 방식으로 이해함으로써 비판단적이고 건설적인 길을 찾고자 한다. 우리는 낙관적이다. 개별 치료자들이 맡은 바를 더 효율적이고 생산적으로 해 나가는 데 이 책을 활용하기를 바란다.

요약

- 자살경향성에는 여러 형태(자살사고, 자살시도, 자살사망)가 있으며, 이들 중 하나가 꼭 다른 형태로 연결되는 것은 아니다.
- 자살경향성은 일반인구집단에서 놀라울 정도로 높으며 점차 상승하는 추세로, 모든 형태를 다 합하면 평생 유병률은 거의 50%에 이른다.
- 치명적이지 않은 자살행동은 임상 현장에서 흔하다.
- 자살예방에만 제한적으로 초점을 맞추는 치료적 접근은 효과가 별로 없다.
- 자살행동의 유전적 표지자와 생화학적 기반은 여전히 많이 규명되지 않았다. 반면에 자살경향성과 관련된 성격 특성 및 환경적 요인은 더 많이 알려져 있다.
- 각 사례별로 자살을 예측하는 것은 불가능하다. "임박한 위험"에 대한 예측의 대부분은 틀릴 것이다.
- 우리가 권장하는 접근은, 정서적 통제를 확립하려는 욕구에 기반한 문제해결

방법으로 자살경향성을 대하라는 것이다. 임상가는 환자의 자율성에 대한 느낌을 강화하고 긍정적인 대처 전략을 증진시킬 수 있는 방법을 찾아야 한다.

- 비록 자살경향성이 종종 정신질환과 관련되어 있어도, 꼭 정신질환이 있다는 병리적인 징후는 아니다. 자살경향성은 환자의 정신적 고통을 통제하기 위해 만들어진 별도의 과정으로 이해하는 것이 최선이다.
- 설령 기저의 정신질환이 있어도 그 정신질환에 초점을 맞춘 치료만으로는 자살경향성이 줄어들지 않을 수 있다.

읽어볼 만한 문헌

Al Jurdi RK, Swann A, Mathew SJ: Psychopharmacological agents and suicide risk reduction: ketamine and other approaches. Curr Psychiatry Rep 17(10):81, 2015 26307033

Bielefeldt AØ, Danborg PG, Gøtzsche PC: Precursors to suicidality and violence on antidepressants: systematic review of trials in adult healthy volunteers. J R Soc Med 109(10):381–392, 2016 27729596

Braun C, Bschor T, Franklin J, et al: Suicides and suicide attempts during long-term treatment with antidepressants: a meta-analysis of 29 placebo-controlled studies including 6,934 patients with major depressive disorder. Psychother Psychosom 85(3):171–179, 2016 27043848

Chang BP, Franklin JC, Ribeiro JD, et al: Biological risk factors for suicidal behavior: a meta-analysis. Transl Psychiatry 6(9):e887, 2016 27622931

Chiles JA, Strosahl K, Cowden L, et al: The 24 hours before hospitalization: factors related to suicide attempting. Suicide Life Threat Behav 16(3):335–342, 1986 3764997

Cho SE, Na KS, Cho SJ, et al: Geographical and temporal variations in the prevalence of mental disorders in suicide: systematic review and meta-analysis. J Affect Disord 190:704–713, 2016 26600412

Cipriani A, Hawton K, Stockton S, et al: Lithium in the prevention of suicide in mood disorders: updated systematic review and meta-analysis. BMJ 346:f3646, 2013 23814104

Conwell Y, Duberstein PR, Cox C, et al: Age differences in behaviors leading to completed suicide. Am J Geriatr Psychiatry 6(2):122–126, 1998 9581207

Crosby AE, Cheltenham MP, Sacks JJ: Incidence of suicidal ideation and behavior in the United States, 1994. Suicide Life Threat Behav 29(2):131–140, 1999 10407966

Giner L, Blasco-Fontecilla H, De La Vega D, et al: Cognitive, emotional, temperament, and personality trait correlates of suicidal behavior. Curr Psychiatry Rep 18(11):102, 2016 27726066

Gorton H, Webb R, Kabur N, et al: Non-psychotropic medication and risk of suicide or attempted suicide: a systematic review. BMJ Open 6:e009074, 2016

Hawton K, Catalan J: Attempted Suicide: A Practical Guide to Its Nature and Management, 2nd Edition. New York, Oxford University Press, 1987

Hendricks PS, Johnson MW, Griffiths RR: Psilocybin, psychological distress, and suicidality. J Psychopharmacol 29(9):1041–1043, 2015 26395582

Khan A, Warner HA, Brown WA: Symptom reduction and suicide risk in patients treated with placebo in antidepressant clinical trials: an analysis of the Food and Drug Administration database. Arch Gen Psychiatry 57(4):311–317, 2000 10768687

Khan A, Khan SR, Leventhal RM, Brown WA: Symptom reduction and suicide risk among patients treated with placebo in antipsychotic clinical trials: an analysis of the Food and Drug Administration database. Am J Psychiatry 158(9):1449–1454, 2001 11532730

Large M, Kaneson M, Myles N, et al: Meta-analysis of longitudinal cohort studies of suicide risk assessment among psychiatric patients: heterogeneity in results and lack of improvement over time. PLoS One 11(6):e0156322, 2016 27285387

Ortíz-Gómez L, Lopez-Canul B, Arankowsky-Sandoval C: Factors associated with depression and suicide attempts in patients undergoing rehabilitation for substance abuse. J Affect Disord 169:10–14, 2014 25128860

Oyesanya M, Lopez-Morinigo J, Dutta R: Systematic review of suicide in economic recession. World J Psychiatry 5(2):243–254, 2015 26110126

Poorolajal J, Haghtalab T, Farhadi M, et al: Substance use disorder and risk of suicidal ideation, suicide attempt and suicide death: a meta-analysis. J Public Health (Oxf) 38(3):e282–e291, 2016 26503486

Verrocchio MC, Carrozzino D, Marchetti D, et al: Mental pain and suicide: a systematic review of the literature. Front Psychiatry 7:108, 2016 27378956

Zalsman G, Hawton K, Wasserman D, et al: Suicide prevention strategies revisited: 10-year systematic review. Lancet 3(7):646–659, 2016 27289303

참고문헌

American Psychiatric Association: Diagnostic and Statistical Manual of Mental Disorders, 5th Edition. Arlington, VA, American Psychiatric Association, 2013

Centers for Disease Control and Prevention: CDC Releases Youth Risk Behavior Survey Results and Trends Report. Atlanta, GA, Centers for Disease Control and Prevention, 2018. Available at: www.cdc.gov/features/YRBS/. Accessed June 22, 2018.

Chang BP, Franklin JC, Ribeiro JD, et al: Biological risk factors for suicidal behaviors: a meta-analysis. Transl Psychiatry 6(9):e887, 2016 27622931

Chiles JA, Strosahl K, Cowden L, et al: The 24 hours before hospitalization: factors related to suicide attempting. Suicide Life Threat Behav 16(3):335–342, 1986 3764997

Cipriani A, Hawton K, Stockton S, et al: Lithium in the prevention of suicide in mood disorders: updated systematic review and meta-analysis. BMJ 346:f3646, 2013 23814104

Curtin SC, Warner M, Hedegaard H: Increase in Suicide in the United States, 1999–2014. National Center for Health Statistics Data Brief No. 241. Atlanta, GA, Centers for Disease Control and Prevention, National Center for Health Statistics, April 2016. Available at: www.cdc.gov/nchs/products/databriefs/db241.htm. Accessed November 20, 2017.

Hawton K, Bergen H, Simkin S, et al: Long term effect of reduced pack sizes of paracetamol on poisoning deaths and liver transplant activity in England and Wales: interrupted time series analyses. BMJ 346:f403, 2013 23393081

Isometsä ET, Henriksson MM, Aro HM, et al: Suicide in major depression. Am J Psychiatry 151(4):530–536, 1994 8147450

Large M, Kaneson M, Myles N, et al: Meta-analysis of longitudinal cohort studies of suicide risk assessment among psychiatric patients: heterogeneity in results and lack of improvement over time. PLoS One 11(6):e0156322, 2016 27285387

Shanafelt TD, Balch CM, Dyrbye L, et al: Suicidal ideation among American surgeons. Atch Surg 146(1):54–61, 2011

Sussman LK, Robins LN, Earls F: Treatment-seeking for depression by black and white Americans. Soc Sci Med 24(3):187–196, 1987 3824001

World Health Organization: Suicide Data. Geneva, Switzerland, World Health Organization, 2017. Available at: www.who.int/mental_health/prevention/suicide/suicideprevent/en/. Accessed October 25, 2017.

임상가의 감정, 가치, 법적 취약성, 윤리

자살경향성 환자를 치료하는 데 있어서의 전반적인 쟁점들

이 장에서 우리는 자살경향성 환자들에게 접근하는 방식에 영향을 주는 태도와 인식을 다룬다. 이를 통해 문제를 일으킬 수도 있는 민감하거나 핵심적인 영역들을 더 많이 알게 될 것이다. 첫 번째 섹션에서 자살경향성에 의해 유발되는 감정의 유형을 다룬다. 그 다음 섹션에서는 자살과 관련된 가치와 도덕적 반응을 논의한다. 자살과 비치명적인 자살행동에 부여하는 가치가 당신의 행동에 영향을 줄 수 있기 때문이다. 연습문제는 모두 완료하기 바란다. 연습문제는 당신이 자살에 부여하는 가치를 명료화하고 자살경향성 환자를 치료할 때 방해가 될 수 있는 당신 안의 "민감한 부분"을 식별하게끔 도와준다. 소송에 대한 두려움은 자살환자를 치료하는 임상적 업무에 만연되어 있는 특징이기 때문에 민사소송의 구조, 환자가 자살로 사망한 이후에 발생할 수 있는 법적 문제제기의 유형, 소송 당할 확률을 낮추기 위해 노력할 수 있는 부분들을 심층적으로 살펴보려고 한다. 마지막으로, 과실에 대한 감정 반응, 가치관, 두려움이 모두 만나는 지점에서 자살경향성 환자에 대한 윤리적인 진료를 실천하는 방법에 대한 중요한 질문이 제기된다. 우리는 이러한 복잡한 물길을 헤쳐나가기 위한 일련의 지침을 제시한다.

자살행동에 대한 감정 반응 이해하기

자살경향성 환자를 치료하는 데 숙련된 치료자가 되는 첫 번째이자 가장 중요한 단계는 바로 자살행동에 대한 자신의 감정 반응을 이해하는 것이다. 심상 연습부터 시작해보자.

감정과 민감한 부분 연습

먼저 당신이 알고 있는 사람들 중에 이해하기 힘들고 쉽게 예측하기 어려운 누군가를 떠올려보라. 그 사람은 종종 변덕스럽고 다른 사람들과의 관계에 강렬히 빠져들기도 한다. 당신은 그녀가 종종 지지적이고 심지어 비위를 맞추다가도 어두운 쪽으로 빠져드는 것을 알고 있다. 그녀는 갑자기 그리고 때로는 별다른 이유도 없이 극도로 화를 낸다. 이러한 분노는 대개 일시적이지만, 한두 번 정도는 지속되는 것을 본 적도 있다. 그녀는 친구와 한 번 사이가 틀어지면, 다시는 말을 하지 않기도 한다. 당신은 그저 그녀의 지인인 정도의 관계로, 그녀와 사회적이고 친근한 상호작용을 한다. 지금까지 우리가 기술한 바를 바탕으로 먼저 그녀에 대한 당신의 감정을 떠올려 보라. 잠시 멈춘 후에 당신이 지금 막 그녀가 자살시도를 했다는 소식을 들었다고 상상해보라. 격렬한 관계가 파국으로 끝난 후유증으로 인하여, 그녀는 자신의 손목을 그은 뒤 친구들에 의해 황급히 병원으로 이송되었고, 정신건강의학과 병동에 입원하였다. 이제 당신의 감정 반응을 떠올려 보자. 당신은 이러한 일련의 과정이 끝난 뒤 그녀가 과거에도 최소 3번 이상 자해를 한 적이 있었으며, 그 중 한 번은 손목을 긋고 두 번은 약물을 과다복용한 것을 알게 되었다. 이러한 시도들은 10년 전부터 있었으며, 매번 대인관계의 파국에서 비롯되었다. 이제 이 사람의 최근 자살시도에 대한 당신의 감정 반응에 대해 생각해보라. 지금까지의 각각의 감정 반응들을 자살행동에 대한 반응 조사(그림 2-1)에 기입하라. 이 연습을 할 때 "최고"와 "최악"에 대해 자세히 기술할 것을 권고한다. 감정적인 양극단에서 각각 당신의 반응들을 기록하라. 예를 들어 최악의 부정적인 반응으로 "나는 절대 그런 사람과는 말을 섞지 않을 것이다", 최고의 긍정적인 반응으로 "그녀가 무엇을 하던 상관없어. 난 항상 그녀를 도와줄 거야"가 있을 수 있다.

　이제 또 다른 사람을 떠올려 보자. 그는 어린 시절부터 당신의 친구였다. 지금은 40대 중반이 되었으며 지난 3-4년 동안 힘겨운 시간을 보냈다. 두 명의 10대 자녀들은 골칫거리였는데, 딸 한 명은 학교에서 낙제했고 최근에는 음주운전으로 체포되었다. 그 친구의 배우자는 점차 결혼 생활에 싫증을 내기 시작했고 여러가지 신체 증상들로 인해 다양한 의사들을 찾아다녔지만 질병으로 확실하게 진단된 적은 한 번도 없었다. 6주 전에 그 친구는 직장에서 해고당했다. 이 사람에 대한 당신의 감정 반응을 떠올려 보라. 잠시 멈춰서, 이제 그가 자살시도를 했다는 얘기를 들었을 때의 당신의 반응을 떠올려보라. 지난 주말에 그는 평소에는 잘 마시지 않던 술을 많이 마셨다. 지난 주 토요일 밤늦게 그는 권총으로 가슴을 쏘았다. 가족들이 그를 급히 병원으로 데려 갔고, 아직 상태는 심각하지만 다행히도 생명에는 지장이 없다. 이 사람의 자살시도에 대한 당신의 감정 반응을 상상해 보고 이를 자살행동에 대한 두 번째 반응 설문지에 기입하라(그림 2-2).

반응의 측면	나의 반응	나에 대한 긍정적 및 부정적 영향
당신의 주된 긍정적인 반응은 무엇입니까?		
당신의 주된 부정적인 반응은 무엇입니까?		
당신은 이 사람의 어떤 상황과 행동으로 인하여 가장 부정적이거나 섣불리 평가하는 반응을 보이게 되었습니까?		
당신은 이 사람의 어떤 상황과 행동으로 인하여 가장 긍정적이거나 연민적인 반응을 보이게 되었습니까?		
이 사람과 상호작용을 하는 데 있어 당신이 겪게 될 가장 큰 장애물은 무엇입니까?		

그림 2-1. 자살행동 반응 설문지: 첫 번째 사람의 자살시도를 듣고 난 감정 반응

반응의 측면	나의 반응	나에 대한 긍정적 및 부정적 영향
당신의 주된 긍정적인 반응은 무엇입니까?		
당신의 주된 부정적인 반응은 무엇입니까?		
당신은 이 사람의 어떤 상황과 행동으로 인하여 가장 부정적이거나 섣불리 평가하는 반응을 보이게 되었습니까?		
당신은 이 사람의 어떤 상황과 행동으로 인하여 가장 긍정적이거나 연민적인 반응을 보이게 되었습니까?		
이 사람과 상호작용을 하는 데 있어 당신이 겪게 될 가장 큰 장애물은 무엇입니까?		

그림 2-2. **자살행동 반응 설문지: 두 번째 사람의 자살시도를 듣고 난 감정 반응**

긍정적 반응과 부정적 반응에 대해서 한 번씩 생각했으면, 머릿속으로 내용을 바꿔본다. 이 사람들을 당신의 환자라고 생각하는 것이다. 두 명 모두 치료받기 시작한 지 3개월 만에 자살시도를 했다. 이것이 당신의 반응에 변화를 주는가? 이 사람들과 맺고 있는 관계의 속성이 당신의 감정 반응에 영향을 끼치는가? 당신은 그들이 지인일 때 자살행동을 더 잘 견딜 수 있는가, 아니면 환자일 때 더 잘 견딜 수 있는가? 만약 당신의 반응이 관계에 따라 달라진다면, 그 이유는 무엇인가?

마지막으로, 방금 전에 얘기했던 사람들에 대해 한 가지 더 바꿔서 생각해보자. 그 사람들이 자살시도를 한 것이 아니라 자살로 사망했다는 소식을 들었다고 해보자. 그 순간 당신의 감정 반응을 떠올려 기록해보라. 당신의 반응은 치명적이지 않은 자살 소식을 들었을 때와 다른가?

반응에 대한 평가

우리 대부분은 다른 사람들의 비치명적인 자기 파괴적 행동, 자살사고, 그리고 자살에 대한 언어적 표현에 대해 강렬한 반응을 보인다. 하지만 자살사망에 대해서는 다르게 느끼고 생각한다. 자살사망에 대해서는 수동성과 어쩔 수 없다는 체념이 흔히 나타난다. 반대로 자살시도, 자살사고, 자살에 대해 얘기하는 것 등은 강력한, 종종 부정적인 방향으로 치우쳐 있는 감정을 느끼게 된다. 이러한 행동들을 보이는 환자들에 대해 말할 때 임상가들은 안타깝게도 다양한 종류의 강한 감정이 반영된 표현들을 사용한다. 이를테면 "그는 조종하는 사람manipulator이야", "그건 그냥 자살 제스처일 뿐이야", "그건 경계성 성격장애 환자들이 전형적으로 하는 행동이야" 같은 말들이다. 이러한 말들은 자신의 감정을 조절하고자 애쓰는 급성 자살위기 환자를 대하는 데 어려움을 유발한다. 우리는 이 한 가지를 꼭 강조하고 싶다. 사람은 누구나 자살행동에 대해 낙인을 찍는 태도나 확신을 가지고 있으며,

이는 아무리 교육을 받아도 없애지 못한다는 것이다. 당신은 이러한 반응을 지니고 있다는 점을 자각하면서 여전히 임상가로서의 역할을 훌륭히 잘 수 행할 수 있다. 훨씬 더 위험한 것은 당신이 자살행동에 대한 편견을 가질 수 있다는 것을 깨닫지 못하거나 그런 것들을 전혀 가지고 있지 않다고 전 적으로 부인하는 경우다. 만약 당신이 이렇게 "즉각적으로gut-level" 낙인 찍는 반응들을 다루지 않는다면, 그 부정적인 영향은 자살 위기의 한 가운데, 즉 가장 안 좋은 시기에 나타날 가능성이 높다. 무엇보다 가장 명료한 판단이 필요한 바로 그 순간에 갈피를 못 잡을 수 있다.

이제 당신이 감정과 민감한 부분을 연습할 때 기술했던 감정 반응을 떠올려 보라. 첫 번째 사례에서 자살시도를 접한 뒤의 전형적인 반응은 그럴 만했다는 것이다. 자살시도는 그녀가 인생을 살아온 방식에 부합한다. 당신은 약간 걱정이 되기도 하겠지만, 자살행동을 유발하는 그녀의 무질서한 관계와 얽혀 있지 않다는 것에 안도감을 느낄 수도 있을 것이다. 또한, 그녀가 자살경향성을 "조종하는" 방식으로 사용하는 것에 대해 화가 날 수도 있을 것이다. 자살시도가 여러 차례 있었다는 사실을 들었을 때의 흔한 반응으로, 그녀에 대한 거부감이 더 커지고, 그녀와 개인적 관계가 없다는 사실에 더욱 큰 안도감을 느끼게 될 것이며, 앞으로 이 사람에 대해 해야 할 것들이 많을 거라는 걱정이 들 것이다. 상황이 달라져서 그 사람이 실제로 죽었다는 소식을 들었을 때는 어떤 느낌이었는가? 아마도 수동성과 체념, 그리고 약간의 슬픔을 느꼈을 수 있으며, 사람들이 알고 있는 것보다 더 많은 사연이 있었을 것으로 짐작할 수도 있을 것이다.

두 번째 사례의 경우는 더 관련지어 생각하기 쉬울 것이다. 자살경향성이 나타난 것을 이해할 만큼 두 번째 사례의 사람은 끔찍한 일을 너무 많이 겪었다. 주말에 과음한 것은 상황을 더 쉽게 이해하고 해결책을 떠올리게 한다. 이 남자의 경우 당신은 분노나 짜증이 덜 느껴질 수 있으며, "그

래, 난 이해해"라는 생각을 더 가질 법하다. 그리고 어쩌면 "하나님의 은총
이 없다면 누구라도 그런 상황에 처할 수 있을 거야"라는 생각까지 할 수도
있다. 이제 그로부터 3년이 지나고 그 사이에 당신은 그와 연락이 끊겼다고
가정해보자. 그는 총상에서 회복해 퇴원하였다. 당신은 그가 여전히 술을
마시고 있으며, 최근 몇 년 동안에는 너무 심하게 마셔왔으며, 아내와 아이
들에게 언어 및 신체 학대를 일삼았다는 사실을 알게 되었다. 총상 이후에
그는 세 번 더 자살시도를 하였는데 모두 약물을 과다복용한 것이었다. 과
다복용한 약물들은 그가 때때로 처방받아 온 항우울제였다. 지금 그는 이
혼하고 혼자 살고 있으며, 여전히 일은 못하고 있고, 계속 술을 마시며 지
낸다. 그가 막 당신에게 연락을 해서 "만약 너가 날 도와줄 수 없다면, 난
무슨 짓을 할지 몰라."라고 말하며 돈을 빌려달라고 하였다. 이 순간 당신
은 어떤 감정 반응이 느껴지는가?

　우리의 반응에는 훨씬 더 어려운 측면이 있다. 바로 우리가 치료 능력에
가치를 부여하고, 자살 위기가 한창일 때 그 능력이 줄어드는 것이다. 대부
분의 건강 및 정신건강 서비스 제공자들은 사람들을 돕는 것을 좋아하기
때문에 그 직업에 종사한다. 그들은 환자들이 도움을 받기 위해 이러한 서
비스를 요청한다고 가정한다. 하지만 자살경향성이 있는 환자는 도움을 받
는 것에 양면적일 수 있으며, 이러한 양면성은 치료를 심각하게 저해할 수
있다. 이 상황에서 임상가는 치료자로서의 권위와 설득을 할 수 있는 능력
모두에 한계를 느끼게 된다. 설득에 실패할 때 임상가가 무력감을 느끼면
그 문제를 다루어야 한다. 이런 상황에서 우리 중 많은 사람들은 좌절과 분
노를 경험한다. 만약 사려 깊지 못한 경우에는 이러한 감정을 환자 탓으로
돌릴 수 있다. 스스로 통제할 수 없고 감정적으로 반응하는 환자에게 평정
심을 잃은 채 치료가 아닌 반응react to 을 하게 될 수 있다. 임상가는 정작 필
요한 부분보다는 환자의 양면적이고 부정적인 태도에 중점을 두며 상호작

용을 시작할 수 있다. 환자의 자살경향성을 치료적 대응이 필요한 임상적 징후로 여기는 대신 더 많은 통제 욕구를 통해 자신의 무력감을 덮을 수도 있다. 치료 순응을 둘러싼 임상가와 환자의 대결이 표면화될 수 있고, 그 투쟁의 중심에 환자의 자살행동이 놓일 가능성이 있다. 안타깝게도 우리는 이럴 때 환자로 하여금 "따르든지 아니면 입 다물고 있어라"면서, 우리의 규칙에 따르거나 다른 곳에 가서 도움을 받으라고 요구하기도 한다. 그 결과가 어떻든 간에 환자의 문제 때문이 아니라 우리 안의 문제들로 인하여 치료적 관계는 끝이 난다.

> ### 성공의 팁
>
> 자살경향성 환자를 치료할 때 나타나는 민감한 부분에 대한 당신의 반응을 주의 깊게 생각해본다.
>
> 자신이 자살을 비난하고 부정적으로 생각하는 것을 자각함으로써 더 유능한 임상가가 될 수 있음을 이해한다.
>
> 다른 사람을 돕고 치료하는 능력은 환자가 표현하는 양면적 감정과 더불어 여러 요인의 영향을 받는다는 것을 이해한다.

자살에 대한 도덕 및 가치 기반의 입장

우리가 가르치면서 유용하다고 알게 된 연습으로, 사람들이 자살에 대해 지니고 있는 다양한 가치기반의 관점들을 논의하고 가능한 모든 관점을 전부 드러내는 것이 있다. 이러한 관점들은 종종 수천년 동안 이어져 온 철학에 근거하기도 한다. 역사를 통틀어 많은 사회에서 자살은 철학적 주제의 핵심이었다. 그 어떤 상황에서도 자살은 도덕적으로 잘못된 것이라는 관점에서부터 자살은 합리적이며 본질적으로 긍정적인 행동이라는 관점까지 자살에 대한 다양한 관점이 존재한다. 지금부터 이러한 접근 방식을 간략히 살펴보겠다. 각각의 접근에는 그 기원이 있으며, 각 요점에 대하여 그 타당성 여부에 대해 논쟁할 수 있다. 이 내용을 정독하고 당신의 철학에 대해 생각해보라. 맨 마지막에 우리의 철학을 얘기할 것이다.

자살은 명백하게 잘못되고 해로운 행동으로 기술되어 왔다. 자살은 사람의 본성에 반하는 그 어떤 것으로, 사람의 존엄성에 폭력을 가하는 것으로 볼 수도 있다. 모든 사람의 생명을 존중하는 철학, 어떤 대가를 치르더라도 생명은 지켜야 한다고 믿는 철학이 자살을 반대하는 근거가 된다. 종교적 맥락에서 볼 때 자살은 자부심의 잘못된 결과로, 사람에게 생명을 부여하고 앗아가는 신의 특권을 빼앗는 것이다. 자살은 사람을 죽이기 때문에 살인의 한 형태로 볼 수 있으므로 금지될 수 있다. 더 사회주의적 철학에서 보면 자살은 국가에 대한 범죄를 의미하기 때문에 잘못된 것으로 볼 수 있다. 이 논리에 따르면, 사람은 사회적 존재이며 국가의 재산이다. 그 누구도 국가의 재산을 빼앗아 갈 권리는 없다. 자살은 또한 자연의 법칙에 어긋나는 것으로 여겨져 왔다. 사람이 자살로 죽을 때에는 자연의 질서에 대한 폭력이 가해진다. 더 심리적인 관점에서 보면, 자살은 복잡하고 필연적으로 양면적일 수 밖에 없는 상황에 대한 지나치게 단순화된 대응이기 때문에 잘못된 것으로 볼 수 있다. 자살은 앞으로 더 배우고 성장할 수 있는 기회를 없애버리는 되돌이킬 수 없는 행동이다. 시스템 심리학적 견해로 보면, 자살은 직계 가족 및 일반적인 공동체 생존자들 모두에게 부정적인 영향을 끼치기 때문에 잘못된 것으로 볼 수 있다.

자살에서 명백히 잘못된 일부만 살짝 굽히면, 특정한 상황에서는 자살을 허용될 수 있다고 생각할 수도 있다. 이러한 철학은 삶의 질에 대한 어떠한 기회도 남아 있지 않은 사람들의 자살을 지지해주고는 한다. 예를 들어, 고통스럽고, 치유할 수 없으며, 치명적인 질병을 앓고 있는 사람은 정당하게 자살로 생을 마감할 수 있다. 현재 일부 나라들에서 신체 및 정신질환을 앓고 있는 사람을 안락사 시키고 있는 것은 이러한 합리적이고 수용 가능한 자살을 전제로 한다. 이러한 맥락에서는 자살을 도덕적 윤리적 색채 없이 바라볼 수 있다. 자살은 문화 전반에 걸쳐 또 모든 시기에 발생하며, 다른 모든 현상들과 마찬가지로 과학적 연구의 대상이 되는 삶의 현상이다. 자살은 이성의 영역을 넘어서는 행위로 볼 수 있다. 자살은 이성적으로는 이해할 수 없지만, 신비한 체험을 통해 정당화된 동기부여의 결과로 나타날 수 있다. 자살은 도덕적으로 중립적인 행위일 수도 있다. 모든 사람은 이러한 철학적 접근에 따라, 자유 의지에 의해 스스로의 목숨을 살리거나 죽일 수도 있다.

자살을 부정적으로 설명한 여러 철학들이 발전해 온 것처럼 자살을 긍정적인 방식으로 기술한 여러 철학들도 발전해 왔다. 예를 들어, 고대 그리스 철학자 에피쿠로스는 삶의 목적은 쾌락이라고 하였다. 쾌락이 사라지면, 죽음이 더 고통스럽지 않고 유용한 대안이 될 수 있다. 일부 문화권에서는 자살을 합리적인 선택으로 보았다. 죽음이 치욕보다는 덜 나쁜 것으로 여겨졌기에 자살이 권장되기도 하였다. 즉, 패배하기보다는 자살하는 것을 더 선호했던 것이다. 어떤 문화들에서는 자살을 정의를 구현하는 방법으로 사용하였다. 예를 들어, 근친상간을 금지하는 부족법에서는 누구든 그 법을 어기는 자는 부족 밖으로 추방시켜 자살하게 하였다. 그렇게 해서 정의가 실현되었던 것이다. 자살은 위대한 목적을 실현하기 위한 수단으로도 허용되었다. 예를 들면, 평화를 위해 제물로 바쳐지는 것이 있다. 자살은 누군가 명예를 잃게 된다고 느낄 때 체면을 살려주기도 한다. 자살은 위대한 조상과 사랑하는 사람과 곧바로 다시 만날 수 있는 긍정적인 방법으로 여겨지기도 하였다. 자살은 때때로 아름다움과 죽음의 유혹에 대한 시적 표현들을 통해 의인화되고 에로틱한 방식으로 제시되어 왔다.

우리가 자살에 대해 어떤 개인적인 가치를 부여하고 있고 어떤 도덕적 입장을 지니고 있는지 알아보자. 우리는 각자 양육과 삶의 경험 그리고 개인적인 역경 등을 이겨내면서 자살행동에 대한 일련의 믿음을 발달시켜 나간다. 가치에 대해 깨달아야 할 중요한 것은 바로 가치는 결코 증명될 수 없다는 것이다. 사람으로서 우리는 그저 가치를 획득할 뿐이다. 가치의 또 다른 중요한 특징은 그것이 우리의 행동, 판단, 그리고 감정 반응을 이끌어 낸다는 것이다. 따라서 당신이 자살에 대한 자신의 태도를 면밀히 이해하는 것은 무척이나 중요하다. 당신은 때때로 자살을 현명한 선택으로 보는가? 자살은 당신을 화나게 하는가? 당신은 자살에 대해서 말하거나 생각하는 것이 불쾌하고 어려운가? 만약 이러한 다양한 철학을 검토한 뒤 어떤 어려움이나 걱정을 느끼게 된다면, 동료들과 함께 얘기를 나누어라. 만약 도움이 될 것 같으면 상담을 받아보라. 다음 환자를 보기 전에 당신이 어떻게 느끼는지를 잘 파악하고 있으라. 이 문제를 다루기 가장 어려운 시기는 당신의 환자가 위기에 빠져 있을 때다.

성공의 팁

비행기 규칙 따르기: 다른 사람을 돕기 전에 먼저 자신이 안전하게 마스크를 쓰고 있는지 확인한다.

당신이 어느 정도의 입장에 서 있는지 알기 위해 부록 A에 기술된 내용들을 검토한 다음 각 항목에 대한 응답을 분석할 것을 권한다. 당신은 스스로 자살에 대한 부정적인 신념을 지지한다고 생각하는가? 이런 태도는 자살경향성 환자에 대한 지나치게 도덕적인 접근 방식이다. 당신은 부정적인 견해와 긍정적인 견해가

혼합된 신념을 지지하는가? 그렇다면 자살에 대한 당신의 입장이 양면적이거나 모순되는 것일 수 있다. 어떤 임상적 상황에서는 환자가 죽고 싶어하는 것을 지지할 수 있지만, 다른 상황에서는 그렇게 지지하지 않을 수도 있다.

우리의 철학은 고정되어 있지 않고, 우리가 다루고 있는 상황에 따라 변하는 경향이 있다. 당신은 자살경향성 환자들을 수월하게 치료할 수 있는지 여부를 알아야 하기 때문에 반드시 스스로를 평가해야 한다.

자살경향성 환자의 치료를 매우 어렵거나 불가능하게 만드는 치료자의 자질이나 관점에 대한 옳고 그름은 없다. 그것은 능력의 성향과 유형에 관한 문제다. 만약 자살경향성을 치료하는 것이 당신에게 안 맞는다면, 하지 마라. 당신이 치료하겠다고 약속한 자살경향성 환자가 급성 위기 상황에 빠져 있을 때보다 지금 이 문제를 다루는 것이 훨씬 더 낫다.

더 많은 자기 점검

우리가 자살경향성 환자를 평가하기 위해 사용하는 두 개의 척도가 부록 B("자살행동의 결과 설문지")와 부록 C("살아야 할 이유 척도")에 제시되어 있다. 이 척도들이 수록된 이유는 자기 점검의 일환으로 이것들을 다 해보는 것이 좋기 때문이다.

자살행동의 결과 설문지

자살행동의 결과 설문지(부록 B)는 또 다른 형태의 심상 연습이다. 이 설문지를 시작하기 전에 먼저 자살사고의 프레임 속으로 들어가 자살시도와 자살 사망으로 인한 각각의 결과들을 기록해보라(파트 1-3). 우리는 당신의 자살경향성을 어떻게 상상해야 되는지에 대해 많은 조언을 해줄 수는 없다. 우리 중 일부는 절망감을, 다른 사람들은 분노를, 또 누군가는 불안을 느낄 수 있다. 마찬가지로 자살경향성을 촉발하는 문제들 역시 다양할 것이다. 누군가에게 그것은 거대하고 압도적인 어려움일 수 있고 또 다른 이들에게는 일련의 장기적이고 일상적인 번거로움일 수도 있다. 당신은 스스로 이런 식으로 마음의 프레임을 만들어야 한다. 만약 우리가 보편적인 의미에서 자살경향성을 유발하는 마음의 프레임을 알고 있었다면, 이 분야는 매우 중대한 진보를 이루었을 것이다.

자살행동의 결과 설문지를 완료하고 나면, 당신의 응답을 다시 살펴보라. 당신의 대답은 자살에 대한 가치와 도덕적 입장과 얼마나 밀접한 관련이 있는가? 가상의 자살시도 결과에서 조금이라도 좋은 점을 발견했는가? 예를 들어, 다른 사람들이 당신을 도와주는 데 더 주의를 기울이게 되었는가? 당신과 다른 사람들에게 모두 당신의 문제들이 더 명확해져서 도움받기 쉬워졌는가? 나쁜 결과는 없었는가? 당황스럽거나 평판이 훼손되는 것이 당신의 반응에 영향을 미쳤나? 당신이 자살시도를 한 결과가 모두 나쁜 편이거나 모두 좋은 편이었나?

이 연습을 하면서 당신은 자살위기의 복합성과 양면성을 이해하게 될 것이다. 당신의 자살시도 결과에서 살펴봐야 할 또 다른 요인은 당신이 열거한 문제들의 속성이다. 먼저, 어떤 문제라도 나온 것이 있는가? 우리는 자살행동이 정신적 고통을 통제하려는 목적으로 행하는 일종의 문제해결 행동이라고 주장한다. 만약 당신의 대답이 대부분 당신이나 다른 사람들이 행동하는 방법이나 혹은 당신이 겪고 있는 부정적인 삶의 결과들과 관련이 있다면, 당신의 반응을 다시 한번 살펴보라. 부정적 결과들 너머로 자살시도가 지니고 있는 정서적 영향력과 문제해결 기능을 보라. 다시 연습으로 돌아와서, 당신의 처음 결론과 다른 방향으로 자살행동의 더 많은 결과들을 나열해보라.

자살행동 결과 설문지의 파트 2는 자살사망에 대한 것이다. 당신은 죽음 이후 일어나는 일에 대해 종교적이거나 철학적 느낌을 갖는가? 두 개의 다른 결과에 이르는 것이 쉬운가, 혹은 어려운가? 우리는 많은 환자들이, 심지어는 오랫동안 진지하게 자살을 생각해온 사람들조차, 잠재적인 결과의 스펙트럼에 대해서는 거의 조사하지 않은 것을 밝혀냈다. 자살경향성 환자는 사후세계 존재에 대한 믿음 여부와 상관없이 사실상 죽음 이후가 더 낫다고 생각한다. 많은 잡지에서 긍정적이고 평화로운 임사체험들을 공공연하게 싣는다. 죽음의 이러한 측면은 환자가 접하는 거의 유일한 결과일지도 모른다. 만약 환자가 나쁜 결과를 만들어 내면, 자살 방지 효과가 나타날지도 모른다. 하지만 치료에서 이 연습을 할 때는 어떤 사전 교육이나 회유도 없이 환자가 이전까지 숨겨져 왔던 부정적 결과를 발견하게끔 하는 것이 중요하다. 환자가 발견하는 것은 무엇이든 임상적으로 유익하게 활용될 수 있다.

이 연습의 또 다른 측면은 자살의 결과에 대한 개인적인 중요성에 대한 것이다. 어떤 환자는 보편적으로 중요하게 여겨지는 자살의 결과들(예, 남겨진 아이들에 대한 영향 등)을 중요하지 않게 평가할 수 있다. 당신이 중요하다고 혹은 중요하지 않다고 느끼는 자살의 결과들을 검토하고 이를 동료들과 비교해보라. 공통점과 차이점은 무엇인가? 연습의 파트 2를 반복하고 당신의 처음 응답과 다른 선악과 중요성을 지닌 결과를 2개 이상 더 만들어보라. 이 단계는 당신이 자살경향성의 양면성과 복합성을 이해하는 데 도움이 될 것이다.

자살 이후 남겨진 사람들에 대한 질문은 쟁점이 되어 왔다. 자살경향성을 나타내는 환자들은 자신의 정신적 고통에 사로잡혀 자신에게만 몰두해 있기 때문에 좀처럼 다른 사람들에 대해 생각하지 않는다. 하지만 당신은 아마도 남겨진 사람들에 대해 생각하는 것이 비교적 쉽다는 것을 알 것이다. 자살을 상상하면서, 남겨진 사람들에게 미치는 영향을 생각해 내는 것은 어렵지 않다. 환자의 자살은 사랑하는 사람들에게 끔찍한 일이지만, 또한 그 환자를 치료해 온 의사에게도 많은 영향을 끼친다. 대개는 이러한 연습을 함으로써 자살하고자 하는 마음이 수그러들 것이다. 감정과 민감한 부분에 있는 두 개의 사례들로 되돌아 가보자. 자살경향성 환자에 대한 감정 반응의 상당 부분은 생존자들에 대한 걱정에서 비롯될 수 있다. 밖에서 안을 들여다 보면서 남겨진 사람들에게 어떤 영향을 미치는지 알 수 있다. 당신이 안에 있고 자살경향성이 있는 사람이라면, 생존자들에 대해 생각하기가 훨씬 더 어렵다.

이 연습의 파트 3은 자살하는 이유를 다른 사람의 이유와 비교해보기 위한 것이다. 당신은 어떤 이유들을 떠올렸는가? 그것들은 다른 사람들이 떠올린 것들과 다른가? 가장 중요한 것은, 자살을 하는 당신의 이유는 자살을 시도하지만 죽지 않은 다른 사람들의 이유와 다른가? 우리 대부분은 자살시도를 하는 사람들마다 각기 다른 유형의 이유들을 부여한다. 이러한 이유들은 종종 자살시도가 조종적이며 성격적인 취약성을 기반으로 함을 시사한다. 다른 사람의 이유는 우리가 상상했던 상황보다 덜 중요하게 보인다. 이런 식으로 생각하는 것은 자살경향성에 대한 당신의 감정 반응을 채색할 수 있다. 대부분의 유능한 치료자들은 자신을 환자들의 입장에 놓고 최대한 연민을 지니고 환자들의 시각으로 세상을 바라보는 능력을 지니고 있다. 이 연습을 통해서 당신의 능력의 한계를 시험해보라.

건강 전문가들은 환자가 자살로 죽으면 상당한 스트레스를 경험하게 된다. 고위험 환자들을 돌보는 것에 대한 경험이나 훈련이 없고, 고립되어 있으며, 정서적 지지를 구하지 않는 임상가들은 이러한 경험으로 가장 힘든 시간을 보내게 된다.

살아야 할 이유 척도

살아야 할 이유 척도(부록 C)는 자살경향성의 양면성에서 긍정적인 측면을 다룬다. 이 척도에 대한 대답은 사람이 왜 계속 살아 있기 원하는지를 설명해준다. 이 척도는 6개의 차원을 나타내도록 구성되어 있다. 당신 스스로에게 다음의 질문을 해보라. 만약 자살을 생각하고 있었다면, 자살하지 않은 이유는 무엇인가? 이제 그 질문을 염두에 두고 척도를 정독하라. 당신이 생존하고 대처할 수 있는 상태라는 느낌은 중요한가? 당신의 아이들 또는 다른 가족 구성원들에 대한 당신의 책임감은 어떠한가? 자살하는 행위가 당신을 두렵게 하고, 이러한 공포가 자살행동을 회피하게 만드는가? 사회적 비난, 평판이 훼손되는 것에 대한 두려움은 어떤가? 마지막으로, 혹시 도덕적으로 반대하기도 하는가? 도덕적 반대의 이유는 무엇인가?

척도를 스스로 작성해본 뒤 앞서 '감정과 민감한 부분'에서 나왔던 두 개의 사례들이나, 당신이 연습을 하면서 만들었던 사례로 되돌아보자. 자살경향성이 있는 그 두 사람들이 척도에 어떻게 응답할지 생각해보자. 더 나아가, 그들의 입장에서 이 척도에 응답을 해보라. 가능한 진짜 그들이 하는 것처럼 응답해 보고 그들이 각 응답에 얼마나 동의할지 가늠해 보아라. 그렇게 응답해 봄으로써, 그 사람에 대한 당신의 감정 반응이 달라졌는가? 그랬을 수도 있다. 왜냐하면 당신은 방금 환자에 대한 시야를 넓혔기 때문이다. 당신은 환자에게 약간의 긍정적인 속성들을 부여하였을 수도 있다. 또한, 당신은 치료적 논의를 위한 새로운 도구를 획득하였고, 자살경향성 환자에게 개입할 때 더 수월하게 느낄 수도 있다.

이 연습들을 통해 얻은 교훈은 자살경향성을 대하는 데 있어서 보편적으로 중요한 것들이며, 자살에 대한 실천철학을 반영한다. 임상가로서, 환자가 자살을 바라보는 시각을 항상 총체적으로 이해하려고 노력하고 자살의 양면성 중 긍정적인 측면을 강화하라. 다음과 같이 가정하라. "이 사람은 자살에 대해 양면적이기 때문에 나에게 말하고 있는 것이다. 만약 자살로 죽고 싶던 바람 밖에 없었다면, 이미 죽었을 것이다. 나의 일은 이 사람을 여기 오게 만든 삶의 불꽃을 찾아서 강화하는 것이다." 우리의 철학은 다음과 같은 실용적인 결론에 이르게 해준다. 자살은 문제를 해결하는 한

가지 방법이지만, 거의 항상 더 나은 방법들이 있다.

법률 및 위험 관리 이슈들

정신건강 서비스의 산업화는 예전에 정신건강 관리를 거의 혹은 전혀 못 받았던 환자들에게 큰 혜택을 가져다주었다. 하지만 가내 산업에서 서비스 산업으로의 이러한 변화로 인해 의료과실 소송 위험성이 증가했다. 의료과 실 소송으로부터 상대적으로 면책을 받아온 경력 초기의 임상가들은 이제 매일같이 그들의 임상적 결정을 법률 및 위험 관리 측면에서 검토하게 되었 다. 의료과실 보험은 정신건강 서비스를 제공하는 모든 전문가들에게 필수 적이다. 자살 관련 사건은 미국에서 의사에 대한 소송의 주요 원인 중 하나 이므로 보험은 꼭 필요하다. 정신병원이나 정신건강센터와 같은 더 큰 기관 들에서는 위험관리 전담부서를 두고 변호사들이 임상적 서비스와 관련한 위험성을 파악하고 그런 서비스들과 관련한 민사 및 형사 책임을 최소화할 수 있는 프로토콜을 개발한다. 환자의 자살과 같은 안 좋은 일이 발생하는 경우 임상가는 환자를 잃은 고통을 겪게 되는 것뿐 아니라, 원고측 변호인, 배심원단, 그리고 판사의 질문들에 답해야만 할 수도 있다. 의료 환경에서 점차 소송을 남발하는 경향에 맞서 많은 교과서와 문헌들은 수련을 받은 전문가와 그렇지 않은 전문가가 각각 지켜야 할 임상적 및 법적 기준을 제 시하고 있다. 이 장의 마지막에 이 주제와 관련하여 참조할 만한 문헌들을 수록하였다.

법이 요구하는 표준적인 치료의 특징은 그것이 의료과실 소송의 결과로 부터 유래한다는 것이다. 이러한 관행은 다음과 같은 윤리적인 위험성을 포 함한다. 배심원의 평결에서 도출된 표준적인 진료는 과학적으로 기술하는 근거기반 진료와 많은 차이가 날 수 있다. 이 장의 목적은 당신이 소송의 구조, 대부분의 소송의 근거가 되는 주의의무 태만에 대한 주장, 그리고 의료과실 영역에서 당신이 스스로를 지킬 수 있는 방법을 숙지하게 만드는 것이다. 배심원 평결이나 협상에 의한 타결 모두 많은 비용이 든다. 당신을 법적 소송으로부터 벗어나게 해주는 절대적 방법 같은 것은 없다. 하지만 민사소송 과정을 이해하면 기본적인 안전장치는 갖출 수 있을 것이다. 이는 당신의 사례관리가 올바른 평가, 검토, 기록, 치료에 기반하여 진행될 수 있도록 해준다.

안 좋은 일의 발생에서부터 법정에 이르기까지

42세 남자가 자살하겠다는 말을 점점 더 자주 한다고 하여 가족 구성원들에 의해 정신건강의학과 의사에게 상담이 의뢰되었다. 그는 복잡한 이혼 절차 중이었고 매일 스스로를 진정시키기 위해 맥주를 2-4캔씩 마신다고 보고하였다. 그는 사회적 활동에 거의 관심이 없으며, 주로 집에서 다가오는 이혼을 반추하면서 시간을 보낸다고 보고하였다. 그의 반추는 밤에 더 심해졌으며, 그래서 수면 개시와 유지에 심각한 지장을 끼치고 있었다. 그는 많은 시간을 감정적으로 소진된 상태로 보냈다. 그는 많은 시간을 인터넷을 하며 자살 방법을 알아보면서 보냈다. 때때로 자살 생각이 생생해져서 자신의 권총을 장전한 뒤 입에 넣고 방아쇠를 당기는 상상을 구체적으로 한다고 보고하였다. 그는 자살에 대해 생각할 때 더 평화로운 느낌을 받는다고 보고하였다. 자신이 집에 권총을 가지고 있으며, 이미 장전되어 있다고 보고하였다. 그는 5년전에, 유난히 부부싸움을 심하게 한 뒤 아스피린 30알을 한꺼번에 먹고 어떤 신체적인 손상도 발생하기 전에 응급실로 직접 차를 몰고 간 적이 있었다고 보고하였다. 그 때 그는 자신이 죽는 것을 원치 않는다는 것을 깨달았다. 이제 그는 그렇게 확신하지 못했다. 그는 기분을 더 나아지게 하기 위해 생각할 수 있는 모든 방법들을 시도해보았지만, 그 어떤 노력을 계속한다 하더라도 자신의 삶은 실패할 것이라고 믿었다.

정신건강의학과 의사는 중증 우울증으로 진단한 뒤 하루에 citalopram 20mg와 잠자는데 도움이 되도록 trazodone을 밤마다 50-100mg 복용하게끔 단계적으로 처방하였다. 환자는 자살금지 서약서를 작성하였고, 자신의 총과 탄약을 이웃에게 맡기는데 동의하였다. 환자는 3일 뒤 두 번째 방문을 하여 자신이 실제로 그대로 실천하였음을 확인했다. 정신건강의학과 의사는 이 때 환자가 굳이 비자의입원을 할 필요는 없을 거라고 판단하였다. 환자 역시 입원을 원치 않았으며 기분이 약간 나아졌다고 보고하였다. 우울증의 생장 징후들도 호전되고 있었다. 환자는 3일 뒤 세 번째 내원하기로 하였는데, 그 뒤에 전화를 해서 회사로 되돌아가야 한다며 예약을 취소하였다. 그는 5일 뒤로 새로 예약을 잡았다. 전화로 그는 훨씬 나아졌다고 보고하였고, 생장징후들도 매우 호전되었다고 하였다.

그날 밤, 환자는 집에 들어가지 않았다. 그의 아내가 정신건강의학과 의사에게 전화를 하였고, 의사는 경찰에 신고하라고 권유하였다. 다음날 아침 환자는 총상을 입은 채로 자신의 픽업트럭에서 발견되었다. 그 총은 바로 전날 구입한 것이었다. 환자의 미망인은 정신건강의학과 의사 및 관련된 치료자들이 환자를 비자의입원 시키지 않았고, 정신질환이 있는 사람에게 자살금지 서약을 받지 말아야 했으며, 환자의 가족이나 친구에게 환자의 치료 계획을 상의해야 했었다는 이유로 고소하였다. 그녀는 이러한 조치들을 시행하거나 누락한 것이 환자를 안전하게 보호하는 데 실패하여 자살에 이르게 한 것이라고 주장하였다.

이 사례와 그 결과를 유념하라. 우리는 이제 법적 소송이 시작되도록 결정할 수 있는 많은 요인들을 탐색해 나갈 것이다.

대부분의 치료자들은 환자의 자살과 같이 안 좋을 일이 발생한 뒤부터 의료과실 소송에 이르기까지 상당한 시일이 소요될 수도 있다는 것을 모른다. 2-4년 정도의 시간이 지연되는 것은 전혀 드문 일이 아니다. 일반적으로 자살의 경우 사별한 유족들은 비통에 잠긴 나머지 몇 개월에서 심지어 몇 년 동안 법적 소송을 개시할 여력이 없다. 이러한 감정 상태에서 그들은 의료과실 소송을 제기하는 것에 대해 양가감정을 느끼기도 한다. 고소인이 실제로 고소를 결심하는 데까지는 일반적으로 많은 시일이 걸린다.

자살과 의료과실 소송 사이의 시간적 지연은 많은 현실적인 함의를 담고 있다. 첫째, 대부분의 임상가들은 불미스러운 일에서 멀어진 상태로 그에 대해 깊이 생각하지 않고 있다가 소송이 제기되었다는 통보를 받게 된다. 그들은 환자의 사망에 선행하는 많은 구체적인 내용들이나 즉각적인 상황들에 대해 별로 기억하지 못할 수 있다. 이러한 이유들 때문에 임상가는 반드시 서면 기록을 상세하게 작성해 놓아야 한다. 여기에는 초진 기록지, 경과기록지, 약물처방 내역, 그리고 퇴원 요약 등이 있다. 그래서 이들 서면 기록들의 수준과 내용이 법적 소송에서 임상가를 변호하는데 핵심적인 역할을 한다.

둘째, 환자의 자살과 같은 비극적인 사건의 발생과 법적 소송을 개시하고자 결심할 때까지의 시간차는 자살 유가족이 애도를 하는데 도움이 되는 방향으로 개입하거나 혹은 조금 더 신속하게 의료분쟁 조정 절차를 선택할 기회가 있었음을 의미하기도 한다. 심리학적 관점에서 고소는 생존자가 아닌 다른 사람이 환자의 자살에 책임이 있다는 것을 입증하려는 시도로 볼 수 있다. 친구들과 가족 구성원들에 의해 그런 감정들이 더 고통스럽게 강화되는 것을 다루어 나가는 것은 자살 생존자에 대한 임상적 치료의 핵심적인 주제 중 하나이다. 만약 이러한 과정이 제대로 진행되지 못하면, 그 결과 법적 소송이 제기될 수 있다. 우리의 경험에 의하면, 많은 민사 소송들이 담당 치료자들과 치료기관의 대응에 의해 유발된다. 예를 들어, 한 정신의료기관은 정신병동 안에서 자살로 사망한 환자의 배우자에게 입원 치료비를 청구한 것이 고소를 당한 직접적인 계기가 되었다.

셋째, 대부분의 임상가들은 환자가 자살하면 엄청난 충격을 받으며, 자신이 적절한 치료를 하지 못했다는 확신에서 비롯되는 죄책감과 자괴감에서 벗어나는데 몇 개월이 걸릴 수도 있다. 정의상, 만약 적절한 치료를 제공했다면 환자는 죽지 않았을 테니까 말이다. 해당 사안이 잠잠해진 이후에 다시 치료자의 전문가로서의 자질에 문제가 제기되는 것은 굉장한 트라우마다. 일단 판도라의 상자가 열리면, 해당 치료자들은 소송에서 자신의 무죄를 입증하려고 하지만 보험회사가 법정 외 합의를 하면 쓰디쓴 낙담만 하게 된다.

마지막으로, 영미법 체계가 복잡하고 때로는 편향된 법률제도라는 점을 깨닫는 것이 중요하다. 효과적인 법률 대리인을 확보할 수 있는 능력, 주심 판사의 성향, 배심원단의 구성, 동정 여론이 법적 절차에서 중요한 요소들이 된다. 정신건강 영역에서 법적 소송의 결과는 대부분 비전문적인 요소들에 의해 결정된다. 배심원들은 특히 법 적용을 매우 유동적으로 한다. 1995년 OJ 심슨의 살인 재판 때 본 것처럼 일단 배심원들이 심의를 시작하면 무슨 일이든 생길 수 있다.

의료과실 소송

흔한 시나리오는 관할 지역 내에 있는 원고측 변호인이 업무상 과실치사로 소송을 거는 것이다. 소송은 자살 전에 발생한 진료 과정에 대한 사실관계들을 입증해야 한다. 소송에서 원고측은 치료자(들)의 행위가 얼마나 부주의하였는지 증명하려고 한다. 부주의는 불합리한 해로움을 끼치는 것을 방지하기 위해서 법에서 정한 행동규범의 기준에 미치지 못하는 행위로 정의

된다. 부주의는 중요한 것을 하지 못하는 것일 수도 있고(태만의 죄), 적절한 기준에 부응하지 못하는 행위를 한 것일 수도 있다(과실의 죄). 일반적으로 소송은 연대순으로 구성되어서 결과적으로 자살에 이르는 데 일조한 혐의를 맨 처음 치료한 사람과 제공된 서비스에서부터 적용한다. 그리고는 각각의 부주의 혐의가 치료자별로, 사건별로 제기된다. 소송은 법정에서 원고측에게 지급할 손해배상 액수를 판결하면서 끝이 난다. 손해배상 금액은 대개 망인의 평생 소득 손실 및 유족들의 고통, 괴로움, 상실감에 대해 별도로 산정된다. 사건 자체가 업무상 부주의에 대한 것일 뿐만 아니라 상실된 소득 능력 산정 및 유족들이 경험하는 실제 고통과 괴로움에 대한 것이기도 하다는 점을 이해하는 것이 중요하다.

소송에서 일반적인 전략은 부주의한 행위들을 나열하는 것인데 여기에는 원고측 변호인이 광범위하게 사용하는 단순한 가정법이 있다. 혐의를 받는 부주의한 행위들이 많을수록, 배심원들이나 판사가 최소한 한 개 이상의 혐의에는 동의할 가능성도 높아진다는 것이다. 소송을 제기하는 내용들이 다양하고 충격적일수록, 배심원들이 그렇게 많은 건수들이 제기된 데에 대해 어느 정도는 피고인의 잘못이 있을 거라고 결론을 내릴 가능성이 높아진다. 비슷한 소송 전략이 피고인들을 지명하는 데에도 사용된다. 원고측 변호인은 대개 기관과 개인 양쪽에서 여러 명의 피고인들을 지명한다. 더 많은 피고인들이 지명될수록, 그 중 한 명은 부주의로 인한 유죄를 받을 가능성이 높아진다. 현실적인 측면에서 보면, 더 많은 피고인들을 지명하는 것은 더 많은 보험계약의 적용이 가능해져서, 만약 합의가 성사될 경우 지급받는 금액의 총액이 늘어난다. 자살에 대한 업무상 과실치사 소송에는 흔히 3–5명의 피고측 변호인이 참여하는데 각각의 변호인은 각기 다른 피고인들을 변호하기 위해 각기 다른 보험회사로부터 보수를 지급받는다.

환자의 자살 이후 보험회사가 담당 치료자의 환자가 자살하였거나 치료자가 그로 인해 소송을 당하였다는 것을 통보받으면, 대부분의 의료인들은 이해할 수 없는 아주 구체적인 과정이 시작된다. 만약 환자가 자살로 사망하였지만 아무런 법적 소송도 제기되지 않았다면, 보험회사는 즉시 내부 검토에 착수하여 의료과실 소송에서 성공할 수 있을지를 정량화한다. 이러한 내부 검토는 일반적으로 소환장과 무관하다. 이렇게 검토가 완료된 이후에 보험회사는 부정적 사건과 관련된 손실 수치를 산정한다. 여기에는 보험회사가 변호사와 전문가 증인에게 지급하는 보수와 부주의로 인한 사망으로 추정될 경우 원고측에 지급하는 손해배상 액수 등이 포함된다. 이 금액은 철저히 보안에 부쳐지는데, 노련한 원고측 변호인은 대개 합의를 논의할 때 나타나는 반응에 근거하여 손해배상액을 준비하기도 한다.

대부분의 보험회사는 법정 밖에서의 합의가 자신들에게 최선의 이익이라고 믿기 때문에 많은 소송이 재판으로 가지 않는다는 사실을 아는 것이 중요하다. 일부 정신건강 서비스 제공자들은 의료배상보험 약관에 보험회사에 의해 결정된 적절한 합의에 참여하도록 요구하는 조항이 있다는 것을 알고 경악을 금치 못한다. 만에 하나 참여하지 않는 경우 보험회사는 이후의 변호사 비용이나 손해배상금의 지급을 거절할지도 모른다. 이런 상황이 거대한 산업처럼 보인다면, 실제로 그렇다. 민사소송 산업은 법률과 보험업계 사이에서 엄청난 액수의 돈이 오가는 수십억 달러 규모의 산업이다. 불행히도 많은 주 면허 당국과 정신건강 인증 시스템에서 법정 밖에서의 합의는 면허를 소지한 치료자에 대한 고소가 성공한 것으로 간주한다. 치료자는 죄를 인정한 적이 없어도 유죄로 여겨지는 것이다. 잘못된 사망을 이유로 소송 당한 건에 대한 합의에 동의하기 전에, 피고인들은 면허 및 인증과 관련되어 그 합의에 내포된 모든 의미를 확실히 이해해야 한다.

우리는 만약 재판으로 갔다면 무혐의로 결론이 났을 법한 수많은 합의 사례들을 보아 왔다. 이 논의의 초반에 나온 사례에서도 결과가 좋게 나왔을까? 절대 아무도 알 수 없다. 보험 업계가 더 많은 소송 건들을 기꺼이 배심원들에게 가져가려고 할 때까지 법정 밖 합의는 계속해서 표준으로 자리잡고 있을 것이다.

디스커버리 과정

디스커버리Discovery는 사실조사를 기술하는 일반적인 용어로* 다음의 세가지 결과 중 하나로 이어진다. 1) 법정 밖에서 합의를 한다. 2) 일반적으로 피고를 고려한 효과적인 소송 절차를 위해 판사가 약식 판결을 내린다. 3) 판사가 사건을 정식 재판에 회부하도록 명령한다. 디스커버리의 과정에는 두 가지 주요한 구성 요소들이 있는데 이 두 가지 모두를 이해하는 것이 중요하다.

심문은 모든 기록, 증언, 일기장, 그리고 그 외 소송과 관련될 수 있는 기타 모든 서류를 양측 모든 당사자가 활용할 수 있도록 하는 과정이다. 이러한 서류들은 법원이 부주의가 있었는지 여부 및 이후의 금전적 배상을 어떻게 조정할지 판결하는데 도움이 된다. 심문은 양방향이다. 소송에 관계된 양측 모두 이런 유형의 정보를 광범위하게 요청할 수 있다. 소송 당사자인 치료자는 환자 관리와 관련된 모든 기록들을 제출하게 되는데, 예를 들면 회기 기록 원본, 다른 전문가들과의 서신, 통화 내역, 청구 기록 등이 있다.

심문 과정에서 중요한 부분은 전문가 증인 보고서인데, 이는 해당 소송 건과 관련되어 피고인이 표준적인 치료 규준에 맞는 행위를 하였는지 여부에 대해 평가하게 된다. 양측 모두 일반적으로 전문가 증인을 위촉하여 소송과 관련된 모든 자료를 열람하게 하고 주의의무를 다 하였는지에 대해 일련의 의견을 내놓도록 한다. 당연히 원고측 전문가는 피고인이 주의 의무를

---

* 한국 사법제도에는 없는 절차다.

태만히 하였다고 판단하는 경우가 많고 피고측 전문가는 피고인의 행위가 표준적 진료 범주에 속한다는 의견을 제시하는 경우가 많다.

비록 모든 주에서 표준적인 진료에 대한 법적 정의를 내리고 있지만, 배심원들로 하여금 실제로 치료의 표준이 무엇인지 설득하는 것이 전문가 증인들이 하는 일이다. 이러한 이유로 통상적으로 관련성이 높은 분야의 치료자가 전문가 증인을 서는 경우가 많다. 이 경우 해당 치료자는 자살경향성 환자에 대한 저명한 전문가여야 한다. 종종 이러한 전문성은 자살행동 영역에서 저서를 출판하거나, 발표를 하거나, 수련을 받음으로써 얻어진다. 기능적으로는 두 가지 유형의 전문가들이 관여한다. 첫 번째 유형은 피고인의 학제와 다르더라도 해당 분야, 즉 자살행동의 전문가인 경우이다. 두번째 유형은 해당 학제에서 표준진료를 증언해줄 같은 학제의 전문가이다. 이러한 유형의 전문가는 자살행동과 같은 영역에 대해 특별한 전문지식은 없을지 몰라도 대개 같은 지역이나 인근 지역에서 해당 학제에서 능숙하게 수련을 받은 치료자로부터 기대할 수 있는 수준으로 증언을 해준다.

디스커버리 과정의 다른 주요한 구성 요소는 증언을 확보하는 것이다. 증언 과정의 전반적인 목표는 양측에게 완전한 정보를 전달하기 위함이다. 실질적으로, 양측은 상대방 증인이 증언대에서 발언하려고 하는 것을 미리 "발견하려고discovery" 애쓴다. 증언은 법원의 명령에 의해 시행되는 과정으로, 증인 서약을 마친 여러 증인들로부터 사례에 대해 정보를 얻을 수 있다. 증언은 일반적으로 원고, 피고, 전문가 증인, 가족 구성원, 망인의 친구들, 경제학자, 그 외 해당 사건의 진상과 관련된 정보를 지니고 있는 모든 사람들로부터 얻는다. 증언으로 제출된 고백은 소송 중 재판에서 사용될 수 있다. 자살 소송의 피고인에게 증언은 끔찍한 경험이 될 수 있다. 원고측 변호인은 가차없이 정보들을 캐낼 뿐만 아니라 여러 질문들에 대해 상충되는 대답을 끌어내고, 치료자의 임상적 행위에 대해 결과론적인 판단을 하

며, 원고가 제기한 부주의 혐의에 대해 하나 이상을 인정하게 하려고 애쓴
다.

민사 재판

주심 재판관이 약식 판결을 내리지 않는다면 배심원을 선정하는 것으로 정
식 재판이 시작된다. 배심원의 구성은 형사소송과 마찬가지로 민사재판에
서도 중요하다. 변호인은 예비 배심원들의 적격성 여부를 판단하기 위해 상
당한 시간을 들여서 면담을 진행한다. 여기서 컨설팅 회사들이 능력을 발
휘하는데, 이들은 다양한 자료와 정교한 통계분석을 활용해 개인 및 지역
사회 자료를 수집하여 변호인들이 최적의 배심원들을 선택할 수 있도록 해
준다. 유명한 피고측 변호인 Clarence Darrow(1857-1938)는 "거의 모든 사
례들은 배심원이 구성될 때 이미 이겼거나 진 것이다."라고 말했는데 그는
아마도 우리가 알고 있는 것보다 더 진실에 가까이 다가갔었는지도 모른다.
이러한 선정 과정은 또한 변호인들에게 각각의 배심원들과 긍정적인 관계
를 맺을 수 있는 기회를 제공해주며, 그 배심원들은 나중에 다른 배심원들
을 움직여서 더 호의적인 평결을 끌어내게 만들 수도 있다.

하지만 재판 과정 중 여러 측면들에서 피고인에게 트라우마가 되는 것
은 용두사미 식의 결말이다. 재판에서 새로운 정보가 제시되는 경우는 거
의 없다. 디스커버리 과정이 워낙 강력하다 보니 대개 재판정에서 절차가
시작되기 전에 사건의 진상과 관련한 대부분을 알게 된다. 양측은 자신들
의 관점을 지지해주는 사실과 의견을 강조한다. 민사재판과 형사재판의 큰
차이점은 유죄를 평결하는 데 필요한 증거의 기준이다. 민법에서는 증거의
우위를 내세운다. 이러한 기준에서는 증거들의 다수가 부주의가 있었는지
혹은 없었는지를 지지하는지 본다. 이러한 "우위"는 최소 51%는 되어야 한
다. 반대로 형사법적 절차에서는 합리적 의심을 넘어서는 기준을 적용하는

데, 이는 의심의 여지없이 피고인이 유죄임을 드러내야 한다. 민법에서 유죄 평결의 기준은 형법의 기준보다 훨씬 관대하다. 예를 들어, OJ 심슨은 형사 법정에서 살인죄에 대한 무죄 선고를 받았지만 이어진 민사 재판에서는 유죄를 선고받았다.

많은 주에서 배심원들은 원고와 피고에 대해 결과에 대한 일정한 책임을 할당할 수 있게 되어 있다. 예를 들어, 배심원단은 원고가 자살에 대해 70%의 책임이 있고 피고가 30%의 책임이 있다고 결론을 내릴 수도 있다. 이러한 할당을 바탕으로 피고가 원고에게 얼마나 많은 배상금을 지불해야 하는지를 결정하게 된다. 대개 배심원들은 한쪽으로 치우쳐서 배상금을 할당하는 경향이 있다. 다시 말하면 원고와 피고에게 각각 비슷하게 50-50에 근접하게 할당하기보다는 한 쪽으로 치우쳐서 원고에게 90%나 피고에게 95%의 책임을 묻는 경우가 많다는 것이다. 그 이유는 피고가 부담하는 책임은 전부 원고에 대한 배상을 의미하지만, 그 반대는 성립되지 않기 때문이다.

잘못된 죽음에 대한 소송에서 특징적인 주장들

당신의 법적 위험성을 관리하는 첫 번째 단계는, 자살에 대한 민사재판에서 흔히 제기되는 부주의 주장의 유형을 이해하는 것이다. 의료과실은 정신건강 치료자 귀책 사유로 인한 부주의나 고의적인 불법행위의 패턴으로 정의된다. 비슷하게 훈련받은 치료자가 비슷한 상황에 처했을 때 일반적으로 보유하고 있을 만한 지식, 기술, 진료가 부족해서 부주의가 발생하였음을 입증할 책임은 원고에게 있다. 또한 원고는 피고의 지식, 기술, 관리가 부족했던 것이 죽음에 대한 원인에 근접하다는 것을 입증하여야 한다.

이러한 의료과실의 정의에는 몇 가지 가정이 포함된다. 첫째, 공통적으로 받아들여질 수 있는, 만족할 만한 수준으로 훈련된 치료자에게 당연히 기대할 수 있는 지식, 기술, 진료의 기준이다. 둘째, 부주의 행위는 태만의 죄(실행했어야 할 행위를 행하지 않은 것)나 과실의 죄(부적절하거나 잘못된 방식의 행위)다. 셋째, 부주의나 고의적인 위법행위의 패턴이라는 개념이 있다. 부주의는 단 한 번의 실수로 입증하기는 어렵다. 잘못들이 어떤 패턴이 보일 때 비로소 부주의를 확실히 입증할 수 있다. 넷째, 고의적인 위법행위는 치료자가 고의적으로 태만하거나 기준에 못 미치는 진료를 하였음을 의미한다. 고의적인 위법행위는 금전적이거나 개인적인 동기가 작용하지 않으면 거의 소송에서 주장하지 않는다. 아마도 가장 중요한 것은 근위 원인*proximal cause* 개념일 것이다. 근위 원인은 마지막 부주의 행위들과 자살 사이에 직접적이고 연속되는 연결고리가 있음을 뜻한다.

부주의에는 과실의 죄와 태만의 죄가 있기 때문에, 과실치사 소송에서 제기되는 청구의 종류를 조사하는 것이 유용하다. 잘못된 죽음에 대한 법적 소송은 사후 판단이라는 점을 명심하라. 능숙하게 훈련된 제공자는 부주의 죽음에서 지목되는 행위와 거의 관련이 없다. 하지만 원고측 변호인이 더 많은 수준의 분석 결과를 제시하게 될수록, 최소한 이들 중 하나라도 어느 정도의 부주의가 성립될 수 있는 통로가 될 가능성이 높아진다.

불완전하거나 부정확한 평가.   거의 대부분의 사건에서 원고측은 치료자가 환자의 자살 위험성을 불완전하거나 부정확하게 평가한 나머지 자살 가능성에 기여하였을 만한 다른 임상적인 요인들을 파악하지 못하였음을 입증하려고 한다. *불완전한 평가*는 태만의 죄에 해당한다. *부정확한 평가*는 단지 자살 위험성의 수준에 대한 잘못된 결론을 내린 것이다. 자살 위험성의 평가와 관련한 전형적인 문제 영역으로 자살행동의 중간 혹은 오래전 병력을 확인하지 못했거나, 현재의 자살 가능성을 적절히 평가하지 못했거나, 환자로부터 얻은 정보를 중요한 타인들에게 제공하지 않았다는 혐의 등이 있다. 만약 치료자가 자살 위험성을 평가한 것을 기록해 두었다면, 원고 측에서는 치료자가 임상적 결정에 필요한 다른 기여 요인들을 태만히 한 결과 잘못된 결론을 내렸다고 주장할 것이다. 기여 요인에는 현재의 약물 복용력 및 음주력, 우울증, 혹은 극적으로 감정적인 고통을 유발하고 자살 경향성을 증가시킬 수 있는 생활 사건이나 상황을 파악하지 못한 것 등이 있다.

입원 및 집중적인 치료 실패. 잘못된 죽음에 대한 소송에서 흔한 주장은 환자가 외래보다는 입원하여 치료를 받았어야 했다는 것이다. 만약 환자가 입원치료를 받고 퇴원한 뒤 자살했다면, 환자에게 추가적인 입원치료가 필요했고 퇴원하지 말았어야 한다고 주장할 것이다. 만약 외래진료가 소송에 포함된다면, 외래진료 회기의 횟수나 회기 사이의 간격이 환자의 자살경향성의 수준을 고려할 때 상당히 불충분했다고 주장할 수 있다. 자살경향성 환자가 외래진료를 취소했다면, 치료자가 이를 자살 위험성이 증가한 신호로 보았어야 했다고 주장할 수 있다. 이러한 주장은 표면적인 이유가 실제로 긍정적인 치료반응의 증거인 경우에도 제기된다(예, 환자가 다시 직장에 복귀해서 치료 스케줄을 재조정한 경우).

자문의뢰 실패. 이는 대부분 약물 처방 없이 자살 경향성 환자를 치료할 만한 의학적 훈련을 받지 못한 서비스 제공자가 환자를 의뢰하지 않은 것과 관련이 있다. 또 다른 주장은 서비스 제공자가 환자에게 입원이 필요했는지에 대해 정신건강의학과에 자문 의뢰를 했어야 한다는 것이다.

환자 치료와 관련된 제공자 간의 의사소통 실패. 만약 두 명 이상의 정신건강 서비스 제공자들이 환자의 치료에 관여하고 있었다면(예, 사회복지사와 정신건강의학과 의사), 흔히 하는 주장으로 그 서비스 제공자들 사이에 충분히 정보가 공유되지 않아서 한 명의 서비스 제공자가 환자의 자살 위험성을 과소평가하게 되었다는 것이 있다. 또 다른 주장은 두 명의 서비스 제공자들이 서로 의사소통을 잘 하지 못하여 새로운 위험 요인이 발생한 것을 안 치료자가 다른 치료자도 알도록 하지 못하게 하였다는 것이다. 입원 환자가 자살한 사례의 경우 가장 흔한 주장은 다양한 병동 직원들이 교대근무 인계 때 핵심적인 정보에 대한 의사소통을 제대로 하지 못했거나 한 명 이상의 직원이 환자의 정보를 파악하고 있으면서 교대 감독관 및 다른 직원과 효과적으로 의사소통을 하지 못했다는 것이다.

치료 과정에서 자살위험성의 재평가 실패.   많은 자살은 초기 방문 직후보다는 치료 과정 중에 잘 발생한다. 흔히 하는 주장은 치료자가 매 방문때마다 환자의 자살 위험성을 재평가하지 못하여 치료계획을 업데이트하지 못했다는 것이다. 또 다른 흔한 주장은 가족 구성원을 비롯한 다른 주요한 정보 제공자들을 치료에 참여시키지 않아 그들로부터 환자의 자살경향성에 대한 추가적인 정보를 얻지 못했다는 것이다.

환자 보호 프로토콜 실패.   원내 자살에 대한 흔한 의료과실 주장은 환자 보호 프로토콜을 준수하지 못했다는 것이다. 한 가지 흔한 주장은 "자살예방 조치" 수준이 환자의 위험성 정도에 부합할 정도로 충분히 강도 높지 않았거나, 환자를 직접 관찰하는 기준이 병원의 정책에 따라 이뤄지지 못했다는 것이다. 만약 환자가 자살예방 조치 범위에 있었다가 강도가 약한 상태로 이동한 경우, 강도가 덜 한 상태로 옮긴 결정이 부적절했다는 이의제기가 들어올 것이다. 또한, 많은 원내 자살 사례에서 그렇듯이 병원에서 모든 직원에게 자살경향성에 대한 평가 및 치료에 대한 지속적인 교육을 제공하지 못했다는 주장도 할 수 있다.

시설 안전 관리 실패. 입원 병동 설계가 자살 예방에 부적절하다는 주장도 제기될 수 있다. 예를 들어, 평면도에서 격리 및 강박실이 간호 스테이션의 시야에서 벗어나 있는 설계는 환자가 격리된 상태에서 자살하게 된 원인으로 지목될 수 있다. 또, 줄 없는 샤워기를 설치하지 못한 것이 샤워기 줄을 사용하여 자살한 것의 원인이 되었다고 주장할 수도 있다. 만약 환자가 창문의 잠금을 해제하고 뛰어내려 자살했다면, 창문 잠금장치의 보안에 초점을 맞춰서 문제를 제기할 수도 있다.

성공의 팁

대부분의 경우 부당 사망 소송의 청구는 다음 중 하나 이상과 관련됨을 명심한다:
- 불완전하거나 부정확한 평가
- 집중적인 치료 및 입원 조치를 취하지 않음
- 다른 전문가에게 자문의뢰를 하지 못함
- 환자 치료와 관련된 서비스 제공자들 간의 의사소통 실패
- 치료 과정에서 자살위험성의 재평가 실패
- 환자 보호 프로토콜을 따르지 못함
- 임상 시설이 충분한 안전 장치를 갖추지 못함

*과실*은 임상의의 주의의무 태만이나 고의에 의한 위법적 행위로 정의되며, 이 주장은 원고에 의해 입증되어야 한다는 점을 명심한다.

찾기 힘든 표준진료를 찾아서

과실 소송의 결과를 결정하는 핵심 요소는 배심원이 "표준진료standard of care"를 어떻게 정의할 것인가이다. 이 표준은 피고인이 진료를 소홀히 한 죄가 있는지 결정하는 핵심적인 역할을 한다. 대부분의 주에서 표준진료는 과실 행위가 발생한 시점에서 그 지역 사회에서 유사한 수련을 받은 서비스 제공자가 유사한 상황에서 시행하였을 진료로 정의된다. 양측이 서로 다른 표준진료를 설정하려고 노력할 것이 소송의 쟁점이 되는 본질적 핵심임을 인식하는 것이 중요하다. 피고측 법무팀은 가능한 최대한 긍정적인 관점에서 피고의 행위를 변호할 것이고 원고측에서는 그 반대를 시도할 것이다. 궁극적으로 배심원은 사건 발생 당시의 표준진료에 대한 합의에 도달할 것이다.

이러한 표준진료의 정의에는 몇 가지 중요한 함의가 있다. 첫째, 전문적 치료의 적절성 또는 부적절성은 동일한 분야의 서비스 제공자를 참조하여 설정된다. 심리학자가 고소를 당하면 유사한 수련을 받은 심리학자가 유사한 상황에서 무엇을 하는지에 따라 표준진료가 정의된다. 즉, 서비스 제공자의 직능에 따라 과실을 판단하는 데 다른 표준이 사용된다. 사회복지사, 심리학자, 부부 및 가족 상담사, 정신건강의학과 의사는 각각 별개의 표준진료를 따른다. 한 명 이상의 서비스 제공자가 지명된 소송에서 배심원은 몇 가지 다른 표준진료에 대한 의견을 제시하도록 요청받을 수 있다.

둘째, 표준진료는 개별 사례에 근거하여 개발된 가정적 개념이다. 자살 경향성 환자의 표준진료에 관한 교과서는 권위있는 출처로 인정받을 수 있지만, 그 자체만으로 표준이 무엇인지 설정할 수는 없다. 일반적으로 피고와 원고가 세운 전문가 증인이 배심원의 치료 기준에 대한 의견 형성에 가장 큰 영향을 미친다.

셋째, 표준진료는 지역마다 다를 수 있다. 외딴 시골 지역사회의 서비스 제공자는 정신의료시설에 접근할 수 없기 때문에 그 지역사회의 일반적인 관행은 정신의료시설의 도움을 필요로 하지 않는 치료를 제공하는 것일 수 있다.

마지막으로, 표준진료는 사건의 발생 시점에 따라 달라질 수 있다. 피고가 자살했을 당시 지역사회에서 일반적으로 사용할 수 없었던 유형의 치료를 제공하지 못했던 것에 대해서는 피고에게 책임을 물을 수 없다. 사건이 발생한 이후 새롭고 더 효과적인 치료법이 나타났을 수도 있지만, 사건 당시 일반적인 임상 관행이 아니었던 것을 기준으로 과실을 결정할 수는 없다.

자살경향성 환자의 치료에서 표준진료는 무엇인가?

자살경향성 환자에 대한 임상진료에서는 엄격한 법적 심사를 통과할 수 있는 일반적인 치료 철학을 채택하는 것이 중요하다. 다음 정의는 거의 모든 정신건강 진료 환경에 일반화되고 법적 소송에서 어떤 서비스 제공자도 유리한 위치에 놓이게 할 수 있는 지침 유형을 제공한다.

표준진료를 준수하는 정신건강 서비스 제공자는 첫 면담 이후 진행되는 회기 동안 충분히 관련 정보를 수집하여 환자의 정신 상태를 확인하고, 적합한 정신과적 진단을 내리며, 환자의 현재 기능을 적절하게 이해하고, 마지막으로 이 정보를 사용하여 환자가 자신을 해칠 상대적 위험성을 평가해야 한다. 이 정보는 반드시 적절한 치료 계획을 수립하는 데 사용되어야 한다. 서비스 제공자는 이 정보를 활용하여 외래 기반으로 치료를 계속하는 것이 임상적으로 적절하고 안전한지 여부를 결정해야 한다. 환자가 미성년자인 경우 서비스 제공자는 환자와 부모 또는 모든 보호자로부터 정보를 수집하고, 합당한 내력을 수집하며, 미성년자와 부모의 관점을 비교하고, 중요한 정보를 확인해야 할 의무가 있다.

소송으로부터 스스로를 보호하기

모든 임상가는 정신건강 전문가가 되는 것이 곧 소송의 위험과 관련이 있다는 것을 이해해야 한다. 자살 문제에 대한 완벽한 해결책이 없는 것처럼, 소송을 예방할 수 있는 완벽한 방법은 없다. 자살경향성 환자의 임상진료에서 잘못될 수 있는 것들은 아주 많다. 그러나 과실 소송으로부터 자신을 보호하고 대비하기 위한 최선의 방법은 상당히 명확하다. 다음 지침은 민사 소송의 선례에서 나온 것이 아니라 임상 상식, 과학적 탐구 및 윤리적으로 온전한 관행들이 반영된 것이다.

적합한 임상 평가를 수행하고 계획을 문서화하라

바람직한 임상진료는 환자의 자살행동에 대해 합리적으로 철저한 초기 평가를 수행하는 것이다. 전반적인 목표가 자살을 예측하는 것이 아니더라도, 간단한 자살행동 평가를 수행하는 것은 항상 유용하다. 4장("평가 및 사례 개념화")에서는 이러한 평가를 수행하고 결과를 해석하기 위한 도구를 제공한다. 자살행동 평가에는 일반적으로 과거의 자살행동, 최근의 자살사고 또는 환자가 치료를 받기까지 이어지는 행동에 대한 검토, 문제해결 전략으로서 자살의 효과에 대한 환자의 믿음에 대한 검토가 포함되어야 한다. 이러한 평가는 직접적이고 사실적이며 과도하게 시간이 많이 걸리지 않는 방식으로 진행될 수 있다. 자살사고나 자살행동으로 어려움을 겪고 있는 환자들은 치료자가 이러한 행동에 놀라지 않고 직접적인 방식으로 접근하는 것을 보면서 안심하게 된다.

자살행동 평가에서 밝혀진 내용 및 그 정보가 치료 계획에서 어떻게 다뤄지게 될 것인지를(혹은 다뤄지지 않게 될 것인지) 의무기록에 문서화하는 것이 중요하다. 만약 외래 진료를 계속하거나 어떤 식으로든 가족을 참여시키기로 결정했다면, 그 계획이 차트에 기록되어 있는지 확인하라. 정신건강 서비스 제공자는 전문적인 판단에 따라 임상 결정을 내릴 수 있다. 임상 결정의 근거가 된 정보를 명확하게 문서화하면 과실로 판명될 법적 위험성은 더 낮아진다. 법정에서 검토되는 가장 흔한 문제는 평가 결과 어떤 정보를 얻었는지, 이러한 정보가 어떻게 임상 결정으로 이어졌는지, 그리고 이 정보가 어떻게 치료계획으로 이어졌는지에 대해 제대로 기록해 놓지 않은 것이다.

다음의 법률적 격언을 명심하라: 의무기록에 기록되지 않은 것은 안 한 것이다. 다음의 의무기록 샘플이 치료를 문서화하는 데 지침이 될 수 있을 것이다.

존은 오늘 예약되어 있는 50분 상담을 위해 내원했다. 그는 불면증, 식욕 부진 및 심각한 무쾌감증과 같은 우울증을 계속 보고한다. 그는 처방받은 대로 항우울제를 잘 복용하고 있으며 행동 활성화 계획을 따르고 있다고 말했다(매주 3회 운동, 매주 2회 사회적 접촉). 그는 치료 시작 이후 기분이 나아졌다고 보고했다. 지난 며칠 동안 자살 사고가 몇 차례 있었지만 자살 시도는 부인한다. 그는 이러한 자살사고 삽화가 짧고 산발적이며 일반적으로 15~20분 이내에 "반복" 되었다고 보고한다. 심각도의 1~10 척도에서 최악의 삽화는 4로 평가하지만 일반적으로 2~3이라고 보고한다. 현재 자기 파괴적 행동을 하려는 의도를 부인하고 자살을 자신의 문제에 대한 해결책으로 여기지 않는다고 말한다. 이 정보를 바탕으로 나는 그가 현재 자기 파괴적 행동의 위험에 놓여 있지 않다고 생각하며, 따라서 외래기반 치료가 가장 적절하다고 판단한다. 우리는 그의 기능이 저하될 경우 응

급 서비스 부서에 전화하도록 권장하는 것을 포함해 위기대응 계획
을 논의했다. 외래 개인치료를 위해 1주일 후 다시 방문하기로 예약되
어 있다.

사전 동의를 구하라

처음 진료 시 고지에 입각하여 환자의 동의를 구하고 치료 옵션, 위험 및
이득, 자살 응급 상황을 해결하기 위한 합의된 프로토콜, 다양한 치료 대
안에 대한 환자의 선택과 관련하여 환자와 논의한 내용을 문서화하는 것은
항상 도움이 된다. 이 과정은 번거로울 수 있지만 환자나 중요한 다른 사람
이 치료 계획 과정에 참여할 수 없다는 개념을 상쇄하는 데 도움이 된다.
과실 사망 소송의 상당히 많은 경우에 원고는 환자와 중요한 다른 사람들
이 활용 가능한 다양한 치료 옵션에 대해 완전히 알지 못했고 각 옵션의
위험과 이점에 대해 교육받지 못했다고 주장한다. 특히 입원 치료는 그러한
문제 제기의 대상이 되는 치료 방안 중 하나이다. 논의된 치료 방안과 더불
어 환자나 중요한 다른 사람 혹은 둘 다에 의해 합의된 사항을 문서화하면
소송이 제기된 후에야 선택적으로 기억을 떠올리는 흔한 문제를 예방할 수
있는 매우 좋은 대응책이 된다.

시간 경과에 따라 자살행동을 재평가하라

환자가 자살행동을 현주소로 호소하며 치료를 받으러 오거나 치료를 진행
하는 기간에 자살행동이 발생하면 각 회기마다 자살행동을 재평가하는 것
이 중요하다. 통상적으로는 마지막 회기 이후 환자의 상태에 대해 사무적으
로 정보를 수집한다. 환자의 상태가 이전과 달라진 경우 변화된 부분과 그
에 대한 임상적 의사 결정을 기록한다. 자살경향성이 나타나거나 혹은 재
발하는 것이 치료의 효과가 없었다는 자동적인 지표가 아님을 명심하는 것

이 중요하다. 즉, 환자가 치료받고 자살경향성의 재발이 그 과정의 일부인 경우에는 굳이 치료 계획을 수정하지 않을 수 있다. 증상 재발은 정신치료에서 흔하며 환자가 어떤 방법으로 지금 그렇게 나타난 일을 해결해야 하는지에 대한 논의를 이끌어 낼 수 있다. 장기간에 걸쳐 자살경향성이 반복되는 환자를 치료할 때는 특히 그렇다. 치료 계획이 수정된 경우(예: 추가 회기가 예정되어 있음) 의무기록에 수정 사항을 기록하라. 법적 문제가 있는 경우 의무기록은 종종 치료의 유형과 그 이유를 상기할 수 있는 가장 좋은 방법이 될 것이다.

의무기록 동료 검토 및 전문적인 상담

다학제 간 회의에서 자살경향성 환자를 논의하는 경우, 그 사실과 치료 계획에 중요할 수 있는 모든 피드백을 문서화하라. 다학제적 집단이 치료 계획에 전적으로 동의했어도 그렇게 합의했다는 내용을 의무 기록에 기록했는지 확인하라. 치료자가 동료 검토 또는 2차 의견을 구하는 것이 표준진료는 아니지만, 이러한 방법과 그 수행을 문서화해 놓으면, 치료자가 신중하고 계획적으로 진료했다는 인상을 준다. 다른 의견을 구하기 위해 환자를 다른 서비스 제공자에게 의뢰하면 그 근거를 기록하고 2차 치료자의 상담 메모 또는 피드백 요약을 의무기록에 포함한다. 다른 전문가에게 상담을 요청한 것은 소송에서 인상 관리 측면에서 보너스가 될 수 있지만, 만약 치료자가 2차 의견을 치료 과정에 통합하지 않은 것으로 나타난다면 오히려 불리해질 수도 있다. 다시 말하지만, 적절한 문서화는 1파운드의 치료에 필요한 "1온스의 예방 조치"이다.

근거기반의 치료 결정을 내려라

치료 계획을 수립할 때 과학적 근거가 이를 어떻게 뒷받침하는지에 대해 한 두 문장을 포함하는 것이 종종 도움이 된다. 예를 들어, 자살경향성 환자를 외래에서 치료하기로 결정한 경우 치료자는 입원 치료 대신 외래 치료를 활용하여 장기적으로 최상의 결과를 얻을 수 있다는 근거를 제시할 수 있다. 과학이 뒷받침하는 치료를 제공하겠다는 의지를 보여주는 서비스 제공자는 일반적으로 배심원에게 깊은 인상을 준다. 전문가 증인은 일반적으로 동일한 유형의 전술로 배심원에게 깊은 인상을 주려고 하므로 근거 기반 치료 근거를 문서화하는 것은 전문적으로 진료를 수행했다는 긍정적인 전략이 된다.

자살예방 대책에 속지 말 것

어떤 개입도 확실하게 장기간에 걸쳐 자살을 예방한다고 확인된 적이 없었다는 점을 다시 한 번 강조하고 싶다. 역설적인 것은 자살 금지 서약과 같은 자살예방 대책을 사용하면 실제로 그렇지 않은데도 자살 위험 수준이 크게 줄었다고 믿게 돼서 오히려 치료자가 안심할 수 있다는 것이다. 예방 대책을 사용함으로써 치료자가 자살 위험이 늘어날 가능성에 대한 적절한 수준의 경계를 유지하지 못하게 될 수 있는 것이다. 우리는 고전적인 자살예방 대책을 실행 한 직후 환자가 자살로 사망한 여러 사례를 다룬 적이 있다. 그러한 개입을 사용하기로 결정한 경우, 그 조치는 항상 임시로 활용하는 시한부 전략으로 간주되어야 한다. 첫 회기에서 이루어진 자살 금지 서약이 반드시 다음 회기에서도 유효한 것은 아니다. 일부 소송에서는 자살예방 대책을 시작하였지만 이후에 만날 때마다 재검토와 재확인을 하지 않았다는 사실에 초점을 맞추기도 한다. 예방적 개입이 조금이라도 사용되었다면, 각 회기마다 이를 문서화해야 한다. 다시 말하지만, 예방 조치는 자살 행동의 근본 원인을 줄이는 치료가 아니라 통합적인 치료 계획의 일부로 활용되어야 한다.

정책 및 절차 중심의 서비스를 줄이기

민사상 의료 과실의 역설 중 하나는 자살경향성 환자를 치료하기 위한 어떤 정책에 임상적으로 쓸모없는 전략이 포함되어 있더라도 서비스 제공자나 기관이 단순히 그 정책이나 절차를 따르지 않았다는 이유로 과실로 판명될 수 있다는 것이다. 따라서 서비스 제공자가 일반적인 표준진료 이상으로 진료를 해도, 기관의 정책 및 절차를 위반하여 과실로 유죄 판결을 받을 수 있다. 따라서 기관에서 너무 많은 위험 관리 전략을 진료 기준으로 규정하는 것은 위험하다. 이러한 정책은 과실 청구와 관련하여 실제적인 진료기준이 된다. 원고는 기관의 정책이 임상 진료를 담당하는 모든 직원에게 적용될 수 있는 별도의 진료 기준을 구성한다고 주장할 것이다. 일반적으로 필요한 임상적 개입의 수를 최소한으로 유지하는 것이 좋다. 대신 근거기반의 위험 관리 정책 및 절차를 공들여 만들고 특정한 개입을 시행하기로 결정하는 데에는 임상적 판단이 가장 중요함을 강조하라. 예를 들어, 자살 금지 서약에 서명하지 않는 환자의 입원 치료를 의무화하는 기관 정책은 원고의 주장을 뒷받침할 수 있다. 그보다는 환자를 입원시키기 위한 임상적 결정에 영향을 미칠 수도 있고 아닐 수도 있는 다양한 범위의 요인들을 기술하는 것이 더 낫다.

성공의 팁

충분한 임상적 평가를 수행하고 계획을 문서화한다.

의무기록을 상세히 작성해서 보관한다. 의무 기록을 작성하지 않으면 하지 않은 것이다.

> 환자를 처음 진료할 때 고지에 입각한 사전 동의를 구하고, 치료 옵션, 위험 및 이점, 자살 응급 상황을 해결하기 위해 합의된 프로토콜, 치료 대안에 대한 환자의 선택에 대한 논의를 문서화한다.
>
> 동료 검토 및 전문적인 상담을 시행하고 이를 문서화한다.
>
> 근거기반 치료 결정을 내리고, 이를 뒷받침하는 증거를 문서화한다.
>
> 시간이 지나도 확실하게 자살을 예방할 수 있는 자살예방 대책은 없다는 것을 인식한다.
>
> 근거기반 위험 관리 정책 및 절차를 개발하고, 어떤 개입을 결정할 때 임상적 판단의 역할을 강조한다.

자살 후 위험 관리

환자의 자살 사망 소식을 들은 정신건강 서비스 제공자는 정서적 충격과 믿을 수 없다는 상태에 빠질 수 있다. 대부분의 경우 자살은 예상치 못한 사건이다. 이러한 혼란 속에서 서비스 제공자의 행동과 소속 기관 또는 클리닉 사람들의 반응이 이후 소송 가능성에 상당한 영향을 미칠 수 있음을 중요하게 명심해야 한다. 책임 보험사에게 사망을 즉시 알리는 것(해당 사건에 대한 위험 관리 평가를 수행할 수 있는 기회를 허용) 외에 다음 지침을 활용하도록 노력해야 한다.

자살 생존자에게 다가갈 것

사망한 환자와 아주 가까운 관계에 있는 생존자와 즉각적으로 접촉하고 어떤 형태로든 애도 상담에 참여하도록 권하는 것은 인도적이고 윤리적인 행위이다. 의무기록 상의 치료자와 다른 치료자 모두 상담을 제공할 수 있지만, 우선적으로 의무기록 상의 치료자와 연결되는 것이 좋다. 가능하다면 지역 자살 생존자 모임 등을 통해 장기적인 상담에 참여하도록 시도해야 한다. 치료를 담당했던 기관은 생존자가 환자의 치료와 관련된 기록에 즉시 접근할 수 있도록 하는 것을 고려해야 한다. 유족을 고인의 기록에서 떨어뜨리려 하면 서비스 제공자나 기관이 무언가를 숨기고 있다는 의심을 불러일으킬 수 있다. 제공된 진료에 대한 생존자의 재정적 책임을 고려하고 자살 이전의 의료 서비스에 대한 비용을 청구할지 여부를 결정한다. 이렇게 다가가는 대응은 즉각적이고 명확하며 방어적이지 않아야 한다. 이러한 반응은 환자와 관련된 서비스 제공자들 또한 충격과 슬픔의 상태에 있다는 것을 유가족들이 느끼고 공감하게 할 수 있다.

절대 환자가 자살한 이후 임상 기록을 변경하지 말 것

환자가 자살로 사망할 경우 치료자는 기존 의무 기록(종종 지난 회기에서 환자의 자살 위험을 평가했다는 언급)을 변경하거나 후향적 분석을 포함하는 새로운 의무 기록을 추가하려는 유혹을 피해야 한다. 일부 치료자들은 쇼크 상태에서 환자의 차트에 치료 과정을 분석함으로써 자기 성찰 과정을 시작한다. 이 분석에는 치료자가 "놓쳤다"고 생각하는 내용에 대한 의견 혹은 치료자가 시행했어야 하는 임상 전략에 대한 성찰이 포함될 수 있다. 어떤 상황에서는 이러한 메모에 환자의 치료를 같이 담당한 다른 치료자들에 대한 비난이 담겨 있기도 하다. 기본적으로 환자의 자살 후 차트에 어떤 내용이 담겨져 있는지 주의하는 것이 중요하다. 이러한 식으로 작성된 의무 기록은 법정에서 그 이유를 해명하기가 매우 어려우며, 주 치료자의 신뢰도를 떨어뜨릴 수 있을 뿐만 아니라, 다른 치료자에게 죄를 씌울 수 있는 탄약을 제공할 수도 있다. 환자가 사망한 뒤에 내용을 기록할 때에는 그 날짜 및 시간을 정확히 기재해야 한다.

절대 결정을 사후에 비판하지 말 것

일단 자살과 같은 안 좋은 사건이 발생하면, 그동안의 치료 과정에서 무엇을 다르게 할 수 있었을지 되짚어 보는 경우가 많다. 사실 이러한 생각은 흔히 원고측 변호사가 하는 편이다. 거듭 말하지만, 원고측 변호사는 서비스 제공자가 무엇을 다르게 했어야 하는가에 대한 질문을 계속해서 할 수 있다. 다른 평가나 치료 전략이 더 나은 결과를 낳았을 것이라는 것을 기꺼이 인정할수록, 과실로 결정되는 빌미가 더 많이 제공된다. 이런 상황에서는 개별 사례에서 자살을 예측하거나 예방할 수 있는 근거는 없다는 점을 명심하는 것이 중요하다. 따라서, 다른 평가나 치료 전략을 사용했다고 해서 자살을 예방했을 수 있다고 장담할 수는 없다. 증언대에서 여러분은 당당히 서서 기본적으로 다음과 같은 말을 해야 한다.

> "당시 이용할 수 있었던 정보와 자살경향성 환자에 대한 임상 훈련 및 경험을 감안할 때, 지금도 그 때와 동일하게 임상 평가를 도출하고 같은 치료 계획을 수립했을 것입니다."

방어적인 태도로 하지만 않는다면, 이러한 유형의 대답은 서비스 제공자가 활용할 수 있는 정보 내에서 명확히 표준진료에 해당하는 임상적 결정을 했다고 배심원들을 납득시킬 수 있다.

자살과 같이 스스로 자초한 행위가 다른 사람의 행동에 의해 야기될 수 있다는 가정은 본질적으로 단순하지만, 이 가정이 미국의 법률 제도에 의해 정의되어 있는 것이 현실이다. 최종적인 결정은 광범위한 법령들에 기초한다. 소송을 줄이기 위한 한 가지 방법은 과실 청구가 될 수 있는 정신 건강 결과의 유형을 더 잘 정의하는 법을 후원하는 것이다. 자살의 많은 경우를 예측하거나 예방할 수 없는, 스스로 자초한 죽음으로 규정하는 것이

그 행위의 본질을 훨씬 더 정확하게 나타내는 것이며, 특히 정신건강 전문
가들이 현재 그러한 죽음을 예방하는 데 필요한 기술을 가지고 있지 않다
는 사실을 존중하는 것이다. 최선의 치료에도 불구하고 어떤 환자들은 암
으로 죽는다. 최선의 치료에도 불구하고 어떤 환자들은 자살로 죽는다.

자살경향성 환자 치료에서의 윤리적 이슈들

일부 임상가는 환자가 자살하는 것을 막는 것이 모든 치료자의 의무라고
생각하지만 심장 전문의는 모든 환자가 심장마비로 사망하는 것을 예방하
는 기준을 따르지 않는다. 자살의 예측과 예방은 말이 쉽지 매우 어렵다.
게다가, 자살과 관련된 죽음을 예방해야 한다는 요건이 환자에 대한 우리
의 다른 윤리적 의무 중 어떤 것을 대체하는지 명확하지 않다. 일부 서비스
제공자는 생명을 보존해야 하는 의무가 여러 조치를 정당화하지만 침습적
일 수 있다고 주장한다(예: 기밀 유지 위반, 비자발적 입원). 임상 실무 수
준에서 이러한 흑백논리적인 입장은 어떤 환자에게서는 복잡한 삶의 상황
을 지나치게 단순화한다.

  우리는 법적 기준과 윤리적 기준이 서로 꼭 상충된다는 말을 하려는 것
은 아니다. 사실, 대부분의 상황에서 이 둘은 조화를 이룬다. 법적 기준은
일반적으로 특정 상황에서 허용되는 행위를 정의하는 반면, 윤리적 기준은
법적으로 부합되는 것은 물론이고, 의료 전문가의 원칙과 규칙에 기초하여
권장되는 하나 이상의 행동이나 결정을 정의한다. 그럼에도 불구하고 우리
는 임상 실무에서 윤리적 기준을 적용하는 것이 단순한 문제가 아님을 말
하고자 한다. 법적 및 윤리적 딜레마는 환자의 프라이버시를 존중하고 안전
을 보호하는 것과 같은 두 가지 긍정적인 의무가 모호하거나 서로 대립할
때 가장 자주 발생한다. 법적인 두려움이 영향력을 더 많이 발휘하면, 임상

가는 윤리적으로 규정되어 있는 것과 법적으로 규정되어 있는 것을 쉽게 구별하지 못할 수도 있다. 만약 여러분이 이러한 다양한 영향력에 대한 경각심을 유지하지 않는다면, 결국 사회 일부의 이익을 강요한 나머지 환자에게 피해를 주게 될 수 있다. 이러한 상황에서 윤리적 해석과 적용은 주관적인 것으로, 설령 동료들이 지침을 제공하도록 요청받을 때에도 마찬가지다. 기본적으로 윤리적 임상 실제는 철학자, 성직자, 그리고 윤리학자의 높은 수준에서 행해지지 않는다. 대신 앞을 제대로 파악할 수 없고 엄청난 임상적 고통의 참호 속에서 이루어진다. 이 속에서 임상가 또한 불확실함과 괴로움을 느끼며 환자의 복지를 위해 여러 접근 방식들을 저울질하며 치료적 대응을 해야만 한다.

현명한 임상 진료는 몇 가지 기본적인 윤리적 기술skills에 달려 있다 (Roberts 2016). 첫 번째는 환자를 치료하는 상황의 윤리적 특징을 식별할 수 있는 능력이다. 두 번째는 임상가의 삶의 경험, 태도, 지식이 환자의 치료에 어떤 영향을 미칠 수 있는지를 아는 능력이다. 세 번째는 자신이 지니고 있는 전문 지식의 강점, 범위, 한계를 이해하고 이를 임상 진료의 범위에 맞추는 능력이다. 네 번째는 자살경향성 환자를 진료할 때 거의 늘 발생하게 되는 윤리적으로 위험하거나 문제가 있는 상황을 예측하는 능력이다. 이 책의 첫 두 장에 걸쳐서 논의된 이러한 기술 외에도, 환자를 치료하는 데 있어서의 어려움과 윤리적 갈등을 해결하기 위해 추가적인 정보를 모으고 상담과 전문 지식을 찾는 기술도 있다. 이러한 노력을 통해 복잡한 환자에 대한 적절한 치료 기준을 충족시킬 수 있다.

마지막 윤리적 기술은 고위험 환자를 치료하는 상황에 대한 추가적인 안전 조치를 구축하는 것과 관련이 있다. 추가적인 안전 조치의 예로는 매우 심각한 환자를 돌보는 협력 팀의 참여, 대처카드 도입(8장 "자살 응급 관리"), 11장 "1차의료에서 자살경향성 환자의 치료 참조")가 있다. 그리고 적절하게 자기 관리를 하고 감정적인 피로와 소진burnout을 막기 위한 노력을 해야 한다.

윤리적 기준은 효용성workability을 시험해야 하는 살아 숨쉬는 원칙이다. 효용성은 윤리적 딜레마에 처할 때마다 다른 방향으로 가야 한다는 압박에 상관없이 환자의 복지를 위해 최선을 다하는 것을 목표로 함을 의미한다. 효용성은 자살경향성 환자의 임상진료에 윤리를 적용하는 것의 근본적인 역설을 나타낸다. 우리는 법률, 소속 기관, 위험 관리 책임에 얽매이지 않고 그 책임을 인지하는 법을 배워야 한다. 법적 요건이 유용한 지침을 제공하고 있는가, 혹은 올바른 위험관리 절차를 준수했음에도 불구하고 환자가 피해를 입게 되는가? 환자나 치료자, 기관, 사회의 이익 중 이 상황에서 누가 혹은 무엇이 보호받고 있는가? 당신이 환자에 대해 도덕적 혹은 정서적으로 부정적인 반응을 보이는 것을 숨기기 위해 법을 적용하는 것인가? 법과 직업윤리가 상반된 행동 방침을 제시할 때 어떻게 해야 하는가? 위의 각각의 질문들은 자살경향성 환자를 진료하면서 한 번 이상씩 수면 위로 드러날 것이다.

자살경향성 환자 치료를 위한 윤리 지침

모든 치료자는 그들의 원칙 내에서 윤리적 기준을 준수해야 한다. 거의 항상 첫 번째 원칙은 해로운 치료를 하지 않는 것이다. 수천 년 전에 히포크라테스는 "무엇보다도 해를 입히지 말라Primum non nocere"고 했다. 자살경향성 환자를 진료함에 있어서 해는 주로 두 가지 영역에서 비롯된다. 1) 자살에 대한 개인적인 반응, 도덕 및 신념에 의한 간섭과 2) 효과가 있는 것으로 입증된 평가 및 치료를 사용하지 않는 것이다. 우리는 이 두 가지 피해 영역을 간략히 살펴보고 따라야 할 몇 가지 일반적인 지침을 제안한다.

윤리적으로 말하면, 당신의 책무는 대한 감정 반응, 도덕적 혹은 종교적 신념 및 개인적인 가치관으로 인해 환자에게 가장 이득이 되는 치료 전략을 선택하고 구현하는 과정이 흐려지지 않도록 하는 것이다. 한 치료자는 자살이 법률로 제제할 수 없는 개인의 선택이라고 생각할 수 있다. 다른 치료자는 환자가 자살을 생각함으로써 하나님께 죄를 지었다고 믿을 수도 있다. 두 태도 모두 통제되지 않은 방식으로 치료에 적용될 경우 파괴적인 영향을 미칠 수 있다. 더 허용적 태도의 치료자는 환자의 문제를 해결하는 방법으로 자살의 대안을 찾기 위해 열심히 노력하지 않거나 환자가 자살행동을 완수할 수 있도록 교묘하게 허용할 수 있다. 자살을 반대하는 치료자는 자살에 대한 비난, 도덕적 평가, 직면, 주립병원에 강제입원 시키겠다는 위협 등을 행할 수 있다.

이러한 딜레마에 대한 해결책은 개념적으로는 단순하지만 실제로는 복잡하다. 치료자는 환자의 신념, 도덕적 평가 및 자살에 대한 관점에 주의를 기울여야 한다. 환자에 적용할 수 있는 추가적인 해결책을 만들기 위해 노력하고, 개인적인 신념과 환자의 신념을 혼동하지 말아야 한다. 이러한 목표는 몇 가지 구체적 지침을 따를 때 가장 잘 달성할 수 있다.

자살에 대한 도덕과 가치관을 정기적으로 목록화 하라

당신은 자살과 치명적이지 않은 자기 파괴적 행동 문제에 대한 자신의 도덕과 가치관을 정기적으로 목록화 해야 한다. 자살행동에 대한 도덕성, 가치관, 감정 반응은 성숙해 가면서 구체적인 삶의 경험에 따라 변할 수 있기 때문에, 이전의 자기 평가에서 어떤 변화가 있었는지 감지하기 위해 주기적으로 도덕적인 신념을 확인하는 것이 중요하다. 부록 A-C("자살에 대한 철학", "자살행동 설문지", "살아야 할 이유 척도")를 1년에 한 번 이상 검토하며 자살행동에 대한 도덕과 가치관을 평가하는 것을 제안한다.

자살경향성 환자를 치료하는 것에 대한 적합성 목록을 작성하라

당신의 감정 반응, 도덕성, 가치관이 자살경향성 환자를 치료하는 데 방해가 되는지 여부를 결정해야 한다. 특정한 임상 문제에 대한 당신의 반응이 그 문제를 가진 환자들을 효과적으로 치료하는 것을 매우 어렵거나 불가능하게 만든다고 결론짓는 것은 부끄러운 일이 아니다. 효과적이지 않거나 심지어 해로운 치료를 시행하는 것보다 이것을 솔직하게 인정하는 것이 더 낫다. 의심스러울 때, 필요한 관점을 제공할 수 있는 동료와 이러한 문제를 논의하는 것은 유용할 때가 많다.

자살 문제에 대해 환자와 대화하라

당신은 자살 문제에 대해 자살경향성 환자와 직접적으로, 방어적이지 않게 의사소통을 해야 한다. 이상적으로는 당신과 환자가 자살행동에 대한 신념을 서로 교환할 수 있어야 한다. 당신은 활용 가능한 치료 유형을 논의하고, 각 치료법의 위험과 이점에 대해 설명하며, 환자가 치료 계획 과정에 참여하게끔 해야 한다. 본질적으로, 이 윤리적 요건은 환자에게 치료에 대한 사전 동의를 구하는 것과 같다.

당신이 자살 위기에 어떤 대비를 하고 있는지 전달하라

환자가 자살행동을 하거나 자살 위험성을 나타내면, 당신이 어떤 조치를 취할 준비가 되어 있는지 환자에게 분명히 알려야 한다. 이 논의에는 당신이 어떤 상황에서 응급의료 인력의 도움을 요청하고, 환자를 입원시키거나, 환자로부터 긴급 전화를 받을 수 있는지를 포함한다.

치료가 도움이 될 수 있다는 확신을 전달하라

치료를 한다는 것은 환자가 삶의 어려움에 대한 최선의 해결책을 찾도록 돕는 것임을 분명히 전해야 한다. 이는 힘든 일이 될 수 있다. 치료는 산등성이를 오르는 것과 같을 수 있다. 설령 고도가 높아지는 그 순간에도 조금 내려가게 될 수 있다. 당신이 최선을 다해 치료에 전념하고 있음을 환자가 알도록 하라. 환자가 자살을 완수하지 않기 바란다는 당신의 희망을 강력히 전달하고, 환자가 자살하는 데 어떤 도움도 주지 않을 것임을 분명히 하라.

근거기반 치료: 윤리적 의무

우리 대부분이 지키려 애쓰는 윤리적 기준은 효과가 있는 치료 방법만 사용하는 것이다. 일부 치료자는 "무엇보다도 해를 입히지 말라."라는 요구 때문에 잘못된 우려를 한다. 그들의 우려는 자살행동에 대해 질문함으로써 자살에 취약한 사람에게 암시를 주고 그러한 행동을 계속 하도록 만들 것이라고 생각한다는 것이다. 그러한 가정을 뒷받침하는 임상 경험이나 연구 결과는 없다. 자살에 대해 묻는 것은 자살을 예방하고 치료하기 위한 첫 번째 단계이다. 이 두려움은 특히 암시의 힘에 더 취약한 것으로 보이는 어린이와 청소년을 대할 때 나타날 수 있다. 다시 말하지만, 이 가정을 뒷받침하는 데이터는 없다. 사실 문제는 오히려 자살에 대해 묻지 않는 데서 발생한다. 이 경우 중요한 정보를 놓칠 수 있고, 최악의 경우에는 자살이 금기시되는 주제이며 도움을 기대할 수 없는 문제라는 느낌을 환자에게 남기게 된다.

효과적인 치료 방법만을 사용하기 위한 노력은 항상 하지만 윤리적 기준을 무시하는 경우가 너무 많다. 문제는 유망한 치료 연구에 대한 지원이 부족할 때 발생한다. 연구에 대한 지원이 이루어지기 수 년 전부터 이미 혁신이 일어날 수 있기 때문에 이것은 임상 현장에서 매우 일반적인 문제이다. 아울러 이것은 다양한 질병 치료에서 나타나는 문제이기도 하다. 몇 가지 예외를 제외하고는 자살 위험을 줄이는 측면에서 기존의 입원 및 외래 치료의 임상적 유용성을 입증하는 문헌은 거의 없다.

그러나 5장("자살경향성 환자에서의 외래치료")에서 논의하고 있는 것처럼 인지행동치료가 자살사고를 낮추는 데 긍정적인 영향을 끼칠 수 있으며, 일부 선택된 집단에서 자살시도 빈도를 줄일 수 있다는 몇 가지 치료 연구가 있다. 이러한 치료의 대부분은 자살이라는 주제에 대해 덜 규범적인 입장을 취하는 대신 그것을 치료 모형에 통합하려고 한다. 자살경향성 환자는 자살사고 및 자살시도 집단에 속한다. 누가 자살로 사망할지 우리가 알방법은 없다. 따라서 모든 환자를 치명적이지 않은 자살경향성 집단의 구성원인 것처럼 치료해야 한다.

기관의 간섭에 대처하기

때때로 치료자는 특정 치료 전략이 효과가 있을 것이라고 확신하지만, 기관의 정책과 절차가 이를 허용하지 않을 때가 있다. 우리는 자살 고위험군에 대한 지침으로 알려진 내용이 실제로는 비효율적이며 최악의 경우에는 환자에게 해가 되는 경우를 알고 있다. 예를 들어, 자살사고를 표현하거나 자살 금지 서약에 서명을 거부하는 환자들에게 모두 입원을 하도록 권고하는 것이 있다. 현재의 개입이 효과가 없고 효과적인 개입은 제한적인 정책에 의해 방해받는다는 이러한 불편한 느낌은 주된 윤리적 딜레마가 될 수 있다.

이러한 딜레마에서 오는 좌절감에 적절하게 직접적인 대처를 하지 못하면 나쁜 결과로 이어질 수 있다. 자살행동에 대한 훈계나 간청, 대립으로 회기의 질이 저하될 수 있다. 이러한 기술 중 어느 것도 효과적이지 않다.

오히려 작업 동맹을 깨뜨리거나 사실상 환자의 자살 위험을 증가시킬 수 있는 침습적 개입을 함으로써 환자에게 해를 끼칠 수 있다. 치료자는 환자가 다음 예약에 안 나타나기를 내심 바라면서 그러한 메시지를 다양한 방식으로 전달할 수 있다. 환자 역시 똑같이 좌절감을 느낄 수 있다. 문제들에 대한 얘기는 많이 오가지만 실제로 이루어지는 일은 별로 없다. 이러한 시나리오는 일부 환자에게는 이전에 여러 차례 겪었던 경험을 불행하게 반복하는 것이기도 하다.

기관의 위험 관리 지침에서 비롯되는 윤리적 딜레마를 최소화하는 방법에는 여러 가지가 있다. 첫번째로 가장 중요한 것은 이 분야의 발전 상황을 파악하고 있으면서 이러한 정보를 동료들과 정기적으로 공유하는 방법을 찾는 것이다. 비록 당신이 계속 현재 시스템의 제약 내에서 활동하더라도, 이러한 지식은 당신과 동료들이 효과적인 개입을 할 수 있는 기회를 극대화할 것이다. 이 정보를 기관에 전달하여 정책을 수정할 수 있는 방법을 찾아라.

윤리적 문제를 피하는 또 다른 방법은 실수를 피하기 위해 의식적으로 노력하는 것이다. 감정적으로 지치고 고갈되어 있을 때 실수하기 쉽다. 특히 협력팀의 지원이나 지도감독 없이 너무 복잡하고 심각한 환자를 진료하는 것도 쉽게 판단의 오류에 빠지게 만든다. 긍정적으로 자기를 돌보고 환자에 대한 부담을 적극적으로 관리하는 것은 최선의 윤리적 기술을 활용하는 데 매우 중요하다.

정신건강 관리가 가내 산업에서 주요 서비스 산업으로 전환되는 것도 서비스 제공자가 잘못된 위험 관리 지침을 변경하려고 시도하는데 유리하게 작용할 수 있다. 오늘날 대부분의 정신건강 진료 체계는 보험회사 등의 지급자에게 임상 서비스에 대한 자료를 제공해야 한다. 이렇게 수집되는 자료에는 종종 치료 반응, 치료 손실, 부재율 및 부작용 지표로서 응급 서비스가 필요한 자살시도 또는 자살사망 등이 포함된다. 임상가는 자살경향성 환자의 치료에 어떤 유형의 지표가 중요한지 결정하는 데 관여해야 한다. 기관 수준의 데이터는 기관의 정책 및 위험 관리 관행을 다듬는 데 활용될 수 있음을 명심하라. 예를 들어, 자살 금지 서약에 동의하지 않는 반복적인 자살경향성 환자를 입원시켜서 향후 재입원 가능성이 높아진다면, 기관의 지침에 근거한 임상 서비스가 작동하지 않게 되며 이는 자료에서 드러날 것이다.

정책에 기반한 임상 서비스의 임상 결과에 대한 책임이 기관과 서비스 제공자에게 있다는 것이 점점 더 분명해지고 있다. 만약 당신이 효과가 없거나 유해한 치료를 하도록 만드는 정책을 운용하는 시스템에서 치료하는 경우 동료의 지지를 모아서 이러한 정책을 변경해야 한다. 정책이 당신을 잘못된 방식으로 이끈다면, 다른 사람에게도 똑같은 방식으로 작용할 가능성이 높음을 명심하라. 특히 서면으로 공식화되고 여러 직원이 서명한 "진료의 질quality of care"에 대한 진술은 기관 수준의 변화를 가져오는 데 매우 효과적인 장치다.

요약

- 당신의 감정 반응, 도덕적 및 종교적 반응, 자살에 대한 개인적 가치관을 알지 못한다면, 환자를 논리적이고 일관된 방식으로 치료하지 못할 것이다.
- 부록 A-C ("자살에 관한 철학", "자살행동 설문지" 및 "살아야 할 이유 척도")에 수록된 연습 내용을 활용하여 당신의 "민감한 부분"을 숙지한다.
- 소송에 대한 두려움이 치료적 접근 방식을 지배하지 않고 과실 소송의 위험으로부터 당신을 보호하는 데 도움이 되는 실무 전략이 마련되어 있어야 한다. 부록 D ("과실 관리 평가")의 연습을 해서 이와 관련한 당신의 상황을 확인하라.

- 자살경향성 환자에 대한 윤리적 실천은 자살에 대한 당신의 개인적인 대응과 법적 두려움을 가라앉힘과 동시에, 자살행동에 대한 근거기반 접근 방식을 추구한다. 기관의 지침에 따른 치료를 요청받더라도 과학적 근거가 부족한 치료적 개입은 시행하지 말아야 한다.
- 환자 치료 책임에 대한 부담과 속도를 관리하기 위한 계획된 활동을 하고 자기 관리를 잘 하도록 한다.

읽어볼 만한 문헌

Berman AL: Risk management with suicidal patients. J Clin Psychol 62(2):171–184, 2006 16342285

Bongar B, Berman A, Maris R, et al. (eds): Risk Management With Suicidal Patients. New York, Guilford, 1998

Grant JE: Liability in patient suicide. Curr Psychiatr 3(11):80–82, 2004

Howe E: Five ethical and clinical challenges psychiatrists may face when treating patients with borderline personality disorder who are or may become suicidal. Innov Clin Neurosci 10(1):14–19, 2013 23440937

Jie L: The patient suicide attempt: an ethical dilemma case study. Int J Nurs Sci 2(4):408–413, 2015

Jobes D: Clinical work with suicidal patients: emerging ethical issues and professional,challenges. Prof Psychol Res Pr 39(4):405–413, 2008

Knoll J: Lessons from litigation. Psychiatric Times, May 28, 2015

Linehan MM, Goodstein JL, Nielsen SL, et al: Reasons for staying alive when you are thinking of killing yourself: the reasons for living inventory. J Consult Clin Psychol 51(2):276–286, 1983 6841772

Packman WL, Pennuto TO, Bongar B, et al: Legal issues of professional negligence in suicide cases. Behav Sci Law 22(5):697–713, 2004 15378596

참고문헌

Roberts LW: A Clinical Guide to Psychiatric Ethics. Arlington, VA, American Psychiatric Association Publishing, 2016

3

자살행동의 기본 모형

학습기반 문제해결 접근

이 장에서 우리는 자살행동을 간단하고 효과적이며 임상적으로 유용한 방식으로 이해하는 법을 소개한다. 우리의 목표는 급성 및 만성 자살사고와 자살행동을 평가하고 개입할 수 있는 명확한 프레임워크를 제공하는 것이다. 우리는 자살행동을 강렬한 부정적 감정에서 벗어나거나 피하기 위해 감정을 조절하고 개인적인 문제를 해결하는 학습된 방법으로 간주한다. 자살행동의 또 다른 이점은(의도적이든 비의도적이든) 스트레스가 되는 생활 상황을 바꿀 수 있는 효과적인 방법이라는 점이다.

　다양한 정신질환에서 자살경향성이 확실히 더 많이 발생하기는 하지만 자살사고 및 자살행동이 거의 모든 사람들에게 발생할 수 있다는 것은 자살경향성을 정신질환의 결과로만 이해하기에는 부적절함을 시사한다. 우울증, 조현병, 공황장애와 같은 정신질환을 앓고 있는 많은 환자들이 극심한 개인적 고통을 경험하지만 자살을 생각하거나 시도하지 않는다는 것이 중요하다. 마찬가지로 중요한 것은 정신질환을 앓고 있지 않으면서 자살을 생각하거나 시도하는 사람들도 많다는 것이다.

만약 정신질환만으로 자살경향성이 나타나는 이유를 전부 설명하지 못한다면, 환자들에 대한 완전한 치료 프로그램을 구성할 수 있는 포괄적인 프레임워크를 갖추려면 어떤 정보가 추가로 더 필요할까? 비록 동반이환되어 있는 정신 및 중독 질환들은 그것들 대로 치료되어야 하지만, 사람이 자살행동을 하게 만드는 데에는 다른 임상적인 요인들이 더 결정적인 역할을 한다. 자살행동을 정신질환의 존재와는 별개로 정서적 고통에 대한 학습되고 강화된 반응의 독특한 집합으로 이해함으로써, 더 효과적인 치료적 접근을 할 수 있을 것이다. 환자에게 붙여진 진단적 꼬리표를 넘어서 그 환자가 정서적 괴로움을 어떻게 다루는지를 궁금해 해야 한다. 다양한 연령대, 진단 범주, 괴로운 삶의 상황들에서 사람들이 자살행동을 하게 되는 이유를 이해하는데 이러한 접근이 도움이 될 것이다.

그림 3-1은 자살 위기가 어떻게 발생하는지에 대한 간결한 모형을 보여준다. 이 모형은 문헌 고찰을 통해 완성되었으며, 자살경향성 환자들에 대한 수십년 동안의 임상적 경험과도 일맥상통한다. 이 모형은 세 가지 중요한 구성 요소를 포함하고 있는데, 이것들이 모두 합쳐져 환자가 자살행동에 취약하게 작용한다.

- 강렬한 부정적 정서 상태는 문제가 있는 내부 및 외부의 촉발 요인에 의해 일어나며, 환자가 다양한 출처들을 통해 획득한 부정적 정신상태를 수용할 수 없다는 정신 규칙과 합쳐진다.
- 정신적 고통을 통제하는 데 초점을 맞춤으로써 수동적인 문제해결 방식이 발달하여 특징이 되면서, 정서적 및 행동적인 회피 전략을 남용하게

선행 조건	사건 당시 조건	사후 조건
생활 스트레스 (예, 이별, 애도, 경제적 어려움, 사회적 관계망의 변화)	**정서적 기능** 1. 회피기반 대처 2. 다른 방식의 정서 　조절 기술 부족 3. 괴로움을 견딜 수 　있는 힘의 부족 　정서적 고통과 　세 가지 / **문제해결 기능** 1. "즉효약" 문제해결 　세트를 우선시하는 　정신 규칙 2. 대안적 해결책을 　모색하는 데 어려움 3. 수동적 해결책 사용 4. 자살에 대한 호의적 　평가 **인지적 기능** 1. 문제를 견딜 수 　없음 2. 문제에서 벗어날 　수 없음 3. 문제가 끝없이 　계속됨	**외적 강화** 긍정적 1. 환경에서 벗어나게 　해줌 2. 일시적으로 손상된 　관계를 복구할 수 　있음 3. 다른 사람들로부터 　더 많은 관심과 　보살핌을 얻을 수 　있음 부정적 1. 다른 사람들을 화나 　고 원망스럽게 만들 　수 있으며, 장기적 　으로 대인관계가 　어려워짐 2. 임시방편 식의 전략 　이 강화됨 3. 신체적 고통, 불편감, 　손상 가능성 **내적 강화** 긍정적 1. 불안함과 절박함 　감소 2. 표현을 통한 해소 부정적 1. "정신과 환자"라는 　사회적 낙인 2. 개인적 통제력 상실
일상적 스트레스 (예, 대인관계 문제, 일상적 업무의 적체, 요금 연체)		
정신질환 (예, 우울증, 조현병, 약물중독)		

그림 3-1. 자살행동의 문제해결 모형

된다. 이 방식은 정신적 고통을 단기간에 감소시키기 위한 철수, 행동적 회피, 자살사고, 감정 억제의 순환이 빠르게 습득되고, 학습되고, 강화되게 함으로써, 이러한 대처 전략 패턴을 반복적으로 사용하게 한다.

- 더 장기적인 관점으로 볼 때, 이러한 문제해결 방식은 효과적이지 못하고, 감정 반동 효과emotion rebound effect로 인하여 환자가 정신적 고통을 억제하고, 제거하고, 혹은 통제하려는 시도가 역설적으로 부정적인 감정을 증가시킨다. 이것은 자살경향성이 왜 시간이 갈수록 악화되어 가는지 설명해준다.

정신적 고통의 역할

자살행동은 무vacuum에서 비롯되지 않는다. 환자들은 대개 고통스럽고 원치 않는 내적 상태들(침습적 사고, 고통스러운 감정, 외상적 기억, 불쾌한 신체 증상 등)이나 처리하기 어려운 외적 스트레스 요인들에 직면해 있다. 당사자들이 보고하는 가장 흔한 감정은 슬픔, 죄책감, 불안, 애도, 공포, 외로움, 해소되지 않는 지루함, 수치심, 분노 등이다. 부정적 감정은 실로 다양한데 그 중 어떤 것도 특정한 정신질환을 의심하게 할 정도로 특징적이지 않다는 것을 냉정히 인식해야 한다. 우리가 취해야 할 적절하고 실용적인 입장은, 이들이 정신적 혹은 감정적 고통의 기본 요소들이라는 점이다. 자살경향성 환자들은 다양한 유형의 강렬한 고통스러운 감정을 유발하는 삶의 상황들에 깊이 빠져 있다. *어떤 강력한 부정적 감정 상태도, 계속되기만 한다면 자살 위기를 유발하기에 충분하다는 것을 명심하라.* 또한, 우울증은 감정 상태가 아니라는 점을 명심해야 한다. 우울증은 오히려 슬픔, 감정적 무감각, 무쾌감증을 복합적으로 경험하게 되는 여러 감정 상태의 집합체이다.

이러한 부정적인 감정 상태가 환자의 삶에서 상당한 현실적인 문제들에 동반되는 경우는 매우 흔하다. 예를 들어, 취업 전망에 대한 실망스러운 소식, 별거나 임박한 이혼, 배우자나 자녀의 상실 등은 깊은 상실감이나 죄책감 등을 유발할 수 있다. 집을 잃을 가능성과 같은 심각하면서 악화되는 재정적인 문제들은 불안이나 염려 등을 유발할 수 있다. 심각한 심장 마비가 왔거나 중대한 수술을 받은 후에는 정체성의 상실을 경험할 수 있다. 환자가 친구나 같은 편이었던 누군가로부터 배신당하거나 평판이 손상되면 분노가 촉발될 수 있다. 주의를 산만하게 만드는 많은 일상적인 혼란을 포함하는 무질서하고 스트레스로 가득 찬 생활방식을 영위할 수도 있다. 이러한 문제들은 사라지지 않고 가랑비에 옷 젖듯이 계속 누적되다가, 평범한 사건 하나로 결정적인 한 방을 맞을 수 있다.

성공의 팁

자살경향성 환자는 상당한 정서적 고통을 경험하고 있으며, 그 원인은 다양할 수 있음을 인지한다.

일부 환자는 자살이 그러한 고통을 없애거나 통제할 수 있는 유일한 방법이라고 인식한다. 실제로, 자살은 감정을 통제하는 궁극의 방식처럼 여겨질 수 있다.

환자가 괴로움과 관계 맺는 법

자살위기의 핵심적인 측면은 환자가 자신의 괴로움과 맺는 관계다. 우리는 문화적으로 기분 좋은 상태를 매우 중시하고 건강한 사람은 괴로워할 필요가 없다는 문화적 서사를 조성하기 위해 매우 다양한 기술들을 개발해왔다. 이를테면 불편한 마음을 빠르게 해소시킬 수 있는 알약, 영상으로 관심

돌리기, 그 외 빠르게 작용할 수 있는 모든 방법들 말이다. 우리는 완벽한
삶을 사는 완벽한 사람들을 보여주는 소셜 미디어의 융단 폭격을 받고 있
다. 무언가를 구입하고, 섭취하고, 바르고, 가상현실로 외계인을 물리치고,
그 외 여러 가지를 통해서 과체중, 무기력, 성기능 부족, 축 쳐진 근육, 과도
한 슬픔이나 불안을 없애는 것을 보여주는 광고로부터 벗어나지 못한다.
이러한 즉효약 메시지는 인간 조건에 대한 잘못된 표현일 뿐만 아니라 전체
인구의 정신건강에도 해로울 수 있다. 뭐가 나쁠까? 역학 연구에 따르면
1980년대 이후로 매 10년마다 정신질환 유병률이 5-7%씩 증가했다. 이제
주요정신질환의 1년 유병률은 거의 30%에 육박하고 있다. 이는 미국인 4명
중 1명에 해당하는 수치이다(Kessler와 Wang 2008).

실제 현실은, 인생의 여정에서 고통pain은 불가피한 요소라는 것이다. 인
생이 꼭 모든 것을 흡족하게 만들려는 우리의 노력("걱정말고 행복하세요
Don't worry; be happy.")에 협조해 주지는 않는다. 심지어 선망의 대상인
유명한 영화배우들도 이혼하고, 프로 운동선수들도 자살한다. 우리는 고통
은 인간 조건의 일부가 아니라고 믿게끔 훈련받음으로써 괴로워 할 만반의
준비를 갖추게 된다. 하지만 비록 삶의 고통은 피할 수 없더라도 괴로움은
선택이다. 우리가 인간됨의 진실되고 합당한 일부로서의 고통에 저항할 때
괴로움을 겪게 된다. 정신적 고통을 유독한toxic 것으로 여기고 사회적으로
그렇게 훈련받을 때 우리는 그에 저항할 만반의 준비를 하게 된다. 우리는
합당한 형태의 정신적 고통을 외상적인 개인적 사건으로 바꾼다.

이러한 사회적인 훈련을 배경으로 사라지지 않을 것 같은 정서적 고통
속에 있는 사람에게 흥미로운 역설이 발생한다. 이렇게 지속되는 고통은 문
화적 서사를 위반하는 것으로 보이며, 너무나 당연하게도 고통을 기꺼이
경험하는 데 어려움을 겪는다. 정신적 고통이 지속될 때 삶은 불공평하고,
누군가 자신을 희생시키고 있으며, 자신이 인격이나 의지가 부족하고, 괴로

워 마땅하며, 기타 등등이라고 느낀다. 설령 한 번도 자살경향성이 없었던 사람이더라도 대개 개인적인 고통을 받아들일 수 없다는 내면의 대화를 이어가게 된다. 본질적으로, 그가 고통을 수용할 수 없기 때문에 고통은 사라져 버려야 한다. 이러한 느낌은 감정적 흥분을 조절하는데 엄청난 지장을 주며, 회피와 억제 전략은 이를 더 악화시킬 뿐이다. 감정 통제 상실과 더 극단적인 것을 시도하려는 충동은 모든 자살 위기의 핵심 양상이 된다. 정신적 고통에 대한 그의 판단과 평가는 고통에 대한 내성을 낮추는 데 필요한 조건을 만든다. 정신적 고통에 대해 점점 더 도발적으로 평가할수록, 수용 능력은 그만큼 더 떨어지고, 극단적인 무언가를 하고자 하는 충동의 빈도와 강도는 심화되며, 위기감이 고조된다.

회피기반 대처의 역할

많은 문헌들에서 정서적으로 회피하는 대처 방식이 자살경향성을 비롯한 다양한 정신병리적 현상들과 관련성이 높음을 보여주고 있다. 대중적 인지행동 접근 방식인 수용전념치료는 정서 및 행동적 회피를 여러 형태의 인간적 괴로움에서 한결같이 나타나는 과정으로 받아들인다(Hayes 등 2011). 더 나아가 수많은 연구들에서 자살경향성 환자들은 수동적이고 감정에 초점을 맞춘 대처 전략들(어려움을 환기시키기, 물러나거나 고립되기, 다른 사람들이 변하기만 바라기, 단순히 시간이 지나기만을 기다리기 등)에 의존하는 것으로 나타났다.

　우리의 모형에서는 감정에 초점을 맞춘 문제해결과 가치value에 기반한 문제 해결을 명확히 구분한다. 우리는 이들 용어들을 다음과 같이 정의하고자 한다. 건강한 삶을 살아가는 것에는 다양한 삶의 전환과 도전을 마주하는 것이 포함된다. 이 생활 사건들 대부분은 어느 정도의 정신적 고통을 유발하며, 그 고통을 건강한 방식으로 헤쳐 나가는 도전을 해야 한다. 감정에 초점을 맞춘 문제해결은 정신적 고통을 과도하게 느끼고 해결해야 할 문제로 여긴다. 반면, 가치에 기반한 문제해결은 정신적 고통을 주어진 것으로 여기며, 고통을 수용하고 개인의 신념과 인생관에 따라 삶의 도전에 대응하는 것을 목표로 한다. 이 책에서 우리는 사람들이 자신의 삶에서 지키고자 하는 기본 신념과 원칙을 지칭할 때 가치라는 용어를 사용한다.

감정에 초점을 맞춘 문제해결은 회피 기반 전략을 과도하게 사용하는 경향이 있다. 자살경향성의 기저에 있는 이러한 기전은 많은 에너지를 소모하고 정신적 자원을 빠르게 고갈시키는 대처 전략을 사용한다. 환자는 너무 지친 나머지 삶의 문제에 대해 좀 더 복합적이며 접근지향적approach-oriented 해결책을 모색하는데 필요한 관심과 에너지를 잃게 된다. 회피를 사용하는 경향과 수동적인 문제해결 전략에 의존하는 경향이 합쳐지면 "휘발유 옆의 성냥불" 시나리오를 완성한다.

*감정적 회피Emotional avoidance*는 감정적인 고통을 수용하거나 이를 위한 공간을 만들기보다는, 부정적인 감정을 통제, 제거, 혹은 억제하려고 시도하는 것이다. 우리가 삶의 도로 위에 덜컥 떨어졌을 때 우리 대부분은 부정적인 감정 상태는 나쁘고(혹은 유독하고) 어떻게든 처리해야 될 것으로 간주하는 사회화 과정을 훈련받는다. 우리는 건강한 삶의 목표는 좋게 느끼는 것이며, 나쁜 감정들은 정신질환, 인격 부족, 혹은 그 외 다른 부정적인 개인적인 자질을 나타낸다는 신념을 내면화한다. 우리는 다시 건강한 상태의 "기본값default"으로 되돌아가기 위해 자연스레 이러한 경험들을 없앨 수 있는 해결책들이나 대처 전략을 찾게 된다. 이러한 관점에 따르면, 삶의 딜레마에 대처하는 목표는 그것을 만들어내는 나쁜 감정을 없애고 그 자리에 좋은 감정을 채워 넣는 것이다. 자살경향성 환자들은 이런 신념체계에 의해 변화가 필요하다는 동기부여를 가지고 치료를 받으러 온다.

부정적 감정 상태를 스스로 통제하거나 없애지 못하면(대부분의 경우에서 그렇듯이), 환자는 통제력을 얻기 위해 점점 더 극단적인 형태의 회피를 생각하게 된다. 이러한 극단적인 회피 행동은 흔히 빠르게 감정적인 해소를 할 수 있지만 시간이 지남에 따라 심각한 부정적인 결과를 초래할 수 있다. 이러한 톱니효과ratcheting effect는 자살행동과 다른 형태의 회피 행동들(알코올 및 약물 사용, 섭식장애, 성행위 및 도박 중독, 자해 행동 등)이 유유상종하듯 대개 함께 나타나는 이유를 설명해준다. 자살경향성과 마찬가지로 이러한 회피 행동들은 모두 고통스럽고 원치 않는 감정, 생각, 기억, 신체 증상을 빠르게 없애거나 통제하려는 시도들이다.

성공의 팁

자살행동은 감정적 회피의 극단적 형태임을 인지한다. 자살행동은 괴롭고 원치 않는 감정, 생각, 기억, 혹은 신체적 감각들에 대한 통제력을 확보하기 위한 것이다.

비록 자살경향성에 적극적 의도가 담겨 있지만, 자살행동 자체는 문제해결을 위한 수동적인 방법임을 주목한다.

학습과 강화의 역할

자살행동이 학습된 수단이라는 것은 그것이 강화에 의해 형성되고 지속된다는 것을 의미한다. 강화reinforcement는 자살행동 전후로 발생하는 사건으로, 자살행동을 보상하거나 처벌한다. 보상은 특정한 행동을 더 하게끔 장려하는 것이다. 처벌punishment은 특정한 행동을 덜 하게끔 만드는 것이다. 자살행동은 보상과 처벌 모두에 의해 만들어진다. 조형shaping은 최대한의 보상과 최소한의 처벌을 받게끔 행동을 변화시키는 것이다. 자살경향성 대처 방식은 행동에 근접하여 발생한 강화의 결과이다. 자살행동은 일단 한 번 만들어지면 지속된다. 지속maintenance은 자살행동이 강화를 받는 한 계속 남아 있는 것을 뜻한다. 행동에서 모든 강화가 전부 제거되면, 그 행동은 소거될 것이다(즉, 사라질 것이다). 그럼 이제 그 작동원리를 살펴보자.

자살행동이 내부 혹은 외부의 문제에 대한 반응인 것처럼 자살행동에 대한 강화 또한 내적일수도 있고 외적일 수도 있다. 내적 강화Internal reinforcements는 신체 상태, 기분, 혹은 정신상태의 변화를 수반한다. 예를 들어, 불안이나 극도의 초조를 즉각적으로 감소시키는 것은 매우 강력한 내적 강화이다. 이것은 자살행동에서 정말로 아주 중요한 특징인데, 이는 종종 자살행동이 내담자에게 "좋은 면"이 하나도 없다고 가정하는 치료자들이 간과하는 부분이다. 많은 자살경향성 환자는 자살시도를 한 뒤에 즉각적이고 깊은 안도감을 보고한다. 환자가 자살 충동에 맞설 의지가 꺾인 상황에서조차 자신이 자기파괴적인 충동을 통제할 수 있을지에 대한 불안은 사라지게 된다. 자살시도를 한 뒤에 자살이나 자살시도에 대해 생각하는 것은 그 자체로 감정적 위기의 중심에서 강력한 불안감과 내적 압박감을 완화하는데 도움이 된다. 자극일반화의 과정을 통해, 자살에 대해 생각만 해도 실제로 자살행동을 하는 것만큼이나 감정을 조절할 수 있는 효과를 얻을 수 있다. 굳이 실제로 자살을 하거나 자살행동을 하지 않더라도 부정적 감정 경험을 없애고, 억제하고, 통제하고자 하는 목표가 달성되는 것이다.

외적 강화External reinforcements는 개인의 자살행동에 대한 반응으로 주변에서 발생하는 사건들을 일컬으며, 매우 많은 종류가 있다. 외적 강화의 일부 유형들은 그림 3-1에 제시되어 있다. 그 중에서 가장 중요한 긍정적인 강화는 사랑하는 사람 및(드물지 않게) 정신건강 서비스 제공자로부터 보살핌이나 도움을 더 많이 받는 것이다. 또한, 자살행동은 환자가 배고픔이나 주거지와 같은 기본적인 욕구를 해결하는 데 도움이 될 수 있는 아주 간단한 환경 변화를 유발할 수 있다. 게다가 환자는 종종 혼란스럽고 갈등이 있는 삶의 상황으로부터 벗어날 수도 있다.

성공의 팁
자살행동은 그 행동의 결과로 인해 조형되고 유지됨을 주목하라.
자살행동은 내적인 기분 상태와 환경적 스트레스 요인들에 광범위하고 어느 정도 극적인 효과를 준다는 점을 인식하라.
이러한 결과들로 인하여 자살행동이 아주 효과적인 단기적 문제해결 행동이 될 수 있음을 주목하라.

단기 vs 장기 결과의 역할

자살행동이 학습되는 방식과 지속되는 이유를 이해하려면, 단기 결과와 장기 결과의 차이를 이해해야 한다. 단기 결과short-term consequence는 자살행동의 즉각적인 효과이다. 기간은 자살시도 후 몇 분에서 며칠이 될 수 있다. 불안의 해소는 매우 잠깐 나타나는 결과로 자살행동 이후 몇 초에서 몇 분 내에 나타난다. 괴롭고 원치 않는 감정을 즉각적으로 통제하려는 목표는 항상 단기 결과로 그친다. 만약 중요한 것이 오직 감정적인 괴로움으로부터 바로 벗어나는 것이라면, 자살행동은 매우 효과적인 방법일 것이다. 단기간 문제가 될 수 있는 것에 대한 확실한 장기적인 대책이 될 수 있는 것이다.

중기 혹은 장기 결과intermediate or long-term consequence는 몇 주, 몇 달, 혹은 몇 년에 걸쳐 나타날 수 있다. 내부적으로 우리는 감정적 고통을 조절하기 위해 자살행동을 함으로써 발생하는 역설에 직면하게 된다. 감정적 고통을

통제하려는 노력은 실제로 그 고통을 더 강하게 만든다. 왜 그럴까? 수많은
연구들에서 부정적인 감정, 생각, 기억, 충동, 신체 증상을 의식적으로 억제
하는 것이 궁극적으로 반동 효과를 유발하는 것으로 나타났다. 억제된 개
인적인 경험은 다시 의식으로 되돌아오며 더 침습적이고, 외상적이고, 통제
할 수 없는 것으로 경험된다. 감정(그리고 중요한 것에 대한 모든 정신적 작
용)은 인위적인 행동으로 조절하기가 매우 어렵다. 그것들은 훨씬 더 자주
일시적으로 마비될 뿐이다. 감정 및 다른 정신적 작용이 되돌아올 때, 그
상황에 대한 심리는 극적으로 변한다. 이제 새로워진 더 침습적이고 부정적
인 감정들을 다시 다뤄야 하며, 이번에는 훨씬 더 심각한 유형의 자살사고
와 자살행동으로 처리해야 한다. 환자는 기이한 올가미에 걸려든다. 수용할
수 없는 원래 감정들을 가라앉히기 위해 자살사고와 자살행동을 더 많이
사용할수록 그와 같은 감정적 경험은 더 강렬하게 느껴지게 된다. 고조되
는 자살경향성과, 감정 억제 전략에 의해 역설적으로 고조된 부정적 감정
사이에 경주가 벌어진다. 반복적인 자살경향성 환자는 이 사이클에서 앞서
기 위해 전력 질주 하는 감정적 회피 기계와 같다.

환자의 외부 세계에서도 똑같은 역설적 효과가 나타난다. 환자의 세계
에서 중요한 사람들은 처음에는 자살행동에 대하여 연민을 가지고 반응할
수 있는데 이는 관계의 변화를 알려주는 신호처럼 보인다. 자살행동의 단
기 결과가 종종 매우 강력하고 순기능적이어도 이렇게 강요된 화해의 강압
적인 속성은 종종 분노와 원망을 유발한다.

한편, 환자의 즉각적인 변화 의제가 감정을 통제하는 것이라면, 그 장기
적 효과는 나쁜 느낌으로부터 벗어나 좋은 느낌을 가지려는 즉각적인 임무
에 비하면 덜 중요하다. 이러한 관점에서 볼 때 만약 부정적 감정들이 해결
되어야 할 문제라면 자살행동은 강력한 문제해결 행동이다. 하지만 만약
손상된 관계를 회복하고, 사회적 연대감을 증진시키고, 혹은 일상 생활에

서의 문제들을 다루기 위해 자살행동을 한다면 그것은 끔찍할 정도로 시간과 에너지를 낭비하는 것이다. 당신은 가치기반의 삶을 사는 것과 감정적 고통을 통제하는 것 사이의 역동을 탐색함으로써 자살경향성 환자와의 임상적 대화의 중요한 논의 지점을 변화시킬 수 있다.

이러한 문제를 자살경향성 환자와 논의할 때 중요한 것은, 자살행동이 어떤 맥락에서는 합리적인 문제해결 방법이라는 것을 인정하는 것이다. 환자는 마음 속으로 자살을 복잡하고 간단한 모든 문제를 성공적으로 해결할 수 있는 방법으로 생각할 수 있다. 임상가는 자살행동을 용인하지 않는 확고한 문화를 환자도 공유하고 있다고 오해해서는 안 된다. 자살경향성 환자 집단에서는 대개 문제해결 방법으로서 자살을 좋게 평가한다. 회피기반 대처를 장려하는 문화적 규범과, 어려운 문제들을 건강한 방식으로 해결하려는 환자의 고뇌 사이의 이러한 긴장은 협력 관계의 주요한 역동이다.

성공의 팁
자살행동이 환자에게 역설적인 결과를 유발할 수 있음을 명심하라.
단기 결과는 일반적으로 좋게 경험될 수 있음을 인지하라.
장기 결과는 새로 추가된 더 침습적이고 통제 불가능한 부정적인 감정 상태와 더불어 환자의 삶의 맥락에서 새로운 2차적 문제들을 만들어낼 수 있음을 주목하라.

수단적 vs 표현적 기능

자살행동의 문제해결 기능에 대한 또 다른 관점은, 그것이 수단적 기능과 표현적 기능을 지니고 있다고 보는 것이다. 수단적 기능instrumental function은 특정한 문제를 해결하기 위해 의도적으로 자살행동을 하는 것을 의미한다. 예를 들어, 자살은 견딜 수 없는 감정적 고통의 문제를 해결하는 수단이 될 수 있다. 죽으면 안 좋은 기분도 없다. 죽는 것은 안 좋은 기분에 대한 수단적 해결책인 것이다.

표현적 기능Expressive function은 자살시도를 하거나 누군가에게 자살에 대해 얘기하는 것이 의사소통적인 가치가 있음을 의미한다. 표현적 기능은 대개 문제해결 측면도 지니고 있지만(예, 사회적 네트워크를 활성화시키기 위해 다른 사람들의 도움이나 이해를 이끌어내려는 시도), 동시에 그 자체로 감정적인 의사소통이 될 수도 있다. 예를 들어, 자살경향성 환자는 종종 다른 사람, 자신, 그리고 세상에 대한 흑백논리를 매우 확고히 지니고 있다. 자살행동은 가학적인 배우자에게 분노와 비난을 전달하기도 하고, 학대하는 부모에 대해 복수하려는 의미를 지니기도 한다. 수단적 기능이 자기에게 초점을 두는데 반해 표현적 기능은 종종 다른 사람에게 초점을 맞춘다고 볼 수도 있다.

자살경향성에 대한 의사소통을 할 때 겪는 가장 큰 어려움 중의 하나는 각 환자마다 수단적 기능과 표현적 기능의 상대적 중요성을 평가하는 것이다. 당신이 환자의 상태를 잘못 이해하면, 환자에게 부정적인 꼬리표가 붙게 된다. 이는 특히 자신의 의도를 언어적으로 표현하는 환자들에 대해 더 그렇다. "조종하려는 자살 위협manipulative suicidal threats"과 같이 판단이 개입된 표현은 환자가 임상가를 특정한 방식으로 행동하도록 강요하기 위한 목적으로 의도적으로 그런 시도를 한 것으로 오해할 수 있다. 사실, 환자는 비록 불확실하긴 해도 임상가가 자신의 얘기를 경청하거나 자신의 어려움을 인정해주지 않는 것에 대해 완전한 감정적 좌절감을 표현하고 있는지도 모른다. 자살행동의 수단적 기능과 표현적 기능을 모두 평가함으로써 견실한 임상적 프레임을 구성할 수 있다. 만약 당신이 이러한 평가를 적절하게 수행하지 못하면, 당신과 환자가 서로 다른 길로 가게 될 가능성이 높아진다.

성공의 팁
환자에게 있어서 자살행동은 특정한 문제들을 해결하는 도구이자 동시에 감정적 고통과 좌절을 전달하는 기능을 모두 수행함을 인지한다.
자살행동이 문제를 해결하는 기능을 할 때에는 대안적인 문제해결 방법을 제시하고, 표현적인 기능을 할 때는 감정을 인정한다.

자살위기의 기본 공식: 세 개의 I

어떻게 그렇게 많은 사람들이 삶의 한 순간에 심각한 자살위기를 경험하게 될 수 있을까? 우리 중 누구라도 감정적 혹은 신체적 고통을 다음과 같이 바라본다면 그렇게 될 수 있다.

- 견딜 수 없는Intolerable
- 벗어날 수 없는Inescapable
- 끝없이 계속되는Interminable

누군가 감정적 또는 신체적 고통을 역치 이상으로 경험하게 되면, 그 고통은 견딜 수 없는 것이 된다. 고통을 유발하는 문제를 해결할 방법이 없다고 느끼면, 그 고통은 벗어날 수 없는 것이 된다. 강렬한 고통을 유발하는 상황이 저절로 달라지지 않을 것이라고 생각되면 될수록 그 고통은 *끝없이 계속 된다.* 이러한 세 가지 태도 중 한가지 이상을 취하게 되면, 자살시도까지는 아니더라도 최소한 자살사고를 할 가능성은 높다.

자신이 이러한 범주에 포함되는지 어떻게 알 수 있는가? 두 개의 원형 prototypes이 있다. 하나는 그 자체로 압도될 만한 어려운 외부적인 상황이다. 갑작스러운 회사의 파산으로 갑자기 직장을 잃고 퇴직 연금을 받지 못할 때, 배우자나 자녀의 죽음, 만성적이고 고통스러운 질병에 걸리게 되는 경우 등이 그에 속한다. 2008년 금융위기와 같은 대규모의 반갑지 않은 사회적 변화도 이러한 어려운 상황을 유발할 수 있다. 최대한 객관적인 입장에서 보더라도 당사자는 부정적인 문제들에 압도되는 상황에 직면하게 된다.

두 번째로, 더 흔하게 나타나는 유형의 상황은 그렇게 압도될 만한 상황은 아니지만 그 상황에 요구되는 문제해결 능력이 부족해서 큰 어려움이 되는 경우이다. 부부관계가 끝나려는 상황, 직장에서 징계를 받을 때, 만성적인 실직 상태, 가정 내 불화 등이 그에 속한다. 이러한 상황에서 사람은 크게 두 가지 방식으로 역기능적인 대응을 한다:

1. 상황에 따르는 감정적 고통을 견디려고 하지 않거나 견디지 못한다. 가치 기반의 문제해결 사고 방식을 상황에 활용하는 대신 감정적인 통제와 회피 전략들을 사용한다. 이러한 유형의 역기능적 대응은 삶의 문제의 상당 부분을 해결하지 못한 채 남아 있게 하고 감정적 고통은 더 커지게 될 가능성이 높다.

2. 감정적 고통을 처음에는 견딜 수 있지만, 효과적인 문제해결 전략을 활용하지 않아서 결국 시간이 갈수록 그 고통에 소진되어 점점 더 회피하는 방식으로 문제해결 행동을 하게 된다. 자살사고, 자살시도, 그리고

자살사망이 그에 속한다. 문제를 효과적으로 해결하지 못함으로써 문제의 본질과 범위를 적절하게 판단하지 못하게 되고, 효과가 있는workable 대책을 선택하지 못하거나, 문제해결을 위한 실천을 끝까지 지속하지 못하거나, 혹은 현실적 결과에 근거하여 이러한 문제들을 개선하지 못하게된다.

자살행동은 문제해결 방법이 존재하지 않는 무와 같은 상태가 아니라 여러 문제해결 방법들을 선택하는 연속선상에서 발생한다는 것을 명심해야 한다. 자살경향성 환자는 문제를 해결할 수 있는 모든 합리적인 시도들을 다 했지만 전부 실패했다고 진실로 믿는다. 이러한 문제해결 방법들이 선택 가능한 목록에서 사라짐에 따라 새로운 선택지들은 점점 더 극단적으로 되는데, 특히 문제가 되는 삶의 상황에 상당한 수준의 감정적 고통이 동반될 때 더욱 그렇다.

이러한 상황에서 문제해결 기술이 부족하면 자살행동으로 이어질 수 있다. 우리가 지금껏 만난 환자 중 처음부터 자살시도를 효과적인 해결책으로 여긴 사람은 거의 없었다. 오히려 그들은 덜 극단적인 방식으로 문제를 해결해보려고 시도해보다가 실패하면서 결과적으로 자살시도까지 이르게 되었다. 자살위기에 빠져드는 사람들 중 비교적 기능을 잘 하는 사람들은 대개 자신의 기분과 환경적인 스트레스에 대한 통제력을 획득할 수 있는 다양한 전략을 시도해보다가, 끝내는 전부 실패로 끝나는 것을 확인한다. 그리고 점점 더 자살이라는 막다른 출구로 내몰리게 된다. 그들은 이러한 사실을 깨닫게 됨으로써 감정 및 행동에 대한 통제력을 상실하는 것에 대한 두려움만 더 크게 느끼기에 이른다. 자살을 생각하는 것을 멈출 수 없는 것은 이미 환자가 지고 있던 감정적 부담을 더욱 증가시킨다.

반대로, 반복적으로 자살시도를 해온 사람은 자살행동이 인생의 거의 모든 중대한 사건이나 일상적인 사건에 모두 효과적이라고 믿게 된다. 그들은 반복적으로 자살을 생각하면서 자살행동이 문제를 해결하는 데 최우선적으로 고려할 수 있는 가장 좋은 방법이라고 확신한다.

위의 두 가지 시나리오 중 무엇이 되든, 아마도 당신은 효과적인 다른 문제해결 방법은 없다는 확신을 가지고 있는 사람을 치료하게 될 가능성이 높다. 이러한 사고방식은 자살경향성 환자에게 개입할 때 핵심적인 레버리지 포인트*leverage point로 작용한다. 환자에게 자살이 그 자체로 나쁜 것이라고 설득하기보다는 문제를 해결할 수 있는 성공 가능한 방법들이 존재하고, 환자가 그것을 간과하고 있었거나 부적절하게 활용해왔다는 점을 깨닫게 하는데 중점을 둬야 한다. 모든 자살경향성 환자가 문제해결을 위해 덜 극단적인 방법을 찾고자 할 수 있지만, 그에 필요한 노력과 인내가 그만한 가치가 있다는 것을 직접적으로 경험해야 한다는 점을 염두에 두라. 이러한 개념은 종종 자살경향성 환자의 양면성으로 불린다.

성공의 팁

정서적 고통을 견딜 수 없고, 벗어날 수 없고 끝없이 계속될 때 (세 가지 I), 그 고통이 자살위기로 이어질 수 있다.

자살행동은 극도의 감정적 고통을 느끼는 상황에서 시작되며, 고통에 대한 감내력이 소진되고 예측 가능한 변화가 없을 것 같을 때, 덜 극단적인 회피기반 문제해결 전략들이 소용 없는 것처럼 느껴질 때 발달하게 된다.

---

* 지렛대를 사용하면 적은 힘으로도 무거운 것을 들 수 있듯이, 변화를 극대화할 수 있는 전략이나 수단을 의미함.

마무리

우리는 학습기반 문제해결 접근 방식이 자살경향성 및 자기파괴적인 행동의 모든 형태와 단계를 이해할 수 있다고 믿는다. 자살경향성과 자기파괴적 행동은 항상 동일한 원리로 작동한다. 기능 수준이 높은 자살경향성 환자들과 기능 수준이 낮은 자살경향성 환자들을 구분하는 주요한 방법은 이러한 과정이 얼마나 오랫동안 작동되어 왔는지, 그리고 얼마나 광범위하고 보편적으로 활용되었는지 보는 것이다. 예를 들어, 어떤 괴로움에도 내성과 수용성이 매우 낮은 사람에서는 광범위한 상황에서 제한된 문제해결 능력을 시험받을수록 만성적인 자살행동을 더 잘 나타낸다. 이러한 유형의 사람은 밤낮으로 정신적 고통을 경험할 가능성이 높으며, 정신적 고통을 조절 및 회피하는 것이 주된 관심사가 된다.

　임상가는 자살행동을 비정상적인 것으로 가정하고 그 원인으로 정신질환을 탓하기보다는, 학습기반 접근을 통해 자살행동의 만연한 문제를 더 넓은 관점으로 바라볼 수 있다. 비록 정신질환이 정신적 고통의 새로운 원천이 되고 환자가 고통을 감당하는 것을 더 힘들게 할 수 있지만, 우리는 그 반대의 경우도 있을 수 있다고 본다. 특히, 정신적 고통을 수용하고 견디는 기술들은 사회적으로 전래되므로 전체 인구집단에 정규분포 하게 된다. 수용과 괴로움을 감내하는 기술의 결핍은 감정적인 회피 행동들을 촉발한다. 우리는 이러한 기술의 결핍이 우울증이나 불안장애와 같은 흔한 정신질환을 유발하고 자살사고와 자살행동을 나타나게끔 할 수 있다고 생각한다. 이러한 관점은 많은 우울증 환자에게 왜 자살경향성이 없는지, 그리고 정신질환이 없는 많은 사람들에게 왜 자살경향성이 있는지 설명해 준다.

　학습기반 문제해결 모형은 임상가와 환자 모두에게 자살행동을 재구성하기 위한 유연한 도구가 될 수 있다. 이 모형은 자살행동의 과정을 객관화하고 환자의 부정적인 자기평가를 줄이고 치료자가 환자에게 경멸적인 꼬리표를 붙이는 것을 줄여준다. 이러한 재구성은 또한 강력한 정상화 normalizing 기능을 발휘한다. 즉, 누구라도 자살을 떠올릴 수 있음을 언급함으로써 환자의 사회적 낙인과 고립감을 줄여주는 것이다. 예를 들어, 중국의 문화혁명은 평소 같으면 자살을 문제해결 방법으로 생각도 안 했을 법한 수백만명의 사람들을 자살로 몰고 갔다. 또한 1929년 미국 주식시장의 대폭락 이후 엄청난 충격에 빠진 사람들이 창문 밖으로 뛰어내렸다. 누구라도 자살을 생각하게끔 하는 생활 사건을 겪을 수 있다. 치료자인 당신도 당신이 치료하는 환자와 크게 다르지 않다.

현실적인 문제들에 대한 해결책을 찾으려는 노력을 하면서 괴로운 느낌을 수용하는 것을 강조하는 것은 환자의 잘못된 부분에 초점을 맞추는 것보다 훨씬 더 좋다. 환자는 자신이 미치지 않았는지 집착하는데 시간을 덜 쓰고 문제를 해결하기 위해 더 많은 시간을 할애한다. 이러한 접근은 광범위한 성격 변화와 같은 전반적이고 원대한 계획을 세우기보다는 아주 조금씩 명확하게 할 수 있는 정도만 개입해 나가도록 한다. 그렇게 하면 환자가 세 개의 *I*를 와해시키는데 바로 성공할 가능성이 높아진다.

당신은 수용지향적 및 접근지향적 문제해결 기술을 약간씩 다르게 가르쳐야 하는 임상적 상황들을 항상 염두에 두고 있어야 한다. 예를 들어, 자살하라고 명령하는 환청을 듣는 급성 정신병적 상태의 환자의 경우를 보자. 정신병을 앓고 있는 환자는 환청의 내용을 문자 그대로 따라하지 않고, 의식적으로 환청을 억제하기 위해 음주나 약물남용에 의지하지 않으면서, 환청이 존재한다는 사실을 있는 그대로 수용하는 법을 배울 수 있다. 또한 정신병을 앓고 있는 모든 환자들은 건강하게 잘 살아가기 위해서 어느 시점에서는 현실적인 문제들을 해결하기 시작해야 한다. 어떤 종류의 스트레스라도 정신병적 증상들을 촉발할 수 있는데, 스트레스 상황에 대한 문제해결 접근을 배우는 것이 모든 재발 방지 프로그램에 기본으로 포함되어야 한다. 환자가 수용기반 문제해결 접근 방식의 기초를 이해할 수 있는 인지적 능력이 되면, 그 순간부터 곧바로 이 기법을 사용해야 한다.

요약

- 자살경향성 환자 집단은 괴롭고 원치 않는 정신적 고통을 접촉하고 수용하는 것을 매우 꺼려 한다.
- 자살경향성 환자는 자살에 대한 어떤 사회적 낙인에도 불구하고 이를 합당한 문제해결 대응으로 바라본다.
- 자살행동은 실제로 감정적 회피의 한 형태이다.
- 자살위기의 정수는 다음 세 가지 I이다: 견딜 수 없는, 벗어날 수 없는, 끝없이 계속되는.
- 자살행동은 강렬하고 원치 않는 감정적 고통을 조절하기 위한 것으로, 학습되고 강화되는 문제해결 행동이다.
- 자살행동은 단기간에 급속하고 강력한 정서적 안도감을 제공해주며, 일시적으로 상황적인 스트레스를 유예하기도 한다.
- 자살행동의 감정 조절 효과는 단기간만 작용한다. 더 침습적인 형태로 "감정 반동"이 뒤따르게 된다.
- 환자가 자살사고 및 자살충동을 자의로 조절하지 못하고 그에 대해 두려움을 느끼는 것이 자살 위기의 핵심이다.

읽어볼 만한 문헌

Blumenthal SJ, Kupfer DJ: Suicide Over the Life Cycle: Risk Factors, Assessment, and Treatment of Suicidal Patients. Washington, DC, American Psychiatric Press, 1990

Cha CB, Najmi S, Park JM, et al: Attentional bias toward suicide-related stimuli predicts suicidal behavior. J Abnorm Psychol 119(3):616–622, 2010 20677851

da Silva AG, Malloy-Diniz LF, Garcia MS, et al: Cognition as a therapeutic target in the suicidal patient approach. Front Psychiatry 9:31, 2018 29487542

Givion Y, Horesh N, Levi-Belz Y, Apter A: A proposed model of the development of suicidal ideations. Compr Psychiatry 56:93–102, 2015 25444078

Hayes S, Strosahl K, Wilson K: Acceptance and Commitment Therapy: The Process and Practice of Mindful Change. New York, Guilford, 2011

Linehan M: Dialectical Behavior Therapy for Borderline Personality Disorder. New York, Guilford, 1994

Maris R: Pathways to Suicide: A Survey of Self-Destructive Behaviors. Baltimore, MD, Johns Hopkins University Press, 1981

Quiñones V, Jurska J, Fener E, Miranda R: Active and passive problem solving: moderating role in the relation between depressive symptoms and future suicidal ideation varies by suicide attempt history. J Clin Psychol 71(4):402–412, 2015 25760651

Trakhtenbrot R, Gvion Y, Levi-Belz Y, et al: Predictive value of psychological characteristics and suicide history on medical lethality of suicide attempts: a follow-up study of hospitalized patients. J Affect Disord 199:73–80, 2016 27085659

van Heeringen K, Van den Abbeele D, Vervaet M, et al: The functional neuroanatomy of mental pain in depression. Psychiatry Res 181(2):141–144, 2010 20074915

Verrocchio M, Carrozzino D, Marchetti D, et al: Mental pain and suicide: a systematic review of the literature. Front Psychiatry 7:108, 2016 27378956

Xie W, Li H, Luo X, et al: Anhedonia and pain avoidance in the suicidal mind: behavioral evidence for motivational manifestations of suicidal ideation in patients with major depression. J Clin Psychol 70(7):681–692, 2014 24307489

참고문헌

Hayes S, Strosahl K, Wilson K: Acceptance and Commitment Therapy: The Process and Practice of Mindful Change. New York, Guilford, 2011

Kessler R, Wang P: The descriptive epidemiology of common mental disorders in the United States. Annu Rev Public Health 29:115–129, 2008 18348707

4

평가 및 사례개념화

효과적인 치료의 기본 요소

괴로움에 빠진 환자를 치료하는 임상가는 모두 환자가 자살행동을 할까 봐 걱정한다. 일부 환자들은 강렬한 자살사고나 최근의 자살시도에 대한 도움을 받기 위해 찾아오기도 한다. 어떤 환자들은 처음에는 자살경향성이 없다가 치료적 동맹이 확립되고 치료과정이 진행되고 있는 중에 자살경향성이 발생하기도 한다. 상황이 어떻든지 간에 임상가는 자살이 발생할 가능성이 있는지 예측하고, 만약 가능성이 있다면 이를 예방해야 한다는 다양한 원인에서 비롯되는(대부분은 외부적이고 일부 내부적인) 압력을 느낄 것이다.

임상가들에게 이러한 압력을 유발하는 두 가지 암묵적이고 광범위하게 받아들여지는 가정들이 있다: 1) 특정한 사람에게 자살행동의 치명성을 예견할 수 있는 특징적인 요소들(즉, 위험요인들)이 존재하고, 2) 자살이 발생하지 않도록 예방할 수 있는 올바른 개입(약물, 정신치료, 위기개입, 혹은 이들의 조합)이 존재한다는 것이다. 안타깝게도, 이러한 가정이 얼마나 정확한지 뒷받침해주는 연구 결과들은 거의 없다. 전반적으로 앞서 제시된 가정의 타당성validity은 과학적 연구로 입증되지 않은 채 임상적으로 전해져 왔다. 그럼에도 불구하고 임상가가 자살을 예측하고 예방할 수 있다는 관점이 모든 정신건강 학제에서 진료의 기준으로 깊이 자리잡았다. 우리가 3장("자살행동의 기본 모형")에서 논의하였다시피 과실 및 부주의에 대한 대부분의 소송은 이러한 가정의 암묵적 진실성을 바탕으로 한다. 이러한 가정이 없다면 자살 이후에 제기되는 민사소송은 고맙게도 나타나지 않을 것이다.

이 장에서 우리는 정확하게 자살을 예측하는 것에 대한 많은 어려움을 중점적으로 다루고, 성공적인 치료에 기여하도록 자살행동을 재구성하는 데 사용되는 평가를 포함한 대안적 접근을 소개한다. 당신은 이러한 접근을 통해 자살행동에 대한 진료care의 실타래를 엮어서 치료treatment의 천을 완성할 수 있다. 또한 3장에서 논의되었던 환자가 다른 더 효과적인 문제해결 방법들 대신에 자살행동을 사용하게 만든 많은 기저 과정들 중 하나 이상을 평가하고 목표로 삼을 수 있게 될 것이다. 우리의 접근은 자살경향성의 평가와 치료를 구분하지 않는다. 이들은 하나이고 동일한 것이다.

성공의 팁

자살경향성을 유발하는 요인에 대한 평가가 치료와 분리된 것이 아님을 인지한다.

적절하게 수행된다면 평가는 치료 동맹의 시작이자 효과적인 치료의 일부가 된다.

초기 평가를 첫 번째 치료 회기로 생각한다.

자살의 예측(그리고 예방): 임상적 전통 vs 임상 연구

임상가들은 거의 항상 단기간(몇시간에서 48시간)에 환자의 자살을 예측해야 한다는 압박감을 느낀다. 많은 주에서 임상가는 환자가 임박한 자살 위험성(대개 즉각적인 자살시도의 가능성이 있는 위험으로 정의된다)이 있다고 판단하면 예방적인 조치를 취하게끔 법령에 정해 놓고 있다.

그럼 실제로 자살을 시도하려는 사람들 중에서 자살을 생각만 하는 사람들을 어떻게 분간해야 하는지에 대한 의문이 뒤따른다. 우리가 2장("임상가의 감정, 가치, 법적 취약성, 윤리")에서 논의하였듯이 자살을 생각하는 것은 일반인구집단에서 흔한 일이지만, 자살을 시도하는 것은 상대적으로 드물다. 그리고 자살사망은 극히 드물다. 이러한 차이는 기저율의 오류 base rate problem로 일컬어지는 예측상의 문제를 내포한다. 반드시 예측해야만 하는 사건(즉, 특정인의 자살)이 너무나 드물게 발생해서 예측에 대한 통계적 및 임상적 정확성이 존재하지 않는 것이다. 현실적으로 볼 때 이는 자살에 대해 생각하거나 말하는 것이 24~48시간 내에 자살할 위험을 정확히 예측할 수 있는 지표가 아님을 의미한다. 자살 사망자 한 명당 그런 사람들이 수천 명은 되기 때문이다. 1장("자살행동의 차원")에서 언급하였듯이 만약 당신이 복권에서 당첨될 확률을 이해한다면, 자살할 확률도 이해할 수 있을 것이다.

이 문제를 이렇게 생각해보자: 당신은 극도로 일진이 안 좋은 날에 응급실에서 1,000명의 자살시도자들을 진료했다. 자살시도는 자살사망의 가장 중요한 위험요소들 중의 하나이다. 이들 자살시도 환자들이 실제로 다음해에 자살할 확률을 1%, 혹은 10%라고 가정해보자. 당신은 매우 훌륭한 임상가여서 자살을 80%의 정확도로 예측할 수 있다(우리들 대부분은 그정도로 잘 하지 못한다). 당신은 10명 중에 8명을 정확히 분류할 것이다. 하지만, 기본 발생률이 낮기 때문에(자살하지 않는 990명 중) 192명의 위양성을 만들 것이다. 당신은 훌륭한 임상적 숙련도를 발휘하여 가장 위험한 사람들 200명을 추려냈고, 그 중 8명이 실제로 다음 해에 자살로 사망한 셈이다. 하지만 당신이 그보다 더 잘 예측할 수는 없다. 당신은 어떤 개입을 해야 하는가?

많은 임상가들은 *상대적으로* 위험도가 높은 사람들을 입원시킴으로써 이 문제를 해결하려고 한다. 이러한 전략은 많은 임상 당국이 적극적으로 권장하는 것이고 의료기관 프로토콜에도 흔히 명시되어 있다. 만약 이러한 식으로 미국 내에서 언제나 동일하게 적용된다면, 십중팔구 모든 의료기관 및 정신의료시설에 남아나는 병실이 없을 것이다. 특히 자살위험에 대한 많은 연구들의 추적 기간이 6-12개월임을 고려하면 더 말할 것도 없을 것이다. 안타깝게도 많은 임상가는 이러한 위양성 딜레마를 무시한다. 그들은 절대 자살을 시도하거나 자살로 사망하지 않을 만한 잠재적인 고위험군 환자를 입원시키는 것의 침습적이고 파괴적인 부작용들에 대해 무지하거나 충분히 고려하지 않는다. 잠재적인 이득이 정신건강 윤리의 최우선 원칙(첫째, 환자에게 해를 끼치지 마라)을 훼손하는 것보다 더 큰지 반드시 따져봐야 한다. 이 문제는 9장("입원과 자살행동")에서 더 논의한다.

위험 예측 시스템: 교묘한 속임수를 조심하라

지난 수십 년 동안, 자살학자들은 통계에 기반한 위험 예측 시스템을 통해 예측 문제를 극복하고자 노력해왔다. 이러한 전략은 자살로 사망하는 사람과 대조군(예, 자살경향성이 없는 정신질환자들) 사이의 핵심적인 환경, 성격, 내력, 생물학적 특징을 비교하는 것이다. 이러한 비교에서 중요한 것으로 나타난 변수들이 예측 방정식에 투입된다. 목표는 누가 자살할 것인지를 정확히 예측할 수 있는 최적의 위험 요소의 조합을 찾아내는 것이다. 많은 연구자들이 이러한 전략을 추구한 결과 많은 자살 예측 도구들이 만들어 졌다. 일반적으로 이러한 도구들은 그 자체로 유용한 임상적 정보를 제공해준다. 하지만 근본적으로 이것은 한 사람이 자살 위험성이 높은 집단에 속해 있다는 것을 알려주는 것 외에는 달리 더 할 수 있는 것이 없다. 이것은 임박한 위험을 정의하는 것과는 다르다.

자살예측 시스템에 대한 진정한 시험은 그것이 실제 급성 자살 위기를 특징짓는 24-48시간의 시간 이내에 누가 자살을 시도하고 누가 자살로 사망할 것인지 정확히 식별할 수 있는가 하는 것이다. 이렇게 할 수 있으려면 자살행동을 예측할 수 있는 요인들을 결정하기 위해 자살 고위험군 환자들에 대한 전향적인 연구들을 시행해야 한다. 이 연구들은(기저율이 낮아서) 많은 표본을 필요로 하기 때문에 실행하는 데 아주 큰 비용이 들고, 정교한 추적 기법을 개발하여 적용해야 한다. 자살 위험성을 평가하는 프로젝트는 그 대상자가 취약한 인구집단에 속하기 때문에 윤리적으로도 어려운 부분이 있다(Roberts 2016).

이러한 중대한 장애물에도 불구하고 자살 위험성과 그 예측 도식을 더 잘 이해하려는 중요한 연구들이 진행되어 왔다. 이제는 고전이 된 초기의 두 연구들은 이 분야의 많은 선행 연구들에서 얻은 자살 위험 요인을 조사하였다(Goldstein 등 1991; Pokorny 1983). 그 결과는 놀랍게도 일치하였는데, 고위험군 환자들을 몇 년 동안 추적하였음에도 불구하고 예측력이 거의 없었다. 더 최근의 대규모 종설에서도 이러한 결과를 재확인하였다(Roos 등 2013).

치료자로서 당신은 몇 년이 아니라, 몇 시간에서 며칠 사이에 자살 위험성이 갑자기 발생하거나 악화되어 환자가 위험해질 가능성이 있는지에 대한 질문을 받게 됨을 명심하라. 벡 절망감 척도를 활용한 두 개의 연구는 좀 더 가까운 시일 내(Beck과 Steer 1993) 자살 위험성을 아주 약간 더 잘 예측하였다(Beck과 Steer 1989; Beck 등 1985). 두 개의 연구에서 모두 다 중 기간 동안 추적하였는데, 입원 및 외래 초진시의 절망감 척도를 근거로 자살 사망의 약 80%를 정확히 예측할 수 있었다. 벡 우울증 척도에 따른 중증 우울증 환자들을 대상으로 한 한국의 연구도 비슷한 결과를 보였다 (Yi와 Hong 2015). 다시 말하지만, 이러한 결과를 도출하는데 필요한 시간 범위는 초기 접촉에서부터 수년 이상이다. 단기간의 연구에서(Strosahl 등 1984) 우리는 벡 절망감 척도가 정신병동에 입원한 높은 치명의 자살 시도 자들을 100% 잘못 분류하였음을 밝혀냈다.

자살 예측에 대해 어떤 결론을 내릴 수 있는가? 첫째, 정확히 예측할 수 없는 행동에 대해 임상적으로 개입하고 예방하는 것은 불가능하지는 않 더라도 어렵다. 둘째, 많은 연구 결과가 임상적으로 유용하지 않은 시간 범 위 내에서의 자살 위험성을 예측한 것이기 때문에 우리는 급성 자살 위험 요소들이 위 연구들에서 사후에 추정한 요소들과 동일한지에 대해 알 길이 없다. 셋째, 임상가가 자살을 예측하고 예방할 수 있는 능력에 대한 과학적 근거를 잘못 반영하지 않은 표준진료가 필요하다. 불가능한 것을 달성해야 만 한다는 과중한 압박을 받지 않고 자살경향성 환자를 치료하기란 정말 어렵다. 마지막으로, 자살예방 영역에서 더 많은 연구가 절실히 필요하다. 이를 위해 의미 있는 결과를 낼 수 있는 검정력을 갖춘 프로젝트를 적절하 게 설계하기 위해 상당한 수준의 자원이 투입되어야 한다. 또한 잠재적으로 취약한 자원자들을 대상으로 하는 이런 연구들이 윤리적으로 진행될 수 있도록 안전장치와 지침을 매우 명확히 해야 한다.

자살행동을 평가하는 새로운 접근 방식

자살경향성 환자에 대한 체계적 면담은 필수적이다. 이를 통해 유용한 임상 정보를 얻어서 철저하고 유의미한 임상 기록을 생산할 수 있다. 면담을 시행할 때는 몇 가지 기본 원칙을 명심해야 한다. 첫째, 자살행동에는 다양한 유형들이 있으며, 그 빈도, 강도, 지속 시간이 매우 다양하다는 것이다. 빈도는 자살행동, 자살사고, 혹은 자살에 대한 언어적 표현의 특정한 삽화가 얼마나 자주 나타나는지를 나타낸다. 강도는 특정한 시점에 자살행동이 얼마나 집중적으로 나타나는지를 나타낸다. 기간은 자살행동 삽화가 얼마나 오래 지속되는지를 나타낸다. 이러한 차원들은 서로 독립적으로 다양하게 나타날 수 있다. 즉, 하나의 측정값을 가지고 다른 것의 측정값을 가늠할 수 없다. 일반적으로, 임상가들은 자살경향성의 빈도, 강도, 기간이 증가할수록 더 주의를 기울이게 된다. 환자들은 빈도와 강도가 증가하는 것에 가장 관심을 가진다. 환자들은 흔히 이렇게 말한다. "점점 더 자주 나타나고 있어요. 그러면서 충동도 더 심해져요."

둘째, 환자에게 자살행동에 대해 물어보는 것이 자살시도를 유발하지 않음을 항상 명심하라. 환자는 그런 질문을 받으면 괴로워하기보다는 흔히 더 안도감을 느낀다. 그런 질문은 흔히 조심스러운 비밀로 유지되어 오며 창피함과 모욕감의 원인이었던 것을 없애준다. 한 번 물어보는 것으로는 충분하지 않다. 어떤 사람들은 치료를 받는 동안에도 자살시도를 한다. 어떤 사람들은 처음에는 부정한다. 비록 자살행동이 현시점에서 환자의 문젯거리가 안 되는 것 같더라도, 매 치료 회기마다 자살행동을 물어보는 것이 좋다.

셋째, 환자가 기꺼이 자살사고를 드러낸다고 해서 덜 위험한 것은 아니다. 일부 임상 증례의 보고자들은 진정으로 죽으려고 하는 환자들은 어떤 자살 의도도 부정한다고 얘기하지만, 체계적인 연구 결과들은 이러한 견해를 지지하지 않는다. 자살의도에 대한 모든 표현은 똑같이 타당하다. 만약 당신이 자살에 대해 물었을 때 망설임이나 그 외 다른 비언어적인 표현을 감지했다면, 질문을 계속 이어가라. 환자가 이런 주제에 대해 말해도 괜찮다는 것을 확실히 알도록 하라. 명심할 것은, 자살경향성 의사소통과 자살사고는 환자가 해결하려 애쓰는 정신적 고통의 특징이라는 것이다. 그것들은 혈압이나 둔마된 정동과 마찬가지의 임상적 징후이며, 비판단적이고, 직접적이고, 치료적인 방식으로 다뤄야 한다.

넷째, 자살사고의 핵심은 감정적 느낌이 아니다. 그보다는 오히려 특정한 문제 세트를 해결하는 방법에 대한 생각으로 보는 것이 더 정확할 것이다. 문제는 종종 환자가 슬픔, 불안, 분노, 외상적 플래시백, 불편한 신체적 감각 등과 같은 일부 부정적인 개인적 사건을 기꺼이 경험하려고 하지 않는다는 것이다. 3장에서 기술되어 있다시피, 실제로 자살을 생각하는 것은 나쁜 감정을 느끼지 않으려는, 문제해결적인 역할을 한다. 자살을 생각하는 것을 마치 느낌(받아들일 수 없는 다른 경험에 대한 반응과 반대로)처럼 평가할 때, 더 근본적인 부정적 감정들이 우선 순위에서 밀리게 될 위험이 있다. 환자에게 자신이 죽으면 해결될 것 같은 문제를 서술해보도록 요청하라. 이것이 근본적인 부정적 정서 상태를 파악할 수 있는 더 직접적이고 좋은 방법이다.

마지막으로, 당신의 임상적 목적을 뒷받침해줄 수 있는 정보를 확실히 수집하라. 필수 평가의 일부로 수많은 자살 위험 요인 목록을 쭉 흩어가며 파악하는 것은 헛된 일이며, 만약 그로 인해 환자가 이해받지 못하는 느낌을 받는다면 오히려 치료에 역효과를 낼 수도 있다. 이러한 정보들을 활용하여 일군의 긍정적인 개입을 하려는 당신의 목적을 드러낼 수 있는 방식으로 정보를 수집하라.

표 4-1. 자살경향성 환자의 배경 평가 항목

평가 문항	환자 정보
1. 이전 자살 시도력	있음
2. 이전 시도에서 자살 의도	있음
a. 치명도 예측	사망할 가능성이 있다고 여겨짐
b. 발견되지 않으려는 시도	강함. 어쩌다 우연히 발견됨
c. 마지막 정리	정리함
3. 이전 자살 시도의 의학적 치명도	치명적 결과가 나타날 위험이 높음
a. 자살 수단	예) 총기 이용 vs 팔 긋기
b. 발견 당시 상태	의식불명 혹은 반혼수
c. 의학적 상태	응급실 혹은 중환자실 치료 필요
4. 자살 가족력	직계 가족 중 자살 사망자 있음

면담을 통해 얻은 정보들을 해석할 때에는, 배경과 전경(foreground)을 구분하는 것이 중요하다. 배경이 되는 요인(표 4-1)은 과거의 내용들로, 바꿀 수 없으며 환자의 자살 위험성을 더 높일 수 있다(예, 이전의 자살시도, 정신질환 과거력). 중심이 되는 요인(표 4-2)은 현재 자살경향성과 관련되어 있는 것으로, 지금 환자가 자살행동에 의존하게 만드는데 영향을 끼친다(예, 현재 알코올 섭취). 표 4-1과 표 4-2의 "환자 정보" 부분에는 고위험도를 나타내는 응답들이 기입되어 있다.

원칙적으로, 배경이 되는 요인들에 신경은 쓰되 굳이 강조하지는 마라. 대신 현재의 자살행동과 더불어 자살시도나 자살사망을 생각하거나 혹은 단념하게 만드는 요인들에 더 초점을 맞춰라. 자살에 대한 환자의 신념과 기대에 특히 많은 주의를 기울여라(표 4-3). 예를 들어, 자살은 오직 최소한의 부정적인 문제들만 유발한 채 자신들의 문제를 해결해줄 것이라고 굳

표 4-2. 자살경향성 환자의 전경 평가 항목

평가 문항	환자 정보
1. 현재 자살 사고	있음
a. 삽화의 빈도	빈도 증가
b. 생각의 강도	떨쳐버리기 힘든 구체적인 상상
c. 삽화의 기간	최소 30분, 기간이 늘어남
2. 준비 행동	있음
a. 수단 확보	사용할 수 있음
b. 행동 준칙	자살시도 실행, 다른 행동들의 조짐을 보임
c. 피하려는 시도	행방이 묘연함. 아무도 없는 상황에서 행동을 계획함
d. 마지막 정리	새로운 유언장 작성, 신변 정리, 유서 작성
e. 시한 설정	날짜 지정 (예, "다른 사람의 자살 기념일")
3. 현재 약물 혹은 알코올 남용	있음; 섭취 증가
4. 현재 정신과적 상태	우울장애, 조현정동장애, 물질남용 등
5. 현재 신체 건강	저조; 만성 질환 또는 통증
6. 현재 부정적 생활 스트레스	높음; 중요한 재정, 직접, 관계에서의 문제 혹은 상실
7. 현재 사회적 지지	낮음; 사회적 소외 또는 부정적인 지지만 가능

게 믿는 환자는 강한 의도를 가지고 자살을 시도할 가능성이 높다. 자살경향성을 유발하는 문제들을 물어보는 간단한 척도만으로도 이러한 정보를 얻을 수 있다(예, "자살이 당신의 문제를 해결하는데 어느 정도로 효과가 있을까요? 1-5점 사이에서 선택해주세요. 1점은 '전혀 효과가 없다'이고 5점은 '엄청나게 효과적이다'를 뜻합니다.").

방정식의 또 다른 항(즉, 환자의 삶에서 자살시도를 완화시키는 요인들)

표 4-3. 자살행동의 잠재적 위험을 알리는 핵심 요인

위험 요인	환자 정보
자살행동에 대한 긍정적 평가	1. "자살이 당신의 문제를 해결하는데 어느 정도로 효과적인가요? 1점은 효과적이지 않고, 5점은 전적으로 효과적이라면, 1에서 5점까지 중 어느 정도인가요?" (3점 이상=위험성 높음)
정서적 고통을 견딜 수 있는 능력이 낮음(견딜 수 없음)	2. "현재 상황이 어떻게 해도 달라지지 않고, 지금과 비슷하거나 더 안 좋게 느끼게 된다면, 당신이 느끼는 방식을 감당할 수 있겠습니까? 1-5점까지 중 선택해주세요. 1점은 '전혀 견딜 수 없다.'이고, 5점은 '잘 견딜 수 있다.'를 뜻합니다." (3점 이하=위험성 높음)
절망감(끝없이 계속됨)	3a. "미래를 생각해볼 때, 스스로의 노력이나 자연스러운 변화로 인해 삶이 더 나아질 거라고 보나요? 1에서 5점의 척도로 평가해주세요. 1점은 '아무 것도 변하지 않을 것이다.'이고, 5점은 '미래가 더 나아질 것이라고 확신한다.'입니다." (3점 이하=위험성 높음)
	혹은 3b. 벡 절망감 척도을 사용한다. (8점 이상=위험성 높음)
벗어날 수 없음	4. "현재의 상황에서 무엇을 하든 상황이 나빠지거나 악화되는 것처럼 보입니까? 상황을 1에서 5점의 척도로 평가해주세요. 1점은 '내가 하는 것이 많은 차이를 만들었다.'이고, 5점은 '내가 하는 것이 전혀 영향을 미치지 않았다.'입니다." (3점 이상=위험성 높음)
생존 및 대처 신념이 낮음	5a. "당신이 자살하지 않는 이유에 대해 생각할 때, 삶이 본질적으로 살 가치가 있다는 생각, 미래에 대한 호기심, 이 상황을 끝까지 보고 싶다는 욕구가 얼마나 중요합니까? 그 이유에 대해 1에서 5점의 척도로 평가해주세요. 1점은 '그 이유는 전혀 중요하지 않음'이고, 5점은 '그 이유는 내가 살아남기를 원하는 데 매우 중요함.'입니다." (3점 이상=위험성 높음)
	혹은 5b. 생존 및 대처 신념 척도를 사용한다. 예=1, 아니오=0 (평균 3점 이하=위험성 높음. 부록 C, "살아야 할 이유 척도" 참조)

역시 중요하다. 입원 자살시도자 표본 연구에서 현재의 문제들에도 불구하고 계속 살아가는 이유로써 생존 및 대처 신념의 중요성이 절망감보다도 더 자살시도의 강한 예측 요인이었다(Strosahl 등 1991). '문제해결 방법으로서 자살' 문항과 '생존 및 대처 태도' 측정 점수들을 비교하면, 문제해결 문항이 임상적으로 더 풍부한 맥락에서 평가될 수 있다. 이 주제는 5장("자살경향성 환자에서의 외래 치료"), 7장("반복적인 자살경향성 환자"), 8장("자살 응급 관리"), 9장("입원과 자살행동")에서 더 다루고 있다.

환자가 감정적 괴로움을 견딜 수 있는 능력(예, "당신은 지금 당장 느끼는 기분이 달라지지 않는다고 해도 계속 그 상태로 있을 수 있겠습니까?")은 더 탐색되어야 한다. 이것은 종종 환자의 감정조절 자원을 논의할 수 있는 좋은 방법이다. 과거에는 효과가 있었지만 지금은 어찌된 일인지 사용되지 않는 방법들을 환자가 자발적으로 발견할 수도 있다(예, "저는 진정될 때까지 음악을 듣고 집 주변에서 춤을 추고는 했어요"). 비록 임상가는 계획-수단-치명도의 삼각형에 초점을 맞추라는 말을 듣기도 하지만(당신은 자살 계획이 있습니까? 어떤 방법으로 자살을 시도할 것입니까? 당신의 방법을 바로 활용할 수 있는 수단이 있습니까? 그 계획은 얼마나 치명적입니까?), 우리의 경험으로는 초점을 자살에 대한 신념에서 삶을 지속시켜주는 긍정적인 신념으로 이동하는 것이 훨씬 더 기분 좋게 문제해결 개입을 하게 해준다.

자살행동을 재구성하기 위해 평가 활용하기

많은 임상가들은 환자를 평가할 때 두 가지 모드로 접근하라고 배운다. 즉, 처음에는 평가 면담을 시행하고, 그것을 완료한 이후에 치료를 시작하는 것이다. 평가 모드에 있을 때에는 다양한 부정적인 요인들에 초점을 맞

표 4-4. 자살경향성 환자에 대한 평가/위험-중심 접근법과 평가/치료-중심 접근법 비교

임상 이슈	평가/위험-중심 접근법	평가/치료-중심 접근법
회기의 초점	자살 위험성 평가 및 관리	자살경향성을 문제해결의 틀로 재구성
자살 위험 요인 파악의 중요성	매우 중요함; 상호작용의 중심 부분	덜 중요함; 문제해결을 위한 수집
"확실한 위험reliable risk"의 중요성	치료 방식과 빈도를 정하는 데 핵심 부분	덜 중요함; 자살 위험성은 예측할 수 없음
위험 관리에 대한 우려	매우 높음; 위험 요인에 초점; 환자를 보호하기 위한 강력한 조치를 취할 준비를 함	낮음; 자살행동 그 자체는 예방될 수 없음; 환자의 기저에 있는 문제에 초점을 맞춤
지속되는 자살행동에 대한 입장	금지: 지속적인 탐지와 예방을 요함	예상: 문제해결에 대한 자료를 수집하기 위한 기반이 됨
자살행동의 정당성 legitimacy	바로 그게 문제임. 그것을 없애는 것이 목표	문제해결에 있어서 합당한 부분이 있지만 그 대가가 너무 큼
자살행동을 논의하기 위한 시간 할당	훨씬 더 많은 시간	훨씬 더 적은 시간
예방 지향	자살행동을 막기 위한 전략이 대부분임	예방 전략은 더 적음

추기 때문에 긍정적 움직임을 위한 공간이 별로 없다. 반대로, 치료 모드에 있을 때 임상가들은 상당한 어려움을 겪을 수 있으며, 추가적인 평가를 필요로 하는 매우 괴롭고 심란한 자살위기 환자들에 의해 자주 가로막힌다. 과연 이러한 전통적인 치료 모형이 자살경향성 환자를 진료하는데 효과가 있을까? 확실한 것은, 주요한 정신건강 문제가 존재하고 치료를 시작하기

전에 적절한 진단이 필요한 경우에는 이러한 접근이 꼭 필요하다는 것이다. 예를 들어, 항정신병 약제를 처방하거나 입원 여부를 결정할 때와 같은 경우가 있다. 하지만 대부분의 자살경향성 환자는 첫 만남에서부터 진단적 평가와 개입을 동시에 필요로 한다. 이러한 이유로, 당신은 평가 과정을 별개가 아닌 치료 과정의 일부로 적절히 포함시켜야 한다. 두 가지 가능한 방법들이 있다. 하나는 위험 관리와 예방을 우선으로 하는 것이고, 다른 하나는 치료를 강조하는 것이다(표 4-4).

자살경향성 환자에 대한 초기 면담을 예로 들어보자. 다음의 두 지문은 각각 예방에 초점을 맞춘 평가와 치료에 초점을 맞춘 평가를 보여준다. 지문을 읽어가면서, 각 시퀀스에서 형성되는 감정적 분위기에 대해 심사숙고해보라.

예방에 초점을 맞춘 평가

치료자: 당신이 일에 대한 스트레스를 많이 받고 있고, 결혼 생활도 순탄하지 않다고 말씀하신 것을 이해합니다. 당신은 확실히 굉장히 우울한 상태입니다. 자살을 생각해보신 적이 있나요?

환자: 글쎄요, 그런 생각들을 좀 해봤어요.

치료자: 얼마나 심각하게 생각하고 계신지 말씀해주실 수 있을까요? 이를테면, 자살을 하기 위해 특별한 방법 같은 것을 생각해 보셨나요? 거의 매일 하루 종일 자살을 생각하시나요?

환자: 최근부터 자살을 생각해왔는데요, 정말 실행에 옮길지는 확실히 잘 모르겠어요.

치료자: 자살 방법이나 계획을 갖고 계신가요?

환자: 산속의 커브길을 운전하는 걸 종종 상상하긴 했어요.

치료자: 실제로 그런 커브길로 차를 몰고 간 다음 거기서 직진으로 주행하는 상상을 하신 건가요?

환자: 네, 제가 하는 일 때문에 그 길을 자주 가는데요, 때때로 그냥 모든 걸 다 끝내 버리는 상상을 해요. 그래서 제 아내와 아이들을 수혜자로 생명보험도 가입해 놓았어요. 최소한 그거라도 있으니까, 가족들도 저에 대해 어느 정도는 좋게 기억할 만한 게 있을 것 같아요.

치료자: 그럼 당신은 그런 생각을 최근에 더 자주 하신 거로군요, 맞나요?

환자: 네, 하지만 항상 그런 건 아니에요. 그냥 일진이 안 좋은 날에만 그런 생각을 해요. 그런데 최근에는 그런 날이 아닐 때에도 생각을 해요.

치료자: 글쎄요, 당신은 정말로 안 좋은 하루를 겪는다면 실제로 자살할 수도 있다는 말씀을 하시고 있네요. 당신이 그런 행동을 하기 전에 우선 저에게 먼저 연락해서 말씀해주실 수 있을까요? 우리가 당신의 문제를 해결하기 위해 함께 노력하는 동안 비슷한 어떤 행동도 시도하지 않겠다는 데 동의해주셨으면 합니다.

환자: 네, 말씀하신 내용에 동의할 수 있을 것 같아요.

치료에 초점을 맞춘 평가

치료자: 당신은 바로 지금 삶에서 직장과 결혼생활 같은 굉장히 큰 문제들을 겪고 계시다고 말씀하셨습니다. 때때로 사람들은 이처럼 아무런 해결책이 없다고 느껴질 때, 문제를 해결하는 하나의 방법으로 자살을 생각하게 됩니다. 당신도 문제를 해결하기 위한 한가지 방법으로 자살을 생각하고 계신가요?

환자: 글쎄요, 최근에는 그런 생각을 했어요.

치료자: 만약 당신이 그런 방법 중 하나로 자살을 생각하고 계신다면, 자살로 문제의 어떤 부분이 해결될 수 있을 거라고 생각하세요?

환자: 음, 출근해서 형편없는 상사를 보지 않아도 될 것 같아요. 또

제가 죽는다면, 제 아내와 저는 지금처럼 그렇게 많이 싸우지도 못할 거고요.

치료자: 그럼, 당신은 자살하면 상사와 아내분에 대해 말씀하신 것과 같은 갈등들을 겪지 않아도 된다고 생각하시는 거로군요?

환자: 네, 맞아요.

치료자: 다르게 표현하자면 자살은 이러한 상호작용들로 인해 기분이 안 좋아지는 문제를 해결해줄 수 있는 것 같네요. 자살사고나 자살행동은 당신이 이런 원치 않는 감정을 통제할 수 있게 도와주기 위한 것이고요. 맞나요?

환자: 네에, 매 순간 좌절감이나 분노를 느낄 때 자살을 떠올리게 된 것 같아요. 그리고 제가 자살 생각을 안 하려고 노력한 적은 거의 없었던 것 같고요. 제가 처한 상황을 더 긍정적으로 접근하려고 노력하면 할수록, 정말 아무 것도 달라지지 않을 거라는 믿음만 가지게 되요.

치료자: 그럼, 당신은 그런 것들이 상호작용하는 게 기분이 나쁘고, 좌절감이 들고, 화나는 것과 더불어, 스스로는 어떤 문제도 해결할 수 없을 거라는 비관적인 생각에 빠져 계시군요, 맞나요?

환자: 네, 제가 딱 그래요.

치료자: 당신이 이 모든 고통스러운 감정들을 한 단계씩 낮추려고 노력할수록 그것들은 오히려 더 강해지는 것 같습니다. 그런 감정들이 더 강해질수록 당신은 더 통제하기 위해 필사적인 노력을 하게 되고요. 자살은 이런 상황에서 통제력을 가질 수 있는 한가지 전략이 될 수 있습니다.

환자: 네, 자살이 저의 최후의 수단인 것 같아요. 그리고 점점 그 순간에 다가가고 있는 게 느껴져요.

치료자: 당신이 그 순간에 이르기 전에, 아무런 감정적인 통제를 하지 못한다고 느끼는 문제를 해결하기 위해 그동안 실제로 무엇을

해왔는지 우리가 함께 살펴보고, 만약 우리가 자살보다 더 효과적인 방법을 찾아낸다면 굳이 죽을 필요가 없다는 말에 동의하시나요?

환자: 네, 그럴 수도 있다는 데 동의합니다.

이 두 개의 지문은 환자의 자살경향성을 대하는 두 가지 상반되는 방식을 보여준다. 예방에 더 초점을 맞춘 치료자는 자살행동 등에 대한 정보를 수집하는 데 가장 관심을 두고 위험성을 평가하고자 한다. 이 면담의 중점은 현재 환자가 지니고 있는 의도를 평가하여 자살이 발생하는 것을 방지하는 것이다. 그런 면에서 볼 때, 자살 자체가 무대의 중심에 있고 *치료자가 초점을 맞추는 문제*가 된다.

반대로, 치료에 초점을 맞춘 접근을 시행하는 치료자는 환자의 느낌을 인정하고 환자의 자살사고와 자살의도가 커지는 것을 이해하려고 애쓴다. 회피 기반 접근과 감정 통제 맥락에서 문제를 다루고, 문제해결 방법으로 자살행동을 재설정한다. 그 결과, 자살행동을 비관주의, 좌절, 분노에 대한 자연스러운 반응으로 보는 동시에, 다른 유형의 해결책도 활용할 수 있게끔 문을 열어 두는 것이다. 비록 치료자가 환자에게 다른 문제해결 방법을 검토하는 동안 자살로 죽고자 하는 결정을 미루도록 요구하고 있지만, 이 단계는 확실히 주된 임상적 개입은 아니다. 치료자는 환자의 자살행동에 중점을 두지 않은 채, 환자의 정서적 상태, 부정적인 감정을 기꺼이 받아들이고자 하는 것, 전반적인 문제해결 방식 등에 대한 정보를 수집해 나간다. 환자가 급성 자살 위기에 있을 때, 이러한 관점으로 문제에 접근하는 것은 환자를 즉각적으로 안심시킬 수 있다. 이러한 접근은 환자가 비정상적이고 낙인 찍힌 것으로 여겨왔던 것들(즉, 자살을 심각하게 생각하는 것)을 인정하고 정상화하는 역할을 하는 동시에, 사람들이 자살을 선택하게 되는

방식에 대한 관점을 만들어 나간다. 비록 치료자가 여전히 환자의 자살 의
도에 대해 필요한 정보를 수집할 수 있지만, 회기의 전반적인 분위기는 더
차분하고 환자의 괴로움과 좌절을 더 잘 받아들인다.

자살사고나 자살의도의 논의에 있어서 가능하면 언제나 수용기반 문제
해결 재구성을 사용해야 한다. 사고*idea*는 자살을 생각하는 행위를 의미하
고, 의도*intent*는 일종의 명시적인 행동을 하겠다는 환자의 결심을 나타낸다.
중요한 것은, 사고에서 의도로 넘어가는 것이 자살을 정신적 고통으로부터
벗어나 편안함을 느끼고자 하는 유용한 문제해결 장치로 여기는 특정한 유
형의 인지적 판단에 따른다는 것을 이해하는 것이다. 따라서, 환자의 기본
의제(받아들일 수 없는 감정 상태를 제거하는 것)를 재구성하여 문제를 해
결하기 위한 언어로 섞어 사용하는 것은, 자살의도가 낮았던 환자의 이전
경험을 현재의 높은 자살의도와 연결시켜서 문제해결 노력들을 지속하도록
하는데 매우 강력한 효과가 있다. 가벼운 생각으로부터 심각한 의도로 넘
어가는 것은 환자에게 매우 끔찍한 경험이며 종종 통제력을 상실한 증거로
해석되어 결과적으로 자살충동에 무기력하게 된다. 당신이 이러한 유형의
경험을 단순하면서도 믿을 만한 프레임워크로 설명한다면, 평가를 시행하
는 동안에도 급성 자살위기의 기본적인 특징들을 다룰 수 있다. 만약 당신
이 문제해결과 정서적 고통을 감당하는 것으로 초점을 옮기는 동시에 강렬
한 자살사고를 인정해주고 정상화할 수 있다면, 자살의도와 자살사고는 종
종 순식간에 줄어들게 된다.

자살행동을 연구하기 위해 자기관찰 활용하기

자살경향성 환자를 진료하는데 있어서 평가와 치료를 하나의 매끄러운 치
유적 노력의 일환으로 시행해야 함을 명심하며, 항상 평가 전략을 현재 진

행 중인 치료에 통합할 수 있는 방법을 찾는 것이 중요하다. 효과적인 도구 중 하나는 치료 회기들 간에 자기관찰 숙제를 활용하는 것이다. 자기관찰은 유연하고 강력한 치유전략으로, 다양한 임상적인 문제에서 긍정적이고 반응적인 치료 효과들이 보고되어 왔다. 반응적인 치료 효과는 정보를 수집하는 행위가 알고자 하는 행동에 영향을 줄 때 나타난다. 자살경향성 환자가 자살사고 삽화에 대한 정보를 수집하면, 이에 맞춰 참여자의 사고방식에서 관찰자의 사고방식으로 이동한다. 이러한 인지적 이동은 많은 행동 변화 과정의 근본을 이룬다. 참여자보다 관찰자의 시각으로 바라보는 것이 해야 할 일을 아는데 있어서 훨씬 수월하다. 자살사고를 연구할 때는 자살사고를 직접 경험할 때와는 다른 식으로 보고 느끼게 된다.

자기관찰 전략은 또한 지속적인(그리고 종종 드러나지 않은) 자살사고나 자살행동을 치료의 주된 흐름으로 가져오는 경향이 있다. 예를 들어 만약 환자가 치료를 계속 받으면서 자살사고를 경험하면, 자살사고를 촉발할 만한 환경적인 요인을 파악하게 해줄 수 있는 자기관찰 숙제를 받아들일 수 있다. 환자에게 이러한 촉발 요인 및 이와 관련되는 생각과 느낌을 열거하게 하라. 환자는 매일 자살 삽화의 강도, 횟수, 기간을 기록해 나갈 수도 있고, 자살사고가 나타나기 쉬운 날의 시간을 주의 깊게 추적할 수도 있을 것이다. 이러한 임무는 환자가 현실적인 딜레마에 대한 대안적인 해결책을 찾는데 전념하는 와중에 자살경향성에 대해서도 주의를 기울여 접근할 수 있도록 치료 시간에 가져올 수 있는 것에 대한 한 가지 예다.

반응성을 줄이기 위해 자기관찰 활용하기

종종 환자는 본인의 의지만으로 자살 생각을 막으려는 것이 나아질 수 있는 유일한 방법이라고 느낄 수 있다. 하지만 역설적이게도 많은 사람들은 자살을 생각하지 않으려고 하면 할 수록 그에 대한 생각은 더 심해진다. 오랫동안 연구되어 온 이러한 현상을 *생각억제효과*thought suppression effect라고 한다. 기본적으로 어떤 생각을 억압하거나 억제하려고 노력하면 할수록, 그런 생각들은 더 침습적으로 되고 더 피하고 싶어진다. 이는 감정을 억제할 때에도 마찬가지이다. 많은 환자들은 의지력을 제대로 발휘하지 못하는 경험을 통제불능의 전형으로 생각한다. 환자는 자살을 생각하는 것을 그만두려고 마음먹지만 아이러니하게도 그럴 수록 자살사고는 점점 더 많아지고 강해진다. 자기관찰 과제는 환자가 자살행동을 억제하려고 하기보다는 그럴 수밖에 없는 합당한 이유를 제공함으로써 파괴적인 방향으로 사용되어 왔던 생각 및 감정 조절 전략을 정반대로 바꿀 수 있다.

때때로 당신은 의지력을 활용하는 것에 너무 몰입해서 자기관찰도 거의 대부분 역설적인 방향으로 만드는 환자를 보게 될 것이다. 그럴 때 당신이 자살충동을 연구해야 하는 필요성에 대한 설득력 있는 이유를 제시해주면, 환자는 충동을 경험하고 이해하는 것의 유용성을 더 많이 배울 수 있다. 환자가 자살충동이 있는 것을 허용하지 않고, 그것이 어떻게 작동하는지 파악하지 않은 채, 자살하지 않는 방향으로 사건을 해결하기 위해서 필요한 변화를 만드는 것은 매우 어려울 것이다. 환자는 자기관찰적인 접근을 활용함으로써 자살사고를 위한 공간을 만들어 놓고 있어도 되고 그것을 추후 분석에 활용하기 위해 기록할 수도 있다. 이러한 방법은 환자가 충동을 가지는 동시에 그것을 관찰하고 연구할 수 있는 역량을 보유하고 있다는 것에 대한 당신의 확신을 전달해준다. 이러한 개입은 환자들이 오직 의지력으로만 자살사고를 없애려고 몰두할 때 특히 효과적이다. 이것은 환자가 의지력 싸움에서 통제불능의 실패감을 느끼는 것에 대한 불편감을 감소시키기 위한 목적으로 사용할 수 있다.

공동작업 세트 만들기

환자와 협력하여 함께 자기관찰 전략을 개발하는 것이 중요하다. 당신은 환자로 하여금 자살행동이 나타나면 그것을 관찰하고 연구하는 것이 시간을 생산적으로 활용하는 것이라고 생각하게 만들어야 한다. 공동작업은 환자가 문제에 상응하는 활동을 하게 해주고 과제를 잘 해나갈 가능성을 높여 준다. 환자가 자기관리 전략과 매일의 자료를 기록하는 서식을 설계하는데 참여하게 만드는 것이 중요하다. 항상 중요하게 중점을 둬야 할 것은, 이 과정을 사용자 친화적으로 만들고 환자에게 중요한 이슈들을 강조하는 것이다. 자기관찰 과제를 만들면, 어떤 감정적 소용돌이와 환경적인 변화 속에서도 환자가 이 과제를 완수할 수 있다고 확실히 느끼도록 해야 한다. 자기관찰 실험을 공동작업 방식으로 만들어 가면, 환자가 문제를 관찰자의 관점으로 더 잘 볼 수 있게 함으로써 순응도를 훨씬 더 높여준다. 치료자가 종이를 환자에게 건네주며 "여기다가 저에게 보여주실 내용을 기록하세요. 중요한 겁니다."라고 말하는 것은 실패할 것이 뻔하다.

이러한 숙제 활동을 매 회기 중에 활용할 개입의 일부로 바라보는 것도 역시 중요하다. 이 끝나기 2분 전에 확인해야 하는 그런 것이 아닌, 좋고 견고한 공동작업의 가장 중요한 부분이 되어야 한다. 만약 환자가 정보를 수집하는 시간과 노력을 들이는 데 동의하면, 당신은 다음 회기 때 자기관찰 활동 결과를 물어보는 것을 간과하거나 잊어버릴 수 없을 것이다. 숙제를 그냥 아무렇게나 추가한 경우에는 괴로울 정도로 자주 그런 일이 생긴다. 만약 환자가 시간과 노력을 들여 정보를 수집해서 만들었는데 다음 회기 때 치료자에게 무시를 당하면, 회기 사이의 활동은 급속히 사라질 것이다. 환자는 회기 사이에 과제를 덜 하는 것은 빠르게 학습한다.

매 회기의 첫 부분은, 이전 회기 때 당신과 환자가 함께 만든 회기 사이의 자기관찰 실험을 철저히 검토하는데 할애해야 한다. 환자에게 이 정보가 치료의 궁극적인 성공과 결부된다고 알려주는 방식으로 활용해야 한다. 환자는 흐름과 중요한 비교 지점들을 파악하는 과정에 적극적으로 참여해야 한다. 시작할 때 환자에게 지난 회기 이후에 수집한 정보들에 조금이라도 어떤 흐름이 있었는지 논의하게끔 요청하는 것이 유용하다. 이러한 자료에 대한 환자의 관점을 중심으로 대화가 이어지면, 환자가 중요한 발견들을 할 가능성이 훨씬 높아진다.

자가보고 척도 활용하기

앞서 "위험 예측 시스템"에서 언급한 것처럼, 많은 자살 위험성 도구들은 임상가의 예측력을 높이는데 한계가 있다. 하지만 자가보고 척도와 점수를 측정하는 문항은 평가와 치료를 연결하는 과정에서 유용할 수 있다. 예를 들어, 환자가 우울증이나 불안장애와 같은 정신질환을 지니고 있고 그와 관련하여 자살에 몰두하는 경우, 기분 상태를 관찰하기 위해 주기적으로 우울이나 불안 척도를 측정하는 것이 필요하다. 자살에 대한 생각을 파악하고자 하는 치료자는 벡 절망감 척도(Beck과 Steer 1993), 살아야 할 이유 척도(부록 C), 혹은 문제해결 및 정서적 고통에 대한 내성을 측정하는 질문들을 활용할 수 있다. 일반적으로, 자기보고 평가 과정은 임상가에게 환자의 현재 정서 상태를 알려주고 유용한 치료적 대상을 제시한다. 만약 환자가 높은 수준의 절망감을 보이고 낮은 중요도의 살아야 할 이유를 보이며, 문제해결 방법으로서 자살을 긍정적으로 옹호한다면, 적절한 상황이 갖춰질 때 자살행동을 할 가능성이 높다. 만약 환자가 이러한 정보를 천천히 드러낸다면, 자가보고 평가 과정은 당신이 환자에게 직접적으로 자살사고를 지니고 있는지 물어볼 수 있는 화두가 될 수 있다. 이러한 평가는 환자에 대한 종합적인 프로필을 획득하는데 아주 유용하다.

때때로 당신은 환자의 자살행동 레퍼토리의 다양한 특징들을 알고 싶을 수도 있다. 이런 목적으로는 자살사고 및 자살행동 설문지(부록 E)가 매우 유용한 척도다.

가장 중요한 원칙은 평가 도구가 치료의 구체적인 목적과 부합할 때 사용하는 것이다. 이를테면, 당신은 치료를 시작할 때 환자를 파악하기 위해서나 치료가 시작된 이후에 다른 어떤 목적을 위해 평가를 활용할 수 있다. 예를 들어, 환자가 지난 몇 회기 동안 이뤄온 변화의 총량을 알고 싶을 수 있다. 이럴 때는 이와 관련한 설문지들을 평가 혹은 재평가하는 것이 현명한 방법이다.

자가보고 척도의 가장 큰 이점은, 이를 통해 당신의 환자를 다양한 문제들을 지니고 있는 집단들과 비교할 수 있다는 것이다. 흥미롭게도 치료개시 시점에 척도들을 사용하면 환자들이 종종 치료자에게 긍정적인 감정을 지닐 수 있다. 이 척도들을 사용함으로써 치료가 신뢰성 있고 치료자가 박식하다는 느낌을 조성한다. 겁을 먹고 통제력을 상실한 상태의 환자에게는, 이러한 혼돈 상태에서 질서를 회복할 수 있는 특별한 지식과 체계적인 치료 계획을 지니고 있을 것 같은 치료자를 만나는 것이 안심이 된다.

성공의 팁

환자가 치료 회기 밖에서 자신의 자살행동을 연구하면 많은 임상적 이점이 있다. 자살행동이 발생했을 때 그것을 판단하기 보다는 환자와 함께 연구하는 것을 시작한다.

집에서 하는 자기관찰 연습을 실험에 통합해 나갈 수 있다. 이러한 실험에서는 일반적으로 환자에게 다른 대처 방법을 시도하는 것에 대한 동의를 구하고, 자살경향성이 나타날 때 기록도 하게 한다. 낙관적으로 돼라. 환자에게 한 실험이 유용하지 않으면 쉽게 다른 것을 시도할 수 있다고 알려준다.

> 자기관찰 연습은 환자의 자살행동을 정상화하고 검증하는 동시에 정신적 고통에 대처하는 대안적 방법에 대한 논의를 위한 문을 열어두는 훌륭한 방법이다.
>
> 각 회기를 시작할 때 구조화된 척도로 측정을 하는 것은 환자에게 긍정적으로 받아들여질 수 있고, 치료적 변화를 위해 무엇을 하지 말지 실시간 정보를 제공할 수 있다.

사례 개념화와 치료 공식화

환자를 평가해 나가면서 치료 과정에서 어떤 성격 요인이나 환경 변수들을 다룰 지 생각하라. 자살행동은 맨 마지막 결과로서 다양한 기술과 태도 변수가 합쳐져 최종적으로 환자가 자살행동을 선택하게 만든다는 것을 명심하라. 자살경향성 환자의 성격, 환경, 대인관계 특징 등을 밝혀내기 위해 수많은 경험적 연구들이 이루어졌다. 이 연구들 대부분은 자살을 생각하거나, 자살의도를 언어적으로 표현하거나, 자살시도자를 대상으로 하였다. 이러한 특징들이 어느 정도까지 자살로 사망하는 사람들에게 일반화되어 적용될 수 있을지에 대해서는 논란의 여지가 있다. 이러한 이유로 우리가 이러한 특징을 조사하고 당신이 그것을 임상적 평가의 한 부분으로 다루는데 도움을 주기는 하지만, 내담자에 대한 평가 결과 및 여타의 내용들로 무장한 임상가가 곧 발생할 수 있는 자살시도나 실제 자살의 위험성을 더 잘 예측할 수 있다는 어떤 과학적 근거도 없음을 명심하라. 이 섹션에서는 성격과 환경 요인에 대한 다양한 갈래의 정보를 이해하는데 도움을 주기 위해, 몇몇 핵심적인 연구 결과들을 조명하고 어떻게 그런 특징이 치료에 반영될 수 있을지 보여줄 것이다. 마지막으로 환자가 이러한 다양한 차원들 중 어디에 위치하고 있는지 파악하는데 쉽게 사용할 수 있는 평가 도구를 소개하겠다(이 섹션 후반부에 있는 표 4-5를 보라).

사고방식

자살경향성 환자에서 가장 많이 언급되는 성격 특징은 인지적 경직성 cognitive rigidity 이다. 자살경향성 환자는 유연한 방식으로 생각하는 데 어려움을 겪는다. 그들은 문제의 오직 한가지 틀에만 갇히게 된다. 부정적으로 짜여진 자기서사에 지나치게 몰두하기도 하며, 이는 상당한 정신적 고통을 유발한다. 이들에게는 한걸음 물러서서 자신의 현재 삶의 상황을 조망하는 것이 매우 어렵다. 환자는 나름대로 새로운 아이디어를 얻을 수 있을 만큼 충분히 오랫동안 삶의 문제에서 벗어나는 것이 어려울 수도 있다. 환자는 운이 따르거나, 상황이 저절로 달라지거나 다른 사람들의 행동이나 태도가 변하기를 바라는 것과 같은 수동적인 문제해결 전략에 과도하게 의존한다. 이러한 과도한 의존은 터널시야 tunnel vision 라고 하는 널리 알려진 현상으로 이어진다. 터널시야는 잠재적인 문제해결 방법의 범위에 대해 주의를 기울일 수 있는 시야를 매우 좁게 만든다. 또한, 문제들을 경직되고 가치판단적인 용어로 정의한다. 이러한 사고방식은 흔히 자신이 해야 하는 것에 대해 흑백논리적 가치 판단을 하게 되고, 충동적이고 자기파괴적인 행동과 관련된다.

효과적인 문제해결을 위해서는 구체적인 기술이 필요하다. 자살경향성이 있는 사람은 종종 이러한 능력이 부족하다. 이러한 현상이 상태 state 인지 기질 trait 인지는 불명확하다. 자살 위기가 이러한 특징들을 유발할 수 있고, 혹은 자살행동에 취약한 사람에게 이미 내재되어 있을 수도 있다. 어떤 경우든, 자살경향성이 있는 사람은 특별한 상황에서 활용할 만한 대안적인 해결책을 별로 갖고 있지 않거나, 유용한 대책을 이미 시도해봤지만 효과가 없었다며 지레 거부한다. 그리고 장기간의 영향을 크게 고려하지 않고 단기간에 효과가 있는 대책을 찾는다. 그렇게 수동적이거나 회피기반의 대책들을 선호하게 된다(예, 상사를 마주하기보다는 직장을 그만둠).

이러한 문제해결 방식은 자살경향성이 있는 사람이 자살행동을 효과적인 문제해결 방법으로 여기게 만든다. 이러한 행동은 외부 세계에 있는 사람들에게 의존하거나 영향을 끼칠 필요 없이 전적으로 자기 혼자서 상황을 통제하게 만든다. 자살이 문제해결의 적극적인 형태로 여겨지기도 하지만 우리는 자살과 같은 태도를 전형적인 수동적 방식으로 간주한다. 자살경향성 환자와의 임상적 면담에서 나타나는 일반적인 특징은 장기간의 결과와 단기간의 결과의 대립이다. 자살경향성 환자는 단기간의 문제 해결에 관심이 있고 자신의 행동의 장기적인 함의에 대해 논의하는 것은 그다지 내켜하지 않는다. 예를 들어, 자살시도가 장기적으로 더 많은 문제를 일으킬 것이라고 설득하려는 노력은 종종 헛수고가 될 뿐이다.

부정적 느낌에 대한 내성

감정적 기능의 두 가지 특징이 자살위기를 더 악화시킬 수 있다. 첫번째는 감정적 각성 상태를 조절할 수 있는 효과적인 기법이 부족하다는 것이다. 자살경향성 환자는 만성적인 감정적 과각성 및 괴로움에 신체적 플랫폼을 제공하는 생리적 펌프를 끌 수 있는 방법을 모를 수도 있다. 흔한 임상적 증상으로 과도한 생리적인 각성에 지속적으로 노출되면 감정적 소진이나 마비가 나타날 수 있다. 환자를 신체적으로 이완시키거나 톱니바퀴 인지 작용을 상쇄하기 위한 행동을 개발하는 것이 자살위기를 헤쳐 나가는데 매우 중요하다. 자살경향성 환자는 뚜렷한 원인이 있든 없든 관계없이 강렬하고 변화무쌍한 기분을 경험한다. 환자는 종종 나쁜 감정을 느낀다는 불평을 하겠지만, 그래도 신체적, 감정적으로 통제할 수 없는 느낌만큼 나쁘지는 않다고 할 것이다.

두 번째 임상적인 특징은, 부정적인 개인적 경험(감정, 생각, 기억, 혹은 신체적 감각)을 기꺼이 받아들이려는 의지가 부족하다는 것이다. 자살경향성 환자가 "저는 이런 불안한 느낌을 견딜 수 없어요.", "제가 무엇을 해도 죄책감이 들어요."라고 말하는 경우는 흔하다. 마치 살아 있는 유일한 이유가 환자의 삶에 나타나는 부정적인 개인적 사건들을 어떻게든 물리치기 위한 것 같다. 그 결과, 선호하는 충동적인 방식을 점점 더 많이 활용해서 문제를 해결하려고 한다. 강렬하고 지속적인 부정적 정서는 환자로 하여금 절박함에서 비롯되는 결정을 내리게 만든다. 우리는 이러한 태도가 자살행동이 중독행동(음주, 폭식, 약물남용)과 함께 나타나는 이유를 설명해준다고 생각한다. 사람은 안 좋은 느낌을 피하기 위해, 얼마든지 더 많은 주의 전환을 하거나 독을 선택할 수 있기 때문이다. 그 중에는 치명적인 것도 포함된다. 결국, 이러한 모든 탈출과 회피 행동들은 유사하다. 프리드리히 니체의 말처럼, 약간의 독은 삶을 더 쉽게 만들고 많은 양의 독은 죽음을 더 쉽게 만든다.*

사회적 행동

일반적으로 자살경향성이 있는 사람은 대인관계가 원만하지 못하다. 다만 이것이 자살행동 패턴의 결과인지 원인인지는 분명하지 않다. 여러 연구에서 자살경향성이 있는 사람이 높은 수준의 사회적 불안, 거절에 대한 두려움, 만성적인 열등감을 느낀다고 보고하였다. 자살경향성 환자는 대개 사회적으로 고립되어 있고, 뚜렷하고 의미 있는 사회적 지원을 제공해줄 수 있는 사람들이 극히 한정되어 있다. 이들의 관계는 종종 과도한 의존, 복종,

---

* 원문의 내용은 다음과 같다. "이따금 약간의 독이 필요하다. 그것은 편안한 꿈을 꾸도록 해준다. 그러다 결국 많은 독을 마시고 편안한 죽음에 이른다." 『짜라투스트라는 이렇게 말했다』에서 '짜라투스트라의 머리말' 중, 열린책들 (김인순 옮김) p. 21

대인관계 갈등의 회피를 특징으로 한다. 자살경향성 환자는 일반적으로 다른 사람들과 함께 있을 때 정상적으로 보이도록 하는 데 최우선 순위를 둔다. 이러한 허울로 인해 치료자가 환자의 사회적이고 행동적인 역량을 과대평가할 수 있다. 이러한 인위적인 사회적 역량은 대개 환자가 관계에 적극적으로 참여하는 데 필요한 일상적인 요구에 부응해야 할 때 악화된다.

사회적 지지는 대개 잠재적으로 도움이 될 수 있는 사람의 수와 제공된 지원의 유용성에 있어서 모두 제한적이다. 지지체계 속에 있는 주요 인물들은 대개 환자를 지지해주는 것인지 모호할 때가 많다. 이는 특히 가족 구성원들이 환자가 문제를 해결할 수 있을 것이라는 희망을 가지는 동시에 당장에 느껴지는 어려움들에 대해 분노하는 상황에서 특히 더 그렇다.

충분한 사회적 지지competent social support라는 용어는 환자의 사회적 지지 체계에 있는 몇몇 사람들이 사실상 지지보다는 그 반대의 역할을 한다는 것을 지속적으로 상기시켜 준다. 환자의 사회적 지지체계를 평가할 때, 진정한 지지체계와 가상의 지지체계를 식별하는 것이 중요하다. 많은 치료적 계획이 환자가 사회적 지지를 단지 비난 세례, 훈계, 쓸모 없는 명령 등으로 여기면서 실패한다. 한편, 만성적인 자살행동 환자의 경우에 환자의 "친구"는 환자가 입원 중에 만났던 다른 자살경향성 환자일 수 있다. 예를 들어 저자들 중 한 명(K.D.S.)은 환자를 안심시키고 긍정적인 방향으로 이끄는 데 도움이 될 것이라 믿으며, 사회적 지지 계획에 급성 자살경향성 환자와 친밀한 관계에 있는 사람을 참여시켰다. 시간이 지나고 사회적 지지 계획은 환자의 자살경향성을 낮추는데 지속적으로 실패하였는데, 알고 보니 자살위기 동안 사회적 지지의 상호작용 내용이 주로 동반자살 약속이었다.

행동변화 기술

자살경향성이 있는 사람은 자기조절 기술이나 개인적인 행동 변화 전략을 잘 활용하지 못한다. 자살경향성이 있는 사람은 종종 완벽주의적이고, 스스로 더 나은 행동으로 여기는 것들을 스스로에게 강요하기 위해 종종 처벌과 보상의 철회를 자유롭게 사용하기도 한다. 이렇게 자기강화적으로 발생하는 불안 때문에 자살경향성 환자는 종종 행동 변화에 실패한 장대한 역사를 보고하기도 한다. 이러한 내적인 자기보상 시스템은 역기능적이며, 단기간의 보상 효과를 지니는 알코올이나 약물 등과 같은 외적 강화로 눈을 돌리게 된다.

　오직 자기강화 전략(의지력 등)에만 근거한 치료적 개입은 효과가 없을 때가 많다. 환자는 대개 의지로 치료하는 것에 대한 부정적인 경험들을 지니고 있기 때문에 즉각적으로 행동을 바꾸라는 훈계("당신이 저에게 치료받고 싶다면 먼저 자살행동을 그만두어야 합니다.")는 의미 없다. "당신이 해야 할 것은 오직 … 뿐입니다."라는 식의 말들은 당신이나 가족, 친구 등 누가 말하든 환자를 매우 낙담시킬 수 있다. "그냥 배우자에게 더 친절하게 대해보세요." 나 "건강에 대해 그만 걱정하세요.", "주의 전환을 위해 파트타임으로 일을 해보세요." 등의 말들을 하는 것은 정말로 도움이 안 된다. 만약 환자가 간단한 통찰만으로 그런 행동 변화를 일으킬 수 있었다면 처음부터 환자가 되지도 않았을 것이다.

생활 스트레스

생활 스트레스는 오랫동안 자살행동과 연관되어 왔으며, 환자의 환경적 어려움의 수준을 측정할 수 있는 중요한 방법이다. 스트레스는 종종 만성적이고(예, 지속적인 실직 상태, 부적절한 사회적 네트워크), 자살경향성 환자는 급성 스트레스를 정상적인 빈도보다 훨씬 더 많이 경험한다(예, 별거나 이혼, 사랑하는 사람이 최근 사망). 환자가 끊임없이 노출될 수밖에 없는 일상적인 어려움은 감정적 저항성을 마모시켜서, 심각한 부정적 사건이 발생할 때 자살위기에 취약한 기본 성향이 될 수도 있다.

자살경향성 환자를 치료하면서, 특히 반복적인 자살경향성 환자를 치료하면서 흔히 보고되는 문제는, 이 주의 위기 증후군crisis-of-the-week 이다. 환자는 매 회기 때마다 새로운 생활 사건을 호소하는데, 치료자는 이에 대한 기본적인 치료 계획을 세우기가 굉장히 어렵거나 혹은 불가능하다. 이러한 상황은 환자가 단순히 큰 문제를 해결하는 것보다 삶의 일상적인 문제를 다루는 데 관심을 쏟는 것이 더 큰 이점이 있음을 시사한다. 실제로, 학습 모형은 오랫동안 작은 해결책들을 만들어 나가는 것이 환자가 자신의 삶을 바꿀 수 있는 방법이라고 강조한다. 특히, 만성적인 환경적 스트레스를 경험하는 환자들에게 영웅적 변화라는 개념은 그저 의지력으로 낫게 한다는 발상만큼이나 해롭다. 환자가 한순간에 그렇게 나아지는 경우는 거의 없으며, 대개 단계들을 거치는 과정이 필요하다.

이 하위 섹션에서는 당신이 환자의 신상을 파악하고 우리가 1장에서 논의했던 주된 임상 영역에서 치료목표를 선정하는 데 도움이 될 수 있는 사례개념화 프로토콜을 보여주겠다(표 4-5). 이 프로토콜에는 경직된 인지 방식, 문제해결 능력 결핍, 고조된 정신적 고통, 감정적으로 회피적인 대처 방식, 대인관계 결핍, 자기통제 결핍, 환경적 스트레스, 사회적 지지 부실 등이 있다. 이 프로토콜은 당신이 치료를 시작하는 시점에서 환자의 특징을 파악할 수 있게 해주고, 그 자체로 임상적 결과의 척도로 활용할 수도 있다. 취약한 요인이 많다는 것이 꼭 환자의 자살 위험이 임박한 것을 의미하는 것은 아니다. 이 도구는 당신이 치료에서 다룰 치료 목표를 설정하는 데(예, 기술의 결핍) 주안점을 두고 제작된 것이다. 앞서 논의된 바와 같이 환자의 자살경향성은 더 근본적인 결핍들의 부산물임을 이해하는 것이 중요하다. 임상적 상황을 변화시키기 위해서 당신은 핵심 영역들 중에서 한 개 이상을 목표로 삼아야 한다. 당신이 환자의 자살 위험성(배경 및 전경

표 4-5. 자살경향성 환자에 대한 사례 개념화 프로토콜

인지적 경직성 (1-5점[a])
1. 흑백논리, 비판적 사고(과도하게 옳고 그름, 좋고 나쁨으로)
2. 경직되고 유연하지 않은 사고 방식(늘 하던 방식대로만)

문제해결 능력 부족 (1-5점[a])
1. 행동의 장기적 효과보다 단기적 효과를 생각
2. 문제해결 전략으로 자살에 대한 긍정적 기대
3. 통찰력 부족; 말보다 행동이 중요하다
4. 기본적 문제해결 기술 부족
   • 문제와 그 원인을 파악하는 데 어려움이 있음 "번호 지우고 바로 아래 목록과 같은 서식 적용"
   • 가능한 해결책이 적음
   • 잠재적으로 실행 가능한 대안을 조기에 거부함
   • 문제해결 행동이 수동적임
   • 문제해결 전략을 제대로 실행하지 못함

고조된 정신적 고통 (1-5점[a])
1. 만성적 분노, 죄책감, 우울, 불안, 권태를 느끼기 쉬움
2. 명확한 외부적 스트레스(예, 대인관계 상실 혹은 죽음)
3. 감정의 급속한 기복과 함께 강렬하고 불안정한 정서

감정적으로 회피적인 대처 기술 (1-5점[a])
1. 부정적 감정을 견디기 어려움; 일단 시작되면 자극을 조절할 수 없음
2. 고통스러운 감정은 곧 잘못, 해로움, 삶의 실패, 나약한 성격이나 삶을 실패한 증거라고 믿음
3. 감정을 없애기 위한 충동적인 시도(예, 자해, 음주, 약물 복용, 폭식)

대인관계 어려움 (1-5점[a])
1. 자기주장의 어려움(특히 알코올 문제가 없을 때)
2. 알코올 문제가 있을 때 주장의 혼란과 공격성
3. 종종 "평가받는" 느낌을 동반하는 빈번하고 심각한 사회 불안
4. 사회적 고립, 의존성 충돌, 심각한 불신의 경향
5. 과도한 갈등과 잦은 기복이 특징인 관계

자제력 부족 (1-5점[a])
1. 행동을 교정하는 주요 수단으로 자기 처벌과 비난을 사용
2. 자기 주도적으로 행동변화에 성공한 적이 별로 없음
3. 작고 긍정적인 목표를 설정하는 데 어려움이 있음(영웅적인 해결책을 원함)

환경적 스트레스 및 사회적 지지 부족 (1-5점[a])

1. 급격한 생활 스트레스 요인(예, 실직, 별거 또는 이혼)과 관련된 스트레스
2. 지속적으로 매일 스트레스가 많음(예, "일상적 스트레스")
3. 스트레스 완화를 위한 적절한 사회적 지지가 거의 없음
   - 중요한 다른 사람들이 환자에게 적대적임
   - 중요한 다른 사람들이 문제해결에 좋은 역할 모델을 못함
   - 중요한 다른 사람들이 잔소리하거나 훈계하거나 회유함
   - 중요한 다른 사람들이 잘못된 조언을 함(예, 의지력을 고치도록)

[a]척도: 1=전혀 문제가 아니다; 5=매우 심각한 문제다

요인들의 상대 위험도)을 파악하는 것뿐만 아니라 치료적 개입의 실질적인 초점이 될 환자의 결핍된 기술들을 즉각적으로 평가하기를 강력히 권고한다.

이후 장들에서 우리는 당신이 3점 이상으로 평가한 영역들 1개 이상에서 사용할 수 있는 임상적 전략들을 다룬다. 일부 환자들은 다양한 문제 영역을 지니고 있을 수 있고, 어떤 환자들은 더 한정된 영역의 문제들만 가지고 있을 수 있다. 사례개념화 노력들을 통해 당신이 근거로 활용할 일부 장점 영역들이 드러날 것이다. 우리는 당신이 자살경향성 환자들의 첫 방문 혹은 다음 방문 때 이 사례 개념화 프로토콜을 사용할 것을 적극 권한다. 당신은 이러한 접근이 가져다 주는 임상적 명료함에 깜짝 놀라게 될 것이다.

요약

- 단기간에 자살을 할지 안 할지 예측하는 것은 거의 불가능하다. 자살예방이 최우선적인 임상적 고려사항이 되어서는 안 된다.
- 자살위험 예측 척도는 유용한 임상적 정보를 제공해줄 수 있지만 자살로 사망하거나 자살시도를 할 사람을 예측할 수는 없다.
- 자살행동에는 다양한 유형이 있고, 각각은 그 빈도와 기간, 강도에 따라 각각 다를 수 있다.
- 환자가 자살을 문제해결 방법으로 평가하는 것은 현재 진행 중인 자살행동과 아주 밀접한 관련성이 있다.
- 자살행동을 부정적 감정과 개인적인 경험을 없애거나 통제하려는 문제해결 행동으로 재정의하라. 문제해결 전략으로서 자살행동의 효과에 대한 환자의 믿음과 부정적인 느낌을 용인하고 처리하려는 환자의 의지에 대해 몇 개의 질문을 하는 것은(표 4-1과 표 4-2) 환자가 자살행동에 대해 지니고 있는 기본적인 태도를 평가하는데 도움이 될 것이다.
- 자살경향성 환자에서 평가와 치료를 구분하지 말고, 두 개의 전략들을 유기적으로 합쳐 하나로 이어지는 치료 활동으로 활용하라.
- 평가에서 배경이 되는 자살 위험 요인들과 전경이 되는 요인들을 구분하고, 전경이 되는 요인들을 더 많이 강조하라.
- 환자의 부정적 요인과 긍정적 요인을 모두 평가하는데 도움이 되도록 자살사고 및 자살행동 설문지(부록 E)와 살아야 할 이유 척도(부록 C) 등을 활용하라.
- 환자가 자살행동을 객관화 하도록 자기관찰(다이어리 기록) 숙제를 활용하라.
- 환자에게 맞는 평가 전략을 개발하는데 있어서 꼭 환자를 참여시켜 공동작업으로 진행하라.
- 첫 회기든 추적 회기이든, 항상 자살경향성에 영향을 끼친 것으로 알려진 핵

심 영역에서의 환자의 강점과 약점에 대한 사례 개념화를 하면서 평가를 마무리해라. 표 4-5에 요약되어 나와 있다.

읽어볼 만한 문헌

Beck AT, Weissman A, Lester D, et al: The measurement of pessimism: the hopelessness scale. J Consult Clin Psychol 42(6):861–865, 1974 4436473

Chiles JA, Strosahl KD, Ping ZY, et al: Depression, hopelessness, and suicidal behavior in Chinese and American psychiatric patients. Am J Psychiatry 146(3):339–344, 1989 2919691

Large M, Kaneson M, Myles N, et al: Meta-analysis of longitudinal cohort studies of suicide risk assessment among psychiatric patients: heterogeneity in results and lack of improvement over time. PLoS One 11(6):e0156322, 2016 27285387

Linehan MM, Goodstein JL, Nielsen SL, et al: Reasons for staying alive when you are thinking of killing yourself: the reasons for living inventory. J Consult Clin Psychol 51(2):276–286, 1983 6841772

McMillan D, Gilbody S, Beresford E, et al: Can we predict suicide and non-fatal self-harm with the Beck Hopelessness Scale? A meta-analysis. Psychol Med 37(6):769–778, 2007 17202001

Strosahl K, Chiles JA, Linehan M: Prediction of suicide intent in hospitalized parasuicides: reasons for living, hopelessness, and depression. Compr Psychiatry 33(6):366–373, 1992 1451448

Troister T, D'Agata MT, Holden RR: Suicide risk screening: comparing the Beck Depression Inventory-II, Beck Hopelessness Scale, and Psychache Scale in undergraduates. Psychol Assess 27(4):1500–1506, 2015 25915787

참고문헌

Beck AT, Steer RA: Clinical predictors of eventual suicide: a 5- to 10-year prospective study of suicide attempters. J Affect Disord 17(3):203–209, 1989 2529288

Beck AT, Steer RA: BHS: Beck Hopelessness Scale. San Antonio, Psychological Corporation, 1993

Beck AT, Steer RA, Kovacs M, et al: Hopelessness and eventual suicide: a 10-year prospective study of patients hospitalized with suicidal ideation. Am J Psychiatry 142(5):559–563, 1985 3985195

Goldstein RB, Black DW, Nasrallah A, et al: The prediction of suicide: sensitivity, specificity, and predictive value of a multivariate model applied to suicide among 1906 patients with affective disorders. Arch Gen Psychiatry 48(5):418–422, 1991 2021294

Pokorny AD: Prediction of suicide in psychiatric patients. Report of a prospective study. Arch Gen Psychiatry 40(3):249–257, 1983 6830404

Roberts LW: A Clinical Guide to Psychiatric Ethics. Arlington, VA, American Psychiatric Association Publishing, 2016

Roos L, Sareen J, Bolton JM: Suicide risk assessment tools, predictive validity findings and utility today: time for a revamp? Neuropsychiatry 3(5):483–495, 2013

Strosahl KD, Linehan MM, Chiles JA: Will the real social desirability please stand up? Hopelessness, depression, social desirability, and the prediction of suicidal behavior. J Consult Clin Psychol 52(3):449–457, 1984 6747063

Strosahl K, Chiles JA, Linehan M: Prediction of suicide intent in hospitalized parasuicides: reasons for living, hopelessness, and depression. Compr Psychiatry 33(6):366–373, 1991 1451448

Yi SW, Hong JS: Depressive symptoms and other risk factors predicting suicide in middle-aged men: a prospective cohort study among Korean Vietnam War veterans. PeerJ 3:e1071, 2015 26157634

5

자살경향성 환자의 외래 치료

수용 및 가치기반 해결 증진하기

이 장에서는 개인상담실, 위기개입 부서, 1차의료기관, 학교기반 프로그램 등의 다양한 외래 상황에서 자살경향성 환자에게 사용할 수 있는 개입 전략을 제시한다. 당신이 달성하고자 하는 치료결과는 어느 정도 이러한 치료 상황에 의해 좌우될 것이다. 예를 들어, 1회성 위기개입 회기에서는 환자를 안정시키고 추후 지속적인 치료로 의뢰하는 것을 목표로 한다. 또 다른 상황에서는 치료 목표가 더 장기적인 치료적 관계를 형성하는데 필요한 라뽀를 확립하는 것이 될 수도 있다. 당신이 개입한 기간과 무관하게, 이러한 목적을 달성하기 위한 주요 임상목표와 전략은 다음과 같이 동일하다. 첫째, 일관성 있고, 보살피고, 신뢰할 수 있는 치료 프레임워크를 확립하여 환자를 안심시킨다. 둘째, 자살 위기를 완화시킨다. 셋째, 환자가 정신적 고통을 피하는 것이 아니라 받아들이기 위한, 회피기반 대처가 아닌 가치기반 문제해결 전략을 사용하는 데 필요한 기술을 가르친다.

이러한 목표를 저해하거나 약화시킬 수 있는 당신의 문제를 이해하는 것이 매우 중요하다. 치료적 개입을 진행하기 전에 먼저 2장("임상가의 감정, 가치, 법적 취약성, 윤리")을 검토하라. 치료자의 태도와 행동은 종종 성공적인 치료의 가장 중요한 결정 요인이 된다. 자살행동 문제는 일부 임상가에게는 너무나 불안정하게 여겨질 수 있는데 이러한 경우 일단 위급한 상황을 안정시킨 뒤 다른 치료자에게 환자를 의뢰하는 것이 낫다. *당신 자신을 알라. 당신의 민감한 부분은 무엇인지, 당신이 수월하게 할 수 있는 것과 그렇게 할 수 없는 것이 무엇인지 인지하라. 당신의 한계를 아는 것은 개인적인 약점의 표시가 아니라 역량의 중요한 한 부분이다.*

기본 원칙의 개요

자살 위기는 환자가 3개의 *I*, 즉 *벗어날 수 없고, 견딜 수 없고, 끝없이 계속된다*고 여겨지는 고통스러운 상황에 대처하기 위해 회피기반의 문제해결 방식을 사용할 때 발생한다(3장, "자살행동의 기본 모형" 참고). 치료의 목표는 이들 3개의 *I* 중 하나 이상을 변화시키는 것이다. 이 임무는 환자가 회기 중이나 집에서 새로운 기술을 직접 해 보도록 하는 경험기반의 학습 과정을 통해 달성할 수 있다. 도저히 벗어날 수 없을 것만 같은 감정으로 점철된 상황들도 가치기반 문제해결 전략들을 활용하면 효과적으로 해결할 수 있고, 심지어 그전보다 상황이 더 나아질 수도 있다는 것을 환자가 알도록 해야 한다. 괴롭고 원치 않는 감정은 오히려 환자가 억제하거나 회피하려고 할 때 더 악화된다는 것을 알려줘야 한다. 더불어 대안을 제시할 수 있다. 수용적 태도를 취함으로써 부정적인 감정을 판단하거나 바꾸려고 하지 않고 그냥 있는 그대로 받아들일 수 있다. 이 세 가지 목표 중 일부라도 달성할 수 있으면, 환자의 역량과 자원으로 과제를 맡아서 완수할 수 있는 기회를 갖게 된다. 궁극적으로는 최고의 스승은 앞에 앉아서 인생을 논하고 있는 치료자가 아니라 바로 인생 자체라는 것을 알 필요가 있다.

이 장에서 우리는 정서적 수용, 마음챙김, 그리고 가치기반 문제해결이라는 세 가지 기본 주제에 초점을 맞춘 다양한 임상적 개입을 제시한다. 환자가 맞서 싸우거나 판단하지 않은 채 감정적 괴로움을 그대로 수용하고 깊이 자리잡고 있는 개인적 가치에 상응하는 방식으로 대응할 수 있다면, 자살행동이 시작될 발판이 없어지게 된다. 표 5-1에는 이러한 수용과 실천 기반 치료의 기본 원칙이 제시되어 있다.

환자는 다음의 세가지 기술 세트를 익혀야 한다:

1. *정서적 수용*, 즉 정신적 고통을 억제나 회피하려 하지 않고 기꺼이 맞닥뜨리고자 하는 마음
2. *마음챙김*, 즉 현재의 순간에 머무르며 괴롭고 원치 않는 생각, 느낌, 기억, 충동 또는 신체 감각에 거리를 두고 비판단적인 태도를 취할 수 있는 능력.
3. *가치기반 문제해결*, 즉 문제적 삶의 상황에서 개인적 가치에 상응하는 방식으로 행동할 수 있는 능력

환자는 이 과정에서 먼저 정신적 고통, 개인적 가치, 그리고 가치기반 문제해결 노력 사이의 점들dots을 연결하는 법을 배워야만 한다. 이러한 연결은 환자가 과거에 해결할 수 없다고 생각했던 문제들을 해결할 수 있게 함으로써, 정신적 고통으로부터 벗어날 수 없다는 인식을 다룰 것이다.

둘째, 환자는 자연스럽고 자발적인 감정적 고통의 기복을 단순히 관찰하고 고통의 순간에 비판단과 자기자비를 실천하기 위한 마음챙김 전략들

표 5-1. **자살경향성 환자에 대한 외래치료의 기본 원칙**

1. 정신적 고통에 대한 다음과 같은 환자의 신념을 깨뜨린다.
   - 벗어날 수 없다: 문제를 해결할 수 있음을 보여준다.
   - 끝없이 계속된다: 부정적 감정이 끝날 것임을 보여준다.
   - 견딜 수 없다: 부정적 감정을 견딜 수 있음을 보여준다.

2. 자살은 일시적인 문제에 대한 영구적인 해결책임을 강조한다. 자살행동은 대개 정신적 고통을 해결하는데 효과적이지 않다. 그것은 일반적으로 정신적 고통을 증가시키며 더 심한 정신적 고통을 일으키는 새로운 문제를 만들 수 있다.

3. 자살하고 싶다고 느끼는 것은 극도의 감정적 고통에 반응하는 타당하고 이해할 만한 반응이라고 강조한다.
   - 환자의 고통을 공감하고 이해하는 것을 보여준다.
   - 환자의 정신적 고통을 내면에 깊이 자리잡고 있는 가치관과 긍정적인 삶의 의지를 반영하는 것으로 기술함으로써 그 중요성을 표현한다.

4. 자살에 대해 터놓고 솔직하게 말하는 것이 수용될 수 있음을 강조한다.
   - 자살행동에 대해 직접적이고 있는 그대로 얘기하도록 한다.
   - 자살사고와 자해행동을 일관되게 평가한다.
   - 자살행동에 대해 가치판단을 하지 말고 그저 정신적 고통을 해결하는 여러 선택지 중 하나로 언급한다.

5. 자살행동을 다룰 때 대립적이기보다는 협력적으로 접근한다.
   - 자살행동이 나타난 것을 두고 힘겨루기를 하지 않는다.
   - 삶의 문제를 해결하거나 정신적 고통을 받아들이는 방법에 대한 도움을 준다.

6. 자살행동과 무관하게 관심과 돌봄을 제공한다.
   - 불시에 전화를 한다.
   - 긍정적인 활동의 할당량을 만든다.
   - 자살경향성이 나타나는 것과 관계없이 기존의 치료 일정을 유지한다.

7. 가능하면, 구조화된 행동 훈련으로 교정할 수 있는 부족한 기술들을 파악한다.
   - 마음챙김과 수용 기술
   - 거리두기 기술
   - 가치기반 문제해결 기술
   - 자기자비 기술

을 개발할 필요가 있다. 일단 개발하면, 이 행동들은 감정적 고통을 견딜 수 없다는 환자의 확신을 약화시킬 것이다. 고통의 순간에 자신을 관대하고 자비롭게 대하기를 거부하고 그저 그 고통을 가라앉히려고만 한다면 그 상황을 견딜 수 없을 것이다.

셋째, 환자는 어떤 강렬한 정신적 고통도 자연 반감기가 있고, 고통이 수용되는 한 자연스럽게 다른 것으로 진화할 수 있음을 배워야 한다. 종종 이 "다른 것"은 환자에게 중요한 것이 무엇인지에 대한 중대한 통찰이고, 고통은 현재 삶의 맥락이 중요한 것을 뒷받침해주지 못하고 있음을 환자에게 알려주고 있다는 인식이다. 이러한 통찰은 종종 환자가 그동안 떠맡으려고 하지 않았지만 지금은 더 직접적으로 해결할 수도 있는 외견상 새로운 문제를 밝혀낸다. 치료가 성공적으로 마무리되면, 환자는 비록 감정적 고통이 삶의 일부일지라도 내부의 적은 아니며, 영원히 지속되지도 않고, 사실상 개인적인 성장 과정의 일부가 될 수 있음을 이해할 것이다.

환자가 모든 유형의 어려움을 다루는 데 사용할 수 있도록 이 세 가지 기술 세트를 통합해야 한다. 비록 치료의 목적이 자살행동을 감소시키는 것이라 할지라도 이 과정은 환자가 마음챙김, 감정적 수용, 그리고 가치기반 문제해결이 어떻게 정신건강을 위한 초석이 되는지 전반적인 이해를 돕는다. 성공적 치료의 척도는 이 세 가지 능력을 환자의 삶에 천으로 엮어내는 능력으로 측정된다. 환자의 삶의 여정과 현재 나타나는 구체적 문제들을 구분해서는 안 된다. 이 둘은 서로 얽혀 있으며, 하나에 대한 해결책이 다른 하나에 대한 해결책이기도 할 가능성이 매우 높다.

극성을 놓아 버리기

자살경향성 환자는 종종 같은 문제에 대해 상충되는 믿음으로 이어지는 흑백논리의 덫에 빠진다. 예를 들어, 환자는 행복과 슬픔을 상반되는 것으로 보는데, 그 이유는 환자가 하나를 좋은 것으로 보고 다른 하나를 안 좋은 것으로 보게끔 사회적으로 조건화되었기 때문이다. 하지만 두 감정 중 어떤 것도 다른 것 없이는 의미 있는 방식으로 존재하기 어렵다. 자신의 삶에서 행복과 슬픔을 모두 느껴야 할 필요성을 받아들임으로써 행복과 슬픔을 실제로 경험하는 것의 온전한 의미를 깨달을 수 있다.

비록 이러한 개념이 새롭지 않더라도, 현대의 많은 치료들은 감정적 경험의 음과 양에 특별한 주의를 기울이지 않는다. 대신, 비선형적이기 쉬운 삶의 문제들에 대해 선형적으로 접근하고는 한다. 선형적인 접근은 삶을 살아가는 방식으로 논리와 연역적 추리를 강조한다. 이 변화 모형에서는, 만약 치료자가 자살의 장점이 단점보다 못하다는 것을 보여줄 수 있다면, 환자가 합리적으로 자살행동을 그만두리라는 것을 예상할 수 있다. 이러한 관점은 자살경향성 환자들에게 해로울 수 있으며 종종 성공을 거두지 못한다. 그 이유는 다음과 같다. 첫째, 이 관점은 나쁜 감정들을 제거함으로써 건강을 달성할 수 있다는 개념을 강화시키는데, 이는 자살경향성 환자가 이미 일상적으로 시도하면서 실패했던 것이다. 이러한 접근은 자살위기를 진정시키기보다는 오히려 예기치 않게 더 고조시킬 수 있다. 둘째, 환자가 이러한 접근에 따르지 않을 때 치료자가 "저항적resistant", "반항적oppositional", "조종하는" 등의 경멸적인 딱지를 붙이며 환자가 치료 과정에 따라오지 못하는 것을 비난하기도 한다. 환자가 이렇게 딱지가 붙는 것을 알게 되면, 자연적으로 나타나는 방어적인 태도가 치료적 관계를 훼손할 수도 있다.

환자가 어느 한 가지를 느끼는 것이 다른 한 가지를 없애는 것으로 인식하지 않고, 감정적 경험의 밝은 면과 어두운 면 모두에 내재된 존귀함과 가치를 느끼도록 해야 한다. 이러한 접근은 즐겁고 고통스러운 정신적 경험의 필요성과 상보적인 속성을 받아들임을 의미한다. 이는 고통스러운 상황에 대해 심리적으로 유연한 접근을 하는데 꼭 필요한 비판단의 회색 영역을 조성하는데 도움이 된다. 만약 누군가 친밀한 애착에서 비롯되는 긍정적인 감정을 경험하기 원한다면, 그는 애착이 깨졌을 때 기꺼이 슬픔에 잠길 수 있어야 한다. 삶에는 이렇게 수많은 극성polarities이 있다.

환자가 극성의 한 쪽 면에만 붙어 있는 것을 단념하도록 도와주기 위해 당신과 환자 모두 하나의 정답만 찾으려는 유혹에 빠질 수 있다는 것을 알아야 한다. 괴로움에 빠져 있는 사람들은 잠재적으로 상반된 유형의 의미들을 배제하기 위해 특별한 종류의 의미만 찾으려는 유혹을 경험하게 된다. 자살 위기는 사는 것과 죽는 것에 대한 것이지, 사는 것에 대한 죽는 것의 승리가 아니다. 삶을 긍정하기 위해서는 절망적인 삶의 순간들도 생길 수 있다는 점을 반드시 이해해야 한다. 효과적인 행동 및 감정 기능을 위해 반드시 음과 양을 똑같이 중시해야 한다. 이러한 작업은 자살 위기의 한복판에서 무언가 건설적이고 긍정적인 것을 해야 한다는 압박을 느끼는 치료자에게는 어려운 일이다. 때로는 치료자가 이러한 상반되는 힘들을 수용하는 본보기가 될 때가 치료의 가장 효과적인 순간이 된다.

자살경향성 환자가 정신적 고통을 피하거나 억제하려고 시도하는 것은 사실상 인간적 가치가 지니고 있는, 고통과 쾌락을 동시에 만들어낼 수 있는 능력의 현실성과 타당성을 모두 거부하는 것이다. 반대편을 수용하는데 일관되게 실패하는 사람은 누구나 막대한 괴로움에 처할 위험을 무릅써야 하는데, 그 이유는 괴로움이 존재할 때 균형을 유지할 수 없기 때문이다. 당신과 환자 모두 통제력을 유지하고 있으면서(가치 있는 결과를 추구함), 통제에서 벗어나 있어야 하는 딜레마에 놓여 있음(어떤 행동을 하거나 하지 않은 감정적 결과를 받아들여야만 함)을 이해할 필요가 있다. 자살경향성 환자들은 통제를 놓아 버림으로써 균형을 유지할 수 있다. 통제는 문제이지 해결책이 아니다.

균형을 이루는 것의 목표는 즉각적인 자살위기뿐만 아니라 그 뒤에 이어지는 고통과 괴로움의 기간들에도 필수적이다. 환자가 경험을 서술할 때 문제의 모든 측면들을 살펴보도록 가르칠 때, 언뜻 보기에는 상충되는 관점들을 가르치고 있는 것이다. 당신이 서로 모순되는 것으로 보이는 경험에 참여하고 환자로 하여금 양쪽 모두를 수용하도록 도와주면, 환자는 서로 모순되게 보이는 것들이 동일한 삶의 공간에서 공존할 수 있음을 배우게 된다. 즉, 하나를 위한 공간을 만들기 위해 다른 하나를 없앨 필요가 없는 것이다. 선형적인 치료적 접근에서는 긍정적 관점과 부정적 관점 사이의 이러한 변환을 양면성이라고 부른다. 그러면 치료자는 생존을 위한 변론을 하며 환자가 양면성을 해소하도록 도와야 한다. 마음챙김과 감정적 수용 모드에서는 삶과 죽음에 대한 환자의 태도가 서로 공명한다. 치료자는 환자에게 어떤 것도 납득시킬 필요가 없다. 어떤 설명이 문제처럼 보이고 어떤 설명이 해결처럼 보이는지 파악하는 것은 당신에게 맡기겠다.

치료에서 자살행동의 역할

만약 치료의 목표가 오직 환자가 자살행동을 하지 않도록 예방하는 것뿐이라면 실패는 예견된 것이다. 치료가 시작된 이후에도 자살행동이 다시 나타난다면 그리고 때때로 계속된다면, 당신은 실패감을 느끼며 환자에게 화가 날 수 있다. 대안적인 관점은 환자가 치료에 참여하였기 때문에 실제 삶과 치료 사이에 변하지 않는 연속성이 있다고 보는 것이다. 단지 당신에게 치료를 받으러 왔다는 이유만으로 대부분의 사람들이 자살경향성을 그만

둘 거라고 믿어야만 할 이유는 없다. 다음과 같은 오랜 격언을 떠올리는 것이 도움이 될 것이다. "말이 가는 것과 같은 방향으로 타고 가는 것이 훨씬 낫다." 환자가 자살을 생각하는지 안 하는지, 자살시도를 하는지 안 하는지를 가지고 치료의 성공을 정의하지 않도록 하라. 자살행동의 재발은 아주 명백히 유감스러운 것이지만, 환자가 도움을 받으러 온 바로 그 문제가 단지 치료를 받으러 왔다는 이유만으로 사라질 것으로 단정하지는 마라. 만약 그게 사실이라면, 치료를 받으러 오는 행위 자체가 치료가 될 수 있을 것이다. 정말 그렇다면 우리는 모든 환자를 한 번만 만나고(혹은 아마도 그 전에) 치료를 종결할 수 있을 것이다. 자살경향성 환자의 치료에서 즉각적으로 도움이 되는 경우는 드물다. 당신의 첫 번째 과제는 일관되고, 정직하고, 돌봐주는 접근 방식을 구축하는 어려운 작업을 시작하는 것이다.

당신은 구원 환상rescue fantasies이 만들어 낼 수 있는 딜레마를 인식하고 있어야 한다. 우리 전문가들은 종종 구원받기 꺼려하는 사람들을 좋아하지 않는다. 구원자 역할이 필연적으로 초래하는 이러한 함정을 피하기 위해 중요한 사람이 되고자 하는 당신의 소망이 어떻게 그 순간에 환자의 내적 경험에 동조될 수 있는 당신의 능력에 부정적인 영향을 끼치는지 정직하고 연민적으로 되돌아보라. 구원자는 종종 도움이 필요한 사람이 반응하지 않고 감사히 여기지 않을 때 좌절감을 느끼는데, 이는 구원자가 희생당했다는 느낌으로 이어지면서 결과적으로 화를 내고 공격적으로 되는 것을 정당화시킨다. 이러한 구원자-희생자-가해자의 삼각형은 한번 고착되면 쉽게 빠져나오기 힘들다. 환자는 치료자의 삼각형 드라마에서 부지불식간에 어떤 역할을 수행할 것이다. 이런 드라마는 환자의 웰빙을 위해서가 아니라 치료자의 감정적 욕구와 관련된다.

첫 만남: 치료는 첫 1분 내에 시작된다

표 5-2는 자살경향성 환자와의 첫 만남에서 가장 중요한 목표와 전략을 제시하고 있다. 이 목표와 전략은 일련의 치유적 만남들 중 첫 번째에서든, 의뢰를 위해 단 한번만 일회성으로 만나든, 혹은 기존의 자살경향성 환자가 예기치 않게 위기관리를 위해 내원한 경우든 관계없이 타당하다.

핵심 목표에 초점을 맞추기

치료 첫 회기의 목적은, 괴롭고 원치 않는 감정에 대한 통제력을 발휘하여 환자가 필요로 하는 안심과 정서적 지지를 얻기 위한 문제해결 행동으로 자살행동을 재정의하는 것이다. 대개 첫 만남에서 치료자는 위험을 완화시켜야 한다는 절박감을 느낀다. 이 목표는 환자와 긍정적이고 수용적인 관계를 형성하고, 폭발할 가능성이 있는 상황에 수반되는 여러 걱정들에 대응함으로써 달성된다. 첫 만남에서 당신은 간단한 현실적인 문제들을 다룰 필요가 있다. 자살경향성의 다양한 측면들에 대한 기록은 중요하다 (부록 E, "자살사고 및 자살행동 설문지" 참조). 하지만 눈부신 기술이나 나쁜 버릇 등이 자살행동을 예방하거나 촉발할 가능성은 많지 않다. 당신에게 온 환자는 자살로 죽지 않을 가능성이 높다(1장, "자살행동의 차원들"을 보라). 전통적인 자살 위험요인들은 특히 단기간에 환자의 행동을 예측하는 데 별로 도움이 되지 않는다. 따라서 단순히 환자를 살아 있게 하는 게 아니라 환자의 삶에서 더 나은 해결책들을 만들어 나가기 위해 협력하는 정도에 따라서 첫 만남의 가치가 결정된다. 비록 당신이 자살을 예방하지 못할지라도, 앞에 있는 사람의 괴로움에 대한 많은 것을 다룰 수 있다. 환자가 자살을 할지 말지 여부는 이 시점에서 아무도 예측할 수 없다.

표 5-2. 자살경향성 환자의 첫 회기에서의 목표와 전략

목표	전략
1.자살경향성에 대한 환자의 두려움을 감소시킨다	1a. 자살행동을 "정상화한다normalize." 1b. 현재의 맥락에서 자살경향성을 느끼는 것을 정당화한다legitimize. 1c. 터놓고 차분하게 자살경향성의 다양한 형태에 대해 얘기한다.
2.환자의 감정적 고립감을 감소시킨다.	2a. 환자의 고통스러움을 인정한다validate. 2b. 환자와 공동작업 세트를 구성한다. 2c. 세 가지 I의 존재를 인정한다(벗어날 수 없고, 견딜 수 없고, 끝없이 계속되는 상황). 2d. 역량 있는 사회적 지지자들을 찾는다.
3.환자의 가치기반 문제해결을 활성화한다	3a. 자살행동을 괴롭고 원치 않는 개인적경험들을 누그러뜨리려는 회피행동으로 재구성한다. 3b. 자발적인 가치기반 문제해결 행동들을 모두 파악해서 강화한다. 3c. 자살행동을 문제해결의 맥락에서 연구하는 생각을 발전시킨다. 3d. 단기간(예, 3-5일)에 할 수 있는 긍정적 실천 계획을 수립한다.
4.다음 회기 때까지 정서적이고 문제해결 지지를 제공한다.	4a. 환자와 함께 대처카드(8장 "자살 응급 관리" 참조)를 제작한다. 4b. 안부 전화 계획을 세운다. 4c. 적절한 시점에 약물치료를 시작한다. 4d. 다음 회기를 정하거나 다른 곳으로 환자를 의뢰한다.

의미 있는 첫 인상 만들기

자살 위기는 환자에게 매우 겁나는 일이다. 십중팔구 당신의 환자는 이미 실재하거나 주관적으로 느끼는 개인적 결점이나 인생의 어려움들에 대한

자기비난에 파묻혀 있을 것이다. 자살에 대해 생각하는 것을 중단하거나 자살충동(때로는 자살행동)을 통제하려는 능력이 없다는 등의 자기비난 말이다. 그래서 환자는 당신의 태도와 행동에 예민하고 민감하게 느낄 것이다. 이 과정은 당신이 자살경향성 환자를 처음 만날 때 가장 뚜렷하게 나타날 수 있는 특징이다. 환자는 자살에 대한 당신의 태도를 확인하려고 할 것이다. 당신은 자살을 비정상적인 것으로 낙인 찍는가? 불안하거나 불쾌한가? 아니면 자살사고를 일상의 문제로 수용하고 그냥 넘어갈 것 같은가? 환자는 당신이 자살행동 자체에 대해 무엇을 하는지 확인할 것이다. 당신은 침습적이고 지시적인 접근을 할 것인가, 아니면 덜 침습적이고 더 관대한 접근을 할 것인가? 가장 중요하게 환자는 당신이 환자의 절망감을 다루고 그에 대해 말할 때 편안해 보이는지 확인하려 할 것이다.

일부 임상가들은 초기 면담 때 일종의 필사적인 기분을 느낀다. 즉, 자살을 예방하기 위해 무언가 결정적인 것을 해야 한다는 느낌 같은 것 말이다. 이러한 느낌은 그 자체로 초기 면담 때 불안감을 자아낸다. 환자는 당신이 먼저 불편감을 느끼는 징후를 극도로 민감하게 느낄 것이다. 최악의 경우, 불안초조하고 압박감을 느끼는 치료자로 인해 내담자 역시 불안초조하고 압박감을 느끼게 된다. 당신의 평정심과 자신감은 최소한 첫 만남에서 동의한 개입의 내용만큼이나 중요하다. 비록 특정한 기법들이 나름의 파급력을 지니고 있다고 하더라도, 편안하고 동요하지 않고 차분한 임상가 소수의 기법들을 사용하는 것이 걱정스럽고, 불안하고, 초조한 임상가가 많은 기법들을 사용하는 것보다 낫다. 영국 정부가 제2차세계대전 때 집중공습을 받는 동안 국민들을 격려했던 것처럼, 목표는 "평정심을 가지고 하던 일을 계속 하는keep calm and carry on" 것이다.

환자의 고통을 인정하고 중요하게 여기기

자살경향성 환자와 유대감을 형성하는 데 가장 큰 장애물은 환자가 경청받지 못한다는 느낌을 받은 채 회기를 마칠 때 나타난다. 우리가 초기에 치료 개발 작업을 할 때, 회기후 자살경향성 환자들이 가장 많은 피드백을 준 것이 바로 이 부분이었다. 그래서 초기 만남의 핵심 목표는 환자의 정서적 고통을 인정해줌으로써 환자가 당신이 환자의 말을 경청했고 정서적 고통과 절망감을 이해했다고 확신하게 만드는 것이다. 면담의 아주 초기에 환자가 어떻게 느끼고 어떤 문제들이 이러한 느낌을 유발하는지 알아내라. 첫 면담에서 자살경향성 환자는 종종 부정적인 느낌에 몰두하고 문제해결 방법들이 제한되어 있다. 당신은 환자가 감정적인 괴로움을 이해하기 시작하고 편안히 여길 수 있도록 도와주어야 한다. 이러한 도움을 주는 최선의 방법은 환자로 하여금 위기와 관련된 생활 상황을 얘기하도록 하고 환자의 감정 반응, 판단, 그리고 미래에 대한 예측을 구석구석 샅샅이 탐색해 가는 것이다. 환자의 감정적인 지형에 호기심을 지닌 채 불안해 하지 마라. 호기심은 당신이 환자의 현실을 더 잘 알아가는데 관심이 있다는 것을 증명해 준다. 더 중요하게는 단지 환자의 정신적 고통 주위를 맴도는 것만으로도 환자가 현실을 인지할 수 있게 도와주고, 환자가 그 순간의 감정적 수용을 실천하도록 도와줄 수 있는 기회를 확보할 수 있다. 다음의 임상 대화는 치료자가 환자의 정신적 고통을 인정하면서, 환자가 그것에 부여하는 의미를 변화시켜 나갈 수 있음을 보여준다.

치료자: [환자 앞에서 손을 내민 채 손바닥을 아래로 향한다]: 제 손이 동전이라고 상상해보세요. 두 면이 있습니다. 바로 지금, 당신은 다른 쪽 면이 있다는 것을 알면서도 단지 한 쪽 면만 볼 수 있

습니다. 동전의 윗면에 당신이 저에게 말씀해주셨던 모든 고통스러운 것들, 예를 들면 혼자 있는 것에 대한 두려움, 사람들에 대한 불신, 어릴 때 학대 당했던 기억 등이 담겨 있다고 상상해보는 겁니다. 이 모든 것은 동전의 이쪽 면에 있습니다. [손을 뒤집어 손바닥이 위로 오게 한다.] 아랫면에는, 이제는 윗면이 되었지만 당신의 인생에서 정말 중요한 것들이 있습니다. 이러한 믿음과 가치가 고통을 만들어내고 있는 것입니다. 할 수 있는 최대한 이러한 믿음과 가치에 대해서 말씀해주세요.

환자: 글쎄요, 저는 한번도 고통이 그저 고통과 괴로움이 아닌 다른 것이라고 생각해본 적이 없어요. 제 인생은 완전히 망했고 제가 할 수 있는 건 아무 것도 없어요. 뭐라고 대답해야 할지 모르겠어요… 아마도 음, 인생에서 누군가를 원했던 것 같아요. 저는 혼자 살면서 사랑 받지 못한다고 느끼고 싶지 않았어요. 그런데 그렇게 될까 봐 두려워요.

치료자: 네, 좋아요. 그럼, 다른 말로 하면, 당신의 욕구는 다른 누군가와 친밀하게, 사랑받는 느낌으로 연결되는 것이군요. 그건 바로 지금 당신이 아주 강한 고독감을 느끼는 것에도 드러나 있는 것 같습니다. 만약 이것들 중 당신에게 중요한 것이 하나도 없다면, 아무 것도 느끼지 않을 거에요. 맞죠? 아마도 당신 자신의 삶을 끝내는 것은 유대감을 느끼지 못하는 고통 때문일 거에요. [손을 왔다갔다 한다.] 하지만 문제는 당신이 하나를 가지지 않고서는 다른 것도 가질 수 없다는 것입니다. 똑같은 동전에 두 개의 면이 있는 것입니다. 제가 당신이 고통 속에서 X를 꺼내도록 도울 수 있는 유일한 방법은, 당신의 가치와 그와 동반된 의도로부터 X를 꺼내는 것입니다. 자, 무엇을 선택하시겠습니까? 감정적 고통 없이 삶에서 아무 것도 신경쓰는 게 없는 사람이 되시겠습니까, 아니면 삶의 중요한 부분들에 신경쓰면서 이를 위해 기꺼이 정신적 고통

을 감수하고자 하는 사람이 되시겠습니까?

환자: 음, 지금 그렇게 말씀하시니까 이해가 되네요. 저는 감정이 메마르게 되는 건 정말 싫어요.

설령 환자가 만성적으로 자살경향성이 있다 하더라도, 대개 사소하게라도 최근에 감정적 고통과 절망감을 증가시킨 선행 사건들이 있다. 환자의 얘기를 들으면서 기회를 엿보아 환자의 절망감에 공감적인 말을 할 수도 있지만 불필요하게 그 상황이 해결 불가능한 것이라는데 동의하지는 마라. 다음은 그런 반응의 한 예다: "당신이 저에게 말씀하신 문제들은 어려운 것들이네요. 당신의 입장에 있으면 거의 대부분은 우울하고 화가 날 겁니다."

만약 당신이 구원하고 싶은 마음이 간절하다면 감정적 고통을 인정하는 것은 더 어려워질 수 있다. 해결책을 찾고 그 과정에서 생명을 구하는 당신의 일을 완수하기 위해 환자의 고통을 건너뛰려는 경향이 있지는 않은지 생각해보라. 이러한 경향은 첫 만남에서 부정적인 결과를 초래하는 흔한 이유이다. 당신이 자살경향성을 느끼는 것이 감정적 고통에 대한 타당하고 이해할 만한 반응이라고 믿고 있음을 환자가 알아야 함을 명심하라. 환자의 고통이 언급되지 않으면, 환자는 회기 중에 다른 모든 것들을 다 뒤덮을 정도로 자살경향성 감정에 대한 의사표현을 더 늘릴 것이다. 최악의 경우, 자살위기의 표현적인 구성요소들이 간과되거나 무시됨으로써 환자의 자살 가능성이 더 커질 수 있다. 환자의 감정적 고통의 수준이 사실적으로 증명될 수 없다거나, 환자가 감사할 만한 것들이 아주 많다는 것을 보여주는(예, "삶은 당신이 생각하는 것보다 아름답습니다." 같은 말들) 전략 등은 거의 항상 안 좋은 결과를 초래한다.

자살행동을 문제해결 행동으로 재구성하기

첫 만남에서의 또 다른 주된 목표는 당신이 자살행동을 문제해결 행동으로 재가공할repackage 때 반드시 환자가 무대에 오르도록 해야 한다는 것이다. 당신이 사용하는 언어는 매우 중요해서 자살 위기의 와중에 이러한 개념을 실험하기보다는 동료와 먼저 이러한 생각을 소개하는 다양한 방법들에 대해 역할극을 해보아야 한다. 감정적 수용에서 환자의 문제를 기술하는 방식은 문제해결의 실패와 자살사고 및 자살행동이 고조되는 것 사이의 관계를 명확히 하는데 도움이 될 것이다. 어떻게 해서든 다루어야 할 합당한 환경적 스트레스도 있겠지만, 환자는 종종 감정적 고통을 통제하려는 헛된 싸움 속에서 길을 잃은 채 실제 현실에서 정신적 고통의 원천을 변화시키려는 행동을 하지 못한다. 어떤 경우에도 환자가 정말로 문제를 해결하려고 했는지 판단하려 하지 말고 비효과적이거나 충동적인 문제해결 행동들을 비난하지 않아야 한다. 당신이 환자가 예전에 문제를 해결하려고 시도했던 것들이 그다지 성공적이지 않았을 수 있다는 현실적인 가능성을 받아들인다는 것을 보여주어라. 동시에, 강렬한 정신적 고통을 경험하면서 다른 방법을 찾을 수 없을 때, 자살행동이 문제해결을 위해 선택할 수 있는 합당한 방법임을 언급하라. 그렇지 않다면 자살경향성이 지금 환자의 문제가 되지 않았을 것이다. 설령 환자가 자살행동에 대해 양면적이라 하더라도, 이는 다른 해결책을 찾을 때 지니는 양면성과 다르지 않다. 모든 해결책은 그 자체로 긍정적인 결과와 부정적인 결과를 지니고 있으며, 어느 정도까지는 모든 해결책이 나름대로 수준의 양면성을 만든다. 다음의 임상 대화는 임상가가 문제해결 맥락 안에서 환자의 어려움들을 재구성하기 위해 정보를 활용하는 방법을 보여준다.

치료자: 남겨놓으신 전화 메시지를 듣고 당신이 경험해왔던 자살경향
성 감정에 대해 얘기할 누군가를 만나고 싶어한다는 것을 이해하
게 되었습니다. 지금 삶에서 실제 벌어지고 있는 일에 대해 좀 더
말씀해주실 수 있을까요?

환자: 저는 최근에 정말 힘든 시간들을 보내고 있어요. 직장을 잃었
고, 아내와도 사이가 안 좋아서 별거 얘기까지 나오고 있어요. 만
약 아내와 헤어지면 어디서 살아야 할지 모르겠어요. 제가 아내
없이 지내는 걸 견딜 수 있을지도 모르겠고요.

치료자: 그게 어떤 느낌인가요?

환자: 음, 지금 벌어지고 있는 일들이 정말 불안하게 느껴지다가 아무
런 희망이 없는 것 같고 모든 게 결국에는 다 안 좋게 끝날 것 같
아요. 제가 여기에 온 이유도 그냥 모든 것을 다 끝내버리고 싶은
생각이 점점 더 많이 들었기 때문이고요. 정말 끔찍해지기 시작
했어요. 전 한번도 이런 느낌을 가져 본 적이 없었기 때문에, 제가
하려는 것들에 대한 통제력을 가지고 있는지 의문이 들기 시작했
어요.

치료자: 상황이 정말 어렵게 돌아가는 것 같습니다. 당신의 삶에는 커
다란 상실과 물음표가 있습니다. 당신이 다양한 고통스러운 감정
들을 경험하고 있는 것은 분명합니다. 자살이 이러한 문제들을 해
결할 수 있는 한가지 방법이 될 수 있을까요?

환자: 글쎄요, 전 단지 안 좋은 느낌들에 지쳤어요. 그게 제가 아는
전부에요.

치료자: 지금까지 그렇게 안 좋은 느낌을 들게 만들었던 문제들을 해
결하기 위해 당신은 무엇을 시도해보셨나요?

환자: 음, 제가 시도한 모든 것들은 실제로 상황을 변화시키지 못했
고, 더이상 아무 것도 소용 없을 거에요. 여러군데 이력서를 넣어
봤지만 "안 뽑습니다." 라는 대답만 들었고요.

치료자: 당신은 그럼 아내와 함께 시도했던 것들이 전혀 효과가 없었
고 앞으로 다시 직장을 구할 수도 없을 것 같아서 정말 정말적으
로 느끼고 계실 것 같습니다. 혼자 남겨지고 돈이 없는 것은 큰
두려움을 유발하게 마련이죠.

환자: 네, 정말 그래요. 그리고 저는 그런 식으로 인생을 살고 싶지
않아요.

치료자: 그럼, 당신은 만약 이런 문제들을 해결할 수 없고 그로 인한
감정들을 느끼면서 앞으로 펼쳐진 인생을 살 바에는 차라리 그냥
죽는 게 낫다는 말씀이로군요.

환자: 네, 바로 딱 그거에요.

이 대화에서 치료자는 문제해결을 재구성하는 동시에 환자의 감정적인
절망을 인정하기 시작한다. 자살을 문제로 바라보는 관점은 덜 강조하고,
문제해결 맥락에서 자살에 대한 환자의 견해를 더 강조한다. 이러한 전략
은 환자가 안 좋은 기분과 출구 없는 상황에 대해 느끼는 절망에 함께 하
면서, 동시에 문제해결 방법으로서 자살의 타당성을 놓고 논쟁을 벌이는
것을 피할 수 있도록 해준다. 환자가 절망감을 느끼며 자살을 하나의 선택
지(비록 최선의 선택은 아니지만)로 여길 수 있게 허용해주는 것은 환자가
느끼는 위기감을 완화시키는데 큰 역할을 한다. 위의 예에서 처음에 환자
는 자살사고가 드는 것을 무서워 한다. 문제해결의 준거기준을 마련하는
것은 자살위기에 내재된 자기통제 문제를 탈융합하는defuse 경향이 있다. 문
제해결 프레임은 환자가 자살행동의 발현을 다른 시각으로 바라보고, 더
장기적인 맥락에서 괴롭고 원치 않는 감정들을 뒤로 물러나 거리를 둔 채
바라보게끔 해준다. 자살경향성을 비정상적이고 낙인 찍힌 사건으로 바라
보는 관점에서 벗어나 문제를 해결하기 위한 이해할 수 있는 시도로 바라보
는 관점으로 전환하는 것은 자살 위기를 탈융합 하는데 핵심적인 부분이

다. 많은 환자들은 자신들의 고통에 대해 이해 받고 고통에 빠진 사람들은 종종 자살을 생각한다는 말을 듣는 것만으로도 위기감이 해소된다.

문제해결 세트를 구성하는 또 다른 방법은 유머다. 환자를 폄하하거나 감정적 고통의 영향력을 덜 중요시 여기는 유머는 피해야 하겠지만, 자살과 관련한 언어유희 같은 것들은 종종 효과가 있다. 당신의 유머 감각은 위기에 결합된 심각함을 탈융합 하는 작용을 한다. 예를 들어, 당신은 이렇게 말하면서 회기를 마무리할 수 있다. "제가 어제 막 연구 결과를 읽고 있었는데요, 사망한 환자에게는 어떤 치료도 효과가 없다는 게 결론이었습니다. 당신도 알고 계시면 좋을 것 같아서요." 당신이 환자가 자기조절 연습을 하고 문제를 해결할 수 있는 능력을 신뢰한다는 것을 전달하는 식으로 유머를 활용하라. 이러한 전략은 환자의 경직된 인지적 프레임을 불안정하게 만들고 3개의 I 중 어느 하나라도 변화시킬 수 있는 중요한 방법이 될 수 있다.

자살에 대해 터놓고 말하기

첫 만남에서 중요한 또 다른 목표는 사무적이고 공공연한 방식으로 자살에 대해 말해도 괜찮다는 것을 확실히 하는 것이다. 이러한 프레임워크는 환자가 사용하는 개념을 대체할 방안을 제시해줄 것이다. 환자들은 종종 깊고 어두운 비밀스러운 자살경향성을 가지고 찾아온다. 수치심과 낙인으로 인하여 환자들이 속한 사회의 누구도 이에 대해 전혀 모를 때가 많다. 당신이 이렇게 금기시되는 주제를 기꺼이 터놓고 솔직하게 말하는 것은 환자에게 큰 힘이 된다. 바로 이 순간에 자살사고가 일반인구집단에 만연해 있음, 심각한 자살사고의 평생 유병률, 그리고 당신이 보기에 논의할 만한 자살경향성과 관련된 내용을 교육하는 것은 심지어 권장할 만하다. 소셜미디어에서 어떻게 자살이 많은 사람들에게서 삶의 의미를 찾고자 고군분투하는 것을 반영하는 흔한 주제가 되었는지 언급하라. 이러한 대화는 환자의 경험을 정상화하고 치료의 주안점을 자살경향성의 해독제인, 이름하여 감정적 수용, 마음챙김, 그리고 가치기반 문제해결을 개발하는 것으로 변화시키는 것을 더 쉽게 할 수 있다.

첫 회기 마무리하기

첫 만남은 당신과 환자가 함께 합의하고 공식화한 공개적인 계획으로 마무리해야 한다. 이 계획에는 환자가 당신 혹은 다른 치료자와 함께 추적 회기를 이어 나가는 것도 포함한다. 공식화할 때 중요한 것은 고도로 정교화된 임무보다는 작은 과제들에 집중하는 것이다. 확률이 희박한 기적을 위해 애쓰기보다는 작은 성공들을 경험해 나가는 것이 환자에게 훨씬 더 중요하다. 이렇게 물어보는 것도 종종 도움이 된다. "만약 우리가 작은 과제를 하나 선택할 수 있고, 당신이 그걸 완수할 수 있다면, 조금이라도 좋아진 게 있는 것일까요? 만약 그렇다면 그건 무엇일까요?" 당신과 환자는 보람 없는 반복되는 일상을 변화시키거나, 긍정적인 방향으로 나아가는 것으로 볼 수 있는 특정한 문제해결 과제를 완수하는 활동 계획을 만들어볼 수 있다. 추적 회기를 계획한다면, 환자가 자연적인 감정 상태의 기복을 관찰할 수 있는 능력을 증진시킬 수 있도록 자기관찰 활동을 사용할 것을 생각해보라. 이 과제는 부정적 상태(절망감, 감정적 고통을 견딜 수 없음, 자살사고 등)와 긍정적 상태(유머, 주위에 있는 아름다움의 긍정, 친절한 마음씨 등) 모두를 포함해서 기록하도록 해야 한다.

8장("자살 응급 관리")에서, 우리는 사례관리 및 위기개입 기법들을 다룬다. 만약 환자가 계속 당신에게 치료를 받게 된다면, 첫 만남을 마무리할 때 8장에 나오는 많은 기법들을 다루어야 한다. 이 전략은 환자와 함께 위기 프로토콜을 수립하고 근무시간 외 응급 프로토콜을 협의하는 절차 등을 포함한다. 상황이 자연적으로 약간씩 좋아질 때에는 환자가 지금과 다음 회기 사이의 매 순간들에 집중하도록 격려하라. 고립감을 줄이기 위해 소셜미디어를 포함한 사회적 테두리 내에 있는 사람들과 소통할 수 있는 방법에 대해 환자와 얘기를 나누어라. 환자에게 정서적 지지를 제공해줄 수 있는 위치의 사람들을 놀라게 하거나 신경을 끊게 만들 수 있는 자살경향성 소통에 의존하지 않고, 다른 사람들로부터 사회적 지지를 요구하고 받을 수 있는 방법에 대해 얘기를 나누어라. 환자가 자연적으로 나타나는 긍정적인 사건에 주의를 기울이도록 격려함과 동시에, 전혀 즐겁지 않은 감정적 순간이 계속될 때도 있을 것임을 인식하게 하라.

만약 환자가 다른 치료자를 찾으려고 한다면, 당신과 환자는 특히 환자가 도움이 되었다고 느끼는 부분에 중점을 두어 초기 면담의 핵심 내용들을 함께 정리해야 한다. 그리고 이 정보를 다음 치료자에게 신중히 전달하여 치료의 연속성을 증진시킬 수 있도록 해야 한다.

성공의 팁
수용적이고, 안심할 수 있고, 감정적으로 지지적인 회기 분위기를 조성한다.
환자의 감정적 고통과 절망감을 인정한다.
자살경향성을 문제해결의 한 형태로 재구성한다.
환자를 개인적 가치들에 대한 논의에 참여시키고 이러한 가치와 감정적 고통 사이의 연결고리를 만든다.
지금 회기와 다음 회기 사이에 환자가 할 수 있는 현실적인 행동 목표를 만든다.

> 환자가 자살경향성에 대해 지니는 두려움을 감소시킨다.
> - 자살행동을 "정상화" 한다.
> - 현재의 맥락에서 자살경향성을 느끼는 것을 정당화한다.
> - 여러 형태의 자살행동에 대해 차분하고 개방적으로 얘기
>   한다.

치료 초기

만약 당신이 계속 환자의 치료를 맡고자 한다면, 치료 초기의 주된 목표들은 환자에게 문제해결을 장착시키고 강화하며, 감정적 고통을 수용할 수 있는 역량에 대한 인식을 발달시키고, 마음챙김 기술을 계속해서 쌓아 나가고, 현실세계에서 가치기반 문제해결을 시작하게 하는 것이 될 것이다. 표 5-3은 당신이 환자를 계속해서 치료하는 경우의 구체적인 목표와 전략을 제시하고 있다.

환자가 해결책 찾는 법을 배우도록 도와주기

즉각적인 자살위기는 첫 회기 이후에 사라질 수도 있고, 다음 몇 회기까지 더 이어질 수도 있다. 일반적으로 기능 수준이 나은 환자들, 즉 중대한 문제들을 겪고 있지만 적절한 수준의 적응적 자원을 지니고 있는 사람들은 오랫동안 지속되어 온 부적응적인 행동 패턴을 지니고 있는 환자들보다 더 빠르게 위기를 해결하는 편이다. 해결의 속도와 무관하게 치료 초반에 할 일은 환자가 상황적 압력에 의해 촉발된 정신적 고통을 수용하고, 개인적 가치를 반영한 해결책을 찾고 실천하는데 전념하게끔 하는 것이다. 이를 위해 다음의 투 트랙 전략을 활용한다: 1) 환자의 감정적 고통과 괴로움이 행동에 영향을 끼치는 것을 최소화하기 위해 이를 위한 공간을 마련하는 법

표 5-3. 자살경향성 환자의 지속적인 치료의 목표와 전략

목표	전략
1. 자살행동의 낙인을 없앤다.	1a. 행동 실험을 개발한다. 1b. 자기관찰 숙제를 활용한다. 1c. 상황적 접근을 가르친다.
2. 환자의 자살행동을 객관화 한다.	2a. 문제해결 재구성하기를 활용한다. 2b. 감정적 고통과 자살행동 사이의 관계를 지속적으로 인정한다. 2c. 자살행동을 주변으로 치운다. 2d. 차분하고 직접적으로 과거, 현재, 그리고 혹시 있을지 모르는 미래의 자살행동을 논의한다.
3. 자살행동이 반복될 가능성을 다룬다.	3a. 업무시간 이후 및 기타 예상치 못한 연락, 행동 위기 프로토콜을 협의한다. 3b. 대처카드가 실행효과가 있음을 재확인한다. 3c. 연락 가능성이 높은 곳들과 위기관리 계획을 수립한다.
4. 환자의 가치기반 문제해결 행동을 활성화한다.	4a. 환자가 개인적 가치를 발달시키고 현실 세계에서 구체적으로 문제해결 행동을 할 수 있도록 돕는다. 4b. 단기적 대 장기적 문제해결을 대조한다. 4c. 환자 스스로 행한 가치기반 문제해결 행동을 찾아내어 칭찬해준다. 4d. 환자의 가치를 반영하는 작고 긍정적인 문제해결 목표를 설정한다. 4e. 개인 및 대인관계 기능을 더 잘 하는데 필요한 구체적인 기술을 가르친다.
5. 환자의 마음챙김 및 정서적 수용 기술을 발달시킨다.	5a. 자살을 감정적 회피 행동으로 재구성한다. 5b. 감정적 회피의 대안으로서 감정적 기꺼이 하기|willingness를 강조한다. 5c. 감정을 단지 느끼는 것과 감정에 맞서 싸우는 것 사이의 차이를 가르친다. 5d. 괴롭고 원치 않는 정신적 사건들에 대한 비판단적 마음을 연습한다. 5e. 간단한 인식과 관찰자 기술을 가르치기 위해 경험적 연습을 활용한다.

목표	전략
6. 중기적인 삶의 방향을 정립한다.	6a. 환자가 삶의 핵심 가치를 정립할 수 있도록 돕는다. 6b. 설령 그것이 부정적인 생각과 감정을 만들어 내더라도, 가치에 따른 삶에 전념하는 것을 논의한다. 6c. 목표를 달성하는 것보다 목표를 위해 노력하는 과정을 강조한다. 6d. 중기적인 목표와 구체적이고 긍정적인 초기 단계를 설정한다.
7. 적절한 후속 대책을 마련한 뒤 치료를 종결한다.	7a. 재발 방지 계획을 세운다. 7b. 회기를 줄여 나가는 것에 대해 협의한다. 7c. 회기 사이 간격을 늘리는 것을 "실전 연습"으로 재구성한다. 7d. 정기적인 "강화booster" 회기를 마련한다.

을 가르친다, 2) 환자가 가치기반 해결책들을 주의 깊게 알아보도록 함으로써, 문제를 해결하는 방법으로서 자살의 역할을 자연스럽게 희석시킨다. 환자가 자살이 아무런 가치도 반영하고 있지 않다는 것을 알게 하는 것이 궁극적인 목표다. 자살은 정서적 고통을 끝내는 방법일 뿐, 그 목표가 달성되고 나면 아무 것도 존재하지 않는다. 항상 환자가 가치를 두는 삶의 목적을 긍정적으로 반영하는 다른 해결 방법이 있다는 치료 철학을 유지해야 한다. 이 부분에서는 단호하게 접근해야 함을 명심하라. 왜냐하면 당신은 삶에 대한 환자의 긍정적인 의도에 대한 논의를 부드럽게 육성하는 동시에, 환자가 해결 방법의 하나로 여기는 자살에 대해 터놓고 논의를 계속해 나가야 하기 때문이다. 비록 이 임무가 어렵더라도 절대 환자가 당신과 자살을 논의하는 것을 불편하게 여기는 상황을 만들면 안 된다.

낙인을 파괴하기

첫 회기부터 치료가 종결될 때까지 당신은 끊임없이 자살행동과 관련한 낙인을 파괴해야 한다. 환자는 종종 자살사고나 자살행동이 비정상적이고, 받아들여질 수 없으며, 정신질환이나 개인적인 나약함을 반영한다는 비밀스러운 생각을 계속 숨기고 있을 수 있다. 자살사고를 증가시키는 일상적인 어려움들이 감정적 수용, 마음챙김, 가치기반 문제해결의 실천이 필요한 새로운 프레임워크에 통합될 수 있다는 것을 환자가 알 수 있도록 작업해야 한다. 환자가 안 좋은 상황에서 비롯되는 사건에 대해 수용보다 회피 전략을 사용할 때, 어떻게 그것이 자살경향성을 유발하는 좌절감이나 장애물이 될 수 있는지 이해하는데 도움이 되기 때문이다. 치료를 통해 환자는 자살행동 자체에서 심리적으로 더 적응적인 전략들(수용, 마음챙김, 가치기반 실천)의 역할들로 주의를 돌리게 된다. 이러한 적응적인 전략들은 자살경향성 이전에 효과가 있었을 수도 없었을 수도 있으며, 아예 시도되지 않았을 수도 있다. 환자는 오랜 시간에 걸쳐 자살행동이 감정적 회피의 자연스러운 파생물이자 효과적이지 못한 문제해결 방법임을 배우게 된다. 자살행동 그 자체가 본질적으로 나쁜 것은 아니다.

자살경향성에 대한 기능적 분석 시행하기

환자는 기능적 분석의 기초를 배워야 한다. 기능적 분석은 자살경향성을 만들고, 조형하고, 유지하는 상황적 및 정신적 요인들을 연구할 때 쉽게 사용할 수 있는 방법이다. 이 접근은 당신과 환자가 자살행동을 판단하기보다는 연구하는데 더 관심을 가지도록 한다. 또한, 특정한 상황들이 특별하고 독특한 인지, 감정, 행동 반응을 유발하는 경향이 있음을 강조한다. 이러한 많은 반응들은 환자가 삶의 초기에 배웠던 것들이며, 유효기간이 지난 뒤에도 계속되어 왔을 것이다. 일반적으로 자살행동의 증가는 나쁜 소식과 나쁜 감정을 만들어 내는 특정한 상황과 관련된다. 이러한 상황은 외부 관찰자들에게는 사소해 보일 수도 있으나, 환자가 그에 의미를 부여하는 해석상의 무게는 그 상황을 일상적 기능에 지장이 될 정도로 심각한 것으로 만들어 버린다. 임상적 우울증이 있는 환자는 타 버린 토스트 한 조각을 자기 삶의 모든 문제의 전형으로 여긴다. 자살경향성 환자 역시 사소한 사건을 똑같은 방식으로 떠올릴 수 있다. 이러한 느낌은 우울증의 특징이 아니다. 이는 제대로 적응하지 못하고 좌절감을 느끼며 고통 속에서 지내는 사람들의 특징이다.

자기관찰 증진하기

자기관찰은 자살경향성을 촉발시키는 요인을 이해할 수 있는 기본적인 기능적 분석 도구이다. 일반적으로 자기관찰은 문제적 "촉발" 상황에 대한 정보를 수집하고, 그런 상황에서 생각, 감정, 행동을 기록한다. 자기관찰 숙제는 중요한 치유적 개념과 실제 현실 속의 자살행동을 연결시켜주는 훌륭한 방법이다. 환자에게 매일의 자살사고를 그 심각도와 함께 기록하게끔 권고해볼 수 있다. 이 연습은 환자로 하여금 자살사고가 시시각각 변동하는 것을 직접 확인할 수 있게 해준다(자기관찰 숙제의 예로 그림 5-1를 보라). 유용하게 활용할 만한 또 다른 도구로 하루를 마칠 때마다 취합하는 긍정적 사건 다이어리가 있다. 환자는 이 다이어리에 그날그날의 긍정적 감정이나 삶의 만족도를 증가시키는 데 효과가 있었던 것 같은 전략을 기록한다. 이러한 유형의 자기관찰은 환자가 문제가 되는 것보다는 그 반대로 잘 작용하는 것으로 다시 주의를 돌리는데 도움이 된다. 이 전략은 환자가 잘못된 것에 대해 어떻게 할 지에 대한 생각을 수정하고, 자살행동에 대한 새로운 관점을 정립하도록 돕는 것을 목적으로 한다.

지침: 자살사고가 매우 심해질 때마다 아래의 각 칸에 내용을 기입해주십시오. 우리가 당신의 자살행동을 이해할 수 있도록 모든 칸을 다 채우도록 노력해주세요.

날짜	상황	부정적 사고	부정적 감정 (1–100 사이로 측정)	자살사고/행동 (강도와 심화기간을 1–100 사이로 측정)	문제해결을 위한 다른 시도들(효용성 1–100 사이로 측정)
5/4	아내의 변호사로부터 재산분할에 요청하는 편지를 받았다.	1. 아내는 나를 내쫓을 것이다. 2. 아내는 잘 해결할 거라고 나한테 거짓말을 했다. 그 말을 믿은 내가 바보였다. 3. 나는 또 혼자가 될 것이다. 어쩌면 그게 더 나을지도 모르겠다.	공포 (70) 분노 (30) 좌절감 (50) 외로움 (90)	그만두고 싶다. (60) 그저 기분이 정말 나빠질 뿐이다. (70) 만약 내가 자살하게 되면 적어도 아이들은 보험 혜택을 받을지도 모른다. (30) 기다릴 이유가 없다. (10) 기간: ~1시간 (80)	오래 걷었다. (45분간). (30) 페이스북에 하나씩 들을 올렸다. 내 변호사에게 애기했다. (70) 형한테 연락하려고 했지만 내게 못했다. (0) 긍정적인 면을 보려고 노력했다. (5)

그림 5-1. 자살행동 자기관찰 기록지 견본

촉발 상황에 대한 반응을 변화시키기

자기관찰 기록지(그림 5-1)에 서술되어 있는 상황은 촉발 상황의 한 예다. 환자의 배우자는 포함됐지만 직장 동료들과 비슷한 상황으로까지는 일반화되지 않은 것 같다. 환자의 응답은 그가 누군가 가까운 사람으로부터 비난받거나 버림받는 것을 못 받아들이는 것을 시사하기도 한다. 새롭고 더 효과적인 전략을 사용하기 위해 환자는 이러한 상황들을 더 잘게 나누는 법을 배워야 한다. 하루종일 불쾌한 기분을 느끼는 것에 대처하고자 노력하는 것은 감당하기 어려운 일이다. 감정적 고통을 유발하는 특정한 상황을 다루는 것이 더 달성 가능성이 높다. 당신은 환자와 함께 상황에 대한 역할극을 할 수 있으며, 감정적 수용을 연습하고 가치기반의 대인관계 문제해결 전략들을 사용하는 대안적인 전략들을 실험해볼 수 있다.

  자기관찰 숙제를 낼 때에는, 환자가 실패하기 어렵게 설정하라. "당신은 하루에 최소한 두세번 이상 관찰 일지를 써야 한다"와 같은 명령을 하지 않도록 주의하라. 환자의 보고를 수용하고 이를 긍정적인 방식으로 사용하라. 환자가 더 체계적인 보고가 유용하다는 것을 알면, 일지 내용을 작성하는 횟수를 더 늘리게 될 것이다. 일부 임상가들은 자살경향성 환자의 숙제에 대해 심하게 갈피를 못 잡기도 한다. 그들은 순응도를 환자가 지니는 변화 욕구의 척도로 삼아, 숙제를 완료하지 못한 것을 "저항"의 일종으로 간주할 것이다. 우리의 관점에서 보면 이것은 생산적인 전략이 아니다. 그보다는 숙제가 환자에게 적합한지 확인하고, 작은 단위로 잘게 쪼개어 관리함으로써 환자가 실패할 수 없게끔 하라. 예를 들어 만약 환자가 서면으로 기록하는 것을 꺼려한다면, 이렇게 얘기할 수 있을 것이다. "당신도 아시다시피, 세상에는 두 가지 유형의 사람들이 있습니다. 목록을 작성하는 사람과 작성하지 않는 사람이요. 당신이 어떤 유형의 사람인지 생각해보시고,

자신에게 맞는 방식으로 정보를 수집하세요." 만약 필요하다면 환자가 머릿속으로 기억하게끔 한다. 설령 처음에 환자가 언뜻 보기에 사소한 것을 외워 오더라도, 환자를 칭찬해주고 그 내용을 활용하라. 그렇지 않으면 환자는 당신이 이런 유형의 정보에는 관심이 없다고 단정하고 더 이상 그런 내용을 가지고 오지 않을 것이다.

효용성에 초점 맞추기

치료 초기에 중요하면서도 힘을 북돋아주는 목표는, 환자가 어떤 적응 방식이 효과가 있고 어떤 것이 효과가 없는지 인식할 수 있도록 도와주는 것이다. 환자에게 새로운 기술을 가르치는 것보다는 기존의 기술을 확대해 나가는 것이 더 쉽다. 자살경향성이 활성화되어 있는 환자조차도 일상생활에서의 일부 문제들은 해결해 나갈 수 있다. 안타깝게도, 환자의 지각 갖춤새perceptual set 및 이와 관련된 자기대화self-talk는 효과가 없는 것에 초점이 맞춰져 있기 때문에 자발적이고 효과적인 노력들은 간과되기 쉽다. 당신이 할 일은 환자가 계속해서 해 나가는 노력들에 초점을 맞추고 강화함으로써 관점의 균형을 유지하도록 도와주는 것이다. 기능적 분석에서 당신과 환자는 단지 어떤 사건이 있었는지, 환자는 어떻게 대응했는지, 그 대응 결과는 어땠는지를 기술하면 된다. 그런 것들에 대해 굳이 판단할 필요가 없는 것이다. 지금은 환자가 선택하는 전략에 대해 고개를 젓거나 비평할 때가 아니다. 지금이야말로 환자의 관점에서 무엇이 효과가 있고 무엇이 효과가 없는지 연구할 수 있는 기회다.

예를 들어, 당신은 특정한 상황에서 자살을 생각하는 것이 환자가 기대했던 만큼 효과가 있었는지 직접적이면서 호기심 있는 태도로 물어볼 수 있다. 환자는 자살을 생각하는 것은 단지 안 좋은 기분에 빠져 있는 것보다는 더 나았던 것 같다고 바로 대답했다가, 생각을 해본 뒤 자살사고가 실제로 몇 분 이상 효과를 발휘하지 못했음을 인식하기도 한다. 당신은 어떤 문제해결 행동에도 그에 따르는 단기 및 장기적 결과가 있는 것 같다는 언급을 할 수 있다. 이러한 기법은 환자로 하여금 합리적으로 잘 작용하는 적응 행동을 늘리는 동시에, 상황을 더 악화시키고 역효과를 나타나게 만드는 행동을 평가해 나가는 데 도움이 될 것이다. 고통스러울 수도 있는 상황에 대해 환자가 자발적으로 감정적 수용, 마음챙김, 초연함, 비판단적인 접근, 소규모의 가치기반 행동들을 하는지 세심히 주의를 기울이면서 그런 것들이 즉시 칭찬해주어라. 이러한 과정을 수행할 수 있는 환자의 능력에 대해 놀라움을 표현하라. 환자에게 정신적 고통을 겪는 와중에서도 어떻게 그런 일을 해낼 수 있었는지 물어보라. 환자가 작은 성공이라도 만끽할 수 있도록 격하게 긍정적이고 낙관적인 분위기를 만들어라. 많은 자살경향성 환자들은 실패하는 것에 예민하면서도 동시에 익숙해져 있다. 그들이 성공을 만끽하게 해주는 것은 강력한 치료전략이다.

행동 실험 장려하기

사람들은 적응하기 좋아하며 환자도 별반 다르지 않을 것이라는 사실을 상기시켜라. 사람들은 여러 가지 어려운 상황들에 맞춤형으로 대처할 수 있도록 방법을 다양화하기 원한다. 환자들은 감정적 및 행동적 회피 패턴을 개발하면 이를 모든 유형의 상황에 똑같이 적용하는 경향이 있다. 바로 이때 다양한 상황에서 다양한 전략을 사용할 수 있는 능력을 잃게 된다. 효과적인 치료는 행동적 다양성을 장려함으로써 환자가 자연스럽게 각 상황에서 효과적인 대응 유형을 발견할 수 있게 해주는 것이다. 효과가 있어야만 하는 것이 아닌, 실제로 효과가 있는 대응을 개발하는 것을 강조하라.

새로운 반응을 시도할 때에는, 환자가 그것을 실험으로 여길 수 있도록 하라. 실험활동experimentation인 이유는 새로운 대응이 효과적인 것처럼 보여도 막상 실제로는 효과가 없을 수도 있기 때문이다. 대처를 위한 모든 대응은 수정과 변화를 필요로 하는 노력으로 바라보아야 한다. 그것이 매순간 성공해야만 하는 것은 아니다. 유연한 상태에서 새로운 것들을 시도하고, 그런 다음 효과가 어떤지 확인하면 되는 것이다. 반복적으로 나타나는 자살행동조차도 특정한 촉발 상황에서 효과가 있는 것과 효과가 없는 것을 확인할 수 있는 기회로 여기면 된다. 모든 사건은 치료를 위한 자양분이다. 이렇게 강점과 약점 모두에 초점을 맞추는 균형 있는 접근은 사건을 치료 과정의 중요한 구성 요소로 만든다.

성공의 팁

환자가 자신의 투쟁과 자살경향성에 대해 엄청난 수준의 수치심과 낙인을 느끼고 있을 가능성을 인지한다.

자살행동을 판단하기보다는 연구하려는 자세를 가진다.

자살행동을 촉발하는 구체적인 생활 상황에 임상적 대화의 초점을 맞추도록 기능적 분석 접근을 시행한다.

비판단적이고 호기심 있는 방식을 통해 자살행동의 효용성에 초점을 맞춘다.

환자가 수용과 가치기반의 문제해결 태도가 반영된 작은 행동들을 실험하도록 장려하라.

효과가 있어야만 하는 것이 아닌, 효과가 실제로 있는 것을 강조하며 환자가 가장 좋은 효과를 낼 수 있는 다양한 행동 및 전략을 찾도록 장려하라.

임상적 함정 피하기

치료 초기에 빠지기 쉬운 흔한 함정으로, 은연중에 치료의 성공 여부를 환자가 자살경향성을 유지하는지에 맞춰 평가할 수 있다. 자살경향성은 초기에는 짧은 동안 지속되더라도 매우 강렬할 수 있다. 자살행동을 예방하기 위한 개입들을 최대한 활용하여 이러한 강렬함에 대응할 수 있는데, 이는 예기치 않게 치료의 초점을 좁히는 결과를 초래한다. 따라서 자살행동에 대한 개입과 이후에 개시할 더 넓은 범위의 개입을 위한 무대를 마련하는 것 사이에서 효과적으로 균형을 유지해야 한다.

두 번째 함정은 환자의 상태에 비해서 더 빨리 진행하려고 하는 것이다. 환자의 주된 동기가 당신을 기쁘게 함으로써 인정받는 것일 수도 있음을 명심해야 한다. 매우 긴급한 자살 위기에서도 환자는 자신의 실제 기능 수준에 대해 당신이 오해하게 만들 수 있다. 이러한 함정에 빠지지 않기 위해 환자와 함께 끊임없이 개입전략을 점검해야 한다. 우리는 당신이 환자가 함께 시도했던 모든 회기 사이 실험에 대해서 항상 환자가 측정하는 확신 수준을 확인할 것을 권고한다. 예를 들면 이렇게 물어볼 수 있다. "1점부터 10점까지 있다고 해보죠. 1점은 당신이 이번 주말에 아내를 만나서 함께 상담을 받으러 가자고 말할 자신이 하나도 없는 상태를 의미합니다. 10점은 당신이 똑같은 상황에서 확실히 그렇게 할 수 있다고 장담할 수 있는 것을 의미합니다. 지금 당신의 상태는 몇 점으로 볼 수 있겠습니까?" 만약 환자가 당신과 함께 만든 과제가 지나치게 버겁거나 어렵다고 느끼는 징후를 보이면(자신감 수준이 7점 미만인 것은 안 좋은 징후다), 환자가 충분한 수준의 자신감을 표현할 때까지 개입의 난이도를 낮추게끔 도와주어라. 이러한 과정을 통해 환자가 속도를 늦출 수 있도록 허용해주고, 당신은 현재 벌어지고 있는 일을 충분히 이해할 수 있는 속도가 가장 좋다는 점을 명확히 한다. 당신은 변화의 속도에는 관심이 없다. 당신의 주된 관심사는 환자가 수용과 가치기반 적응 전략들을 활용할 수 있는 역량을 증대시키는 것이다.

세 번째 함정은 "후광효과halo effect"로서 환자가 치료를 받으려고 하는 긍정적인 맥락에 놓여 있기 때문에 무심결에 어느 정도 더 잘 하고 있다고 보고하는 현상이다. 이러한 효과로 반짝 호전되는 기간이 있기도 하지만, 이후에 강한 반동작용으로 자살위기가 나타날 수 있다. 후광효과는 당신을 놀라게 만들며 갈등과 직면, 최악의 경우에는 치료 중단으로 이어지기도 한다. 이에 대한 가장 중요한 개입은 긍정적 변화를 강화하는 동시에 감정적 수용, 마음챙김, 가치기반 문제해결과 같은 기술을 배울 때 경과가 불규칙할 수 있음을 언급하는 것이다.

다음과 같은 기차의 은유를 사용할 수 있다: 기차는 역을 부드럽게 출발하지 않는다. 진동과 더불어 갑자기 움직이기 시작한다. 이 비유는 개인적인 변화의 고르지 않은 궤적을 설명하는 쉬운 방법이다(어쩌면 환자가 더 나은 비유를 떠올릴 수도 있다). 지난주에 비해 이번주에 더 기능이 안 좋아질 수 있음을 받아들이되, 당신이 오랜 시간에 걸친 경과를 낙관하지 않는 것처럼 보이지 않게 하라. 지금 당장은 좋아지는 것 같아도, 가까운 시일 내에 똑같은 문제들의 일부가 다시 불거질 수도 있다는 점을 환자에게 상기시켜라. 전반적인 학습 과정에서 긍정적인 결과와 덜 긍정적인 결과 모두와 함께 해 나가는 것이 중요함을 강조하라.

회기 실행 계획과 치료 과정 구상하기

흔히 임상현장에서는 치료 초기에 자살경향성 환자를 더 자주 보고, 상황이 안정되면 그 이후에 빈도를 줄이면서 규칙적으로 본다. 이러한 방식은 당신이 위기상황에 주의를 더 많이 기울이기 때문에 무심결에 환자가 계속 그 상황에 머물러 있게 할 수 있다. 회기 간격은 환자의 더 장기적인 기능 수준 및 더 집중적인 치료에 대한 자살위기의 반응 수준에 따라 결정되어야 한다. 당신은 환자가 당신과 아무런 접촉 없이 한 주를 지내야 하는 것에 대해 지니는 두려움을 다루어야 한다. 이러한 두려움을 다루면서(문제해결), 주중 특정 시간대에 추가적인 회기나 전화 연락 스케줄을 잡을 수 있다.

일반적으로 자살행동이 더 만성적일수록 추가 회기를 덜 사용해야 한다. 만성적인 자살행동을 보이는 환자에게 중요한 목표는 정서적 인내를 가르치는 것이다. 이 목표는 환자가 정기적인 회기가 도움이 되며 회기 사이에 경험해온 괴로움을 어느 정도 감당하고 다룰 수 있다는 것을 깨달을 때 달성하게 된다. 기능수준이 더 좋은 환자들의 경우, 임상적으로 이득이 될 수 있다면 급성기 때에는 1주일에 1~2회 정도로 회기를 진행하라. 일반적인 회기 간격은 1주일에 1회이다. 상황이 안정되고 회기 사이에 환자가 자기관찰과 행동실험을 점점 더 많이 해나갈 수 있게 되면 회기의 횟수를 몇 주에 1회 정도로 줄일 수 있다. 격주로 진행하면 환자가 촉발 상황들과 그에 대한 적응 방법들이 얼마나 효과가 있었는지에 대한 자료를 수집하는데 더 많은 시간을 확보할 수 있는 이점이 있다.

다음 회기를 언제로 잡을지 결정할 때 항상 환자에게 새로운 실험적 행동이 효과가 있는지 여부를 확인하기 위한 간격이 얼마가 좋을지 물어본 뒤, 그 대답에 따라 다음 일정을 정하라. 이렇게 함으로써 전반적인 치료 과정에서 회기 일정을 정하는 것의 역할에 대한 마음가짐을 새롭게 할 수 있다. 초반에는 환자가 자살충동을 다룰 능력이 있는지에 대한 불안감의 수준에 따라 회기 일정을 정할 수 있다. 치료과정이 어느 정도 진행된 뒤에는 새로운 대처 전략이 어떤 효과가 있었는지, 그것이 환자의 일상 생활에 융화될 필요가 있는지 논의하기에 충분한 정보를 얻을 수 있을 만한 시점으로 회기 일정을 정한다.

치료 초기에 필요한 회기의 횟수나 기간은 미리 정해져 있지 않다. 일부 환자들은 한두번의 회기만으로 이 시기를 넘길 것이고 어떤 환자들은 몇 개월이 걸릴 수도 있다. 치료 초기가 끝나가는 징후로 다음 3가지 요소들을 고려할 수 있다. 첫째, 환자가 정서적 수용을 실천할 수 있는 능력과 자발적으로 문제해결 마음가짐을 사용하는 것이 회기 중에 나타난다. 둘째, 당신이 환자가 느끼는 절망감과 고통을 이해한다는 사실에 환자가 안심하고 기꺼이 비밀을 털어놓고자 한다. 셋째, 환자가 실전에서 문제해결 전략들을 실험한 증거를 보여준다. 이러한 시도들은 처음에는 초보적일 수도 있지만, 실제 생활에서 스트레스와 정서적 고통에 대처하는 대안적인 전략들을 사용하고자 하는 선의의 노력들은 환자가 다음 치료 단계로 넘어갔음을 의미한다.

지속치료의 목표

자살경향성 환자에서 치료를 지속하면서 지녀야 할 가장 중요한 목표는 회기 중 및 회기 사이에 정신적 고통의 수용을 증진시킬 수 있는 다양한 방법들을 실천하고, 촉발 상황에 대해 마음챙김, 호기심, 초연함, 비판단적 접근을 시행하며, 문제해결 행동을 개인적 가치와 연결시키는 것이다. 기본적으로 이것들은 치료의 가장 초기에 소개되었던 메시지들과 똑같다. 지금은 메시지를 바꿀 때가 아니다. 그보다는 언뜻 보기에 다르고 정서적으로 도전적인 상황들에 대해서 동일한 원칙을 반복해서 적용해야 할 때다.

두 가지 마음 모드를 인식하기

치료를 통해 당신은 환자가 경험적으로 정서적 고통은 견딜 수 있고 그에

대한 해결 방법이 있다는 것을 배우도록 도와주기 위한 노력을 지속할 것
이다. 환자는 사건의 의미와, 중요하게는 이들 사건과 관련된 괴로움이 자
신의 개인적인 생각과 느낌, 그리고 그에 대한 테두리 안에서 만들어 졌음
을 이해해야 한다. 가장 중요하게는 환자가 우리들 각자가 두 개의 서로 독
립적으로 작용하는 마음의 모드에 대해서 반드시 배워야 한다는 것을 받
아들이는 것이다. 한 가지 모드는 우리가 깨어 있는 동안 대부분 마주하고
있는 것으로, 반응적 마음reactive mind이다. 반응적 마음은 언어적, 분석적 지
능의 근원이며 따라서 평가, 판단, 분류, 그리고 예상으로 가득 차 있다. 반
응적 마음이 외부 세계에서 문제들을 분석하고 해결하는데 사용하는 똑같
은 특성이 내면으로 향하면, 때때로 재앙적인 결과를 불러일으킨다. 바로
이러한 모드에 있을 때 우리는 종종 정서적 회피를 추구하게 만드는 사회적
으로 주입된 규범들의 포로가 된다. 내면의inside the skin 사건을 다룰 때 이러
한 마음의 모드는 환자의 친구가 아니다. 문제들에 대해 선형적이고, 판단
적이고, 거의 독선적으로 접근하기 때문이다. 정서적 회피는 우리가 반응적
마음의 내용들과 과도하게 동일시하는 것의 직접적인 결과이다. 14대 달라
이 라마는 반응적 마음(그의 용어로는 "개념적 마음conceptual mind")을 자기
인식의 청명한 하늘을 흐리게 만드는 구름에 비유하였다.

　정신적 경험의 두번째 모드는 현명한 마음wise mind이다. 청명한 하늘과
같이, 현명한 마음은 모든 현재-순간의 경험의 배경이 된다. 현명한 마음
은 직관, 영감, 예언, 창의성, 신비주의, 그리고 초월적 형태의 인식들을 포
함한 모든 유형의 비선형적인 깨달음들로 가득차 있다. 마음챙김의 극히 간
단한 정의는 바로 반응적인 마음이 바쁘게 우리의 행동에 군림하려 하려는
순간에, 현명한 마음에 대한 자발적인 접근과 지속적인 접촉을 증진시키는
모든 실천들의 모음이다. 구체적으로, 정신적 고통은 대개 평가, 판단, 그리
고 반응적 마음의 지시에 과도하게 동일시한 결과이다. 따라서 정서적 수용

으로 가는 길은 반응적 마음의 횡설수설에서 벗어나 현명한 마음의 핵심적인 특징인 비판단적이고 비반응적인 상태로 들어가는 것이다.

궁극적으로, 마음챙김과 정서적 수용은 밀접하게 연관되어 있다. 만약 당신이 판단과 평가, 특히 정신적 고통과 접촉하여 발생하는 비수용성과 위험에 대한 판단과 평가를 놓아 버리지 못한다면 정신적 고통을 수용하기 어려울 것이다. 당신이 환자들에게 가르칠 기술들 중에는 일어나는 일들에 대한 반응적 마음의 수다를 인식할 수 있는 능력이 있다. 반응적 마음은 우리가 그저 "단어 기계word machine"라고 부르는 그런 자동적 행동일 뿐이다. 당신은 또한 환자들에게 단어 기계가 만들어 내는 어떤 것들은 다른 것들보다 더 떨쳐버리기 어렵다는 것도 알게 될 것이다. 우리는 이를 "끈적한 생각sticky thoughts"이라고 부르는데, 어떤 사람들은 "뜨거운 생각hot thoughts"으로 불러왔다. 이것들이 꼭 문제가 되는 생각들은 아니다. 하지만 이것들은 특정한 감정, 외상적 기억, 혹은 불쾌한 신체적 감각이 될 수는 있다. 이것들의 흔한 공통적 특징은 감정적으로 환기시키고 도발한다는 것이다. 이것들은 환자가 수용적 태도에서 벗어나 이것들을 통제하거나 없애려는 투쟁에 끌어들인다. 예를 들어, 많은 절망감 인지hopelessness cognitions는 치열한데, 그 이유는 이것들이 문자 그대로 괴로움에 대한 도발적 함의를 제기하기 때문이다(예, 만약 끝없이 괴로워야 한다면 계속 살아 있어야 할 이유가 없다). 이렇게 되면 환자는 우울, 불안, 절망, 슬픔 등을 경험하며 궁극적으로 자살사고나 자살행동을 할 수 있다.

급성 및 만성 자살위기에 빠져 있는 사람들에게서 끈적한 생각은 일관되게 부정적인 뉘앙스를 지니고 있다. 자연적이고 합당한 삶의 고통이 괴로움의 근원이 될지 여부는 환자가 끈적한 생각과 어떤 관계를 형성하고 있는지에 따라 결정된다. 좋은 비유 중 하나로 만성적인 고통과 장애disability를 구분하는 것이 있다. 어떤 사람들은 새로운 제약을 지각함으로써 만성적인 고통을 지닌 채로 살아갈 수 있다. 이들의 과제는 현재의 삶을 영위하는 것이다. 이들은 고통을 수용하고 삶의 과업을 지속하며, 어려움이 다가오면 받아들인다. 한 친구가 저자들 중 한 명에게 (J.A.C.)자기 아버지의 클리닉에서 있었던 이야기를 해주었다. 그의 아버지는 1920년대 오스트리아의 시골의사였는데, 한번은 동네 농부가 다리가 심하게 짓이긴 채 내원하였다. 그 농부는 침착한 태도로 이렇게 말했다. "의사 양반, 다리 좀 보시오. 소가 밟아버렸는데 다리가 움직이지 않소. 의사 양반이 할 수 있는 최선을 다해 고쳐주시오. 가축들 먹이 주러 다시 가봐야 된다오."

하지만 어떤 사람들은 만성적인 고통을 더 이상 삶을 지속할 수 없는 이유로 보기도 한다. 치료받아서 고통이 없어지기 전까지는 말이다. 만성적인 고통 정서와 인지에 사로잡혀 있는 많은 사람들은 어떻게든 어디에서든 결국에는 치료법을 구할 수 있으며, 그것을 찾을 때까지 삶의 많은 측면들을 유예한다. 이들은 때로는 헛되게, 때로는 화난 채로 고통이 해소되기만을 기다린다. 이들에게 있어서 고통은 일하지 않고, 가정 생활에 참여하지 않고, 친밀함을 회피하는 이유가 된다. 그들의 고통 경험은 대개 더 악화되며, 그 당사자는 장애를 지니게 된다. 그런 사람은 고통을 수용하지 못하고 고통이 환자의 삶을 지배하는 테마가 된다. 환자의 삶은 점점 더 자신의 가치에 따라 사는 것과 멀어지면서 고통을 통제하는 데 더 많은 중점을 두게 된다.

마음챙김의 가장 중요한 목표는 환자가 안 좋은 생각이나 느낌을 없앨 수 있도록 하는 것이 아니라, 인생에서 중요한 것들을 할 수 있게끔 현명한 마음(현재 순간의 인식, 초연함, 자기자비, 비판단)의 안식처를 활용하여 그런 안 좋은 생각이나 느낌을 위한 공간을 마련할 수 있게 도와주는 것이다. 이 목표는 환자가 부정적인 생각, 느낌, 기억이 나타날 수는 있지만 가치기반 행동을 막지는 못한다는 것을 배울 때 비로소 달성될 수 있다. 부정적 생각과 가치기반 행동은 공존할 수 있으며, 우리가 앞서 지적했다시피, 하나가 다른 것을 정당화한다. 환자의 정신적 고통은 중요한 개인적 가치가 어떤 식으로든 현재 삶의 맥락에서 실현되지 않고 있다는 신호이다.

반대로, 환자가 언젠가 하게 될 수 있는 가장 자기 확신적이고 성장 촉진적인 행동은 극심한 개인적 고통의 순간에 나타난다. 심지어 지속되는 자살사고와 감정적 고통이 존재하는 와중에도 필요한 행동 변화가 나타날 수 있다. 환자는 과도한 자기평가 없이 부정적인 개인적 사건들을 수용하는 법을 배울 수 있다. 생각-느낌-행동의 관계를 현명한 마음의 관점에서 바라볼 때 환자는 자살사고가 없어질 수 있는지, 혹은 자살사고를 실행하고자 하는 충동에 저항할 수 있는지 알기 위해 굳이 직접 대회에 나설 필요가 없다. 당신이 환자가 가치기반 문제해결에 초점을 맞춘 채로 부정적이고, 양면적이고, 긍정적인 느낌들을 기꺼이 마주하도록 독려할 때, 환자는 괴로운 생각과 느낌을 그것들이 선전하는 대로(우리가 그들을 의식의 집 안으로 들여보내면 우리를 집어삼키려고 기다리는 괴물들)가 아닌, 있는 그대로의 모습(우리가 행동하는 방식에 대한 은밀한 영향)으로 바라보는 법을 경험적으로 배우게 된다.

마음챙김과 정서적 수용을 증진하기 위한 강력한 회기 사이 전략으로 기꺼이 하기-괴로워 하기willingness-suffering 다이어리가 있다(Hayes 등 2011). 환자에게 매일 다이어리를 쓰게 하고, 하루의 일과가 끝날 때 두 차원의 경험을 각각 1-10 사이로 측정하게 하라. 첫 번째 척도는 감정적 기꺼이 하기, 즉, 하루 동안 겪는 모든 개인적 경험들을 개방적으로 받아들이는 정도를 측정하는 것이다. 이러한 상태를 가장 잘 설명하는 것은 굳이 이러한 경험을 회피할 필요 없이 여기에 참여하고, 약간의 관심을 갖고, 관찰하며 현재의 순간에 머무르는 것이다. 또 다른 척도는 온종일 환자의 괴로움의 수준을 측정하는 것으로, 굳이 이러한 경험들을 회피하지 않은 상태에서 경험들의 존재로 인하여 얼마나 괴로움을 겪었는지 측정하는 것이다. 환자로 하여금 매일 이 두 척도들을 모두 평가하게 하고, 어떤 척도에서든 전날에 비해 증가하거나 감소되는 것과 관련될 법한 요인들을 간략히 기입하게 한다. 이 두 개의 척도들은 기꺼이 하는 마음(감정적 수용)과 괴로움의 수준이 역상관 관계에 있음을 보여줄 것이다. 일반적으로 기꺼이 하기가 올라갈수록, 괴로움을 적극적으로 느끼는 것은 내려간다. 기꺼이 하는 순간 moments-of-willingness에 대한 환자의 긍정적인 경험을 회기 중이나 회기 후 실습을 위한 출발점으로 삼아라. 이 기법들은 환자가 반응적 마음의 중얼거림에 지나치게 많은 주의를 기울이는 것을 유용히 여기는 것에 대해 건강한 회의주의를 발달시키게 도와준다. 일부 기능 수준이 높은 자살경향성 환자들의 경우 치료의 아주 초기부터 기꺼이 하기 척도 점수가 올라갈 수 있는데, 이렇게 임상적 효과가 강한 경우 치료는 단지 한두 회기만에 완료되기도 한다.

우리가 반복해서 강조해 왔듯이 자살사고나 자살행동이 다시 나타나는 것은 당신과 환자가 진짜 끈적한 생각을 식별할 수 있는 절호의 기회가 될 수 있으므로 회기 중에 초연함과 수용 전략을 연습하라. 예를 들어, 당신은 자살위기 동안 환자에게 나타난 모든 끈적한 생각들을 하나하나 조사할 수 있고, 환자로 하여금 각각의 생각, 느낌, 기억, 감각을 떠올리며 그것들을 하나씩 청명한 하늘 속 구름으로 집어넣게 한 뒤, 어떤 판단이나 반응 없이 마음의 눈으로 구름들이 그저 떠다니게 내버려 둘 수 있다. 이런 식으로 하다 보면 자살사고나 자살행동은 그저 낮은 수준의 감정적 수용이 자기에 대한 해로운 판단이나 고통스러운 상황에 결합됨으로써 동력을 얻고, 그 결과로 자살사고나 자살행동이 나타나는 식으로 재정의될 수 있다. 달리 말하면 자살을 생각하는 것은 부정적인 감정들에 공간을 마련해주기보다는 그것들을 없애기 위한 것이다. 심지어 현재 치료의 초점이 다른 문제들에 맞춰져 있다 하더라도 자살행동은 아무 때나 쉽게 임상적 대화 속으로 소환될 수 있으며, 종종 매우 큰 파급효과를 보일 수 있음을 명심하라. 이 전략들을 비롯한 다른 많은 유용한 치료 전략들이 수용전념치료를 다룬 다양한 문헌들에 기술되어 있다(이 장의 마지막에 있는 '읽어볼 만한 문헌들'을 보라).

가치기반 행동 활성화

치료자는 환자가 정서적 수용과 마음챙김 기술들을 개발하도록 하는 동시에, 개인적 가치를 추구하고 그에 연결될 수 있도록 끊임없이 노력해야 한다. 치료적 접근에 있어서 가치는 환자가 삶의 고통스럽고 두려운 상황들을 회피하기보다 오히려 접근하게 할 수 있는 동기를 부여하게 될 연료다. 삶의 상황, 사건, 혹은 상호작용에 접근하는 것이 고통스러울 것 같을 때, 주로 "왜 내가 이런 일을 겪어야 하지?"라고 질문한다. 만약 그 안에 당신에게 중요한 것들이 하나도 없다면 왜 당신 스스로 고통을 겪게 하려는 것인가?

가치에 대해 말할 때 우리는 "내가 왜 그래야 돼?"라는 중요한 질문에 대한 대답을 알아내려는 것이다. 환자가 고통스러운 상황을 기꺼이 마주해야 할 이유는 그렇게 하는 것이 확고히 뿌리내린 삶의 기본 원칙을 실현할 수 있는 기회이기 때문이다. 이러한 생각을 제시하는 좋은 방법 중의 하나는 다음과 같이 말하는 것이다: "당신이 아내를 만나 상담을 받으러 가는 걸 얘기할 때, 당신이 친밀한 관계에 가치를 두고 있는 관점에서 그 순간에 무슨 일이 벌어지기를 원하시나요?" 어떤 고통스러운 개인적 문제라도 대부분 이런 방식으로 다뤄질 수 있다. 중요한 것은 자신의 가치에 따라 사는 것이다. 만약 환자가 정신적 고통을 느끼고 싶지 않다는 이유로 그 상황을 회피한다면 그 때 환자는 분명 자신의 가치에 따라 사는 것을 어쩔 수 없이 회피하는 것이고, 이는 특유의 고통을 만들어 낸다. 가치가 부여된 상황에 참여할 때 경험하는 고통은 일종의 건강한 고통이다. 당신은 스스로에게 중요한 무언가를 했고, 그것을 하기 위한 정서적 비용도 기꺼이 지불했다. 이것은 환자에게 자신이 누군지 알게 해준다. 회피로 인한 감정적 고통은 환자가 자신에게 중요한 것으로부터 도망쳤다는 것 외에 자신에 대해 가르쳐주는 것이 거의 없다. 이러한 유형의 정신적 고통은 자살위기의 주된 자양분이다.

일단 환자가 가치와 개인적 문제해결 행동을 연결하면, 특정한 용어로 문제를 평가하고, 해결책을 찾고, 계획을 제시하는 것과 관련하여 몇 가지 더 해야 할 것들이 있다. 당신이 환자에게 사용할 수 있는 개인적인 문제해결 기술들을 다룬 많은 책들이 있다. 우리는 Nezu 등(2012)이 기술한 혁신적인 인지행동적인 접근을 추천한다. 여기에서는 대략 다음과 같은 단계를 통해 개인적 문제해결 전략을 수립해 나간다: 1) 문제 파악, 2) 대안적 문제해결 전략 파악, 3) 다른 문제해결 대처 방법 활용 가능성에 대한 평가, 4) 특정한 문제해결 기법의 선택과 계획 수립, 5) 실행 및 효과 평가. 문제해결 기술 영역 어디에라도 결함이 있으면 환자는 문제들과 만성적인 생활 스트레스에 질질 끌려다닐 위험에 처하게 될 것이다.

개인적인 문제해결에 대한 이러한 실용적인 접근은 삶의 문제를 다루려는 노력의 경험적이고 시행착오적인 속성을 강조한다. 개인적인 문제해결 노력을 활성화함으로써 복잡하고 고통스러운 삶의 상황을 다루는 새롭고 더 효과적인 전략들을 만들어내는 데 필요한 행동실험을 시행한다. 삶의 어려움에 유연히 적응하기 위해 피드백을 활용하는 것이 절대적으로 필요함을 가르쳐라. 실패란 없음을 강조하라. 모든 문제해결 접근은 최선의 선택으로 간주된다. 문제해결 과정은 장애물을 효과적으로 극복하는 데 필요한 충분한 정보를 얻을 때까지 반복적으로 이루어져야 한다. 자살경향성이 있는 사람의 확고한 문제해결 수동성을 고려할 때 가치기반의 접근을 취하는 것은 환자가 더 적극적이고 효과적인 형태의 문제해결에 참여하는 데 필요한 도구를 제공해줄 구체적이고 잘 배울 수 있는 대안을 제공한다.

성공의 팁

반응적 마음의 끊임없는 문제해결 의제와 그저 자연적 상태로 "존재하기"(현명한 마음)를 구분함으로써, 환자가 실행효과가 없는 정신적 규칙을 따르려는 경향을 해결한다.

환자가 감정을 관찰할 거리를 갖고, 감정을 판단하지 않고, 의식적으로 감정을 근본적인 가치 문제에 다시 연결하는 연습을 돕기 위해 고통스러운 순간을 치료에 활용한다.

환자가 경험하는 일상의 괴로움들 중 많은 경우는 괴롭고 원치 않는 개인적 경험을 위한 공간을 기꺼이 만들지 않기 때문이라는 것을 경험적으로 학습하도록 도와준다. 또한 그 반대도 가능하다. 환자가 기꺼이 그런 경험에 대한 공간을 마련하고자 할 때, 그것을 통제하거나 없애려는 욕구가 줄어들고, 결과적으로 괴로움이 줄어들 것이다.

고통을 환자에게 깊이 뿌리박힌 가치를 반영하는 것으로 바라보는 한, 아무리 고통스러운 순간도 개인적 성장을 촉진하고 상처를 치유할 수 있음을 배우도록 돕는다.

임상적 함정 피하기

자살경향성 환자를 장기간 치료할 때의 주된 함정은 급성 자살 위험성이 일단 지나간 이후 치료의 초점을 잃는 것이다. 이러한 함정의 주요 양상은 회기 사이의 연속성이 부족하고 "이번주에는 어떤 것이 떠올랐나요?"와 같은 접근을 더 많이 하게 되는 것이다. 임상가는 이 단계에서 종종 감정적으로 안도감을 느끼며 환자가 치료 방향을 정하도록 하는 것을 선호하게 된다. 지속적인 치료는 환자가 직면해야 하는 핵심적인 인지, 감정, 심지어는 영적인 이슈들을 다룰 수 있는 기회를 제공해주기 때문에 이러한 방식은 안타깝다. 당신의 목표는 환자의 문제해결 유연성과 세계관을 확장시키는 것이다. 이 목표에 도달하기 위한 최적의 시간은 바로 환자가 위기 모드로 작동하지 않을 때다.

두 번째 함정은 위기가 없는 것을 자살행동이 중단되었음을 의미하는 것으로 여기는 것이다. 지속치료는 종종 만성적인 낮은 수준의 자살사고를 다루어야 한다. 그것은 위기를 의미하는 것은 아니기 때문에, 치료를 진행하는 동안 초점이 아닐 수 있다. 하지만 만성적인 낮은 수준의 자살사고는 이 시기의 치료 작업에서 이상적인 치료 목표다. 낮은 수준의 경험과 관련한 고통은 그다지 강렬하지 않기 때문에 더 쉽게 환자가 회기 중에 감정적 수용, 마음챙김, 그리고 가치기반 개인적 문제해결을 연습하게끔 할 수 있다.

세 번째이자 좀 더 감지하기 어려운 함정은 부정적 역전으로, 이는 역설적이게도 환자의 호전과 관련된다. 다시 말하면 환자의 치료는 아직 끝나지 않았지만, 당신의 구원 욕구는 충족이 된 것이다. 만약 당신이 관심을 잃고 주의가 산만해지기 시작한다면 이러한 함정에 주의해야 한다. 당신은 또한 치료의 종결까지 계속해 나가고자 하는 결심이 부족한 미묘한 행동들을 하게 될 수 있다. 이것은 마치 당신이 더 이상 다양한 삶의 문제들을 다루고자 하는 환자의 요청에 신경쓰지 않는 것처럼 보일 수 있다. 당신의 관심은 강력한 강화제로 작용하기 때문에 환자는 자살행동을 다시 하거나 그 수위를 높임으로써 이러한 변화에 반응할 수도 있다.

치료 회기 및 과정에 대한 스케줄 작성하기

지속치료를 시작하고 끝내는 시점을 가늠하기는 어렵다. 일반적으로 환자가 자살사고, 감정적 수용, 초연함/비판단, 가치기반 행동들 간의 관계를 명확히 이해할 수 있는 수준으로 급성 위기가 완화될 때 지속치료 시기가 시작된다. 일부 환자들은 비교적 쉽게 이러한 마음챙김 접근에 적응한다. 특히 환자들이 기도, 명상, 요가 등과 같이 마음의 과정과 산물에 대해 거리를 두고 관찰할 수 있는 능력을 부여하는 영적인 경험을 했던 경우에는 이러한 마음챙김 접근을 더 쉽게 할 수 있다.

강한 강박적 기질이나 고도로 합리화된 방어기제를 지니고 있는 환자들은 대체로 수용과 마음챙김 기술을 더 느리게 습득한다. 이들은 종종 부정적 생각 및 느낌에 대한 어떤 직접적인 접촉에도 완고하게 방어한다. 이 환자들에게 더 수용적이 되라는 것은 매우 위험한 것을 하라는 요구로 지각될 수 있다(예, "만약 제가 집에서 그런 생각들을 그대로 둔다면, 그 생각들이 집을 다 태워버릴 거예요."). 이런 환자들에 대해서는 관점을 분리하는 것을 개발하는데 초점을 맞추도록 노력하라. 이러한 전략을 통해, 사건에 대한 일련의 생각들을 하나의 이야기로 바라볼 수 있다. 환자가 매번 다른 의미를 포함하여 그 이야기를 반복해서 말하도록 하는 연습을 하라. 어떤 결말은 더 괜찮을 것이고, 어떤 것은 더 안 좋을 것이다. 목표는 환자가 올바른 이야기를 만들 때까지 계속하는 것이 아니라, 환자로 하여금 반응적 마음은 어떤 정신적 사건에 대해도 좋을 수도 있고 나쁠 수도 있는 다양한 이야기들을 끝없이 만들어낼 수 있음을 인식하게 하는 것이다. 더 강박적인 환자일수록 이러한 접근을 통해 괴롭고 원치 않는 생각, 느낌, 기억에 의한 위협감을 덜 느끼게 도와줄 것이다.

지속적인 치료 중 회기의 빈도는 매우 다양할 수 있다. 매주 회기를 진행하다가 2-3주에 한번씩 만나는 것이 더 환자의 변화의 속도에 알맞은 시기도 있을 것이다. 일부 세팅에서는 매주 회기를 일관되게 적용하는 것이 어려울 수도 있다. 좋은 계획은 환자로 하여금 치료를 받으러 오게 만든 급성 위기가 해결되자마자, 규칙적이되 좀 더 뜸한 간격으로 스케줄을 짜는 것이다. 회기 사이에 필요한 작업과 환자가 필요로 하는 지지의 양에 초점을 맞춰, 적절한 스케줄을 짜기 위해 환자와 함께 협력하도록 노력해야 한다.

치료를 종결할 준비가 되어 있음을 인식하기

환자가 진정으로 치료를 이해하고 활용할 때, 즉 환자가 "깨달았을 때" 비로소 치료 목표가 달성되어 종결할 준비가 된 것이다. 예전 같았으면 자살사고를 유발했던 상황의 한복판에 있더라도 이제는 통합적인 관점integrated perspective을 보일 것이다. 환자가 정신적 고통이 있다고 인지하고 있는 와중에도 새로운 가치기반 문제해결 전략을 선택하고 어찌되었던 앞으로 나아가려고 한 순간들을 찾아보라. 환자가 종종 이런 상황에서 자신들이 사용해왔던 방법으로서 자살사고에 대해 얘기하더라도, 자살행동은 이제 더 이상 생각할 가치도 없는 것으로 간주한다. 또 다른 지표는 환자가 설령 이전과 똑같은 정도의 생각과 느낌을 지니고 있어도, 더 이상 이런 생각과 느낌을 믿을 만하거나 한 때 그랬던 것처럼 큰 부담으로 여기지 않는다고 보고하는 것이다. 치료 종결을 준비할 수 있는 수준에 도달하는 기간은 환자들 사이에서도 굉장히 다양하다. 기능 수준이 높은 환자들은 한두 달 만에 이르기도 한다. 오랫동안 지속되어 온 부적응적인 행동 패턴을 지닌 자살경향성 환자들은 치료를 종결하는데 필요한 개념들을 통합하는데 더 긴 시간을 필요로 할 수 있다.

치료 종결하기: 미래를 준비하기

자살경향성(이제는 비자살경향성인) 환자와의 치료를 종결할 때, 재발 방지를 위해 환자의 장기적인 욕구를 다루고, 내장되어 있는built-in 자기교정적 요소가 있는 계획을 수립하는 것이 중요하다. 치료의 결과 환자는 자살행동에 대한 좋은 문제해결 대안들을 확립하였지만 여전히 자살사고가 여전히 다시 나타날 가능성이 있다는 것을 알고 있다. 환자가 자살사고가 다시 나타나는 것을 낮은 감정적 수용과 과거의 회피기반 문제해결이 사용되고 있는 징후로 보는 것이 가장 중요하다. 자살사고가 다시 나타나는 것은 감정적 수용과 마음챙김 전략을 연습하는데 다시 전념하고 가치기반 문제해결 전략에 참여하게 하는 자극제로 사용되어야 한다. 치료종결과 관련해서 흔히 나타날 수 있는 임상적인 이슈들 중에서 특히 자살경향성 환자에게서 주목할 만한 것이 몇 가지 있다.

의존성 다루기

종결은 성공적 치료에서 항상 관심이 되는 이슈인데 특히 자살경향성 환자들에서는 더욱 그렇다. 환자가 당신과 함께 위기를 극복해왔다는 바로 그 간단한 사실이 의존성의 가능성을 만들어 낸다. 환자는 당신을 미래 생활 계획에서 아주 중요한 구성 요소이자 필수적인 존재로 여길 수 있다. 의존성은 반드시 치료 초기에 그리고 자주 다루어야 한다. 좋은 치료에서는 첫 회기를 시작하면서 당신이 치료는 영구적인 것이 아니라 일시적인 것임을 설명하는 그 순간부터 건강한 종결을 위한 준비가 시작된다. 이때 당신은 치료를 끝내는 것이 합당하다고 여겨지는 최대한 빠른 시일 내에 종결하는 것이 목표임을 드러낸다. 처음부터 환자는 당신이 일시적인 길동무임을 이해하게 된다.

시종일관 중요한 것은 환자가 효과적인 문제해결 행동을 하거나 자발적으로 높은 수준의 수용을 보일 때 아낌없이 칭찬해주는 것이다. 이 과정에서 치료의 중요성을 낮추는 설명을 통해 환자가 1주일 동안 당신의 도움 없이 살아가야 할 수많은 시간들을 강조하라. 1주일에 오직 1시간만 당신의 도움을 받고, 나머지 167시간은 당신의 도움 없이 지내야 한다는 점을 강조하라. 정말 중요한 것은 환자가 힘든 상황을 다룰 수 있는 자기효능감을 계발하는 것이다. 당신의 목표는 환자가 자기칭찬을 내재화하도록 하고, 긍정적인 변화에 대한 어떤 공적도 당신이 가져가지 않는 것이다. 동시에 환자는 자살사고가 다시 나타날 수도 있으며 그렇기 때문에 환자는 그에 대한 계획을 세워야 할 필요가 있음을 수용해야 한다.

가치 있는 삶을 살기 위한 목표 강조하기

치료 초기에 당신은 환자가 근본적이고 깊이 박혀 있는 기본적인 삶의 가치에 접촉하게 도와주었다. 이러한 가치는 감정적으로 기꺼이 하기와 가치기반 문제해결 노력을 촉진시킬 수 있는 동기를 부여하는 연료이기 때문에 임상적 대화 전반에 스며들어야 한다. 환자가 목표 설정을 통해 긍정적인 미래의 핵심적인 특징을 파악하게 하고, 그 미래의 모습을 만들어 나가는 것을 시작할 수 있게 도와주어야 한다. 단순히 위기를 없애고 삶의 똑같은 지점에서부터 증상만 없는 채로 다시 시작하는 것은 받아들일 수 없는 임상적 목표이다. 환자가 삶의 목표를 향해 지속적으로 나아갈 수 있도록 안내하는 것이 중요하다. 이를 위한 한가지 방법은 환자가 Hayes 등(2011)이 제시한 가치 명료화 과녁을 완성하게 하는 것이다. 연습은 환자가 여러 영역에서의 가치를 인식하고 특정한 행동 목표들을 설정할 수 있게 도와준다. 환자가 그 목표들을 달성하면 가치에 따라서 살고 있음을 알려준다. 일반적으로 자살경향성 환자는 삶의 결과를 지나치게 중시하고 과정을 경시하는 경향이 있다. 삶의 목표를 이루는 것은 이러한 목표를 이루기 위한 여정에서 배우는 것에 비하면 그다지 중요하지 않을 수도 있음을 강조하라. 환자로 하여금 목표 달성이 목전에 다다랐던 순간을 떠올려보도록 하면, 그 목표가 다른 더 새롭고 중요한 목표로 대체되기만 한 것을 발견하게 될 것이다. 다시 말하면 지금 여기에서 목표를 향해 부단히 노력하는 일이 바로 삶의 모든 것이다.

재발 방지하기

자살경향성으로 다시 되돌아가는 것을 방지할 수 있는 최고의 명약은 바로 감정적 수용, 마음챙김, 가치기반 행동이 환자의 삶의 기본 특징이 되도록 하는 것이다. 환자가 마음챙김 및 가치기반의 삶을 살아가는 데 전념하게 만드는 작은 일상적 시험에 대비하게 함으로써 재발 위험성을 줄일 수 있다. 당신은 재발의 위험성을 과장하지 말아야 하며, 환자가 대비해야 하는 하나의 가능성으로 인식하게 해야 한다. 재발방지 계획은 *위험요인*과 이미 효과를 보았던 기술과 기법을 포함하는 적극적인 초기 *대응계획*을 개발하는 것을 모두 포함한다.

이러한 활동을 중기간 인생설계 과정에 딱 들어맞게 하는 것이 도움이 된다. 이런 식으로 자살행동의 재발 가능성을 환자가 극복해 나갈 필요가 있는 많은 잠재적인 장애물들 중의 하나로 재정의 될 수 있다. 환자에게 어떤 삶의 위기도 자살경향성을 문제해결 방법으로 떠올리게 할 수 있다고 말하는 것이 중요하다. 환자가 자살 위험성이 증가할 때의 초기 징후들에 대해 주의 깊게 생각해보도록 하라. 이러한 징후들은 대개 사회적 위축, 자기 집착(즉, 반응적 마음의 도발에 더 쉽게 영향을 받게 됨), 혹은 낮은 수준의 감정적 수용 등이다. 이 징후들은 신체적(예, 평소보다 더 많이 혹은 적게 잠, 평소보다 더 많이 혹은 적게 먹음)으로 나타날 수도 있다. 환자에게 가능성이 있는 초기 경고 신호를 기술하게 한 뒤, 활용할 수 있는 도구들 중 어떤 것이 행동 계획에 가장 유용할지 파악하기 위한 치료 과정을 예행연습 하라. 이러한 기술과 기법을 활용하도록 독려하라.

환자의 성격이나 세계관에 부합하는 수용, 마음챙김, 혹은 가치기반 행동 전략들이 인위적이거나 작위적이거나, 불편함이 계속되는 것들보다 훨씬 더 기억하고 활용하기 쉽다. 대응계획을 예행연습하고 환자가 이러한 계획을 실행하는데 발생할 수 있는 모든 장애물을 떠올리게 하라. 환자가 대응계획을 실행하는 와중에 겪게 되는 장애물을 극복할 수 있는 전략을 떠올리고 예행연습하게 하라. 표 5-4에 재발방지/생활방식 유지 계획의 통상

표 5-4. 재발 방지 및 생활방식 유지 계획의 요소들

1. 내가 믿고, 생각하고, 느끼고, 혹은 행동하는데 문제가 있을 때 나타나는 첫 번째 징후는 무엇인가? (예, 잠을 잘 못 잠, 사회적 상황들을 꺼림, 더 우울하거나 불안해짐)
   a.
   b.
   c.
   d.

2. 나 스스로 이러한 징후를 주목하는 것을 추적 관찰하기 위해 어떤 계획을 가지고 있는가? 만약 내가 위의 징후를 주목하려는 계획을 세운다면, 그것을 언제 어떻게 점검할 계획인가?

3. 내년에 나의 가장 중요한 목표들은 무엇인가?

4. 내년에 나는 어떤 스트레스를 받을 것으로 예상하는가? 지속적인 것(예, 직업 문제, 병들고 연로하신 부모님)과 새로운 것(예, 새로운 집으로 이사가기, 내 집에서 크리스마스 보내기)을 모두 포함해서, 이러한 스트레스에 대처하기 위한 계획은 무엇인가?

5. 내가 치료에서 배운 가장 가치 있는 아이디어는 무엇인가? 그 아이디어(들)를 기억하기 위한 나의 계획은 무엇인가? 그런 아이디어를 기억하기 위한 나의 계획은 무엇인가?

6. 내가 치료에서 배운 가장 가치 있는 대처 전략은 무엇인가? 그 전략들을 언제 어떻게 활용할 계획인가?

7. 이러한 대처 전략들을 사용하는 데 있어서 방해가 될 만한 장애물에는 무엇이 있고 (예, 대처하기에 너무나 피곤한 상태, 문제들을 겪는 것에 대해 스스로를 비난하기), 나는 그것을 어떻게 극복할 것인가?

적인 요인들이 나와 있다.

종결 재구성하기

잘 진행된 치료에서 환자는 회기 사이의 기간이 점점 길어지며 자연적인 진화 과정으로서 치료 종결을 받아들이게 된다. 회기의 간격을 줄이는 일반적인 스케줄로 1, 2, 3, 6개월에 한 번씩 만나가는 것이 한 예다. 각 회기의 목표는 재발방지 계획과 삶의 목표들과 관련하여 이전의 실전 연습의 결과를 검토하는 것이다. 사전에 회기 시간을 정해 놓음으로써 환자는 삶을 아주 잘 살고 있는 와중에도 강화 회기에 참여할 수 있다. 예정에 없는 회기를 가지는 것도 가능은 하지만 그 전에 충분히 최대한 오랫동안 재발 방지 계획을 따를 것을 권장하라. 회기 스케줄이 미리 정해져 있다는 사실은 환자를 안심시켜줄 것이며, 새로운 감정적 수용, 마음챙김, 그리고 문제해결 전략을 시험해볼 수 있는 안전한 환경을 조성해줄 것이다. 만약 환자가 예정에 없던 회기를 요구하면, 회기 전에 환자가 시도하려는 기법들에 대해 논의해야 한다.

이상적인 것은 환자가 초기에 계획했던 것보다 더 빠르게 치료 종결을 제안하는 것이다. 회기를 줄여 나가는 과정의 자연스러운 흐름 속에서 환자는 다음 회기에 참여하는 것이 정말 필요 없다고 얘기할 수 있다. 이러한 형태의 종결은 당신이 아닌 환자가 먼저 중단을 개시하는 것이기에 최적의 형태다. 한편, 어떤 환자들은 1년에 한 번이라도 계속해서 회기가 유지되기를 바라기도 한다. 이러한 전략은 당신의 시간을 효율적으로 사용하면서 재발 방지에 중요한 부분이 될 수 있다. 이 경우 환자가 첫 연간 회기 때 참석하지 않을 수도 있는데, 결국에는 당신에게 연락해서 어떻게 지내고 있는지 논의하고 싶어 하기도 한다. 이럴 때에는 환자가 처음에 계획했던 것보다 더 오랫동안 혼자 연습해 온 것을 곧바로 칭찬해주어라.

회기를 줄여 나가는 과정은 적절히 활용하기만 하면 종결 불안을 감소시킴으로써 환자의 자율성을 증진시키고, 비용효과적으로 치료에 되돌아올 수 있는 문을 열어놓는다. 자살경향성 환자가 종결을 문제가 사라졌다는 결정으로 여기지 않도록 하라. 이러한 시나리오는 환자가 자살사고가 들어서 다시 치료를 받는 것을 실패로 여기게 만들 수 있다. 지그문트 프로이트의 말을 그대로 빌리자면, 과거의 유적은 다시 흔들릴 수 있다. 자살위기를 지속적인 학습 패러다임의 일부로 포함하는 모형을 발전시켜 감으로써, 환자가 굳이 불필요하게 사태가 겉잡을 수 없는 상황에 이를 때까지 치료를 피하는 상황을 만들지 않아야 한다. 항상 "조율하는tune-up" 회기가 가능하게끔 하고, 당신은 경기 초반에 훨씬 더 큰 도움이 될 수 있음을 강조하라. 언젠가 자살경향성으로 되돌아가 훨씬 더 큰 실패감에 맞서 싸우기보다는, 자살경향성의 초기에 개입하는 것이 더 효율적이다.

환자가 차질이 생겨서 다시 돌아오면, 그렇게 치료로 돌아오기로 한 결정을 긍정적인 맥락에서 다루어라. 환자가 도움이 필요한 가장 정확한 때를 맞춰서 왔음을 표현하라. 환자가 도움을 구하는 결정을 내리는 데 필요한 용기와 지혜를 가진 것에 감탄을 표현하라. 새로운 위기는 새로운 학습 상황일 뿐, 환자가 과거에 익혔던 것을 기억하지 못한 것이 아니라는 관점으로 논의하는 것이 중요하다. 수용, 마음챙김, 문제해결 전략을 배우는 것은 영원히 끝나지 않는 과제로 삶의 여정 내내 계속된다. 우리 중 누구라도 지난 주만 해도 정말 잘 됐던 기술을 잘 발휘하지 못하는 시기가 있다. 삶의 도전은 복합적이고 끝없이 변한다. 새로운 스트레스 상황의 속성을 고려하면, 환자가 어떤 기술을 적용해야 할지 항상 명확히 알기란 쉽지 않다. 환자가 새로운 자살위기의 초반에 기꺼이 치료를 받으면, 두 번째, 세 번째, 그리고 네 번째 회기가 되면서 얼마나 빨리 그런 위기가 해결되는지에 대해 깜짝 놀라기도 한다. 첫 개입 때 몇 주에서 몇 개월씩 걸렸던 것을 이제는 단지 한 두번의 회기만으로 달성할 수 있는 것이다. 환자가 새로운 기술을 적용해야 할 필요성에 얼마나 빨리 대응하는지 언급하는 데 최선을 다 하라. 즉, 재발에 대처할 때에는 항상 환자가 자기효능감을 쌓을 수 있게 하라.

만약 환자가 단지 재발 방지 계획을 활용하지 않았던 것이라면, 그것을 저항으로 해석하는 것은 피해야 한다. 대신 계획을 실행하는 데 방해가 되었던 장애물에 초점을 맞춰라. 궁극적으로는 환자의 삶에서 구체적으로 그러한 잠재적인 어려움을 충분히 제대로 파악하지 못했던 것으로 비난의 화살을 돌려야 한다. 이러한 실수에 대해 사과하고, 계획에서 발생한 문제를 환자와 함께 해결하라. 목표는 환자가 시간이 갈수록 더 나은 미래를 만들어가도록 힘을 북돋아주는 것이다. 이러한 목표는 비난이 아닌 조형, 실습, 개조를 통해 달성할 수 있다.

성공의 팁

자살경향성 환자를 치료하기 시작한 때부터, 치료 종결을 언젠가는 다가올 기대할 만한 결과로서 언급함으로써 종결과 관련하여 발생할 수 있는 문제를 피한다.

환자가 이룬 어떤 긍정적인 성취에도 전적으로 칭찬해주고, 환자가 나아진 것에 대한 공을 차지하게 될 때에는 경의를 표하라. 이것은 환자가 자기효능감을 계발하고 당신의 도움 없이 삶을 살아가는 것에 대한 두려움을 감소시킨다.

회기 빈도를 줄이고 점점 더 넓은 간격을 두고 시행함으로써 환자가 궁극적으로 종결을 준비할 수 있게 하라. 환자에게 다음 회기는 언제 하면 좋을지 물어보고 환자가 좋아졌다 하더라도 당신이 환자를 만날 거라는 확신을 준다.

> 회기 사이 간격 및 이와 관련된 목표들을 언제나 "실험"이라는 프레임으로 다루어서 혹시 잘 진행되지 않을 때 환자가 조기에 돌아올 수 음을 분명히 한다. 서면으로 재발 방지 및 생활 계획을 작성하는 데 매진한다. 이는 회기 사이 실험의 기초가 될 것이다.
>
> 구원 환상을 경계한다. 이는 환자의 자율성을 약화시키면서 치료자로서의 당신의 성취에 안주하려는 유혹에 빠지게 할 수 있다.

임상적 함정 피하기

치료 종결 시기에 피해야 할 가장 중요한 함정은 환자가 당신으로부터 버림받거나 관계가 끊기게 된다고 느끼는 상황을 만드는 것이다. 이러한 상황은 당신이 치료 종결 문제에 대해 미리 충분히 다루지 않았을 때 가장 흔히 발생한다. 안타깝게도 임상가가 회기중에 바로 다음 회기 때 치료를 종결하는 결정을 하는 상황은 드물지 않다. 종결과 관련한 사안이 치료 과정에서 통합되어 논의되지 못한 채로 결정이 되는 것이다. 좋은 일반적 전략은 치료를 시작할 때 필연적으로 치료가 끝나는 시점이 있음을 논의하고, 어떨 때 치료에서 실전 연습 시기로 넘어갈 수 있는지에 대해 당신과 환자가 함께 협의하는 것이다. 이러한 현실에 더 직접적이고 실질적으로 접근할 수록 실제로 실전 연습을 시작하고 회기를 줄여 나가는 단계로 넘어가기가 더 수월해진다.

두 번째 함정은 환자와 치료자 사이에 치료자가 훌륭해서 환자가 임상적으로 호전되었다는 암묵적인 합의가 이루어지는 것이다. 회기의 횟수가 줄어들고 결국 종결이 가까워질수록 환자는 치료자 없는 생활에 두려움을 느끼기 시작한다. 이러한 함정을 피하기 위해 당신은 일관되게 긍정적인 변화에 대한 책임을 환자가 짊어지게 해야 한다. 설령 작은 것들이라도 치료 과정 동안 환자가 다양한 목표를 성취하기 위해 사용하는 방법에 대해 기뼈하고 호기심을 가지고 대함으로써 이러한 과제를 성공적으로 완수할 수 있다. 이러한 논의에서 강조해야 하는 것은 환자가 일어난 일에 대한 칭찬을 받아들이게 하고 이 관점을 환자가 자기효능감의 기반으로 삼도록 하는 것이다.

모든 치료자들의 구원 환상의 핵심은 기적적인 치유력을 발휘한 치료자에 대해 환자가 영원히 감사히 여기는 것이다. 이러한 환상에서 벗어나기 위해서는 항상 당신이 다른 사람에게 발휘할 수 있는 설득력과 영향력의 현실적인 한계를 염두에 두어야 한다. 치료적 공동체는 치료자가 환자의 변화를 유발한다는 발상을 고취시키는 것에 대해 어느 정도 비난받을 부분이 있다. 7장("반복적인 자살경향성 환자")에서 우리는 이러한 잘못된 믿음이 어떻게 치료 결과를 부정적으로 만드는 데 중요한 역할을 하는지 다룬다. 일단 지금은 실패에 대한 책임을 당신이 가져가고, 성공에 대한 공은 모두 환자에게로 돌려라. 겸손한 자세를 가져라. 자아를 축소시키는 연습이 당신에게 장기적으로 이득이 될 것이다. 가장 중요한 것은, 이 연습이 효과가 있다는 것이다.

결론

자살경향성 환자를 치료하는 것은 복합적인 과정으로 종종 치료자로서 우리 안에 있는 최고와 최악의 모습을 모두 끌어낼 수 있다. 우리는 다른 사람을 돕는 직역을 선택하였지만, 이렇게 특별한 상황에서 과연 무엇이 도움이 되는 것일까? 이 질문에 대한 대답은 우리가 급성 및 만성 자살경향성 환자들을 치료할 때 느껴온 수많은 복잡한 감정의 핵심에 있다. 이는 또한 만성적 자살경향성 환자들처럼 우리의 노력에 반응하지 않고 비판적인 사람에 의해 유발되는 엄청나게 다양한 부정적 감정들을 설명해준다.

요약

- 3개의 I(견딜 수 없고, 벗어날 수 없고, 끝없이 계속되는 고통)를 변화시키기 위한 목적으로 치료하라.
- 초연함과 비판단을 통해 정신적 고통을 더 많이 수용하고, 현재 순간의 지각을 증진하고, 개인적 가치에 기반한 문제해결을 장려하라.
- 자살행동을 감정적 행동적 회피를 통해 정신적 고통을 통제하기 위한 문제해결 전략으로 재정의하라.
- 항상 환자의 감정적 고통을 인정하고 중요시 여겨야 함을 명심하라.
- 환자에게 개방성, 호기심, 공감, 자비를 전달하라.
- 환자에게 감정적 수용을 가르치는데 집중하라.
- 환자에게 감정적 수용, 마음챙김, 가치기반 행동들을 유기적으로 통합하는 법을 가르치기 위해 현실적인 문제 상황들을 활용하는데 중점을 두라.
- 지속되는 자살행동을 수용과 가치기반 문제해결 기술을 가르치기 위한 출발점으로 활용하라.
- 협력적이고 결과기반 접근을 채택하여 환자가 새로운 대처 전략을 활용한 실험을 하게끔 독려하라.
- 환자가 정신적 고통이 존재하는 와중에도 가치기반 행동들을 실천할 수 있음을 경험적으로 이해하도록 도와주어라.
- 치료 초기부터 환자가 종결에 대비할 수 있도록 하고, 종결에 대한 불안감을 상쇄시키기 위해 회기의 빈도를 점진적으로 줄여 나가라.

읽어볼 만한 문헌

Ascher M (ed): Paradoxical Procedures in Psychotherapy. New York, Guilford, 1989

Calati R, Courtet P: Is psychotherapy effective for reducing suicide attempt and non-suicidal self-injury rates? Meta-analysis and meta-regression of literature data. J Psychiatry Res 79:8–20, 2016 27128172

Cox GR, Callahan P, Churchill R, et al: Psychological therapies versus antidepressant medication, alone and in combination for depression in children and adolescents. Cochrane Database Syst Rev 11:CD008324, 2014 23152255

Cuijpers P, de Beurs DP, van Spijker BA, et al: The effects of psychotherapy for adult depression on suicidality and hopelessness: a systematic review and meta-analysis. J Affect Disord 144(3):183–190, 2013 22832172 de Shazer S: Clues: Investigating Solutions in Brief Therapy: An Experiential Approach to Behavior Change. New York, WW Norton, 1988

Hayes S, Strosahl K: A Practical Guide to Acceptance and Commitment Therapy. New York, Springer, 2004

Inagaki M, Kawashima Y, Kawanishi C, et al: Interventions to prevent repeat suicidal behavior in patients admitted to an emergency department for a suicide attempt: a meta-analysis. J Affect Disord 175:66–78, 2015 25594513

Jacobson N (ed): Psychotherapists in Clinical Practice: Cognitive and Behavioral Perspectives. New York, Guilford, 1987

Meerwijk EL, Parekh A, Oquendo MA, et al: Direct versus indirect psychosocial and behavioural interventions to prevent suicide and suicide attempts: a systematic review and meta-analysis. Lancet Psychiatry 3(6):544–554, 2016 27017086

Pollock LR, Williams JMG: Effective problem solving in suicide attempters depends on specific autobiographical recall. Suicide Life Threat Behav 31(4):386–396, 2001 11775714

Raes F, Hermans D, de Decker A, et al: Autobiographical memory specificity and affect regulation: an experimental approach. Emotion 3(2):201–206, 2003 12899419

Strosahl K, Robinson P, Gustavsson T: Brief Interventions for Radical Change: Principles and Practice of Focused Acceptance and Commitment Therapy. Oakland, CA, New Harbinger Publications, 2012

Wenzel A, Brown GK, Beck AT: Cognitive Therapy for Suicidal Patients: Scientific and Clinical Applications. Washington, DC, American Psychological Association,

2015

Williams JM, Swales M: The use of mindfulness-based approaches for suicidal patients. Arch Suicide Res 8(4):315–329, 2004 16081399

참고문헌

Hayes S, Strosahl K, Wilson K: Acceptance and Commitment Therapy: The Process and Practice of Mindful Change. New York, Guilford, 2011

Nezu AM, Nezu CM, D'Zurilla TJ: Problem-Solving Therapies: A Treatment Manual. New York, Springer, 2012

6

자살행동에 대한 약물치료

이 책의 목적은 자살경향성 환자를 효과적으로 평가하고 치료하는 데 필요한 도구를 제공하는 것이다. 이를 위하여, 우리는 자살경향성에 대한 당신 자신의 태도와 철학을 검토할 수 있는 틀을 제공했다. 이는 어려운 영역에서 작업하는 데 있어서 가장 필요한 단계이다. 이어서 자살경향성 환자를 치료하기 위한 일련의 종합적이고 구체적인 기법들을 개발했다. 향정신성 약물의 사용도 이러한 기법들의 레퍼토리에 포함된다. 이 장에서는 자살경향성 환자를 관리하는데 사용되는 약물에 대한 철저한 고찰보다는, 독자에게 몇 가지 지침과 연구 결과를 제시하고자 한다.

약물과 자살경향성 환자

많은 환자들이 정신질환에 대한 약물치료를 받는다. 약물 처방과 관련하여 가장 흔한 우려는 다음의 3가지로, 비순응(환자가 치료법대로 따르지 않음, 약을 아예 복용하지 않거나 예상하기 어려운 방식으로 복용하거나, 효과가 없을 것 같은 방식으로 복용함), 의원성iatrogenesis (약물로 인해 의도치 않게 자살경향성에 부정적인 영향을 끼침), 과다복용 가능성이다. 자살충동을 지니고 있는 환자들은 항불안제, 항우울제, 혹은 두 종류 모두로 치료를 받을 수 있다. 점점 더 많은 환자들이 항정신병약물이나 기분안정제로 치료를 받으며, 이는 종종 다른 계열의 약물의 효과를 높이기 위해 사용되고는 한다. 많은 만성 자살경향성 환자가 감정조절에 도움을 받기 위해 기분안정제와 비정형 항정신병약물을 복용하는데, 이는 실제로 환자의 감정적 과각성과 충동성을 완화시키는 것을 목적으로 한다. 이들 약물에 대한 검토를 하면서 다음 세 가지 사항을 명심하라.

첫째, 약물이 자살경향성에 어떻게 영향을 끼칠 수 있는지 이해하는 것이 매우 중요하다. 약물이 효과가 있다면, 공존이환된 정신질환으로 인한 문제들이 완화되면서 자살경향성이 감소될 수 있다. 반면에 처방된 약물이 효과가 없거나 문제가 될 정도로 심각한 부작용이 발생하면, 자살행동은 더 증가할 수 있다. 처방한 약물을 잘 알고, 객관적인 반응 기준을 활용해서 약물 효과를 확인하는 것이 중요하다. 근거기반 치료가 정신건강 분야에서 자리를 잡으면서, 반응 기준(치료가 효과적인지 여부를 결정하는 체계적이고 타당한 방법)이 널리 사용되고 있다. 환자의 경과를 평가하기 위해 경험적으로 검증된 기법을 사용하기 시작하려면 치료 방식을 조정해야 할 수도 있다. 환자와 소통하는 순간마다 이러한 척도들로 추적할 것을 권고한다. 이렇게 함으로서 무엇이 더 나아지고, 더 나빠지며, 변하지 않는지 결정하는 데 최대한의 민감도를 확보하게 될 것이다. 텍사스 약물 알고리즘 프로젝트(Chiles 등 1999)와 미국 정신의학회(Barr Taylor 등 2010)는 주요 정신 질환에 사용되는 측정 기준을 참고할 만한 좋은 출처다. 만약 자살사고나 자살충동, 자살행동이 있다면 이 책에 수록되어 있는 평가 도구들을 하나 이상 사용하여 환자의 자살경향성을 추적할 것을 권고한다.

둘째, 환자가 "분리split" 치료 모형과 같은 협력적인 다학제적 치료팀으로 부터 진료를 받고 있다면, 한 치료자로부터 약물치료를 받고 다른 치료자로 부터는 정신치료를 받을 때 발생되는 특별한 어려움과 복잡성을 고려하는 것이 무엇보다 중요하다. 일반적으로 환자의 전반적인 치료계획에 책임을 지는 사람은 정신치료를 담당하는 쪽이어야 한다. 오직 약물만 처방하는 치료자가 책임을 지게 되면 자살행동과 같은 문제해결 방식을 지니고 있는 환자를 치료하는데 충분하지 않다. 하지만 일부 시스템에서는 약물치료자가 환자의 전반적인 치료에 대해 궁극적인 책임을 져야 한다. 이러한 경우 약물치료자와 정신치료자는 양쪽이 모두 전적으로 지지하며 지킬 수 있는 계획을 수립하기 위해 할 수 있는 모든 노력을 다 해야 한다.

팀 기반의 치료적 접근에서 효과를 내기 위해서는 소통과 존중을 하며 의사결정을 함께 하는 것이 필수적이다. 협력적 치료 제공자들은 환자를 치료할 때 경쟁적이지 않고 협동적으로 접근해야 한다. 두 명의 치료자가 환자에 대한 "소유권"을 놓고 경쟁하기 시작할 때 승자는 없음을 명심하라. 결과적으로는 가장 위태로운 존재인 환자가 가장 많은 손해를 보게 된다.

셋째, 여러 약물을 처방할 때 잠재적인 위험성을 주의해야 한다. 반복적인 자살사고, 자살충동, 혹은 자살행동을 하는 환자에게는 특히 더 그렇다. 자살경향성과 같이 만성적인 치료저항성 문제들을 지니고 있는 환자들은 피뢰침이 번개를 유도하듯 약물치료를 이끌어낼 수 있다. 치료자에게 나타날 수 있는 무력감과 괴로움은 좋은 의도에서 비롯된 것일지라도 임상적으로는 효과가 없는 약물치료로 이어지는 경우가 종종 있다. 약물을 병용 처방할 때 유용한 경우도 있어서, 환자들은 때때로 두 가지 종류 이상의 약물치료로 효과를 보기도 한다. 하지만 너무 많은 약물은 정신적으로나 신체적으로나 모두 해로울 수 있다. 여러 약물의 병용 치료에 대한 접근은 다음 섹션("다약제 약물요법")에서 다루고 있다.

항불안제

Benzodiazepine 계열 약물은 신체적 과각성에 대한 긍정적인 효과가 있어서 최근 수십년 동안 불안과 초조를 치료하기 위한 최적의 약물로 여겨져 왔다. Benzodiazepine 계열 약물이 그 이전에 사용되어 왔던 약물(가장 큰 비중을 차지한 것은 barbiturate)에 비해 뚜렷한 이점은 안정성이다. 다른 약물이나 불법 물질과 함께 복용하지 않는 한 benzodiazepine 과다복용만으로 치명적인 경우는 거의 없다. Benzodiazepine 계열 약물은 의학 약전에서 중요한 발전이었다.

정신의학 외에 benzodiazepine 계열 약물은 다양한 신경계질환 및 일반적인 신체질환에서 효과적으로 사용된다. 하지만 이 약물은 몇 가지 중대한 문제점을 지니고 있다. Benzodiazepine 계열 약물을 복용하는 사람은 내성(즉, 똑 같은 효과를 얻기 위해 더 많은 양이 필요하게 되는 것)이 생길 수 있기 때문에 남용될 소지가 있다. 정규약으로 처방되지 않고 "필요시" 복용하도록 처방된다. 종종 적절한 모니터링 계획 없이 처방되기도 한다. 지나치게 오랜 기간 처방되는 경향도 있다. 수면위생 불량, 카페인 섭취 과다, 문제해결 능력 부족 등의 다양한 증상을 빠르게 호전시키기 위해 이 약물을 처방할 때 남용을 유발할 수 있다.

일반적으로 과도한 불안과 초조에 시달리는 자살경향성 환자에게 도움이 되는 benzodiazepine 처방 계획은, 편안함을 줄 수 있는 정도의 용량을 단기간 처방한 뒤 감정적인 어려움의 원인을 다루는 치료를 시작하는 것이다. 많은 치료자는 매일 고정된 용량을 복용하도록 정해주기보다는 환자들이 약을 언제 먹을지 알아서 정하도록 놔두는 편이다. 필요한 만큼 복용하게 하는 방식은 장기간 작용하는 약물보다는 매우 짧은 시간동안 작용하는 약물을 사용하게 만드는 경향이 있다.

단기간 작용하는 약물은 정의상 혈액뇌장벽을 빠르게 통과하여 즉각적으로 안도감을 높여주거나, 심지어는 쾌감까지도 유발하는 효과가 있기 때문에 심리적인 의존을 강화한다. 장기간 작용하는 약물의 장점은 남용할 가능성이 적다는 것이다. 우리의 임상적 경험상 장기간 작용하는 약물은 심리적 의존을 덜 유발한다. 이 약물을 복용하는 환자들은 알약을 먹는 것과 심각한 괴로움이 줄어드는 것 사이의 관련성을 거의 곧바로 느끼지는 못한다. 단기간 작용하는 약물을 복용하는 일부 환자들에게 빠르게 작용하는 "화학적" 해결책은, 더 효과적으로 살아가는데 필요한 장기적인 문제 해결 기술을 개발하는 것에 대한 관심을 훨씬 덜 가지게 만들 것이다.

우리의 방침은 benzodiazepine 계열 약물을 급성기 치료에 사용하는 것이다. 환자는 2-6주 동안 약을 복용함으로써 과도한 감정적 흥분으로 정신치료적 과정에 방해가 되지 않게 된다. 그런 다음 몇 주에 걸쳐 약물을 서서히 줄여가며 중단한다. Benzodiazepine 계열 약물을 이보다 더 길게 복용하는 것은 신체적 의존과 내성을 유발하여 중독관련 질환을 유발할 수도 있으므로 오직 소수의 환자(만성적이고 심각한 불안 호소)에서만 사용이 정당화될 수 있다. 만약 당신이 이들 약물을 3개월 이상 처방하게 된다면 장기간 사용해야 하는 적응증을 인지하고 차트에 기록하라.

일단 내성이 생기면 benzodiazepine 계열 약물을 중단하는 것이 불편해지고, 다양한 금단증상이 나타날 수도 있다. 그 중 가장 심각한 것은 경련이다. 게다가 benzodiazepine을 중단하는 일부 사람들은 종종 수 일 후 반동 불안 및 반동 불면을 경험한다. 자살경향성이 있는 사람에게서 이 모든 현상은 불쾌감, 초조, 그리고 자살행동의 가능성을 높일 수 있다. 당신이 상당한 시간 동안 benzodiazepine을 복용해온 환자를 치료하고 있는 경우 체계적이고 점진적인 중단 프로그램을 구축하는 것이 좋은 전략이며, 여기에는 보조 약물을 사용하는 것도 포함된다. Benzodiazepine 금단증상은 barbiturate나 알코올의 금단증상과 유사하고 그만큼 복합적이다. 이러한 현상을 관리하는 것은 매우 어려울 수 있다. 이 절차에 익숙하지 않다면 이러한 약물을 사용하는 것에서 벗어나려는 환자를 치료하기 위해 필요한 절차에 대해 동료에게 자문을 구해야 한다.

항우울제

항우울제는 다양한 약물들로 구성된 계열로, 1980년대 초반부터 상당한 개선을 이루어 왔다. 선택적세로토닌재흡수억제제selective serotonin reuptake inhibitors, SSRIs로 대표되는 새로운 약제들은 기존 약제보다 우울증을 치료하는 효과가 더 우수하지는 않지만 부작용 프로필이 다르고, 일반적으로 복용하기 수월하며, 과다복용하였을 때 훨씬 덜 치명적이다. 비록 SSRIs가 중독성이 없더라도 이들 약물을 갑자기 중단하는 경우 심각한 부정적인 결과를 초래할 수 있다. SSRIs는 또한 문제가 될 정도의 약물상호작용을 일으킬 수 있는데 이는 SSRIs 및 다른 약물의 효과에 지장을 줄 수 있다.

단가아민효소억제제Monoamine oxidase inhibitors, MAOIs와 삼환계항우울제tricyclic antidepressants, TCAs는 모두 1950년대에 개발되었으며, 10년전보다 훨씬 줄었지만 여전히 지금도 사용되고 있다. 이 두 가지 계열 약물 모두 일부 환자에서는 새로운 약제들보다 더 효과적일 수 있다. 하지만 TCAs와 MAOIs의 부작용 프로필은 순응도 문제를 유발할 수 있다. 더 심각한 문제는 과다복용하였을 경우이다. 두 계열의 약물 모두 2주 혹은 1주치 분량만으로도 치명적인 심혈관계 독성을 유발할 수 있다. 흔히 환자들이 자주 내원하기 어렵다는 이유로 이들 약제를 30일 혹은 그 이상으로 처방하기도 한다. 표 6-1에 SSRIs, TCAs, MAOIs와 관련한 이슈들이 정리되어 있다.

표 6-1. 항우울제 사용과 관련된 문제

	부작용 및 기타 문제의 예	과다 복용 치사율
단가아민 산화효소 억제제 (Monoamine oxidase inhibitors)	부작용: 체중 증가, 성기능 장애 심각한 약물-약물 및 식품 / 알코올 약물 상호작용 두통 및 세로토닌 증후군과 관련된 사용 (섬망, 초조, 과민성, 운동 실조, 떨림, 메스꺼움, 구토, 고혈압 또는 저혈압, 고열 및 기타 증상)	심각하게 치명 적임
선택적세로토닌재흡 수억제제 (Selective serotonin reuptake inhibitors, modulators)	부작용: 성기능 장애 약물 상호작용 세로토닌 증후군과 관련된 금단 또는 중단 (섬망, 초조, 과민성, 운동 실조, 떨림, 메스꺼움, 구토, 고혈압 또는 저혈압, 고열 및 기타 증상)	덜 치명적임
삼환계항우울제 (Tricyclic antidepressants)	부작용: 진정, 체중 증가, 성기능 장애, 항콜린성 부작용, 부정맥 약물 상호작용 갑작스러운 중단은 심각한 증상을 유발할 수 있음. (어지럼증, 두통 및 메스꺼움, 발한, 불안, 안절부절 등의 항콜린성 반동 증상)	심각하게 치명 적임

출처. Ferrando SJ, Owen JA, Levenson JL : "Psychopharmacology", 미국 정신과 출판 교과서, 6 판. Hales RE, Yudofsky SC, Roberts LW 편집. Washington, DC, American Psychiatric Publishing, 2014, pp. 965-977. © 2014 American Psychiatric Publishing. 허가를 받아 사용함.

항우울제로 자살경향성 환자들을 치료할 때 다음의 세 가지 사항을 주의하여야 한다. 첫째, 우울증 진단을 확인하는 것이 중요하다. 우리가 반복적으로 강조했듯이 자살경향성만으로는 우울장애의 진단에 충분하지 않으며, 항우울제가 자살경향성에 효과를 나타낸다는 확실한 근거가 없다. DSM-5(American Psychiatric Association 2013)와 같은 적절한 진단기준 없이 우울장애를 진단하면 안 된다. 특히 자살사고나 자살행동 등이 우울장애의 진단을 정당화한다고 단정짓지 마라. 진단이 부정확하면 의학적 치료가 효과를 나타낼 가능성은 별로 없으며, 환자는 일어나지도 않을 긍정적인 변화를 기대하게 될 것이다. 이러한 헛된 기대는 자살경향성을 더 악화시키는 요인이 된다.

둘째, 만약 항우울제를 사용해야 한다면, 한번에 처방되는 용량이 치명적인 용량보다 적은지 확인하라. SSRIs에서 치명적인 용량은 큰 문제가 아니다. 대부분의 사람들에서 수 개월치 용량을 한번에 복용했을 때 심각한 문제가 생기기 때문이다. TCAs의 경우 치명적이지 않으려면 한번에 1-2주치만 처방해야 하고, 총 용량은 1,500-2,000mg 미만으로 유지해야 한다. 이러한 계획을 잘 진행하기 위해 약국과 협력하라. 예를 들어, 당신은 1주일치 처방전을 4장 발급하여 총 한달치 복용할 약을 처방할 수 있다.(역주) 만약에 이런 방법이 어려우면 환자가 알맞은 용량의 약물을 복용하게끔 가족 구성원이나 친구가 도와주게 할 수도 있다.

이러한 관리 전략의 문제는 비록 안정성을 확보하더라도 환자의 수동성과 의존성을 강조할 수 있다. 점진적으로 환자가 약물을 스스로 관리해 나가는 데 있어 역량과 안도감을 증진할 수 있도록 노력하는 것이 중요하다. 환자가 주도적으로 더 적은 분량으로 더 자주 약을 수령하는 방법에 대해 약사와 논의하는 방법을 연습하는 것이 한 예가 될 수 있다. 물론 환자는 언제든 약물을 숨김으로써 치명적인 수준의 과량을 모을 수 있다. 복용 가능한 전체 약물 용량을 치료의 주요사항으로 다룸으로써 약물을 모으는

(역주) 현재 우리나라에서는 불가능한 방식이다.

것을 줄일 수 있다.

또 다른 전략은 약물을 종종 일반의약품이 조제되는 것과 같은 방식으로 포장하는 것이다.* 안타깝게도 미국에서는 이러한 방법을 쉽게 활용할 수 없다. 많은 환자들은 충동적으로 과다복용을 한다. 이들은 화가 나거나 격분할 수 있으며, 종종 술을 마시기도 한다. 과다복용하기로 마음먹고 실제로 약을 삼키기는 것 사이에 계획을 세우거나 준비하는 시간은 거의 없다. 약 한 통이 있으면 대부분 한 통 다 복용하며, 알약을 전부 삼키면 치명적일 것으로 생각한다. 하지만 개별 포장되어 있는 알약의 경우에는 얘기가 많이 다르다. 알약 포장을 하나하나 벗겨내는 것은 순간의 충동성을 억제하여 상황을 더 안전하게 만들 수 있다.

항우울제, 특히 SSRIs를 처방할 때 문제가 되는 세 번째 측면은 자살위험성을 증가시키는 의원성 영향을 미칠 가능성이다. 현재까지 다양한 계열의 항우울제를 포함한 어떤 약물도 자살사고, 자살충동, 자살행동을 없애는 효과가 입증되지 못했다(Braun 등 2016). 반면에 1990년대 초반부터 우울증을 치료하기 위해 복용한 SSRIs가 자살경향성의 증가와 관련된다는 몇몇 사례가 보고된 바 있다. 제약회사는 수많은 자료를 재분석함으로써 이러한 관련성을 조사하였고 어떤 SSRIs도 자살과 관련성이 없다고 보고하였다. 하지만 2003년에 연구자들은 정보공개청구법에 의해 이 자료를 확보하여 재분석하였다(Healy 2003). 그 결과 SSRIs 사용과 자살경향성의 증가 사이에 유의한 통계적 관련성이 있는 것으로 나타났으며, 이는 청소년에서 특히 더 뚜렷하였다.

SSRIs를 재분석한 연구들에는 혼동이 있었다. 이 자료를 분석했던 원래 연구에서는 현재 및 최근 자살행동을 했던 환자들 이외에, 잠재적으로

---

* 개별 포장

자살을 유발할 수 있는 약물, 알코올 사용, 신체질환이 있는 환자들을 제외하고 분석하였다. 따라서 자살행동의 기본 비율이 낮았다. 우리가 아는 한, 항우울제에 대한 어떤 연구들도 자살경향성이 있는 우울한 환자들을 포함하지 않았고, 자살행동을 결과지표로 사용하지도 않았다. 이 영역에서의 발전 현황을 잘 챙겨서 알아두면서, 하나의 항우울제에서 사실인 것이 다른 항우울제에서도 사실이라고 단정하지 마라. 만약 더 많은 연구와 재분석이 예정되어 있다면, 항우울제가 약동학 및 약력학적으로 다양한 약물 집단이라는 점을 명심해야 한다. 이들 약물 거의 전부가, 일부는 다른 것들보다 더 하겠지만, 다양한 신경전달물질들에 영향을 끼친다. 예를 들어, 자살경향성의 증가는 초조의 증가와 관련되어 있을 수 있는데, 이는 신경학적 부작용인 좌불안석의 증상일 수 있다. 좌불안석은 일반적으로 도파민 조절과 관련한 문제로 여겨지고 있다. 따라서 이러한 부작용은 일부 항우울제 프로필에서 관찰되기 쉬우나 다른 약물에서는 그렇지 않을 것이다.

그럼에도 불구하고 항우울제와 자살과의 관련성을 걱정할 만한 이유가 있다. "모순적 자살경향성"이라는 현상이 우울증을 앓고 있는 청소년 치료 연구Treatment for Adolescents with Depression Study(March 등 2009)와 같은 기분장애 연구에서 드문 빈도로 기록되었다. 비록 논란의 여지가 있지만 이러한 현상은 우울증의 일부 증상(예, 절망감, 죽음이 삶보다 낫다는 왜곡된 믿음)은 호전되지 않은 채 신체적인 증상 일부만 호전된 결과일 것으로 추측된다(예, 낮은 에너지, 무의욕증).

2003년 봄, 미국 식품의약품안전국(Food and Drug Administration, FDA)과 영국의 해당 기관이 어린이 치료에서 paroxetine (Paxil, Seroxat)을 사용하는 것이 자살행동을 증가시킬 수 있다는 경고를 발령하였다. 똑같은 이유로 어린이를 치료하는데 venlafaxine (Efexor)을 사용하는 것에 대해서도 경고를 발령하였다. 2004년 3월에 FDA는 일부 항우울제로 치료받는 환자들에서 우울증과 자살경향성이 안 좋아질 수 있다는 경고를 발령하였다.

2007년 5월, FDA는 모든 항우울제가 24세 이하의 젊은이들에서 자살사고와 자살행동을 증가시킨다고 결정하였고, 모든 제조사들이 의무적으로 약품 표기에 특별 경고를 포함하도록 하였다. 비록 그 이후에 근거 수준은 뚜렷하게 증가하지 않았지만, 항우울제를 처방하는 임상가는 이러한 경고를 잘 알고 있어야 한다(Friedman 2014). 치료팀에서 함께 협력하고 있는 약물치료자와 정신치료자가 이러한 블랙박스 경고에 대해 잘 알고 있는 것이 중요하다. 당신은 항우울제를 새로 복용하기 시작하는 환자들에서 자살경향성이 증가할 수 있다는 것을 아주 잘 염두에 두고, 항우울제에 대한 새로운 내용이 발표되면 그에 따르도록 해야 한다.

항정신병 약물

항정신병 약물은 정신병적 질환을 치료하는데 필수적인데, 자살경향성 환자에게 좋지 않은 영향을 미칠 수 있다. 일부 항정신병 약물, 특히 1세대 항정신병 약물들은 과다복용시의 문제와 더불어 자살경향성을 악화시키는 부작용 프로필을 지니고 있다. 1세대 항정신병 약물들은 특히 신경학적 부작용의 위험성을 상당히 증가시킬 수 있다. 가장 흔한 부작용은 추체외로 증후군이다.

추체외로 증상 중의 하나로 좌불안석이 있는데, 이는 지속적이고 불편한 안절부절 못하는 느낌과, 계속 움직이려고 하는 강한 욕구, 가만히 앉아있을 수 없는 상태로 설명된다. 좌불안석은 정신병적 질환들을 치료하는 약물 사용으로 발생하는데, 이러한 약물을 다른 적응증(구역 및 구토)을 치료하기 위해 사용하는 경우에도 발생할 수 있다. 사람들은 이러한 부작용을 지속적이고 끔찍한 것으로 경험할 수 있다. 진단과 치료가 되지 않을 경우, 좌불안석은 특히 환자의 치명적인 행동의 원인들 중 하나로 유서에 기록되기도 한다.

또 다른 추체외로 증후군으로 움직임을 시작하는데 어려움을 겪는 운동불능증이 있다. 만성적인 부작용으로 운동불능증은 환자가 둔마되고 무반응적인 모습으로 보이게 할 수 있다. 얼굴 근육이 잘 움직이지 않으며, 보행 중 팔을 정상적으로 흔들지 못한 채 부자연스럽고 기이하게 보인다. 전반적으로 약물로 인해 소통이 어려워지며 사회적으로 고립될 수 있다. 만약 진단 및 치료가 적절히 되지 못하면 좌불안석과 운동불능증 모두 자살경향성을 증가시키는 계기가 될 수 있다.

2세대 항정신병약물은 여러가지 측면에서 약물학적인 진보로 여겨지고 있다. 이들 약물들은 특히 음성증상과 인지기능과 같은 조현병의 일부 증상들에 더 나은 치료 효과를 보인다. 부작용 프로필에서도 1세대 항정신병약물들에 비해 더 낫다. 좌불안석과 운동불능증을 덜 유발하여 최소한 이들 부작용으로 인하여 자살경향성이 증가되지는 않게 한다. 하지만 일부 약물에서 대사 부작용은 자살경향성 환자의 문제를 악화시킬 수 있다는 점에 유의하라. 특히 2형 당뇨병의 시작이 되는 대사증후군과 자존감에 악영향을 끼칠 수 있는 과도한 체중증가는 우려스럽다.

항정신병 약물 중에서 clozapine은 일반적으로 미국에서는 조현병의 3차 치료제로 여겨진다. 대규모 이중맹검 연구에서 조현병 환자에서 clozapine은 olanzapine보다 자살사고와 자살시도를 유의하게 더 감소시키는 것으로 보고되었다(Meltzer 등 2003). 이 연구의 저자들은 칭찬 받아 마땅하다. 이 연구는 잘 설계된 전향적인 약물 연구로서, 자살경향성이 있는 사람들을 대상으로 하여 자살행동을 평가한 것이기 때문이다.

기분안정제

기분안정제는 약물학적 계열이 아닌 효과를 지칭하는 용어로, 양극성장애에서 가장 흔히 사용된다. Lithium은 치료의 기준이 되는 약물로 최초의 기분안정제이다. Lithium과 비슷한 효과를 나타내는 약물로 valproate, lamotrigine, olanzapine, carbamazepine이 있다. 임상적으로 많은 새로운 항경련제, 2세대 항정신병 약물, 기타 약물들이 기분안정 효과를 나타내는 것으로 알려져 있다. 그 중 일부 약물은 기분안정 효과에 대한 적응증을 판단하기 위해 심사 중에 있다. 이들 약물 각각에 대한 논의는 이 책의 범위를 벗어나는 것이다. 만약 당신이 이 약물들을 사용한다면 이들 각각에 대해서 알고 있어야 하며, 자살경향성 환자에게 사용하는 경우에는 이 장의 뒷부분에 있는 지침을 따르라(바로 다음에 나오는 "다약제 요법"을 참조하라).

Lithium은 특별히 논의할 만하다. Lithium은 여러 연구를 통해 일관되게 자살률 감소에 긍정적인 효과를 나타낸 것으로 보고된 유일한 약물이다. 종합적인 종설에서 lithium이 기분장애 환자들에서 장기간에 걸쳐 자살 및 자살시도의 위험성을 낮추는 것으로 밝혀졌다(Lewitzka 등 2015). Lithium은 주로 양극성장애 환자들의 치료에 사용되며, 이 환자들에서 자살률을 낮추는 데 긍정적인 효과를 보인다. Tondo 등(2001)과 Lewitzka 등(2015)은 이러한 lithium 연구에 대한 좋은 종설을 발표하였다.

다른 연구들에서는 ketamine과 그 외 약물들이 자살과 자살행동을 감소시키는데 효과가 있다고 사실상 인정하고 있다. Ketamine은 초기 실험 및 몇몇 사례들을 통해서 매우 가능성이 높은 것으로 보고 있으나 (Al Jurdi 등 2015), 이 책을 집필하고 있는 순간까지도 발표된 무작위대조군 연구는 없다.* Clozapine (Li 등 2015; Meltzer 등 2003)과 lithium (Cipriani 등 2013)은 특정한 진단과 관련하여 자살경향성을 낮추는데 어느 정도의 근거를 지니고 있는 두 가지 약물이다.

다약제 요법

임상가들은 환자가 하나 이상의 정신질환을 진단받고 각각의 질환에 대한 치료를 필요로 할 수 있다는 것에 대해 점점 더 많이 인식하고 있다. 또한 거의 모든 정신약물학 계열에서 새롭고 더 정교한 기전의 약물이 등장함에 따라, 특정한 약물이 각각의 개별적인 증상을 별도로 호전시키는 다양한 촉진 전략의 일환으로 인하여 여러 약물을 동시에 처방하는 경우가 늘고 있다. 일반적으로 환자의 증상이 많을수록 여러 약물을 복용할 가능성이 더 높다. 지극히 흔한 경우로 양극성장애와 경계성 성격장애를 모두 앓고 있는 환자가 다양한 증상과 부작용들을 해결하기 위해 lithium, valproic acid, haloperidol, lorazepam, benztropine, propranolol을 함께 복용하는 경우가 있다.

사려깊은 다약제 요법은 현대 정신의학에서 나름의 역할이 있지만, 그에 따른 위험성도 증가한다. 자살경향성 환자가 여러 가지 다양한 약물을 복용하는 경우가 드물지 않으며 환자가 여러 차례 자살시도를 하거나 다양한 정신질환을 진단받은 경우 특히 더 그렇다. 그래서 다약제 약물 복용과 관련한 위험도 다루고자 한다.

첫째, 일부 환자는 *의료정보가 다른 치료자 및 처방 기관과 공유되지*

---

* Ketamine이 자살사고에 끼치는 영향에 대한 가장 최근의 체계적 문헌고찰 및 메타분석은 다음과 같다. Witt K, Potts J, Hubers A, Grunebaum MF, Murrough JW, Loo C, Cipriani A, Hawton K. Ketamine for suicidal ideation in adults with psychiatric disorders: A systematic review and meta-analysis of treatment trials. Aust N Z J Psychiatry. 2020 Jan;54(1):29-45.

않아서 중복 처방을 받는 경우가 있다. 몇몇 의사들은 다른 이들의 개입에 대한 정보 없이 약물을 처방한다. 저자들 중 한 명은(J.A.C.) 대규모 카운티 병원 환자들 중 약 600명이 다른 클리닉에서도 약을 처방받고 있으며, 그 중 22명은 클리닉 의사로부터 향정신성 의약품(항불안제 혹은 항우울제)을 처방받았음을 확인하였다. 대부분의 경우 이 약물들은 정신건강의학과 차트에 기록되어 있지 않았다. 약물 처방 정보는 병원에서 통합 약물 데이터베이스를 조회하였을 때에만 열람이 가능하였다. 만약 당신이 이들 중 하나의 데이터베이스에 접근할 수 있다면, 환자의 복용 약물을 확인하는데 활용하라.

이와 관련된 이슈로 처방 의사가 치료를 종결하였는데도 약물이 계속 처방되는 경우가 있다. 일부 의사들은 안타깝게도 새로운 약을 추가만 하고 오래된 약들을 빼지는 않는 경향을 지니고 있어서, 일부 약국들은 무기한 리필을 지속한다. 저자들 중 한 명(J.A.C.)은 15년 동안 thioridazine을 처방받아오던 중 지연이상운동증이 발생한 48세 여성을 치료하였다. 밤마다 50mg씩 복용해온 이 약은 처음에는 불면증을 조절하기 위해 처방된 것이었다. 그러다 치료를 하던 의사가 사망하였고, 동네 약국에서는 수년 동안 그 약을 계속 리필하였다. 그 여성은 이 시기에 우울증 치료를 위해 다른 의사들에게 진료를 받았다. 그들 중 아무도 그녀가 계속 항정신병 약물을 복용하고 있다는 사실을 몰랐다. 당신이 이런 환자의 치료를 담당하게 된다면, 다약제 요법이 합리적인 과정에 의해 시행되고 있는지 꼭 확인하라.

다약제 요법에서 두번째로 중요한 것은 부작용을 증폭시킬 수 있다는 것이다. 비공식적인 규칙은 부작용이 나타날 가능성은 각 약물의 제곱씩 늘어난다는 것이다. 두 개의 알약은 한 알의 4배에 해당하는 부작용 가능성이 있고, 세 개의 알약은 9배의 가능성이 있고, 네 알은 16배의 가능성이 있고, 다섯 알(이 때가 당신이 상황을 심사숙고해야 할 때이다)은 25배의 가능성이 있다. 부작용이 알약 개수에 따라 급속히 늘어나는 것과 더불어, 개별적인 부작용 또한 더 악화될 수 있다. 예를 들어, 항콜린성 특성을 지니고 있는 여러 약물들을 복용하는 환자는 심한 변비를 경험할 수 있는데, 이는 종종 보고되지도 않고 자주 물어보지도 않는다.

셋째, 약물은 다른 약물의 약동학적 특성과 다양한 방식으로 상호작용할 수 있는데, 이는 부작용과 비효과적인 약물 농도로 이어질 수 있는 혈중 농도 변동을 유발한다. 당신은 상호작용 문제를 피하거나 해결하기 위해 반드시 처방 약물의 약동학 및 약력학을 이해해야 한다. 비록 약물 상호작용이 흔히 나타나고 잘 알려져 있음에도 불구하고(Wynn 등 2008) 비정신과적 약물에 대한 체계적 문헌고찰에서는 심장질환과 같은 신체질환을 치료하는 약물이 자살경향성에 끼치는 영향은 알려지지 않았다(Gorton 등 2016). 환자가 한꺼번에 3개 이상의 약물을 복용하면 당신이 알고 있는 모든 지식은 거의 쓸모가 없어진다. 이 때에는 다약제 요법이 너무 복잡한 것이 되어서 아무도 무슨 일이 일어날지 모른다.

다음은 다약제 요법과 관련한 어려움을 해결하는데 도움이 될 만한 몇 가지 규칙들이다.

1. 약물을 추가하는 합리적인 이유를 가지고 이를 기록하라. 여기에는 치료할 표적 증상 및 치료 효과를 평가할 도구도 포함하라.
2. 약효가 있는지 판단하기 위해 충분한 용량으로 충분한 기간 동안 약물을 사용하라. 그 약이 효과가 있는지 여부를 확인하기 위해 환자가 처음에 처방받은 약을 용법대로 복용하고, 치료 농도가 유지되고, 충분한 기간 동안 유지하였다고 확신하기 전까지는 새로운 약물을 추가하지 마라.
3. 효과를 측정하기 위해 반응 척도를 사용하라. 만약 효과가 없는 것 같으

면 약물을 중단하라. 혹시 가능하면 부정적인 반동이나 금단 현상을 피하기 위해 서서히 감량해서 중단하라.

4. 새로운 약의 효과를 평가하기 위해 환자가 가급적 적극적인 역할을 할 수 있게 하라(예, 임상 연구 과정에 환자의 평가를 포함시킨다).

5. 가능하면 한 번에 하나의 약만 변경하라. 2–3개는 고사하고, 약 한 개를 추가하거나 뺀 효과를 측정하는 것만으로도 충분히 어렵다.

단지 자살위기가 있다는 이유만으로 새로운 약을 추가하는 것에 주의하라. 자살경향성이 다시 나타나는 것이 꼭 치료가 안 되고 있음을 의미하는 것은 아니다. 자살경향성은 괴로움을 반영하는 하나의 임상적 "징후"로 간주되어야 하며, 비록 효과적이지는 않아도 문제해결의 관점으로 봐야 한다. 자살경향성은 이 책 전반에 걸쳐 기술된 치료 철학에 반영된 것처럼 건설적으로 다루어야 한다.

마지막 규칙: 3장("자살행동의 기본 모형")에서 우리는 자살경향성과 관련된 문제들을 평가하는데 3개의 *I*를 제시하였다. 다음에 나오는 3개의 *A* 는 약물을 평가하기 위한 것들이다:

- *적절성Appropriateness*: 진단이 정확한가? 그 약물은 해당 질환에 대한 올바른 치료제인가? 다중약물요법의 경우 각각의 약물을 처방하는 합당한 이유가 있는가? 약물이 효과적인가? 적절한 반응 기준이 사용되고 있는가?
- *순응도Adherence*: 환자는 지시대로 약물을 복용하고 있는가? 만약 그렇지 않다면, 이유는 무엇인가?
- *이상작용Adverse effects*: 약물의 부작용을 알고 환자에게 물어보라. 일반적으로 부작용을 조기에 인지할수록 훨씬 더 다루기 쉬워진다.

사례관리의 축소판: 약물치료자-정신치료자-환자의 삼각형

협력적 치료 방식은 점점 보편화되고 있고(Riba와 Balon 2017), 많은 환자들이 정신치료자와 약물치료자 모두에게 치료를 받는다. 이 장의 첫번째 항목인 "약물과 자살경향성 환자"에서 우리는 치료자들 간의 경쟁이 아닌 협력을 강조하는 철학을 기술하였다. 최선의 경우 약물치료자-정신치료자-환자로 구성된 치료의 삼각형은 두 명의 치료자들의 관점이 함께 포함된 완전하고 잘 조화된 프로그램을 제공한다. 최악의 경우에는 한 명의 치료자가 의도하든 의도하지 않든 다른 치료자에 반대하는 입장에 서게 된다. 삼각관계에서의 성공은 제공되는 치료 유형의 역할과 책임이 명확히 정의되어야 가능해질 수 있으며, 지속적인 소통과 협력도 필요하다. 환자는 자신이 참여하게 되는 치료에 대해 사전에 동의해야 한다. 각각의 치료자에 대한 비용을 포함한 다양한 치료기관의 방침이 환자에게 명확하게 제공되어야 한다. 양쪽 치료자 모두 그들이 위급한 상황을 어떻게 다루고 두 명 모두 대응할 수 없는 상황에서는 어떻게 처리해야 할지에 대해 사전에 조율되어 있어야 한다. 치료자들 사이에 환자의 개인정보 보호를 제한하는 것에 대해 논의해야 하며, 치료자들은 정기적으로 서로에게 자문을 구할 것이라는 점에 대해 명확히 설명해야 한다. 양쪽 치료자들 모두 서면으로 기록을 남겨야 한다.

  삼각 조합의 치료모형을 구성하는 데 기본 원칙은 어떤 치료자도 다른 치료자에게 직접 치료 과정을 맡기면 안 된다는 것이다. 환자는 다른 치료자에게 자문을 받기 전에는 절대 자신이 누군가로부터 약물치료나 정신치료를 받게 될 것이라는 확신을 해서는 안 된다. 의뢰는 항상 다음과 같은 방식으로 진행되어야 한다. "그거 좋은 생각인 것 같네요. 그 선생님은 어떻게 생각하시는지 한번 알아보죠."

두 번째 규칙은 약물치료자와 정신치료자의 목표를 통합하여 치료계획을 수립해야 한다는 것이다. 다시 말하면, 양쪽 치료자들 모두 의식적으로 환자에 대한 통합된 치료계획을 수립하려는 시도를 해야 한다. 대부분의 경우에는 약물이 중요한 역할을 하지만, 자살경향성 환자의 치료에서는 2차적 역할에 그친다. 따라서 정신치료자가 전반적인 치료계획을 책임져야 한다. 마지막 규칙은 치료의 궁극적인 목표에 대한 결정을 책임지는 것은 치료자의 몫이라는 것이다.

치료 과정에서 더 불안정하고 파괴적일 수도 있는 순간은 한 치료자가 다른 치료자의 치료가 환자에게 도움이 되지 않는다고 생각할 때 일어난다. 이러한 시나리오는 대부분의 치료자들에게 개인적으로 익숙한 다양한 형태로 나타난다. 약물치료자가 정신치료가 근거가 없고, 헤매고 있고, 너무 드물게 진행되어서 환자에게 거의 도움이 안 된다고 생각할 수 있다. 의사인 약물치료자는 환자의 어려움을 다룰 수 있는 정신치료자의 역량에 대해 의구심을 가지기 시작할 수 있다. 동시에 환자는 정신치료자에 대한 강한 라뽀와 배려심을 느낄 수 있는데, 이는 치료가 효과가 있는지 평가하는 것을 극도로 어렵게 만들 수도 있다.

또 다른 흔한 시나리오는 의사가 정신치료자가 환자에게 약물을 사용하는 방법에 대해 조언을 하거나, 약효가 없다고 판단해서 환자가 약물을 중단하도록 수동적으로 권장하는 방향으로 이끌어 간다고 믿는 것이다. 반면, 의사가 아닌 치료자가 보기에는 약물치료의 효과가 없는 것 같음에도 불구하고 의사가 계속해서 처방을 유지하여 종종 좌절감을 느끼기도 한다.

더 근본적인 어려움은 정신질환 치료에 있어 약물치료의 효과에 대한 전반적인 의구심이다. 정신치료자는 환자가 약을 요구하고 해당 약물이 특정한 진단에서는 효과가 있다는 근거에도 불구하고 모든 약물치료를 강하게 반대할 수 있다. 정신치료자는 이 의제를 안건으로 다루기보다는, 약물치료에 대한 환자의 순응도를 교묘히 방해해서 수동적으로 약물치료자의 기반을 약화시킬 수 있다.

또 다른 시나리오에서 정신치료자는 약물치료자와 환자와의 상호작용이 어떤 식으로든 정신치료자가 하는 치료를 약화시킨다고 느낀다. 정신치료자는 환자가 오직 약을 처방받이기 위해서 약물치료자에게 가는 것이라고 여겨오다가, 약물치료자가 환자에게 문제에 대한 대처 방법을 조언해줄 때 자신의 영향력이 약화된다고 느낄 수 있다. 정신치료자는 이러한 약물치료자의 조언을 치료에 도움이 되지 않는 것으로 인식할 수 있다.

이러한 골치 아픈 상황에 대한 해결책은 명확하다. 두 치료자들이 치료가 어떻게 진행되고 있고, 전문적인 책임의 한계가 어떻게 맞닿고 있는지에 대해 서로 자문을 구하는 것이다. 안타깝게도 이러한 전문적인 상호작용은 수행하기 어려울 수 있다. 결과적으로 이러한 상호작용은 자주 그리고 쉽게 피하게 된다. 좋은 치료자들은 이러한 유형의 협의를 자신들의 윤리적 책임의 일부로 인식해야 한다. 일반적으로 치료자의 자아가 위태로워지더라도 환자의 복지를 우선시 해야 한다. 이러한 유형의 상황에서 또 다른 어려운 측면은 동료 사이에 대립이 발생하면 환자가 치료자들을 분리한 것처럼 비난을 받을 수 있다는 것이다. 즉 기본적인 전문가적 경계가 설정되지 못한 상황을 설명하기 위해 환자가 조작적인 성향이 있는 것으로 간주할 수 있다. 이 점을 명시하라: 만약 두 치료자들 사이에 어떤 분리도 존재하지 않는다면, 환자가 분리시키는 일은 없을 것이다.

요약

- 약물은 자살사고와 자살행동을 지니고 있는 일부 환자들을 치료하는데 도움이 될 수 있다.
- 특정 향정신성 약물을 시작하고 중단하는 것은 자살경향성을 악화시킬 수

있다.

- FDA에 의하면 모든 항우울제는 24세 이하의 젊은 사람들에게서 자살사고와 자살행동을 증가시킬 수 있다.
- 약물은 정신질환의 증상을 효과적으로 치료하고 있을 때에도 상당한 부작용을 유발할 수 있다.
- 일부 약물을 과다복용시 치명적일 수 있다.
- 블랙박스 경고에 주의를 기울이고, 환자들이 약을 많이 모으지 못하도록 단기간씩 약물을 처방하는 것이 현명하다.
- 약물치료자, 정신치료자, 환자는 긍정적인 작업 동맹을 맺고 분리와 잘못된 의사소통을 피해야 한다.

읽어볼 만한 문헌

Chiles JA, Carlin AS, Benjamin GAH, et al: A physician, a nonmedical psychotherapist, and a patient: the pharmacotherapy-psychotherapy triangle, in Integrating Pharmacotherapy and Psychotherapy. Edited by Beitman BD, Klerman GL. Washington, DC, American Psychiatric Press, 1991, pp 105–118

Riba MB, Balon R, Roberts LW (eds.): Competency in Combining Pharmacotherapy and Psychotherapy: Integrated and Split Treatment, 2nd Edition. Arlington, VA, American Psychiatric Association Publishing, 2018

참고문헌

Al Jurdi RK, Swann A, Mathew SJ: Psychopharmacological agents and suicide risk reduction: ketamine and other approaches. Curr Psychiatry Rep 17(10):81, 2015 26307033

American Psychiatric Association: Diagnostic and Statistical Manual of Mental Disorders, 5th Edition. Arlington, VA, American Psychiatric Association, 2013

Barr Taylor C: How to Practice Evidence-Based Psychiatry: Basic Principles and Case Studies. Washington, DC, American Psychiatric Association Publishing, 2010

Braun C, Bschor T, Franklin J, et al: Suicides and suicide attempts during long-term treatment with antidepressants: a meta-analysis of 29 placebo-controlled studies including 6,934 patients with major depressive disorder. Psychother Psychosom 85(3):171–179, 2016 27043848

Chiles JA, Miller AL, Crismon ML, et al: The Texas Medication Algorithm Project: development and implementation of the schizophrenia algorithm. Psychiatr Serv 50(1):69–74, 1999 9890582

Cipriani A, Hawton K, Stockton S, et al: Lithium in the prevention of suicide in mood disorders: updated systematic review and meta-analysis. BMJ 346:f3646, 2013 23814104

Friedman RA: Antidepressants' black-box warning—10 years later. N Engl J Med 371(18):1666–1668, 2014 25354101

Gorton HC, Webb RT, Kapur N, et al: Non-psychotropic medication and risk of suicide or attempted suicide: a systematic review. BMJ Open 6(1):e009074, 2016 26769782

Healy D: Lines of evidence on the risks of suicide with selective serotonin reuptake inhibitors. Psychother Psychosom 72(2):71–79, 2003 12601224

Lewitzka U, Severus E, Bauer R, et al: The suicide prevention effect of lithium: more than 20 years of evidence-a narrative review. Int J Bipolar Disord 3(1):32, 2015 26183461

Li XB, Tang YL, Wang CY, et al: Clozapine for treatment-resistant bipolar disorder: a systematic review. Bipolar Disord 17(3):325–347, 2015 25346322

March J, Silva S, Curry J, et al: The Treatment for Adolescents with Depression Study (TADS): outcomes over 1 year of naturalistic follow-up. Am J Psychiatry 166(10):1141–1149, 2009 19723787

Meltzer HY, Alphs L, Green AI, et al: Clozapine treatment for suicidality in schizophrenia: International Suicide Prevention Trial (InterSePT). Arch Gen Psychiatry 60(1):82–91, 2003 12511175

Riba MB, Balon R (eds): Psychopharmacology and Psychotherapy: A Collaborative Approach. Washington, DC, American Psychiatric Publishing, 2017

Tondo L, Hennen J, Baldessarini RJ: Lower suicide risk with long-term lithium treatment in major affective illness: a meta-analysis. Acta Psychiatr Scand 104(3):163–172, 2001 11531653

Wynn GH, Oesterheld JR, Cozza KL, et al: Clinical Manual of Drug Interaction Principles for Medical Practice. Washington, DC, American Psychiatric Association Publishing, 2008

반복적인 자살경향성 환자

고위험 환자에 대한 개입 전략

치료자의 입장에서 반복적으로 자해하는 환자를 진료할 때 생기는 일들을 마주하는 것보다 더 큰 도전은 별로 없을 것이다. 현재 의료 시스템으로는 치명적이지 않은 과다 복용, 만성적인 자기절단self-mutilation, 혹은 근치사적 자살시도 등을 반복하는 환자들을 관리하는 데 어려움이 있다. 이 환자들은 치료자들 사이의 갈등의 근원이 될 수 있고, 제한된 의료 자원을 불균등하게 더 많이 사용하게 되기도 한다. 이들은 치료자의 이론적 및 실제적 가정들을 시험할 수 있고, 서비스 전달시스템의 빈틈을 들춰낼 수도 있다.

신체건강 및 정신건강 관리 시스템에서 반복적인 자살경향성 환자들은 여러 차례 마주치게 된다. 응급의학과 의사는 경험 많은 정신치료자 만큼이나 이러한 환자를 많이 대하고 좌절감을 느낀다. 1차의료 의사는 병동에서 근무하는 정신건강의학과 의사만큼이나 이들에게 큰 부담을 느낀다. 다시 말해서 이러한 유형의 자살경향성 환자들이 보이는 딜레마에는 무언가 공통점이 있다. 만성 자살경향성 환자에 대한 체계적인 대응은 흔히 잘 이루어지지 않는데, 그 이유 중 하나는 오직 자살예방과 법적책임 감소에만 주의를 기울임으로써 효과적인 치료가 제한되기 때문이다.

반복적인 자해 환자는 종종 경계성 성격장애 진단을 받는데, 이는 경험이 많은 정신치료자도 등골이 오싹하게 만드는 꼬리표이다. 하지만 우리는 이러한 환자들을 진단적 용어로 표현하는 데 한계가 있다고 본다. 다양한 기술 및 기능적 역량을 보유하지 못한 환자라는 관점으로 보는 것이 더 임상적으로 유용하다. 이들은 인지, 감정, 행동, 사회적 기능이 광범위하게 부족하기 때문에 다문제multiproblem 환자로 여기는 편이 낫다. 그들은 흔히 우울, 불안, 무감동, 지루함, 외로움, 죄책감, 분노 등의 괴롭고 원치 않는 감정들을 다스리거나 견디는 데 어려움을 겪는다. 괴롭고 원치 않는 감정, 생각, 기억, 충동 등을 수용하지 못하는 것은 부적응적 대처 방식들이 넘쳐나게끔 하는 주요 원동력이다. 부적응적 대처방식 대부분은 정서적 및 행동적 회피 전략이다(예, 음주, 약물, 긋기, 자살사고). 우리는 그들을 "감정적 회피 기계"로 여긴다. 왜냐하면 이들은 일과 중 너무 많은 부분을 괴롭고 원치 않는 개인적인 경험을 피하는데 할애하기 때문이다.

다문제 환자들이 사회 및 대인관계 기능에서도 상당한 어려움을 경험하는 것은 그리 놀랍지 않다. 어떤 유형의 관계도 복합적이고 고통스럽고 감정적인 경험들을 유발할 수 있다. 다문제 환자들은 혼자 있을 때 정신적 고통에 대처하는 데 사용하는 똑같은 유형의 회피반응들을 대인관계에도 사용할 것이다. 결과적으로 그들은 건강한 대인관계를 형성하고 유지하는 데 어려움을 겪는다. 또한 그들은 치료 과정을 온통 일반적이거나 사귀는 관계를 형성하고 유지하는 것과 관련된 갈등 문제들로 가득 채울 수도 있다.

일상생활 수준에서 다문제 환자들은 만성적이고 부정적인 정신적 사건들(예, 슬픔, 불안한 반추, 자기비판적 생각, 외상적 기억, 자살충동)에 맞서 싸우는 것과 일상적인 사회적 기능에 필요한 최소한의 요구수준을 충족시키는 것 사이에서 위태로운 균형을 유지한다. 내적 및 외적 사건들이 부정적 감정을 고조시켰을 때 다문제 환자들은 해리 행동, 환청 및 망상과 같은 정신병적 증상, 물질사용에 의한 유사정신병적 증상을 나타낼 수 있다. 다문제 환자는 종종 한 곳에 머무르거나 고립된 생활방식을 유지하여 자기초점적 주의self-focused attention를 기울이는데 과도한 시간을 소비한다. 동시에 이들은 자기초점적 인식의 부산물인 불쾌한 정신적 상태를 다스리고 견디는 데 어려움을 겪는다. 이러한 자기조절 능력의 실패는 그로 인한 극단적 대처 방식들과 더불어 치료자가 다문제 환자를 대할 때 반드시 예상하고 다루어야 하는 고위험 행동 패턴들의 핵심 양상이다.

다문제 환자들은 종종 치료적therapy-wise인데, 그 이유는 대개 여러 차례 치료에 참여했다가 그만두기를 반복하며 치료자가 흔히 시행하려는 것들을 모두 알고 있기 때문이다. 따라서 이들은 가장 숙련된 치료자들이 시행하는 개입에 대해서도 미리 예상하거나 무력화할 수 있다. 이러한 환자들의 행동, 인지, 감정적 문제의 개수와 심각도는 치료자는 물론이고 환자의 사회적 지지망 역할을 하는 사람들을 좌절하게 만든다. 어느 시점에서든 환자가 수많은 기능적 영역들에서 공통적으로 실패하면, 치료에서 실천계획을 수립하기가 어렵다. 게다가 일명 "금주의 위기"로 불리기도 하는 파괴적인 고위험 행동들의 존재는 치료의 연속성을 약화시키고 치료적 관계를 시험한다. 치료자의 입장에서 당신은 환자가 테이블 위에 1만 개의 퍼즐 조각들을 엎질러 놓고 이제 당신에게 다시 맞춰 달라고 요구하는 것처럼 느낄수 있다. 당신은 부담에 짓눌려 어디에서부터 어떻게 시작해야 할지 모른

채 시작하자마자 패배감을 느끼게 될지도 모른다. 퍼즐 비유를 계속 해본다면, 환자의 일상생활의 무질서한 속성은 마치 잘 맞춰져 있는 수백개의 조각들을 분리해서 탁자 위에 다시 흩뿌리는 것과 같다.

반복적인 자살경향성 환자들의 외래 치료 효과에 대한 연구 결과들이 우리가 알고 있는 것과 많은 차이를 보이는 것은 그리 놀랄 만한 일이 아니다. 긍정적인 면에서 보면, 최근의 연구들은 수용, 마음챙김, 그리고 가치기반의 개입들이 반복적인 자살행동의 심리적 과정들에 일부 긍정적인 영향을 줄 수 있음을 밝혀냈다(Gratz와 Gunderson 2006; Linehan 1993; Linehan 등 1991; Strosahl 2004). 하지만 받아들일 수 없을 정도로 높은 중도 탈락율이 확인되었고, 활용 가능한 최선의 치료는 자살시도의 횟수와 치명도를 낮출 뿐, 자살시도들을 완전히 사라지게 하는 정도까지 효과가 있지는 않았다. 본질적으로, 우리는 이 불행한 사람들을 돕는 것에 대해 우리가 알고 있는 모든 것들을 우리가 알지 못하는 것들과 기꺼이 바꿀 것이다. 이를 명심한 채로 반복적인 자살행동의 치료를 위한 균형 있고 전체적인 접근으로 이어질 수 있는 일련의 치료 원칙들을 제시하고자 한다.

자살, 자살시도, 그리고 준자살행동

임상적 구전 지식으로는 궁극적으로 자살로 사망하는 환자, 자살할 의도로 자살시도를 하는 환자, 그리고 자살할 의도 없이 비치명적인 자살 제스처를 하는 환자들을 구분하는 것이 가능하다고 본다. 이러한 임상적 신화 myth는 치료자와 환자 사이에 불필요한 대립을 유발하고, 치료적 동맹을 심각하게 훼손시키며, 최악의 경우 당신이 치료하는 누군가의 자살 위험성에 대해 심각하게 잘못 평가할 수 있기 때문에 더 깊이 들여다볼 필요가 있다.

준자살행동parasuicide이라는 용어는 원래 영국의 연구자이자 임상가인

Norman Kreitman(1977)이 처음 사용한 말이다. Norman Kreitman에 따르면, 성공 여부를 떠나서 죽는 것 이외의 다른 이유로 자살행동에 끌리는 사람과 죽으려는 의도를 지니고 있는 사람 사이에는 임상적인 차이가 있다. Kreitman의 구분에 따르면 후자의 집단에 자살시도자들이 속하며, 전자의 집단에 준자살행동 환자들이 속하게 된다. 이들 집단이 어떻게 다를 수 있는지에 대한 다양한 추정이 제기되었다. 예를 들어, 준자살행동 환자들은 치사량에 명백히 못 미치는 분량의 약물 과다복용을 하는 등 치명도가 낮은 방법을 사용하고, 발견될 확률이 높은 여건에서 실행을 하는 특징이 있었다(즉, 저위험/고구조 상황들). 반대로 자살시도자들은 대량의 약물을 과다복용하는 등의 더 치명적인 방법들을 사용하고, 발견되지 않도록 노력하는 것으로 묘사되어 왔다. 만약 연구자들이 준자살행동을 하는 사람들을 심각한 자살시도자들로부터 구분할 수 있다면 중대한 임상적 이정표가 마련될 수 있을 것이다. 즉, 임상가들은 이러한 발견들을 통해 더 치명적인 형태의 자살행동을 하는 환자들을 파악할 수 있게 될 것이다.

시간이 흐르는 동안 준자살행동과 자살시도 사이를 구분하는 것의 임상적 효용성은 입증되지 않았다. 높은 자살 의도를 지닌 환자들과 끝내 중환자실에서 치료받게 된 환자들은 서로 다를 수 있다. 예를 들어, 외상적으로 관계가 깨진 뒤 언뜻 보기에 안전한 일반약을 충동적으로 과다복용한 것이 애초 본인의 의도보다 한참 더 나아가 시한부 삶이나 생명을 위협하는 장기이식을 요하는 상황 및 죽음까지 초래할 수 있다. 이들 집단을 구분하는 데 임상적 평가는 매우 부정확하다. 문제해결 수단으로서 자살의 가치와 정서적 고통을 견딜 수 있는 환자의 능력을 제외한다면, 자살경향성의 다양한 상태들 간의 차이는 별로 없었으며, 심지어 단지 자살에 대해 생각만 하는 환자와 어떤 형태로든 자살행동을 한 환자도 구분하기 어렵다.

문제해결의 프레임워크에서 자살행동은 정서적 괴로움을 통제하거나 없애는 방법이다. 자살 의도를 적게 가지고 있던 많은 환자들이 불장난을 하다가 죽는다. 그들은 의식적으로 죽고자 하는 의도를 적게 가지고 있었을 것이고, 아마도 그들의 행동은 괴로움을 표현하거나 누군가로부터 도움을 구하기 위한 목적이었을 것이다. 반대로 자살 의도를 강하게 지니고 있는 환자들은 자살로 죽기 위해서는 모든 것이 다 맞아떨어져야 하며 수만 가지 것들이 잘못될 수 있다는 것을 알게 된다. 심장을 겨눈 총알은 빗나가고, 목을 메려는 줄은 끊어지며, 지나가는 행인이 거의 죽기 직전의 사람을 발견해서 구조하기도 한다. 이러한 점들을 고려하면, 어떤 형태의 자살행동도 치명적일 수 있다는 결론에 이르게 된다. 자살행동의 잠정적인 치명도 수준을 가지고 환자들에게 꼬리표를 달려고 시도하는 것은 부정확할 뿐만 아니라 중대한 개입 오류를 유발할 수 있다.

그럼에도 불구하고 준자살행동의 개념은 약물 과다복용에 대한 영국인들의 대응에 강한 영향을 끼쳐 왔고(모든 자살시도의 70%를 차지), 우리가 기술한 문제해결 및 학습에 기반한 프레임워크에 확연히 부합하는 개입 전략들로 이어졌다. 한 예로, 대규모 자연 연구에서 단기 약물 과다복용 치료실과 같은 대안적인 치료를 설계하고 시험하였다. 이 접근에서 고의로 약물을 과다복용해서 병동에 입원한 환자들은 오직 의학적으로만 평가되고 안정화되며, 곧바로 퇴원해서 외래치료로 연계된다. 이러한 전략은 기본적으로 자살행동을 비강화적인 사건으로 만들고, 환자로 하여금 현실적인 문제해결을 할 수 있는 평상시 환경으로 되돌아가게 한다. 흥미롭게도 영국의 의료 시스템에서는 수십년 동안 이러한 낮은 강도의 접근을 성공적으로 사용해왔고, 그렇게 함으로써 오래된 미국식 위험관리 수칙을 깨뜨렸다(종설은 Hawton 등 1998을 보라).

다문제 환자에 대한 기능적 맥락적 관점

반복적인 자살경향성 환자를 효과적으로 치료하기 위해서 치료자는 환자의 문제들에 대해 환자를 비난하는 작용을 할 수 있는 진단적 꼬리표(예, "그는 성격장애 환자여서 이렇게 관심을 끌려고 하는 거야.")에 중점을 더 적게 둘 필요가 있다. 그보다 오히려 쓸모없는 행동 패턴을 계속해서 유지하게끔 하는 심리적 기능들을 이해하는 데 더 많은 에너지를 쏟아야 한다. 다문제 환자는 표 7-1에 요약되어 있는 것처럼 네 개의 뚜렷한 비기능적인 행동 패턴을 보인다.

표 7-1. 다문제 환자에 대한 4가지 정의

만연한: 다양한 유형의 상황에서 동일한 부적응적 대응을 한다.
  예: 분노를 다룰 때에도 동일한 기본 전략을 사용한다 (예, 자신 혹은 타인에 대한 충동적 행동)

지속적: 오랜 시간 동안 역기능적 대처가 지속된다.
  예: 단기간의 감정적 편안함이나, 감정은 해롭고 경우에 따라 치명적일 수도 있다는 규칙에 기반한 행동들을 끊임없이 행한다.

저항적: 부정적인 결과에도 불구하고 역기능적 대응을 바꾸지 않는다.
  예: 어떤 행동적 대응이 대개 어려움을 가중시키는 편이라 하더라도, 미래의 상황에서 여전히 그 행동을 반복한다.

효용성 없는: 환자의 대응은 가치 있는 삶의 목표에 다가가는 것이 아니라 오히려 그로부터 더 멀어지게 만든다.
  예: 행동이 가치와 의미에 상응하지 않는다. 오히려, 정서적 괴로움으로부터 회피하고 단기간의 안도를 증진시키는 규칙에 따라 행동한다.

만연한 행동

만연한 삶의 어려움들을 지니고 있는 환자들은 단지 몇몇 특정한 상황에서만 역기능적인 것이 아니다. 그들은 광범위한 상황에 걸쳐 효과가 없는 행동을 한다. 그들은 어떤 상황에서 어떤 대응이 효과적인지 인식하지 못하도록 하는, 모든 것에 우선시되고 매우 일반화된 믿음과 규칙 세트의 그물에 걸려 있다. 이러한 분별 없음은 행동 레퍼토리를 제한한다. 예를 들어, 분노를 유발하는 대인관계 갈등에서 각각의 상황에 따른 차별화되고 독특하고 핵심을 더 잘 다루기 위한 최적화된 대응을 하는 대신, 그 분노가 무엇에 대한 것이든 누구와 관련된 것이든 얼마나 강렬하든지 상관 없이 다똑같은 방식의 기본 대응을 한다. 저자들의 환자 한 명이 치료 시간에 이렇게 말한 적이 있다. "저는 화내지 않아요." 그렇게 함으로써 그녀는 많은 지인들의 행동에 대해 합리적으로 대응할 수 있는 여지를 전부 없애 버렸다.

개인적인 기능(예, 개인적인 문제해결, 괴로움 감내, 대인관계 효과)의 핵심 영역에서 기술이 부족한 것이 반응 레퍼토리를 협소하게 만들기도 한다. 이러한 문제들은 아동청소년기의 외상, 방임, 빈약한 가정환경에서 기원하는 경우가 많다. 많은 연구들에서 다문제 환자가 높은 비율로 신체 및 성적 학대를 포함한 아동기 외상 경험이 있다고 보고하였다(Battle 등 2004). 게다가 부정적 아동기 경험에 대한 연구에서는 이 환자들이 부모의 정신질환, 약물 중독, 알코올 중독, 가정폭력 등과 같은 역기능적인 여건에서 자라왔을 가능성이 높음을 밝혀냈다(Dube 등 2001). 이러한 환경들에서 모방할 수 있는 문제해결 방식의 특징은 자기반영, 감정조절, 정서적 괴로움의 수용과 같은 중요한 심리적 전략을 거의 사용하지 않는 충동적이고 자기 패배적인 행동이다. 그 결과 환자는 턱없이 협소한 대처방식을 폭넓은 삶의 상황들에 적용하면서 사춘기를 보낸다. 환자는 오직 한 가지 방식으로 대응하는 법만 배웠기 때문에 질적으로 다른 상황들에서도 같은 행동 반응만 보인다.

부모, 형제, 그 외 가족 구성원들에게 늘 학대와 방임을 당한 아이가 단지 자신이 살아 있다는 것을 확인하기 위해 충동적으로 행동하거나, 수동성과 자기고립으로 대처해 나가기 시작하는 모습을 상상해볼 수 있다. 이제 성인기로 바로 넘어가보자. 그는 어른이 되어 직장 상사나 동료로부터 받는 비판에 충동적이고 공격적인 태도로 대응하거나, 혹은 더 이상의 어떤 부정적인 감정도 회피하기 위해 그냥 나가버린다. 그 결과 그는 해고된다. 그의 행동 패턴은 하나의 맥락에서 살아남기 위해서는 필수적이었지만, 모든 상황에 무분별하게 적용되게 되면 더 이상 효과가 없다.

흥미롭게도 반복적인 자살행동을 하는 모든 사람들이 학대와 역경의 아동기를 보낸 것은 아니다. 일부 연구들은 경계성 성격장애 진단기준에 부합하는 성인들의 25%에서는 그런 환경적 영향이 없음을 보고하였는데, 이는 신경생물학, 유전, 신경발달적 요인들이 반복적인 자살행동에 중요한 영향을 끼침을 뜻한다. 이 결과들은 환자들이 괴로움에 대해 제한된 대처 기술들을 지니고 있는 것에 대해 겸허하게 접근해야 함을 되새기게 한다. 당신의 역할은 형사나 판사가 아님을 명심하라. 당신의 임무는 환자의 경험과 욕구를 충분히 인정하고, 현재적 관점에서 건설적이고 유연하며 비판단적으로 환자를 치료하는 것이다. 환자의 행동의 원인과 상관없이 당신의 임무는 환자가 지니고 있는 회복탄력성과 변화할 수 있는 역량을 기르는 것이다.

지속적인 행동

다문제 행동 패턴의 대표적인 특징은 끊임없는 부정적 피드백에도 불구하고 오랫동안 지속된다는 것이다. 문제 행동이 지속되는 두 가지 주된 기전은 다음과 같다. 첫 번째는 일부 고위험 행동이 강력하고 부정적인 정서적 상태를 일시적으로나마 가라앉히는 효과를 발휘한다는 것이다. 회피 전략의 이러한 단기적 결과는 부정적인 장기적 사회적 결과보다 더 효과가 크다. 치료자는 단기적인 감정적 편안함과 장기적인 활력이 서로 제로섬 관계에 있다는 중요한 사실을 인식하지 못할 수 있다.

두 번째 기전은 부정적인 감정적 경험은 해롭다는 문화적 규범에 과도하게 동일시하여 그에 대한 즉각적인 통제나 제거를 필요로 하는 것이다. 이 규범을 따르는 대부분의 다문제 환자는 즉각적이고 극단적인 수단을 찾는다. 다문제 환자는 흔히 금지된 느낌을 감정적으로 인식하는 것은 죽는 거나 마찬가지라고 말한다. 이들에게 금지된 느낌은 은유적 표현이 아니라 문자 그대로 사실이다.

저항적 행동

다문제 행동 패턴의 또 다른 중요한 특징은 부정적인 장기적 결과에 대한 저항성이다. 부정적인 결과들이 반복되고 새로운 행동 패턴을 적용하게끔 하는 사회적 압력에도 불구하고 이러한 역기능적 행동 패턴은 변하지 않는다. 다문제 환자들의 이러한 특징은 치료자를 큰 어려움에 빠지게 만든다. 삶은 무너져 내리고 환자는 극심한 정서적 고통에 빠진다. 왜 환자는 이렇게 명백하게 효과가 없는 행동을 바꾸지 못하는, 혹은 바꾸려고 하지 않는 것일까?

다시 말하지만 일단 문화적으로 주입된 작위적인 규범과 명령의 지배를 받는 행동이 성립되어 반복적으로 강화되면, 현실세계에서 변화하는 수반성에 둔감해진다는 것이 문제다. 유연하고 효과적으로 대응하기 위해서는 각각의 특별한 상황의 수반성에 접촉하며 그에 따라 행동을 조정해야 한다.

안타깝게도 다문제 환자들은 단순하고 확고불변한 규칙들로 넘쳐나는 정신세계에서 살고 있다. 이 곳에서는 규칙을 준수하는 것이 효과가 없으면 부당한 것이며, 규칙이 효과가 없는 것은 개인의 부족함과 성격적인 결함으로 설명된다. 문제를 더 복잡하게 하는 것은 다문제 환자들 자신이 그런 규칙을 따르고 있는지조차 모른다는 것이다. 이들은 종종 이러한 규칙들을 거의 시비조로 선언한다. 마치 다른 가능한 선택지들은 전혀 없는 것처럼 말이다. 다음의 예들은 당신이 회기 중에 들어 봤음직한 내용이다.

- 저는 단지 제가 느끼는 방식에 대한 통제력이 필요해요. 그러면 저는 제가 원하는 대로 살 수 있을 테니까요.
- 만약 사람들이 저에게 상처주는 것을 멈추면 더 나아질 수 있어요.
- 저는 제가 느끼는 방식을 견딜 수 없어요… 더 나은 기분을 느끼기 위해 애쓰는 것도 이제는 지쳤어요.
- 고통스러운 감정들이 저를 망치려고 하기 때문에 그걸 없애야 해요.
- 저에게 중요한 것은 딱 한가지, 바로 제 느낌에 대한 통제력이에요.
- 저는 슬픔[격노, 외로움, 지루함, 죄책감]을 느끼지 않을 거에요. 그걸 견딜 수가 없거든요.

위에서 예로 든 내용들은 규칙의 중요한 속성을 보여주고 있는데, 바로 환자들이 규칙을 절대적인 것으로 여긴다는 것이다. 이렇게 고도로 일반화된 규칙은 우리가 살고 있는 문화에 의해 강하게 조형된다. 우리 대부분은 이러한 규칙을 접하고, 어느 정도는 뒤로 물러나 나름의 관점을 형성한 뒤 그에 따를지 말지 결정한다. 하지만 다문제 환자는 이러한 규칙을 삶을 살아가는 데 있어 절대적인 명령으로 여긴다. 이는 논리적인 수준의 문제가 아니라, 정신적으로 구성된 규칙이 환자의 직접적인 경험까지 지배함을 의미한다. 규칙을 따르는 행동이 그로 인한 결과를 관찰하는 것보다 더 중요하기 때문에 실패한 상황에서 다음과 같이 그럴듯한 변명을 한다. "나는 내가 해야만 하는 것을 하는데 필요한 것을 가지고 있지 않다. 나에게는 [자신감, 다른 사람들의 지원, 지식, 의지력]이 더 많이 필요하거나, [우울, 불안, 자기혐오, 분노]가 더 적어야 하며, 그렇게 될 때 비로소 다른 사람들과 마찬가지로 행복해질 수 있을 것이다.

효용성 없는 행동

우리는 어떤 의미로 실행효과 없는unworkable이라는 용어를 사용하는 것일까? 간단히 말하자면, 효용성 없는 행동은 환자의 가치에 상응하는 삶의 결과를 만들어 내지 못하는 것이다. 반대로 효용성 있는 대응은 생동감, 목적의식, 의미를 고취시킨다. 다문제 환자들은 글자 그대로도 그렇고 비유적으로도 그렇고 삶이 자신들을 쥐어짜게 만든다. 이들은 한번에 강렬한 감정적 고통에 빠지며, 역설적이게도 그와 동시에 심리적으로 무감각하다. 만약 당신이 치료하는 다문제 환자에게 이렇게 물어본다면, "만약 갑자기 기적이 일어나서 당신이 더 이상 감정적 고통과 힘겹게 싸우지 않아도 된다면, 어떤 삶을 살고 있을 것 같습니까?" 환자는 아마도 이렇게 대답할 것이다. "모르겠어요." 지속적이고, 과도하고, 효용성 없는 규칙을 지키는 사람들은 결국 이러한 텅 빈 목적지에 다다르게 된다. 이들에게 삶이란 규칙을 따르는 것이지, 현재에 충실하거나 생동감 있는 삶을 살아가는 것이 아니며, 심지어 그렇게 하는 것은 때때로 감정적 고통을 유발하기도 한다. 환자는 개인적 가치와 목표의 입장에서 삶의 어려움들에 대처하지 못한 채 감정 및 행동적인 회피를 촉진시키는 규칙들 속에서 길을 잃게 된다.

규칙을 지키는 것은 환자로 하여금 우발적인 상황들에도 고정불변하게 만들기 때문에, 실패를 되짚어 볼 때에도 규칙 자체의 실질적인 효용성은 점검하지 않는다. 다른 사람들이 행복하고 그들의 우울, 불안, 플래시백, 기타 등등을 통제할 수 있는 것처럼 보이는 것이 다문제 환자들에게 얼마나 좌절감을 주는 것인지 공감적으로 진술하는(사실로 간주하는) 것을 흔히 들을 수 있다. 그래서 환자는 1) 충분히 열심히 노력하지 않고, 2) 변화를 만들어내는 데 필요한 의지나 성향이 부족하거나, 3) 무능하고 서툴다.

이러한 예들은 모두 더 심한 정서적 고통과 자기혐오를 만들어 낸다. 결국 이러한 자기증폭 과정은 환자의 삶의 공간을 눈사태처럼 휩쓸어버린다. 사람은 눈 밑에 덮여 있고, 단지 생존을 위해 가쁜 숨을 쉬고자 노력할 뿐이다. 당신의 목표는 환자가 자신이 따라 왔던 효용성 없는 규칙들을 하나씩 이해하고 변화시킴으로써 그 덫에서 빠져나오게 도와주는 것이다.

다문제 환자 치료하기

지금까지 우리는 다문제 행동 패턴을 기능 및 행동적 관점에서 분석하였다. 치료자로서 우리는 효용성 없는 행동을 똑같이 계속 반복하는 사람들을 치료하게 될 것이다. 그들은 자신들이 따르는 규칙의 지배를 받는데, 종종 특별히 중요한 기술이 부족해서 그렇게 행동하기도 한다. 이는 특히 감정조절과 수용에 필요한 기술이 부족할 때 더욱 그렇다. 우리의 치료 기법은 환자가 위험도 높은 감정적 회피 행동을 덜 사용하고, 효과성 없는 규칙을 따르면서 입게 되는 손해를 이해하고, 비상사태를 통제할 수 있는 대처 방법을 개발하며, 개인적 가치에 기반한 전념행동 유형을 만들어 나가도록 구성되어 있다. 당신이 치료를 시행하면서 유념해야 할 4단계 접근 및 핵심 주제들이 표 7-2에 제시되어 있다.

표 7-2. 반복적인 자살경향성 환자에 대한 ACT 접근

1단계: 수용적이고, 호기심 있고, 비판단적인 자세를 취한다

- 고위험 행동의 기능을 재구성한다.
  · 고위험 행동이 나타날 때 이를 판단하기보다는 연구한다.
  · 감정적 고통으로부터 도망치려는 충동을 정상화한다.
  · 비난하기보다는 "대처 능력"을 강조한다.
- 환자의 감정적 고통을 다음 두 개의 대안을 탐색할 수 있는 기회로 활용한다: 수용(기꺼이 하기)과 통제(투쟁)

2단계: 효용성에 초점을 맞춘다.

- 환자가 행동을 추동하는 규칙을 알아차리게끔 한다.
- 규칙의 신성함에 대한 확신을 깨트린다.
- 판단 기준으로 효용성을 도입한다(어떤 것이 효과가 있고 어떤 것이 효과가 없는가).
- 환자가 언뜻 합리적으로 보이지만 효과가 없는 감정적 회피 규칙들로부터 벗어나게끔 도와준다.
- 효과가 있는 것을 찾아보기 전에 먼저 효과가 없는 것을 중단하게끔 한다.

3단계: 자기수용, 기꺼이 하기, 현재순간 인식하기 기술들을 개발한다.

- 기꺼이 하기, 괴로움, 효용성 간의 관계를 연구한다.
- 회피적 대응을 필수가 아닌 선택으로 재구성 한다.
- 기꺼이 하기를 실천할 수 있는 작은 것들을 찾아본다.
- 환자가 효용성 없는 규칙으로부터 멀어지는 것을 돕기 위해 비판단적 인식을 활용한다.
- 자기혐오 대신 자기자비를 실천한다.

4단계: 가치기반의 전념행동을 증진한다.

- 환자가 삶의 기본 영역들에서 가치 있는 목적을 명료화하는 것을 돕는다 (가치 명료화).
- 환자가 가치기반 목표를 개발하도록 돕는다.
- 가치기반 행동 및 그로 인해 축적되는 작은 성과들을 강조한다.
- 심리적 장애물을 넘어 실천을 계속하기 위해 수용을 활용한다.

1단계: 수용적이고, 호기심 있고, 비판단적인 자세를 적용하라

당신이 최우선적으로 해야 할 것은 어느 정도 치료 효과가 나타날 때까지 환자가 치료에 참여할 수 있도록 동기를 부여하는 것이다. 다문제 환자들에 서의 치료 탈락율은 매우 높으며, 환자가 회기에 참여하지 않으면 어떤 치료법도 소용이 없다. 치료자와 환자 요인을 모두 다루어야 한다. 우선 치료자의 측면에서 당신은 환자의 감정적 자포자기를 반복적으로 인정하고 환자의 행동을 병리에 근거한 프레임으로 설명하지 않도록 해야 한다. 골칫거리인 고위험 행동들의 문제해결적인 속성을 강조해야 한다. 그 행동들은 감정적 고통을 조절하는 합당한 방법인 것이다. 모든 고위험 행동을 부정적 사건을 위한 공간을 마련하는 것과 부정적 사건을 없애는 것 사이의 선택으로 재구성하라. 순간순간마다, 회기의 안과 밖에서 모두 환자의 자기파괴적인 행동과 대결하는 것을 피해야 한다. 고위험 행동을 도덕적으로 판단하기, 환자를 가르치거나 비하하기, 고위험 행동을 과도하게 금지하려는 시도는 부정적이고 역효과만 나는 전략들로써 반드시 피해야 한다. 이 단계는 협력적인 치료적 관계를 구성하고, 환자의 감정적 고통과 효용성 없는 대응 방식에 대해 수용적 입장을 견지하며, 환자가 현실적인 문제의 범위와 속성을 바라보도록 도와주는 것을 지향한다.

환자의 입장에서 당신은 환자가 만성적인 감정적 회피 행동들로 인한 손해를 체감할 수 있도록 해야 한다. 다음과 같은 질문들을 활용해보라.

- 이것(회피 행동)이 당신의 삶의 목표에 영향을 끼쳤나요?
- 살면서 해보고 싶었지만 지금은 너무 멀어져 버린 것만 같은 것들이 있었나요?
- 이 행동은 당신이 지니고 있는 가치에 어떻게 부합하나요?

- 그것은 당신이 되고자 하는 모습에 얼마나 일치하는 것인가요?

목표는 환자가 개인적 가치와 감정적 및 행동적 회피 간의 관계를 생각
해 보게끔 하는 것이다. 설령 마음 속에서 끊임없이 회피적 대응을 하도록
부추겨도, 궁극적으로 감정적 및 행동적 회피는 효과가 없다는 결론을 내
려야 한다. 그렇게 함으로써 충동적 행동을 미연에 방지하고, 개인적 고통
을 해결하기 위한 문제들에 대해 더 의식적이고 온전한 마음으로 접근할
수 있는 공간을 마련할 수 있다. 치료 초반에 그런 행동의 대가를 체감하게
하는 것은 매우 중요한 동기부여 강화 전략이다.

2단계: 효용성에 집중하라

수용전념치료acceptance and commitment therapy, ACT에서 중요한 것은 정신적 규칙
의 정확성과 유용성에 대한 환자의 확신을 약화시키는 것이다. 당신은 환자
와 함께 조각보patchwork quilt처럼 덮여 있는 규칙들과 이와 관련한 삶의 경험
들인 환자의 이야기를 공격한다. 이야기는 환자가 오로지 회피 행동에만 의
존하고, 회피 행동의 장기적 단점들은 다루지 않은 채 오직 단기적 이득에
만 중점을 두는 이유들로만 이루어져 있다. 또한 규칙을 따르는 이유에 대
한 중요한 단서를 제공해주기도 한다. 환자는 당신에게 아동기 학대나 관계
의 상실, 애정 없는 부모, 실패한 삶의 목표에 대한 고뇌 어린 이야기를 할
지도 모른다. 이야기의 어디쯤에선가 당신은 환자가 어떻게 해서 그런 괴로
움에 이르게 되었는지, 감정적 회피 행동이 왜 필연적이고 정당한 대응인지
에 대한 환자의 가정들과 맞닥뜨리게 될 것이다. 이야기에 깔려 있는 테마
는 환자가 특정한 종류의 부정적인 개인적 사건들(예, 플래시백, 분노, 참기
힘든 느낌)을 견딜 수 없거나 견디지 않으려고 한다는 것이다. 이야기는 기
본적인 사회적 목적을 위해 기능하기 때문에 대부분의 이야기들 간에는 구

조적 유사성이 있다. 이야기는 만성적인 역기능적 행동을 옹호하고 그 필요성을 정당화할 것이다. 이야기를 논리의 관점에서 반박하지 마라. 그저 이야기에서 얼마나 다양한 요소들이 고위험 정서적 회피 행동의 필요성을 합리화하기 위해 서로를 끌어당기는지에 대해서 감만 잡으면 된다.

환자의 이야기의 맥락 안에서 효과적으로 개입하는 방법은 효용성의 개념을 활용하는 것이다. 효용성은 환자의 대응이 생동감이나 목적, 의미를 증진시키는지 여부에 따른 척도이다. 이 개념은 환자와 논쟁을 하는 그런 것이 아니다. 어차피 여기서 펼쳐지는 것은 당신의 삶이 아니고, 환자는 무엇이 효용성 있는 삶을 이루는지에 대해 상당히 다른 생각을 가지고 있을 수 있다. 대개 효용성은 다음과 같은 식으로 물어본다.

> 치료자: 자, 제가 이해한 대로라면 당신은 문제 X를 지니고 있고, 그 다음에는 Y를 느낀 뒤, 문제 X와 감정 Y에 대한 반응으로 행동 Z를 합니다. 행동 Z는 당신이 삶에서 목적과 의미를 지니며 살아가는 사람이 되도록 촉진하는데 어떤 도움이 되고 있나요?

그런 다음 환자가 질문에 대답하게 하라. 우리는 이 질문을 온갖 유형의 임상 상황에서 수없이 많이 사용한다. 이 질문은 치료가 교착 혹은 대립하게 되는 것으로부터 벗어나는데 매우 효과적인 방법이다. 치료가 교착될 것 같은 느낌이 들 때에는 항상 뒤로 돌아가 대화를 실행효과에 대한 것으로 바꿔라.

이 시점에서의 치료는 환자가 지니고 있는 실행가능성 없는 변화의 의제를 불러내는 것이 중요하다. 환자는 아마도 이렇게 생각하고 있을 것이다. "내 삶에 대한 통제력을 가지려면, 먼저 내 느낌[기억, 침습적 생각, 불쾌한 신체적 감각]에 대한 통제력을 가져야 해." 이러한 접근의 문제는 환자가 자신의 감정에 대한 통제력을 가지기 위해서는 삶을 의미 있는 방식으로 추구하는 것을 포기해야 한다는 전제도 가지고 있다는 것이다. 아기돼지 3형제 동화를 예로 들 수 있다. 이 동화에서 셋째 돼지는 늑대를 확실히 못 들어오게 하기 위해 벽돌로 집을 지었다. 그리고 두 마리의 돼지 형제들도 그 집으로 피신해 들어왔다. 하지만 그들이 안전하게 지내는 것의 대가로 치룬 것은 무엇인가? 삶은 늑대로부터 안전해지기 위해 벽돌집 안에 웅크리고 있는 집안이 아닌, 밖에서 그들을 기다리고 있다. 비록 늑대가 돼지들을 저녁식사로 먹지 못한다는 것을 알고 다른 곳으로 떠났어도, 돼지들이 은신처를 벗어나 바깥 세상을 탐색하지 않으면 늑대가 갔는지 안 갔는지 모를 것이다. 어떤 고위험 행동의 경우도 정확히 이러한 관점으로 해체할 수 있다. 다시 말하지만 이는 환자와 언쟁을 벌이는 것 같은 것이 아니다. 우리가 맞고 환자가 틀리다는 것을 보여주려는 시합을 하고 있는 것이 아니다. 그저 환자가 사건들에 대응하는 방법들 사이에 시간과 상황에 무관한 공통점이 있는 것 같다고 비판단적으로 언급하면 된다.

3단계: 자기수용, 기꺼이 하기, 현재순간 인식하기의 기술 개발하기

환자가 감정적 통제 전략들이 효과가 없는 것 같다고 자발적으로 보고하기 시작할 때가 바로 대안을 제시해야 할 순간이다. 이 대안은 괴롭고 원치 않는 생각, 느낌, 충동, 기억을 수용하고, 개인적인 고통의 시간 동안 자기자비를 이루며, 동시에 가치와 목적으로 충만한 삶에서 이루고자 하는 것들을 실행하는 것이다. 이 단계에서는 두 개의 중요한 테마가 있다.

첫 번째 테마는, 고통스러운 감정 안으로 기꺼이 들어가는 것은 각 상황에 따른 선택이라는 것이다. 기꺼이 하기와 정서적 괴로움은 역설적인 관계에 있다. 원치 않는 감정을 경험하게 되는 것은 어떻게든 그것을 피하려는(즉, 내키지 않는 상태) 최선의 노력에도 불구하고 정말 외상적이다. 한편

피하려고 애쓰지 않은 채 그냥 수용한다 하더라도 괴롭고 원치 않는 개인적 경험은 외상적이다. 고통은 인간 존재의 자연스러운 구성 요소이다. 고통 자체는 해로운 게 아니다. 인체 기관은 느끼는 것을 느끼고, 생각하는 것을 생각하고, 기억하는 것을 기억하도록 만들어졌다. 파괴적인 것은(고통이 아니라) 괴롭고 원치 않는 정서적 경험이 위험하거나, 해롭거나, 줄어들 것이라고 암시하는 규칙을 따르면서 생겨나는 회피 행동이다.

당신은 환자가 기꺼이 하는 수준과 괴로워 하는 수준, 그리고 삶의 효용성 사이의 관련성을 각 상황 별로 살펴보며 환자가 이러한 역설을 긍정해 나가도록 도와줄 수 있다. 당신이 깨달아야 할 가장 중요한 것은 기꺼이 하기는 벽에 걸린 상장처럼 계속 그 상태로 머물러 있지 않는다는 것이다. 기꺼이 하기와 수용은 계속되는 과정이다. 때때로 우리는 기꺼이 하고 수용할 것이고, 때로는 그렇지 않을 것이다. 환자가 이러한 생각을 규칙만 따르는 경직된 시스템 속에 넣어버리지 않도록 해야 한다. "제 문제는 어렸을 때 학대받은 것이고, 그래서 기꺼이 할 수 있는 능력을 충분히 갖고 있지 않아요. 선생님께서 제게 하신 말씀은 만약 제가 기꺼이 더 고통을 느끼려고 한다면, 제 고통이 줄어들 거라는 거잖아요." 만약 환자가 위와 같이 말한다면, 당신은 이렇게 대답해야 한다. "네, 기꺼이 하기는 아무런 투쟁이나 방어 없이 거기에 있는 것을 드러내고, 그것이 되려는 것을 허용함을 의미합니다. 하지만 당신의 고통이 사라진다는 보장은 없습니다. 오히려 더 심해질 수도 있고요. 기꺼이 하기로 존재하는 것은 일어나는 일들을 기꺼이 내버려 두는 것입니다."

두 번째 단계는 환자가 가장 고통스러운 개인적 경험들 속에서도 현재에 충만하고, 초연하고, 비판단적이고, 자기자비를 배울 수 있도록 도와주어야 한다는 것이다. 매 회기마다 다양한 경험적 연습, 은유, 마음챙김 전략들을 활용하는 것이 중요하다. 환자에게 개인적인 경험의 내용을 마땅히 그래야 한다고 알려져 있는 모습이 아닌, 있는 그대로의 모습으로 바라볼 수 있는 위치가 있음을 가르쳐주는 것이 좋다. 환자는 이렇게 떨어져 있는 공간에서 부정적 감정, 불쾌한 생각, 괴로운 기억, 거슬리는 신체적 감각과 같은 정신적 경험들에 반응하지 않고 알아차릴 수 있다.

비판단적 초연함의 또 다른 중요한 측면은, 환자가 가혹하고 부정적인 자기평가에 충동적으로 빠져드는 것에서 벗어나 고통을 부드럽게 여기는 것을 실천할 수 있는 공간을 마련해준다는 것이다. 가혹하고 자기거부적인 평가와 관련된 정서적 괴로움의 두번째 파동을 만들어 내는 대신, 이제 환자는 이렇게 물어볼 수 있다, "만약 제가 그 상황으로부터 도망가지 않는다면, 거기에 어떻게 대처하죠?" 이에 대한 대답은 상황별로 다르지만, 일반적으로는 다음과 같다. "당신의 가치에 따라 행동하는 느낌이 커지는 방향으로 행동하세요." 이 단계에서 만약 기술이 부족한 환자라면 개인적인 문제해결, 주장하기, 대인관계, 갈등해소 기술을 배움으로써 효과를 볼 수 있다. 환자가 이러한 기술이 회피나 단기간의 감정 통제가 아닌, 다가가고 해결하기 위한 것임을 이해하면 곧바로 한 개 이상의 고전적인 기술 훈련을 시작하라.

4단계: 가치기반의 전념행동을 증진하라

치료가 진행되어 감에 따라 환자는 다음과 같은 기본적인 의문을 가질 수 있다. "만약 내가 느끼는 것을 피하기 위해서가 아니라면, 대체 나는 무엇을 위해 사는 것일까?" 당신의 목표는 환자가 이 질문에 대한 답을 찾도록 도와주는 것이다. 이 이슈를 다루는 데 우리가 선호하는 방법들 중 하나는 이렇게 물어보는 것이다. "당신의 삶이 무엇을 의미하기를 바라시나요? 바로 지금 당신의 행동은 그런 삶의 유형과 일치하나요?" 당신은 안에 있는 사람을 깨워서, 가능한 최대한 끌어내려고 애쓰고 있다. 삶에서 무엇인가를 의미하는 것은 삶에 참여하는 일부이자 자잘한 것들인 고통과 괴로움을 정당화함으로써 감정적 수용에 대한 동기를 부여해주기 때문에 매우 중요하다. 우리는 단지 환자가 고통스러운 것들을 접해야 한다는 이유로 그것들을 껴안으라고 가르치려는 것이 아니다. 그건 가학적일 수 있다. 그보다는 환자가 어려움을 극복하고 가치에 기반한 실천을 할 수 있게 해주기 때문에 수용이 중요한 것이다. 환자는 분노를 가치 있는 방식으로 행동하지 않는 이유로 활용하는 대신, 분노를 위한 공간을 마련하고 인간으로서 자신의 가치에 부응하는 방식으로 행동할 수 있다. 가치부여는 자유로운 인간 행동으로 나타난다. 가치는 확실한 것들이 아니므로 환자는 대처 방법을 선택하게 된다. 인간 존재에서 가치는 단지 가정적인 부분에 불과하다. 가치에 기반한 행동은 환자가 규칙에 따르는 지배구조에서 벗어나게 해준다. 이는 환자가 삶의 상황과 역경을 변화시키는데 더 유연하게 적응하게 해준다.

치료에서는 환자가 제한된 범위 내에서 긍정적인 행동에 기반한 목표를 실행하도록 도와주는 것이 중요하다. 가치에 기반한 문제해결의 질은 행동의 규모나 중요성이 아니라, 환자가 자발적으로 행동을 선택하는 정도에 따라 정해진다. 따라서 겉보기엔 변화의 정도가 작아도 환자의 자기효능감을 증진시키고 성공의 분위기를 조성하게 해주는 행동 변화부터 시작하는 것이 좋다. 예를 들어, 저자들 중 한 명(J.A.C.)은 감정적으로 격앙될 때마다 자신의 손목을 긋기를 반복해온 여성 환자를 치료하고 있었다. 그녀가 동의한 초기 목표는 감정적으로 격앙될 때 아무 것도 안 하고 3분 동안 기다리는 것이었다. 3분이 지나면 그녀가 원하는 경우 손목을 그을 수 있었다. 그녀는 이것을 할 만한 것으로 여겼고 고통스러운 감정을 경험하는 순간에 어떻게 가만히 앉아 있을지에 대한 귀중한 수업을 받았다. 시간이 지나면서, 당신의 환자는 모든 종류의 상황에서 가치 있는 행동을 시작하게 될 것이다. 이 여성 환자의 경우 3분이 지난 뒤 자신이 느끼는 강도에 약간의 변화가 생긴 것을 알아차릴 수 있었고, 손목을 긋기까지 10분을 기다리기로 스스로 마음 먹었다. 이는 자해 행동의 빈도를 줄이는데 상당한 효과를 가져왔고 자기통제감을 극적으로 증가시켰다.

재발에 주의하라

이 지점에서 주의해야 하는 것은 모호한 형태로 환자의 이야기가 다시 모습을 드러내는 것이다. 만약 그 이야기가 자신을 망가지게 만든 학대, 방임, 애정결핍 중 하나라면 환자는 이런 의문을 가질 것이다. "활력 있고 목적 있는 삶을 사는 것이 대체 왜 중요한가?" 목적이 있는 삶을 사는 것은 환자의 삶에 등장하는 악역들이 틀리지 않다는 것을 수용하고 따라서 어떤 비난도 하지 못하게 만든다. 이는 견디기 힘든 부담일 수 있다. 우리는 의미 있는 삶을 살아야 하는 새로운 가능성을 마주한 환자들이 재발해서 심각한 고위험 행동 패턴이나 회기 결석, 중도 탈락을 보인 경우를 봐 왔다. 또한 유일한 삶의 이유는 외상에서 살아남는 것이라고 여기는 환자들도 봐 왔다. 더 온전한 삶을 살기 위해 외상과 생존에만 급급한 삶을 넘어서는 것은 자기부정으로 경험될 수 있기 때문에 위험한 것이다.

환자들은 자신들의 이야기에 애착을 지니고 있고 자신들이 그 이야기로 정의된다고 느끼는 경우가 종종 있다. 5장("자살경향성 환자의 외래 치료")에서 언급하였다시피, 지그문트 프로이트가 했던 말인 오래된 유적이 다시 흔들린다는 말은 맞다. 자연스럽게도 환자가 더 많은 심리적 유연성을 보일 수록 과거의 고통, 외상, 비난, 책임이 자신의 가치에 따른 삶을 선택하는 것을 어떻게 방해할 수 있는지 얘기하는 것을 중요시 여긴다. 이에 대해 흔히 던져볼 수 있는 질문은 이것이다. "만약 당신이 더 나아져서 좋은 삶을 영위한다면 비난의 굴레에서 벗어날 수 있는 사람은 누구일까요?" 이러한 맥락에서는 용서에 대해 얘기하는 것이 유용하다. 단, 가해자에 대한 것이 아닌 자기 자신에 대한 행동으로서 말이다. 이는 용서*forgiveness*의 라틴어 어원이 의미하는 바인 죄*transgression*를 짓기 전에 스스로 은혜를 베푸는 것이다. 환자가 해야 할 일은 나쁜 행동을 용서하거나 그런 것들을 행한 사람들을 좋아하는 것이 아니라, 자신이 성장할 수 있도록 스스로 허락해주는 것이다.

성공의 팁

수용적이고, 호기심 있고, 비판단적인 태도를 적용한다.
- 환자의 필사적인 감정을 반복적으로 인정하고, 효용성 없는 행동을 병리기반으로 설명하지 않는다.
- 환자가 만성적인 감정적 회피 행동의 대가를 체감하게 도와준다.

효용성에 초점을 맞춘다.
- 환자의 대처 행동은 항상 그것이 환자의 활력, 목적, 의미를 증진시킬 수 있는지를 참조하여 평가한다.
- 치료의 어려운 순간 동안에는, 임상적 대화를 효용성에 대한 것으로 바꾼다.

자기수용, 기꺼이 하기, 현재순간 알아차리기 기술을 발달시킨다.
- 고통스러운 감정의 존재 속으로 기꺼이 들어가는 것은 각각의 생활 상황에 따른 선택임을 확고히 한다.
- 환자가 개인적 경험의 가장 고통스러운 측면에 대해서도 온전한 정신을 쏟고, 초연하고 비판단적이고, 자기자비적이 되는 법을 배우도록 돕는다.

> - 환자가 가혹하고 자기부정적 평가로 인한 2차적 감정적 괴로
>   움을 겪는 대신 이렇게 질문할 수 있음을 깨닫도록 도와준다,
>   "만약 내가 이 상황으로부터 달아나지 않는다면, 어떻게 대처
>   할 수 있을까?"
>
> 가치에 기반한 삶에 전념하는 것을 증진시킨다.
> - 환자가 수용의 중요성을 이해하도록 돕는다: 이는 환자가 어
>   려움을 극복하고 가치에 기반하여 살아가도록 해준다.
> - 환자가 해야 하는 것은 지난 죄나 외상적 사건을 잊거나 그런
>   것들을 행한 사람들을 좋아하는 것이 아니라, 생동감 있고
>   목적이 있는 삶으로 넘어갈 수 있도록 스스로를 허락해주는
>   것임을 이해하도록 도와준다.

다문제 환자 치료를 위한 임상 전략

다문제 환자의 치료에 관여하는 복잡한 대인관계 역동을 고려할 때 당신과
환자 사이를 멀리 떨어뜨릴 수 있는 많은 잠재적 요인들이 있음을 파악하
는 것이 중요하다. 이러한 복합성을 관리하는 것이 당신의 일이다. 만약 당
신이 이 장에서 다루는 간단한 지침들을 따른다면, 훨씬 수월하게 임무를
수행할 수 있을 것이다.

환자의 눈으로 세상을 바라보기

우리는 임상 경험을 통해 치료자가 다문제 환자들의 내면 세계와 관계하는
것을 어려워 한다는 것을 알게 되었다. 치료자는 더 기능적인 환자에게 적
용할 수 있었던 것과 똑같은 연민, 공감, 이해를 지닌 채로 다문제 환자를
바라보는 것이 어렵다고 느낄 수 있다. 아마도 이러한 어려움은 자해나 자
살행동과 같은 특정한 고위험 행동들에 대한 불편함, 법적 소송에 대한 두
려움, 효과가 없을 것에 대한 걱정 등으로 인한 것일 수 있다. 이유가 무엇

이든 치료자가 환자의 세계관에 대해 전혀 감을 잡지 못하면 치료가 효과를 보기 어렵다. 만약 환자의 삶의 맥락이 치료를 통해 재창조될 수 없다면 치료자의 세계관이 삶의 맥락으로 사용될 것이다. 치료자가 진료실에서 자신의 관점을 가지고 있는 것은 중요하지만 그것이 지배적인 관점이 될 수는 없다. 세계가 어떻게 구성되어 있는 것 같은지에 대한 환자의 관점이 지배적인 관점이어야 한다. 세상을 환자의 눈으로 바라보고, 환자들이 자신들의 경험을 이해하고 행동을 설명하고 정당화하는 데 사용하는 개인적인 논리와 접촉할 수 있어야 치료를 잘 할 수 있다.

많은 다문제 환자들은 외상으로 가득 찬 환경에서 자라왔기 때문에 현실 세계에서 생존하고 성장하는 데 필수적인 기술들을 배울 기회가 거의 없었다. 그들은 경험을 통해 세상이 우호적인 곳이 아니며 사람들을 믿을 수 없는 존재로 여기게 되었다. 그들은 부모, 친척, 형제, 혹은 다른 사람들로부터 받은 유해한 메시지를 반영하는 자신과 관련된 믿음과 미래에 대한 암울한 전망을 발전시킨다. 대부분의 치료자들은 이러한 끊임없는 부정적 성향이 사람에게 끼칠 수 있는 영향력을 잘 이해하지 못한다.

환자와 치료자가 서로 공유할 수 있는 지식을 만들어 내는데 도움이 되는 경험적 연습으로, 환자가 당신과 함께 영화를 보러 가는 것을 상상해보게 하는 것이 있다. 표를 구입한 뒤 당신과 환자는 상영관으로 들어가기 전에 매점으로 가서 팝콘 한 개와 다른 먹을거리를 살 것이다. 관람객들 중에는 다른 사람들도 있지만 당신과 환자는 한 가운데 자리를 잡을 수 있다. 당신과 환자는 예고편을 보며 어떤 것이 인기가 있고 어떤 것이 인기가 없을지에 대해 의견을 나눈다. 이제 영화가 시작된다. 허구적인 내용이 아니라 환자가 어렸을 때부터 극장에 영화를 보러 온 순간까지의 환자의 삶에 대한 이야기다. 비록 환자의 전체 삶이 묘사되어 있지만 주로 어린 시절부터의 고난, 외상, 어려움들을 강조하고 있다. 이런 질문들을 떠올려보자. 당신은 환자의 캐릭터에 대해 어떤 느낌이 드는가? 이렇게 직접적이고 즉각적인 방식으로 환자의 고통과 고난을 지켜보는 것이 얼마나 어려울 것 같은가? 환자가 왜 부적응적인 행동을 하게 되었는지 알 수 있겠는가? 이러한 행동이 단기간에는 생존에 필수적이었을 지는 몰라도, 똑같은 행동이 장기적으로는 얼마나 역기능적일지 알 수 있는가?

치료자는 표 7-3에 나와 있는 환자들이 경험하는 가장 흔한 믿음들의

표 7-3. 다문제 환자가 흔하게 지니고 있는 세상과 자기와 관련한 믿음들

세상에 대한 믿음

더 중요한 일일수록, 더 적게 일어난다.
좋은 일을 기대하면 나쁜 일이 생긴다.
부정적 생각과 감정은 파괴적이다.
괴로운 와중에는 삶을 지속해 나갈 수 없다.
바꿀 수 있는 유일한 방법은 단지 달라져야 한다고 마음먹는 것뿐이다.
실수를 하면 그로 인해 벌을 받을 것이다.
괴로움을 해결하는 목표는 그것을 없애는 것이다.
삶은 기본적으로 예측 불가능하고 불공평하다.
다른 사람들로부터 해를 당하기 전에 먼저 그들에게 손을 써라.

자기에 대한 믿음

나는 근본적으로 결함이 있다.
나는 행복할 가치가 없다.
나는 잘 하지 못하는 것은 전혀 안 할 것이다.
나는 내가 왜 지금 이대로인지 혹은 왜 달라질 수 없는지 그 이유를 이해해야만 한다.
나는 아마 언젠가는 자살하게 될 것이다.
나는 부적격자다.
나는 영원히 과거로부터 피해를 입을 것이다.
만약 내가 감정을 내버려두면, 미쳐버릴 것이다.
나는 사랑받거나 호감을 살 자격이 없다.

일부를 파악함으로써 환자의 삶의 맥락을 더 잘 파악할 수 있다.

표 7-3에 나와 있는 대로, 다문제 환자들의 일상에서 멋진 것은 거의 없다. 그들의 삶은 정서적 고통, 삶의 요구에 부응하기 위한 끊임없는 투쟁, 그리고 대인관계 갈등이나 고립으로 요약된다. 끊임없이 불쾌함을 유발하는 세상에서 생존을 위한 규칙은 간단하다. 만약 무언가 특정한 상황에서 고통을 경감시키는 데 도움이 되면, 장기적인 결과를 고려하지 않은 채 그 방법을 계속해서 반복적으로 사용하게 된다. 장기적인 목표는 *미래를 생각하는 사람들을 위한 것이다.* 이 단순한 규칙에 매여 있는 사람들에게는, 어떤 대응도 행동들만큼 빨리 효과를 나타내지 못한다. 고위험 행동들 대부분은 억눌려 온 좌절과 불안을 해소하고, 다른 사람들로 하여금 환자가 갈구해왔던 관심과 보호를 제공하고자 하는 욕구가 들게 하며, 종종 고통스럽고 가망 없던 삶의 상황에서 벗어나게 도와준다. 치료자로서 당신이 환자가 바라보는 식으로 세상을 바라볼수록 더 편안히 환자가 고군분투하는 것을 다루게 될 것이다.

환자가 "장차 … 이 되도록" 하라

당신의 환자는 구제불능 상태로 망가진 것이 아니다. 환자는 단지 감정적 회피를 통한 자기보존에 중점을 둔 효용성 없는 변화 의제의 덫에 빠져 있을 뿐이다. 이러한 인본주의적 관점은 환자가 "대응-가능하다response-able"는 사실을 존중한다. 말 그대로 환자가 아무리 심각하고 다루기 힘든 상황에 처해 있어도 가치 있는 행동들을 실천할 수 있는 것이다. *대응 가능한 것*(고대 영어에서 이 용어의 문자 그대로의 의미는 죽지 않고 살아 있는 것이다)과 *책임이 있는responsible* 것 사이를 구분하는 것이 중요하다. 후자의 용어는 행동의 옳고 그른 측면을 시사하며 따라서 치료에서 비난을 촉진시킨다. 대응-가능하게 되는 것의 개념은 어떤 상황에서도 선택할 수 있는 능력이 있음을 인정하는 것이다. 선택할 수 있는 능력은 환자의 행동에 존엄성을 부여한다. 이와 관련한 핵심 전략은 환자에게 선택할 수 있는 공간을 마련해주는 것이다. 설령 그 선택이 오래되고 건강하지 못한 행동들에 기반한 것일지라도 말이다. 실제로 당신이 최선의 노력을 다 하더라도 환자는 건강하지 못할 수 있으며, 따라서 환자가 "장차 … 되도록" 해주어야 한다. 예를 들어, 고위험 행동이 치료 중에 발생할 수 있다는 것을 예측함으로써 고위험 행동을 중단하는 이슈를 선점하는 것이 유용하다. 당신은 고위험 행동이 권력 투쟁을 유발하지 않을 것이라는 점도 전달한다. *만약 고위험 행동이 발생한다면, 발생하는 것이다. 우리는 그로부터 배울 것이고 치료는 계속될 것이다.*

환자가 어떤 행동을 했든 그 안에서 긍정적인 요소들을 찾아 강화하라. 방금 약물을 과다복용한 환자를 비판하기보다는 자살경향성 삽화 동안 나타났던 어떤 긍정적인 생각과 행동들에도 관심을 쏟아라. 약물 과다복용 이전에 했던 문제해결 행동들을 찾아서 환자가 이를 시도한 것에 대해 크게 칭찬하라. 예를 들어, 다른 사람들에게 도움을 구하기 위해 연락하려는 시도, 감정적 괴로움을 줄이려는 행동, 그 외 환자가 힘든 시기를 극복하기 위해 했을 법한 모든 건강한 기법들을 찾아라. 자살경향성 삽화를 더 효과적인 문제해결로 이끌려고 했던 어떤 노력이라도 전부 칭찬하라. 만약 환자가 다른 사람들에게 연락하려 하지 않고 생각만 했다면, 최소한 대안적인 전략을 생각이라도 했다는 것을 칭찬하라.

막다른 상호작용을 피하라

다문제 환자를 치료하기 위해서는 당신이 고려하는 어떤 대응도 더 안 좋게 만들 것 같은 어려운 상호작용을 헤쳐 나가는데 능숙해져야 한다. 우리는 "어려운 환자" 같은 것은 없다고 믿는다. 단지 어려운 상호작용이 있을 뿐이다.

다문제 환자들은 실패와 대인관계에서의 실망을 예상하는데 익숙해져 있다. 따라서 도움을 위한 거의 모든 시도에 대해 곧바로 도와주는 사람의 역량이나 진정성을 폄하하는 반응을 보인다. 그들은 50-50-99 규칙의 신봉자들이다. 즉, 만약 무언가 나쁜 일이 생길 확률이 반반(50-50) 이라면, 백 번 중에 아흔아홉(99) 번은 나쁜 일이 생길 것으로 믿는 것이다. 환자는 고위험 및 자기파괴적 행동이 마치 안전 담요라도 되는 것처럼 집요하게 매달리는 경향이 있으며, 실패와 거절에 지나치게 민감하여 대안적인 문제해결을 실습하는 것조차도 너무 위험한 것으로 여긴다. 이들은 대인관계에서 거절을 예상해 왔기 때문에 거절이나 유기가 임박한 징후를 보이는 어떤 행동에도 극도로 예민하다. 비록 이러한 주제의 모든 변주들을 전부 예측하는 것은 불가능하더라도 치료의 성공은 대체로 상당 부분 당신이 보이는 반응의 일관성과 질에 의해 결정된다. 치료에서 이렇게 어려운 순간들을 마주하게 될 때에는 표 7-4에 나와 있는 원칙을 명심하여 대응하라. 표 7-5에는 당신에게 현실적인 어려움을 안겨주는 환자들의 말들 중 일부가 제시되어 있다.

치료가 한창일 때 표 7-4의 원칙이 어떻게 나타나는지 알려주기 위해, 표 7-5에 제시된 환자의 말들에 대한 치료적 대응의 예시가 표 7-6에 나와 있다. 만약 당신이 막다른 곳에서 길을 찾는 기술을 더 발달시키기 원한다면, 이 장을 읽는 것을 여기서 잠시 멈추고 각 말들에 대한 당신 자신의 대응을 적어보라. 그런 다음 당신의 대응을 우리가 제시한 것과 비교해보라.

다문제 환자에 대한 치료의 목표는 각각의 치료 회기를 환자를 판단하거나 비판하는 데 사용하는 대신, 환자가 더 잘 알아차리고 더 유연해지고 더 기꺼이 임의의 규칙이 아닌 실제 현실의 결과로 전략을 수립하게 도와주는 학습 실험실로 사용하는 것임을 꼭 명심하라. 치유적 대화는 그 자체로 이러한 학습 기회를 촉진할 수 있는 훌륭한 방법이다.

표 7-4. **치료에서 어려운 순간을 다루는 원칙들**

무슨 말을 해야 할지 모르겠다고 조급하거나 충동적으로 아무 말이나 하지 마라. 환자가 말한 내용과 의사소통이 실제로 의미하는 바를 숙고할 수 있는 침묵의 시간을 가지는 것도 괜찮다.

과도하게 판단적이거나 방어적으로 반응하지 않도록 조심하라. 환자가 표현하는 것을 당신의 역량에 대한 비판이 아닌, 세상을 바라보는 특정한 관점에 대한 기술로 바라보도록 노력하라.

의사소통에서 감정적으로 고통스러운 부분을 진정성 있고 진실된 방식으로 타당화할 수 있는 방법을 찾아라.

환자가 자신의 경험으로 설명하는 생각, 감정, 행동을 환자로부터 분리하는 방법을 찾아라.

환자가 가까운 미래에 일어날 것 같은 일들을 예상할 때 위의 설명들을 염두에 두도록 하라.

환자를 단정적 마음의 상태로부터 더 실험적이고 호기심 있는 마음의 상태로 옮겨가게 할 수 있는 방법을 생각하라.

환자가 당신의 반응에 대해 말한 내용의 기저에 있는 의미를 과잉해석하지 않도록 하라. "표면"에 머무르면서 드러나고 있는 감정에 직접적으로 대응하려고 노력하라.

저항을 해석하지 마라

고전적인 기법에서는 반복적인 자살경향성 환자가 더 나아지기 위해서는 저항이 극복되어야 한다고 강조한다. 저항은 엄청나게 유혹적인 개념인데, 부분적으로는 치료의 교착 상태에 대한 치료자의 책임을 부인할 수 있게 해주기 때문이다. 극성의 관점에서 저항은 흥미로운 역설을 제공한다. 당신이 시행하는 치료는 환자가 가지고 있을지 모르는 상충되는 믿음들을 인지하고, 수용하고, 다루는 법을 배우게끔 강조하는 반면에, 저항의 존재는 환자가 계속 아픈 상태에 머무르고 싶어서 이러한 믿음들을 의식적으로

표 7-5. 다루기 어려운 회기 중 환자의 말들

그냥 죽고 싶어요.

제가 뭘 하든 상관 없어요. 어차피 결국에는 자살할 거니까요.

아직 기회가 있는 다른 사람들에게 시간을 더 할애하시는 게 어떨까요?

그냥 너무 힘들어서 못하겠어요.

선생님이 저라면 어떻게 하시겠어요?

이 얘긴 하고 싶지 않아요. 어차피 달라지는 건 없으니까요.

변화하는 데 아주 오랜 시간이 걸릴 거에요.

이렇게 하든 저렇게 하든 신경 안 써요.

그냥 다 사라져버리면 좋을 것 같아요.

선생님은 저한테 진정한 관심을 가지고 있지 않아요. 그냥 할 말만 하시는 거죠.

저도 제가 어떤 감정인지 모르는데 왜 자꾸 물어보세요?

이 치료는 효과가 없어요. 처음 시작할 때보다 나아진 느낌이 전혀 없어요.

혹은 무의식적으로 사용하고 있음을 의미한다. 일반적으로 임상가들은 교착에 이를 때 저항을 해석하는 경향이 있다. 여기에는 하나 이상의 기본적인 극단화 주제가 관여한다. 임상가가 더 건강하다고 생각하는 혹은 느끼는 방식을 밀어붙이는 것에 대한 반작용으로 환자가 역기능적인 믿음을 더 꽉 부여잡고 있을 때 저항의 모티브가 종종 사용된다. 행동적인 수준에서도 저항을 해석할 때가 있다. 예를 들면 환자가 회기 사이의 숙제를 완수하지 않고, 회기를 빼먹고, 처방약을 제대로 복용하지 않을 때 등이 있다. 일부 임상가들은 자살경향성 환자들에게서 효과적으로 저항을 다룬다. 하지만 저항을 해석하는 많은 경우에서 위험한 것은 환자들이 어려운 순간에 대해 짧고 기계적으로만 대답하게 만드는 것이며, 더 중요하게는 그것이 치료의 진전으로 이어지지 않는다는 것이다. 당신이 골치아픈 치료의 교착 상

표 7-6. 다루기 어려운 회기 중 환자의 말들에 대한 치료자의 대응 예시

환자: 그냥 죽고 싶어요.

치료자: 굉장히 많은 문제가 있는 것처럼 들리는데요, 최소한 지금은 자살로 문제를 해결할 생각을 하고 계시네요. 만약 자살한다면 지금 바로 당신이 견딜 수 없는 어떤 생각과 감정에서 벗어날 수 있을 것 같나요?

환자: 제가 뭘 하든 상관 없어요. 어차피 결국에는 자살할 거니까요.

치료자: 이 상황에 대처하기 위해 시도해왔던 것들이 효과가 없었던 것 같네요. 그간 어떤 전략을 사용해왔는지, 그것들이 효과가 있었거나 없었던 이유는 무엇인지 한 번 살펴보죠. 만약 우리가 새로운 것을 시도하려고 실용적으로 접근한다면, 자살하는 것보다 더 나은 방법을 발견해낼 수 있을 거에요.

환자: 아직 기회가 있는 다른 사람들에게 시간을 더 할애하시는 게 어떨까요?

치료자: 지금 그렇고 있습니다. 당신도 기회가 있어요. 당신이 현재 상황을 어떻게 생각하는지에 상관 없이 저는 이 상황을 잘 해결하는 방법에 많은 관심을 쏟고 있습니다. 우리가 함께 협력하면 당신의 상황을 더 나아지게 만들 수 있을 것입니다.

환자: 그냥 너무 힘들어서 못하겠어요.

치료자: 어떤 관점에서 변화를 바라보면 당연히 그럴 수 있습니다. 변화는 누구에게도 쉬운 일이 아닙니다. 특히나 괴로운 현실을 수용해야 하는 것이면 더 그렇죠.

환자: *선생님이 저라면 어떻게 하시겠어요?*

치료자: 저 또한 자살을 생각했을지도 모르겠습니다만, 당신처럼 현명하게 이렇게 도움을 구할 수 있었으면 좋겠네요.

환자: 이 얘긴 하고 싶지 않아요. 어차피 달라지는 건 없으니까요.

치료자: 동의합니다. 그냥 말만 하는 건 삶에서 뭔가 다르게 행동하는 것과 같을 수 없습니다. 과거의 사건들을 그대로 반복하는 것 역시 앞으로 일어날 사건들을 바꿀 수 없습니다. 그러니 여기에 대해서는 그런 식이 아닌 다른 식으로 얘기를 해보죠. 당신의 삶에서 무언가 다르게 행동할 수 있도록 도와줄 수 있는 방식으로요.

환자: 변화하는데 아주 오랜 시간이 걸릴 거에요.

치료자: 물론 때로는 그렇게 보일 수 있습니다. 변화는 우리 대부분이 실감하는 것보다 더 힘드니까요. 그런데요, 당신이 얼마나 많이 변화하든지 당신이 겪게 될 (외부적인)변화는 항상 그보다 더 많아요. 삶에서 예측할 수 있는 유일한 것은 계속 변화한다는 겁니다. 그러니까 말 그대로 변화하는데 아주 오랜 시간이 걸릴 거에요!*

환자: 이렇게 하든 저렇게 하든 신경 안 써요.

치료자: 그럼 바로 지금 당신은 신경쓰지 않아야 한다고 신경쓰고 계시네요. 삶에서 신경쓰지 않는 것은 신경쓰는 것만큼이나 중요합니다. 당신은 무엇에 신경을 쓰고 무엇에 신경을 쓰지 않을지 선택할 수 있어요. 만약 당신이 신경을 쓴다면 가정하면, 무엇에 대해 신경을 쓸 것 같나요?

환자: 그것들이 그냥 다 사라져버리면 좋을 것 같아요.

치료자: 바로 지금 어떤 감정, 생각, 기억, 감각이 나타나나요? 그걸 확인하기 전에 먼저, 그것들이 여기에 있도록 그저 가만히 있는다면 무슨 일이 생길 것 같나요?

환자: 선생님은 저한테 진정한 관심을 가지고 있지 않아요. 그냥 할 말만 하시는 거죠.

치료자: 다른 사람에게 관심을 가지고 또 다른 사람으로부터 관심을 받는 것이 당신의 기본적 가치인 것 같은데요, 정말 좋은 것 같아요. 게다가 당신의 가치에 대한 소신을 명확히 말씀하신 것에 감탄했습니다. 제가 어떻게 하면 당신에게 관심을 갖고 있다는 것을 전달할 수 있을까요?

환자: 저도 제가 어떤 감정인지 모르는데 왜 자꾸 물어보세요?

치료자: 당신은 바로 지금 고통에 빠져 있는 것 같습니다. 그리고 어쩌면 그 고통을 애써 밀어내려 하고 있는지도 모르고요. 제가 계속 물어본 이유는 지금 당신에게 나타나는 것을 더 가까이 접하고, 그에 대한 당신의 행동을 이해하고자 노력하고 있기 때문입니다.

환자: 이 치료는 효과가 없어요. 처음 시작할 때보다 나아진 느낌이 전혀 없어요.

치료자: 치료에서 당신의 목표는 꼭 당신의 삶이 더 나아지는 것이 아니라 "기분이 더 나아지는" 것처럼 들리네요. 치료가 삶이 더 나아지게 만드는 것을 도와주고 있었다고 상상해보죠. 당신의 삶이 더 나아졌음을 나타내는 것을 어떻게 알아차릴 수 있을까요?

＊ 환자는 자신이 변화하기까지 시간이 오래 걸릴 것이라고 얘기를 한 것인데, 치료자는 모든 것은 언제나 변화하고 있기 때문에 당연히 변화하는 데에는 시간이 오래 걸릴 수밖에 없다고 대응한다. 이러한 언어 유희는 ACT의 대표적인 치료적 수단 중의 하나다.

태를 설명하기 위한 방법으로 환자의 저항을 떠올리는 유혹에 빠지게 되면, 당신이 가진 것이 망치 밖에 없을 때 다른 모든 것들은 다 못으로 보이게 될 수 있음을 명심하라. 치료적 교착은 다양한 관점으로 바라보는 것이 훨씬 더 유용하다.

아주 유용하게 활용할 수 있는 한가지 대안은 저항을 당신의 실패로 바라보는 것이다. 즉, 저항은 당신이 환자의 현실을 온전히 인지하지 못한 즉각적이고 직접적인 결과인 것이다. 환자가 특정한 치료 과제를 따르지 않을 때, 당신은 환자에게 부여된 한계를 인지 및 감정적 과정뿐만 아니라 기술 결핍의 측면에서도 온전히 인지하지 못했을 수 있다. 예를 들어, 단지 환자에게 나가서 무엇이라도 해보라고 요구하는 것은 그게 비록 연습일지라도 환자가 위험을 감수하는 것에 대한 특정한 관점을 발전시켰을 때에나 가능하다. 만약 환자가 잠재적인 위험을 감수하면서 실패하는 것을 단지 예측 가능한 또 하나의 패배들 중 하나로 여긴다면, 환자가 그것을 실천할 것이라고 기대해야만 하는 이유가 어디에 있는가?" 여기에 저항이라는 언어를 사용하는 것은 부정확할 뿐만 아니라 심각하게 파괴적인 표현이 될 수도 있다.

이 세상에 감정적 고통을 줄이는 것을 반기지 않을 환자가 어디 있겠는가? 과거의 실수로 인하여 진심으로 실패를 예상하거나, 스스로 괴로워 해야 마땅하다고 믿는 사람들이 있다. 이러한 태도는 마음이 다치기를 바라는 것과는 다르다. 그보다는 환자가 나아질 것이라고 믿는 것이 실제로는 성공을 방해할 수도 있다는 사실을 의미한다. 우선 당신은 환자가 직면한 장애물을 이해하지 못한다는 비난을 수용함으로써, 현재 진행 중인 문제를 비판단적이고 객관적으로 다룰 수 있다. 우리는 당신이 환자보다 더 비난을 잘 수용할 수 있는 위치에 있기를 진심으로 바란다. 일단 당신이 저항 게임에서 벗어나면 문제가 되는 지점을 식별하고 문제해결 전략을 만들어 내기 위한 협력적 과정을 발달시켜 나갈 수 있다. 또 다른 측면에서는 이러한 기법이 환자를 위한 효과적인 개인적 문제해결 기법의 모범이 된다.

　다음의 대화는 반복적으로 약물을 과다복용하는 환자와의 회기에서 가져온 것으로, 저항 위주의 대화에서 벗어나 환자가 참여하는 상호작용의 밀고 당기는 에너지를 활용하는 것을 보여준다.

> 치료자: 그럼 이제 지난 한 주 동안 어떠셨는지 말씀해주실 수 있을 까요?
>
> 환자: 음, 선생님께서 말씀해주신 것을 시도해봤어요. 집에 좀 더 머물러 있었고 무언가 완수하는 느낌을 더 가질 수 있도록 일을 알아보려고 노력했어요. 자수를 많이 했는데요, 여전히 나아지는 느낌은 안 들었어요. 선생님께 말씀드렸던, 병원에서 받았던 그 약들은 여전히 다 가지고 있어요. 제가 하려는 일을 하기 위해 얼마나 많이 복용해야 하는지도 알고 있고요. 어떻게 먹어야 하는지도 알아요. 토하는 것을 참기 힘들어서 한꺼번에 다 삼키지는 않을 거예요. 대신 하나씩 계속 먹을 거예요. 그렇게 의사들은 제 위를 세척할 수 없고 제가 자살하는 것을 막지도 못할 거예요.
>
> 치료자: 당신이 계획을 이렇게 치밀하게 준비하신 것에 정말 감탄했습니다. 그렇게 하는 것을 어디서 배우셨나요?
>
> 환자: 네? 뭘 물어보시는 거예요?
>
> 치료자: 저는 단지 당신이 이렇게 계획을 끝까지 훑어보실 수 있다는 것에 감탄했습니다. 그렇게 계획을 상세하게 준비하는 것은 어디에서 배우셨나요? 그렇게 하시는 것은 어떻게 배우셨나요?
>
> 환자: 모르겠는데요. 전 항상 고집불통이라서 원하는 건 어떻게든 얻어요. 누군가 제가 어떤 것을 못하게 한다고 생각할 때면, 그들에게 보여주죠.
>
> 치료자: 정말 강단 있는 분 같으시네요. 진정 하려고 하는 일이 있을

때 그것을 관철하고 끝까지 지켜보는 방법을 아시는군요. 그런데 말이에요, 만약 약을 과다복용하신다면 어떤 옷차림을 하고 있을지도 생각해보셨나요?

환자: 그까짓 옷차림 따위가 뭐가 중요해요? 일단 죽으면 끝인데요.

치료자: 네 압니다. 다만 옷차림이 전부 흐트러진 상태로 병원에 도착한 모습은 굉장히 볼품없게 보일 수 있거든요. 그렇게 생각하시지 않나요? 병원에서 누구한테 연락해서 당신의 시체를 가지러 가게 할지도 알아야 해요. 병원에서 연락할 수 있는 사람의 연락처와 이름을 적어서 주머니에 넣어두는 방법은 생각해 보셨나요?

환자: 대체 그게 제 문제들하고 무슨 상관이에요? 선생님은 저를 도와야 하는 분이에요. 그런 건 전혀 도움이 되지 않아요.

치료자: 정말 죄송합니다. 어떤 때는 제가 생각만큼 예리하지 못해서요. 그래서 제가 지금처럼 회기 중에 진행되는 부분을 놓치기도 합니다. 당신에게 더 도움이 될 수 있도록 우리가 무엇을 할 수 있을까요?

환자: 글쎄요, 선생님이 여기 앉아서 저의 자살 시도와 제가 무엇을 입고 병원에서 제 가족들에게 어떻게 연락하게 할지에 대해 말씀하시는 게 도움이 되지 않는다는 것은 확실해요!

치료자: 그럼 그것 외에 우리가 얘기해서 더 도움이 될 만한 것이 뭐가 있을까요?

환자: 몰라요.

치료자: 우리가 무엇이 도움이 될 수 있을지에 대해 잠깐 얘기를 해야 하지 않을까요? 어떻게 생각하시나요?

환자: 음, 그래야 할 것 같아요. 그런다고 딱히 도움 될 것 같지는 않지만요.

치료자: 알겠습니다. 당신이 겪어야 했던 그 모든 어려움과 좌절을 생각해보면 최악의 경우를 생각하는 것도 이해가 됩니다.

이 대화에서 임상가는 환자가 과다복용할 가능성에 대한 힘겨루기를 피하면서 자살행동을 논의의 중심에서 벗어나게 만든다. 임상가는 자살위협에 대해 무언가 긍정적인 부분을 발견하고 흔한 방식으로 환자를 칭찬한다. 환자는 "흠칫 놀라고", 임상가는 즉시 저항의 지점으로 들어간다. 이 대화에서 저항의 지점은 치료자의 직면이나 판단을 유발하지 않은 채 환자가 자살경향성에 대한 소통을 "갖도록ₒwₙ" 허용될 수 있는지 하는 것이다. 그런 다음 환자는 이렇게 부정적 내용을 얘기하는 것은 유용하지 않다는 것을 내비치며 저항의 긍정적 지점으로 이동한다. 임상가는 이러한 실수를 한 것에 대한 비난을 수용하지만 부정적인 저항의 지점을 떠나지는 않는다. 환자는 도움이 될 만한 것을 정해달라는 요청을 받았다. 환자는 어떤 것도 도움이 되지 못할 것이라고 말하면서 임상가와 "한 배에" 탄다. 그러자 임상가는 환자의 절망감을 인정하고 이를 학습의 맥락으로 다룬다. 이제 이 두 명에게는 어떤 것이 효과가 있을지 얘기할 수 있는 가능성이 생겼고, 환자의 자살 의도를 둘러싼 결전을 피할 수 있게 되었다.

성공의 팁

어떤 공포나 두려움을 느끼게 되더라도 스스로를 환자와 같은 입장에 놓고 치료 작업을 한다. 이를 통해 환자의 눈으로 세상을 바라보게 될 수 있으며 환자의 세계관과 환자가 삶을 헤쳐 나가는 데 자살 행동이 담당하는 중요한 기능을 더 잘 긍정할 수 있다.

환자를 삶을 살아가기 위해 최대한 노력하는 사람으로 대하는 한편, 환자가 현재 사용하는 전략이 효과가 없다는 것을 자비적으로 단호히 한다.

> 회기 중에 환자가 도발적인 말들로 "당신을 화나게 하더라도" 충동적, 방어적, 공격적으로 반응하지 않는다. 대신 잠시 시간을 가지고 생산적인 반응은 무엇일지 생각한다.
>
> 저항은 환자의 문제가 아니라, 치료적 개념 및 그와 관련된 실질적인 목표에 대한 환자의 "투자"를 정확히 가늠하지 못한 당신의 실패다. 비난을 받아들이고 환자의 투자와 준비를 그르친 것에 대해 사과한다. 그리고 당신이 환자에게 더 효과를 발휘할 만한 무언가를 파악할 수 있게 도와달라고 요청한다.

자살 위기에 대한 임상적 관리

반복적인 자살경향성 환자들의 잘 알려진 특징은 위기로 쓱 들어갔다 나오는 능력이다. 우리는 이를 금주의 위기 증후군crisis-of-the-week syndrome이라고 부른다. 당신은 어느 정도 규칙적으로 환자에 의해 위기를 접하게 되고, 이는 치료계획의 변형으로 이어진다. 이러한 위기들은 종종 자살행동이나 자기파괴적인 행동과 연관되어 나타난다. 어느 정도는 이러한 위기가 치료 초기에 나타나는 특징이기도 하다. 당신은 치료의 연속성을 잃어버리거나 환자와 서로 대립하는 관계에 놓이지 않게 하면서 이러한 사건들을 치료의 흐름에 녹여내야 한다.

행동에 기반을 둔 위기관리 프로토콜의 많은 중요한 구성 요소들을 8장("자살 응급 관리")에서 다루고 있다. 반복적으로 자살시도를 하는 사람들을 치료하기 위해서는 이러한 원칙에 특별히 주의를 기울이고, 성실히 이 원칙을 적용해야 한다. 이유는 간단하다. 당신은 더 많은 자살행동을 마주하게 될 것이고, 강력하면서도 유연한 대응 계획을 가지고 있어야 하기 때문이다. 환자가 자살행동을 하거나 심각한 위기를 경험하는 문제는 치료 처음에 다루어야 한다. 당신은 이러한 사건들을 예측할 수 있어야 한다. 자살행동에 개입하는 것과 관련한 당신만의 입장을 확실히 해야만 한다. 자살행동과 관련하여 근무시간 외의 전화 연락과 추가 회기를 잡는 것에 대한 기본 원칙을 반드시 설명하고 상호 협의하에 정해야 한다. 당신과 환자는 긍정적 활동 카드를 개발하기 위해 함께 노력해야 하고 그렇게 함으로써 환자는 자연스럽게 사회적 지지를 활성화하는 법을 배우기 시작할 수 있다. 환자가 어떤 자기파괴적인 행동을 하려고 하더라도 그 전에 치료적인 연락을 하도록 장려하라. 당신과 환자가 자살위기와 흔히 함께 나타나는 무질서함과 괴로움을 효과적으로 다룰 수 있는 구조를 만들어라. 이러한 구조는 당신과 환자가 모두 어려운 시기를 헤쳐 나갈 수 있는 방향을 잡아주는 지침으로서 초기의 합의를 되새기게 할 수 있다.

치료자와 환자가 합의한 잘 정립된 긍정적 행동 위기 프로토콜이 필수적이다. 당신과 환자가 이 프로토콜을 거점으로 삼을 수 있도록 합의를 맺고 두 명 모두 명확한 역할을 맡는다. 반복적인 자살행동을 염두에 둔 프로토콜은 자살행동을 치료의 한 부분으로 포함시키고 정당화하기 때문에 매우 강력하다. 프로토콜은 자살행동이 나타날 때 누가 무엇을 할지에 대해 상세히 기술해 놓는다. 위기의 순간이 되었을 때 새롭게 결정할 만한 것이 거의 없이 당신과 환자가 사전에 합의한 것들을 단계별로 실행하기만 하면 되는 것이 좋은 프로토콜이다. 이러한 프로토콜이 있으면 자살행동의 한복판에서도 높은 수준의 편안함을 조성해주고 전반적으로 건실한 개입을 가능하게 한다. 자살행동을 두려워하면서도 거기에서 벗어나지 못하는 환자는 차분하면서도 결단력이 있는 임상가에게 이끌린다. 효과적인 긍정적 행동 계획은 통제되지 않은 자기파괴적인 행동에 대한 대안을 선택할 만한 보람이 있음을 경험적으로 증명해준다.

위기의 융화assimilation of crisis는 중요한 사례관리 전략이다. 만성 자살경향성 환자들에게서 자살위기를 촉발시키는 많은 사건들은 규모가 작아서 가랑비에 옷 젖는 줄 모르는 식으로 생각하는 편이 낫다. 만약 자살경향성 대응이 무대 중심에서 치워지면 환자는 특정한 사건을 해결할 수 있는 직접적이고 효과적인 방법들을 발견해 낼지도 모른다. 자살행동 자체가 주의의 초점이 되면 자살경향성을 맨 앞으로 드러나게 한 괴롭고 원치 않는 감정과 근본적인 문제를 해결하는 것이 매우 어렵다.

반복적인 자살경향성을 치료에 통합하기

임상가는 종종 명시적으로나 은연중에 환자가 단지 치료를 받기 시작했기 때문에 자살행동 및 자기파괴적인 행동이 사라지거나 빠르게 줄어들 것이라는 기대를 전달한다. 치료의 마법이 그 기법과 무관하게 환자의 자살행동에 즉각적인 변화를 나타낼 것임을 시사하는 것이다. 실제로 현재 사용되는 일부 치료기법들은 치료가 진행되는 중에는 환자가 자해 행동을 하지 않겠다는 약속을 하도록 요구한다. 이는 자살행동이 다시 나타나는 것은 치료가 실패하거나 환자가 치료자와의 약속을 어긴 신호라는 시나리오를 만든다. 이 시나리오는 매우 미끄러운 비탈길의 시작점이다. 부정적인 치료적 과정들(예, 저항 해석, 분노 및 직면, 최후 통첩)은 이러한 실수에서 비롯될 수 있다. 효과적인 치료의 가장 중요한 철학적 토대는 자살위기를 환자가 성장할 수 있는 기회로 활용하는 것이다. 자살행동이 줄어들 것이라는 은근한 기대가 계속해서 어긋나는 경우 임상가의 인내심이 약해지기 쉽다. 환자와 협력해서 긍정적인 실천 계획을 수립하고 자주 확인하는 것이 이러한 파괴적인 역동이 나타날 가능성을 줄이는 데 도움이 될 것이다.

급성 자살경향성에 대응하기

회기 중에 명시적으로 자살 위협을 하는 반복적인 자살경향성 환자를 대하는 모든 임상가들이 두려워 하는 것은 우리가 *진실의 순간*이라고 부르는 때다. 진실의 순간은 자살행동의 이슈가 직접적인 의제로 올려질 때 찾아오는데, 이 때 임상가는 환자가 자살시도를 할지 말지에 대한 최후의 결정권을 보유하는 것을 받아들이거나 거부하는 상황에 놓인다. 이 순간은 대개 늘어나는 스트레스가 급성 자살위기를 촉발할 때 찾아온다. 이 위기는 반복적인 자살경향성 환자를 치료하는 어느 순간에도 찾아올 수 있지만, 치료 초기에 흔히 더 잘 나타난다. 이 순간에 어떻게 대처하는지에 따라 임상가와 환자가 작업 동맹을 유지할 수 있을지 여부가 좌우될 수 있다. 종종 통제불가능한 것처럼 보이는 자살 충동에도 불구하고 임상가는 문제해결 접근을 활용하기 위해 함께 작업할 수 있는 방법을 찾아야 한다. 이 때 치료를 통해 환자가 자기파괴적인 행동에 참여하는 것을 놓고 벌이는 결판에서 산산조각을 낼 수 있다.

진실의 순간은 치료를 진행하느냐 교착되느냐의 갈림길이다. 결과적으로 당신은 주인공 못지 않은 악역이 된다. 급성 자살 삽화는 환자가 괴로운 생각과 느낌을 더 잘 견딜 수 있는 방법을 배우고, 자살경향성을 다른 맥락에서 바라보고, 새로운 문제해결 행동을 시험해볼 수 있는 훌륭한 기회이다. 일부 임상가들은 기본적인 치료 계획을 버리고 오직 위기관리 개입만 활용하여 반응할 것이다. 이러한 상황에서 치료자가 작전 계획을 폐기하면 환자는 치료를 중단할 가능성이 매우 높으며, 이는 종종 자살시도나 입원으로 나타난다. 일단 한번 일관성과 예측성을 잃어버리게 되면 환자와 치료자가 다시 되돌아와 함께 할 수 있는 가능성은 낮다.

이 순간에 치료자는 각별히 임무에 전념해야 하는데 대개 환자는(문제를 관찰하는 대신) 문제가 *되어버리느라* 너무 바빠서 크게 도움이 되지 못하기 때문이다. 설령 실제 자살시도를 할 가능성이 있어도 합의된 대로 정확히 치료계획을 실행하는 것이 중요한다. 치료는 실패하고 있는 것이 아니다. 이러한 상황에서는 당신의 힘power이 제한되어 있음을 명심하라. 당신은 마치 환자가 플러시를 들고 있는데 고압적인 태도를 유지하는 도박사와 같다. 중요한 것은 허세를 어설프게 부려서 상대방이 끝까지 따라오지 않도록 하는 것이다.* 임상가가 진실의 순간에 무너진다면 그것은 대개 치료의 근간을 이루는 확신이 부족하기 때문이다. 임박한 자살 행동의 위협에 놓여 있을 때, 당신이 어떻게든 환자를 구하기 위해 무엇이라도 해야 한다는 충동에 주의하라. 당신이 상황을 통제하려고 노력할수록 환자는 자율성과 성장을 증진시킬 수 있는 경험을 하지 못할 것이다. 극한의 스트레스 상황을 감당할 수 없는 치료 계획을 세우지 않도록 주의하라. 환자가 자살위기 동안 한밤중에 치료자와 통화를 시도하는 것은 드문 일이 아니다. 전화번호부에 등록되지 않는 전화번호를 사용하거나 부재중 메시지로 환자의 도와 달라는 외침을 피하는 것은 이 상황에서의 해결책이 아니다. 해결책은 미리 환자와 협의했던 바에 따른 유용한 대응을 하는 것이다.

구조화된 긍정적 행동 위기 프로토콜을 치료에 통합함으로써, 환자는 경험적으로 당신이 자살행동을 위한 공간을 마련하고 그에 대처할 수 있다는 것을 배울 수 있다. 계획적이고 상세하고 실무적인 프로토콜을 구비함으로써 자살행동은 빛을 잃기 시작하고 역통제적 의사소통 과정은 중화되며 환자는 명확한 선택의 순간에 놓이게 된다. 행동을 계속할 것인가 말 것인가? 이러한 접근은 환자가 위기와 씨름하는 것을 그만두고 위기를 더 수용적인 방식으로 경험하게 해준다. 환자는 살아 있다being alive는 불가피한 결론에 대처하는 법을 배우게 된다.

---

* 저자들은 포커 게임의 예를 들어 설명하고 있다. 세븐 포커에서 플러시가 나올 확률은 0.197%로 매우 낮다. 즉, 그만큼 이길 확률이 높은 것이다. 따라서 상대가 플러시를 들고 있는 상황에서 내 패가 그렇게 좋지도 않으면서 지나치게 허세를 부리면 상대방이 중간에 포기하지 않고 끝까지 돈을 걸고 따라가 당신의 패를 확인할 것이다.

자살경향성이 있는 사람들이 보고하는 한가지 흔한 경험은 압도적인 패배감과 쓸모없는 느낌에 맞서 정상을 유지하고자 고군분투하는 느낌이다. 이렇게 고군분투하는 느낌은 역설적이게도 자살충동의 출현과 관련된 감정적 피로로 이어질 수 있다. 이 순간이 찾아오면 당신은 환자가 자살충동에 맞서기보다는, 함께 이러한 내적 줄다리기에 힘쓰는 것을 그만두도록 가르칠 수 있다.

효과적인 위기관리 네트워크 만들기

반복적인 자살경향성 환자를 성공적으로 치료하는 공식의 상당 부분은 부수적이고 보조적인 지역사회 서비스가 환자에게 전달되는 방식을 효과적으로 관리하는 것이다. 우리는 8장에서 이 중요한 주제를 훨씬 자세히 다룰 것이다. 여기에서는 자살경향성을 반복할 위험성이 높을 때 정말 중요한 원칙들만 강조한다.

만성적인 자살경향성 환자를 치료할 때 당신은 종종 사례관리자, 옹호자, 돌봄 코디네이터 등 많은 역할들을 한다. 당신이 이러한 역할들을 더 많이 계획할 수록 위기 때 혼란과 중대한 진행상의 변화가 발생할 여지가 더 줄어든다. 지역사회 자원의 위기관리 계획 수립 활동은 만성적인 자살경향성 환자를 효과적으로 치료하는데 핵심적인 요건이다. 환자와의 중요한 접점이지만 반복적인 자살경향성 환자들에게 효과적인 치료적 대응을 독자적으로 시행하는 데 필수적인 임상적 기술들이 없을 만한 곳, 특히 응급의학과 근무자들에게 위기관리 프로토콜을 제공하는 것이 중요하다.

자살행동이 생명을 위협하고 법적 문제를 야기할 가능성이 있기 때문에, 위기관리 계획은 가능한 한 개별 상황에 맞춰 구체적으로 작성해야 한다. 예를 들어, 대부분 응급실에서는 교대근무를 하기 때문에 반복적인 자살경향성 환자가 반복적으로 응급실을 방문해도 같은 의료진을 두 번 다시 못 볼 수도 있다. 위기관리 프로토콜은 한 사람에서 다른 사람으로 쉽게 전달될 수 있어야 한다. 내용은 평이한 용어로 기술하고 혹시 가능하면 전자의무기록에 포함시켜야 한다. 대부분 응급실에서는 "자주 방문하는 사람들"에 대한 나름의 명부를 보유하고 있다. 그 명부에는 당신의 환자도 포함되어 있을 수 있고, 만약 환자가 치료를 받으러 내원하면 어떤 응급의료진도 열람할 수 있도록 당신이 명시한 위기대응 프로토콜을 추가해줄 수도 있다. 그 계획은 환자의 신원, 과거 자살행동, 관리 계획의 근거, 그리고 자살시도 이전 혹은 이후에 내원하였을 때 응급실 근무자들이 실행할 구체적인 단계들을 명확히 담고 있어야 한다.

그림 7-1은 반복적으로 약물을 과다 복용하는 환자에 대한 응급실 위기관리 계획의 샘플을 보여준다. 위기관리 계획의 목적은 환자의 자살행동을 강화하지 않도록 기준이 되는 자살시도 이후에 환자와의 상호작용의 유형과 속성을 제한하는 것이다. 반대로 환자가 자기파괴적인 행동을 하기 전에 응급실로 내원한 경우 똑같은 계획 안에 더 많은 관심, 돌봄, 지지를 제공해주도록 기술할 수 있다. 이런 계획을 구성하는데 가장 어려운 부분은 기준이 되는 사건 이후 반복적인 자살경향성 환자를 안정화 한 뒤 빠르게 퇴원시키는 근거와 중요성을 이해하는 것이다. 이런 발상은 신체건강 및 정신건강 전문가들에게 낯설고 겁나는 것일 수 있는데 이들은 종종 이러한 접근이 위험관리 규칙과 모순된다고 믿기 때문이다. 응급실에서는 환자를 잡아 둔 채 정신건강 전문가가 자살사고를 전부 없애거나 자살방지서약서를 받은 뒤에 퇴원시키는 경향이 있다. 이 방법은 막대한 양의 대인관계 관심을 유발하며, 역설적으로 환자가 자살행동을 긍정적으로 바라보도록 촉진할 수 있다.

위기관리 프로토콜을 적용하는 핵심적인 접촉 기관들은 종종 신체 및 정신건강 전문가와 반복적으로 연락을 취해야 한다. 환자가 자살행동으로

수신: 정신건강사회복지사, 간호사, 의사, 상담 간호사, 의원, 응급실
제목: S.L.님에 대한 프로토콜

여러분 대부분이 아시다시피, S.L.님은 여러 차례 약물 과다복용을 해왔습니다. 이러한 시도들 중 치명적이었던 적은 한 번도 없었고, 위중했던 적도 드물었습니다. 우리는 그녀의 행동을 강화하지 않고 더 치명적인 수단을 사용하지 않아도 됨을 가르치면서 행동을 수정하려고 노력 중입니다. 그녀가 약물 과다복용으로 여러분 앞에 나타나면 다음의 방식에 따라 대응해주십시오.

1. 의학적 위험도를 평가해주십시오.
2. 필요한 만큼 의학적 처치를 해주십시오.
3. 식사를 제공해주는 것 외에는 상호작용을 최소화 해주십시오. 긍정적/부정적 피드백 모두 제공하지 마십시오. 처벌이나 잔소리도 안 됩니다. 여러분이 S.L.님을 만난 것은 상호작용이 없는 사건이어야 합니다.
4. 치료와 식사 제공 후 S.L.님을 집으로 돌려보내십시오.
5. 모든 치료적 상호작용은 S.L.님의 전담 주치의인 N.S. 선생님하고만 가능합니다.

추가적인 우려 및 문의 사항이 있는 경우 N.S. 선생님께 연락 부탁드립니다. 만약 N.S. 선생님과 연락이 되지 않는 경우, 본 사례의 예비 치료자인 O.S. 선생님께 연락 부탁드립니다.

어려운 내담자의 치료에 협조해주셔서 감사합니다.

그림 7-1. 반복적 약물 과다 복용 환자(S.L.) 관리 프로토콜

치료를 받으러 오는 식으로 위기관리 계획을 시험해 볼 때, 이러한 반복적인 연락의 필요성은 특히 중요하다. 기관 종사자들은 법적 책임에 대해 불확실성과 걱정을 지닐 수 있다. 그런 경우 종사자들에게 소거*extinction*와 자발적 회복*spontaneous recovery*에 대한 학습이론을 가르치는 것이 중요하다. 소거는 자살행동이 긍정적으로나 부정적으로나 전혀 강화되지 않을 때 점진적으로 그 빈도가 줄어드는 것을 의미한다. 하지만 소거가 진행 중인 잘 학습된 행동은 오히려 더 짧은 기간 동안 더 많은 빈도로 자발적으로 다시 나

타날 수 있다. 이러한 현상을 자발적 회복이라고 한다.

위기관리 계획이 실행되고 있을 때에도 초반에는 자살시도가 증가할 수 있지만 소거 계획이 일관되게 유지되면 점차 줄어들 것이다. 자살경향성 환자에게서 자발적 회복이 나타나면 신체 및 정신건강 전문가는 종종 허를 찔리게 된다. 자발적 회복은 위기관리계획의 전체적인 완결성을 정하는데 있어 중요한 부분이다. 종사자들이 개별 자살경향성 환자에게서 기대할 수 있는 것을 더 많이 알게 될수록, 사전에 예측했던 사건이 일어나고 있다는 사실에 더 주목하기 쉬워진다. 이러한 접근은 종사자들이 자살경향성 환자를 치료하는 방법에 대해 가지고 있는 편견을 버리고 위기관리에 대한 걱정을 덜 수 있도록 안심시켜준다.

환자를 깔때기에 담기

효과적인 위기관리 프로토콜의 핵심 특징은 환자의 치료에 대해 최종 결정을 내리는 단 한 명의 치료자를 지정하는 것이다. 이 사람은 환자에 대한 모든 정신과적 치료 과정을 관리하며, 대개 환자의 주치료자를 맡는다. 이러한 깔때기 담기의 목표는 환자를 대하는 다른 기관의 종사자들이 사전 협의되지 않은 치료를 제공하지 못하게 제한하는 것이다. 다른 기관에서는 종종 주치료자가 시행해온 치료적 접근과 상극의 조치가 행해지기도 한다. 행동모형을 적용시켜 가면서 강화를 전달(혹은 차단)하는 것이 최우선적인 경우에는 깔때기 방식이 특히 더 중요하다.

사전에 설정된 경계 안에서 개입을 유지하는 대가로, 주치료자는 위기관리 계획에 참여하는 사람들이 요청하는 도움에 신속히 대응해야 한다. 만약 주치료자가 가능하지 못한 상황에서는 위기관리 네트워크의 다른 구성원들이 주치료자의 부재를 인지하고 도움을 전달할 수 있도록 해야 한다. 다양한 이유들로 인하여 위기관리 계획은 종종 주치료자가 없을 때 심각하게 시험에 들고 훼손된다. 프로토콜이 이러한 우발적 상황까지도 다룰 수 있는지 확인하라.

다양한 치료 주체들이 주치료자라는 깔대기를 적용하여 결정을 내릴 때, 환자가 위기대응 프로토콜에 명시된 행동치료 계획에 따르고 있다면, 주치료자는 환자를 보호할 수 있는 더 큰 우산을 펼칠 수 있다. 다시 말하면, 당신은 환자가 접할 수 있는 더 다양한 기관들(예, 병원 응급의학과, 1차의료기관, 지역사회 정신건강센터 응급개입팀)이 제공하는 강화재들을 통제할 수 있다. 이 시스템이 작동하면 환자는 자살 가능성에 대한 서로 다른 대응 규칙을 따르지 않아도 된다. 이 계획은 임상가와 환자가 일관된 위기관리 프레임워크 안에서 작업할 수 있게 해준다.

입원 활용하기

정신과적 입원치료를 받는 자살시도자의 대부분은 최소 1번 이상의 선행 자살시도 병력을 지니고 있다. "자신에 대한 위험성"이 갈수록 더 많이 입원의 이유가 되어감에 따라 입원병동 근무자들은 반복적인 자살시도자들로 가득 찬 회전문을 대하는 느낌을 가질 수 있다. 이러한 입원들은 병원에 입원하는 것이 어떻게 반복적인 자살경향성 환자들의 치료과정을 지원해야 하고 또 지원할 수 있는지에 대한 의문을 제기한다. 자살경향성 환자들의 모든 집단 중에서, 반복적인 사살시도 집단이 입원 기간 동안 효과적으로 대처하는 것이 가장 어려울 것이다. 환자는 종종 병동 근무자들에게 등한시되고 자의퇴원이나 탈출하는 비율이 더 높은 편이다. 반복적인 자살행동 자체가 경계성 성격장애와 긴밀히 관련되어 있기 때문에 환자는 첫 면담 이전에 경계성 성격장애 진단을 받기도 한다. 지금과 같은 관리의료의 시대에는 경계성 성격장애를 지니고 있는 다문제환자의 많은 인지적 및 감정적 욕구를 다루는 것을 시작할 수 있는 만큼의 장기간 치료 프로그램을 제공할 수 있는 입원 병동도 거의 없다.

이와 비슷하게 중요하게 고려할 사항은 반복적인 자살경향성 환자가 종종 환자가 떠나기만을 바라는 좌절한 임상가에 의해 입원 시스템으로 떠넘겨진다는 것이다. 우리가 진실의 순간에 치료자가 "무너지는" 것을 얘기할 때, 이것은 흔한 양상들 중 하나이다. 임상가는 환자에게 지쳐서 입원 병동의 치료자한테 넘기고, 병동 치료자는 형편없는 계획으로 인한 떠넘김과 통제불능의 양상으로 인하여 환자에게 부정적으로 대응하게 된다. 결과적으로 자살경향성 환자는 짧은 입원기간 동안에도 높은 수준의 적대감과 대립을 유발할 수 있다. 환자는 병동에서 가능한 치료들 중에서 덜 선호되고 덜 집중적인 형태의 치료를 받을 가능성도 많다. 효과가 나타날 확률이 거의 없는 약물을 처방받을지도 모른다. 진단과 치료에 대한 논쟁이 종종 치료팀 내에서 표출되고(예, 분리) 비난은 실제 원인인 치료팀 내의 대인관계 갈등, 학제간 질투, 영역 다툼보다는 환자에게 집중된다.

설령 부정적인 결과가 전혀 없다 하더라도, 자살경향성 문제해결 가능성에 대해 입원치료 자체가 지니는 잠재적인 강화 작용을 고려하는 것이 중요하다. 환자는 스트레스 환경으로부터 벗어나 모든 기본적인 욕구가 충족되는 고도로 구조화된 환경에 놓인다. 병동 근무자들로부터는 긍정적인 돌봄과 관심을 받는다. 환자는 자살경향성을 지녔기 때문에 보살핌과 지지받는 느낌을 받게 되고, 그에 따라 그 행동은 강화된다. 대체로 입원치료는 잠정적으로 긍정적이기보다는 부정적 결과를 초래할 가능성이 높다. 자살경향성 환자에게 입원치료를 자주 활용하는 것은 자살경향성을 문제해결 반응으로 잘못 강화하는 경우가 많은 것과 더불어 미국에서 자살행동이 반복되는 비율이 상대적으로 높은 요인일 수도 있다.

과거에 강화 경험을 했던 환자가 특정한 유형의 집중적인 치료시설에 정착하고자 마음먹는 경우가 확실히 있다. 임상가는 효과적인 치료계획을 수립할 때 이러한 가능성을 간과해서는 안 된다. 그래서 환자가 집중적인 치료를 받게 되었을 때 전통적인 입원치료의 대체제를 개발하고자 하는 시도가 매우 중요하다. 이러한 계획의 일환으로 지역 병원들과 협약을 체결하여 환자가 72시간의 제한된 기간 동안에만 자의입원하고 그 뒤 자동적으로 퇴원하게 하는 방법이 있다. 만약 지역사회에 급성기 관리가 가능한 위기대응 시설이 있다면 사전에 조율해서 단기간에 문제해결을 목표로 설정하여 환자가 그곳에 입소하는 방법을 곧바로 알아볼 수 있다. 당신의 목표는 어떤 치료로부터도 강화가 제공될 가능성을 없애는 것이며, 가능한 빨리 환자를 자연적인 환경으로 되돌려 보내고 문제를 해결할 수 있는 올바른 마음가짐을 지니게 하는 것이다.

입원치료와 외래치료 사이를 오가는 기간 동안 지역사회 자원 제공자들 사이의 연속성이 특히 매우 중요하다. 자살경향성 외래 환자가 자살시도로 정신병동에 입원할 때에는 기본적인 외래 치료계획을 지지하는 방식으로 조율해야 할 필요성이 훨씬 더 크다. 그 이유는 간단하다. 정신병동은 매우 응집된 기간 동안 다양한 유형의 서비스를 제공할 수 있다. 만약 이러한 서비스들이 외래치료 방침과 동조되지 않는다면, 장기치료가 어려워질 수도 있다. 정신병동 치료자들은 자살경향성 환자들을 대하는 자신들 나름의 방법을 지니고 있으며 이는 외래 시스템에서 시행해 왔던 접근과 종종 상충된다. 협동은 병동 치료자가 아닌 대개 주치료자의 주도로 이루어진다. 병원에 입원하는 행위 그 자체가 자살행동에 대한 강력한 강화이기 때문에 주치료자는 입원이 가능한 병원들 중에서 적절한 치료를 제공할 수 있는 곳으로 배정하려는 노력을 기울여야 한다.

통상적인 병동 내 환경milieu 계획과 다를 수도 있는 치료계획을 수립하는 것을 지원하기 위해 병동 주치의에게 충실한 근거를 제공해주는 것이 중요하다. 예를 들어, 48-72시간 이후 자동 퇴원 및 최소한의 정신치료적인 접촉을 목표로 했다면, 담당 의사들은 왜 그런 식의 치료가 환자에게 최선인지 이해해야 할 필요가 있다. 주치료자는 외래치료와 입원치료 사이에 어떻게 최선의 협동을 해야 하는지에 대한 대화를 주도해야 한다. 이러한 방식의 협동과 계획수립이 이루어지지 않는 수없이 많은 이유들이 있다. 예를 들어, 때때로 입원 치료자는 환멸을 느끼는 환자를 치료하기 위해 협동하는 것에 특히 어려움을 느낀다. 협동적 치료와 관련된 부담을 줄이기 위해, 최소한 한 군데 입원치료 기관과 목적의 일치를 보고 자살 위기가 발생하면 환자를 곧바로 해당 기관에 방문하게 하라. 치료자가 협동적 치료를 할 의향이 없거나 그럴 능력이 안 되는 병원에는 입원하지 않도록 하라. 입원치료는 장기 전략을 강화할 때에는 도움이 되지만, 이를 뒤엎는 경우에는 해가 된다. 9장("입원과 자살행동")에서는 입원치료의 추가적인 부분들에 대해 논의하고 자살경향성 환자들에게 효과적인 입원치료를 제공하기 위한 지침을 제공한다.

요약

- 반복적인 자해 환자는 드문 드문 자살위기를 경험하는 더 기능 수준이 높은 환자와 유형kind이 아닌 정도degree에서 차이가 난다.
- 반복적인 자살행동의 기전은 수동적이고, 지속적이고, 설령 효과가 없어도 변화에 저항적인, 회피기반의 대처 전략들이다.
- 반복적인 자살경향성 환자의 치료 목표는 급성 자살경향성 환자에서와 똑같다. 즉, 고통스러운 감정들을 수용하고 판단하지 않는 것을 연습하는 동시에 가치기반의 문제해결 활동을 하는 것이다.
- 자살경향성 생활방식에 상반되는, 헌신적이고 가치가 부여된 행동 패턴을 만드는 것이 치료의 궁극적인 목표이다.
- 반복적인 자살경향성 환자를 대할 때 치료자는 통제권을 지닌 사람에게 나타

날 수 있는 파괴적인 상호작용을 능숙하게 피해야 한다.

- 효과적인 치료에서는, 환자가 진행 중인 자살행동과 관련된 다양한 이슈를 마주대하지 않는다.

- 반복적인 자살경향성 환자는 무질서하고 불안정한 생활방식과 사소한 삶의 문제에도 자살경향성을 문제해결 방법으로 활용하려는 성향 때문에 대개 지속적인 위기관리 지원을 필요로 한다.

- 환자와 협의된 위기 프로토콜을 만들 때에는 치료 과정 중에 자살행동을 어떻게 다룰 것인지에 대한 명확한 계획을 세우는 것이 중요하다.

- 지역사회에서의 위기관리가 핵심이며, 응급의학과, 위기대응 부서, 입원병동 등과의 협력이 필요하다.

- 일반적으로 입원 치료는 반복적인 자살경향성이 있는 환자에게 도움이 되지 않는다. 따라서 주치의나 정신건강의학과 의사와 조율된, 단기간 체류하는 대안적 급성기 치료 방법을 고려하라.

읽어볼 만한 문헌

Gratz KL, Levy R, Tull MT: Emotion regulation as a mechanism of change in an acceptance-based emotion regulation group therapy for deliberate self-harm among women with borderline personality pathology. J Cogn Psychother 26(4):365–380, 2012

Gratz KL, Tull MT: Extending research on the utility of an adjunctive emotion regulation group therapy for deliberate self-harm among women with borderline personality pathology. Pers Disord 2(4):316–326, 2011 22448804

Hawton K, Catalan J: Attempted Suicide: A Practical Guide to Its Nature and Management. Oxford, UK, Oxford University Press, 1982

Hawton K, Arensman E, Townsend E, et al: Deliberate self harm: systematic review of efficacy of psychosocial and pharmacological treatments in preventing repetition. BMJ 317(7156):441–447, 1998 9703526

Hayes S, Strosahl K, Wilson K: Acceptance and Commitment Therapy: The Process and Practice of Mindful Change. New York, Guilford, 2011

MacLeod AK, Williams JMG, Rose G: Components of hopelessness about the future in parasuicide. Cognit Ther Res 17(5):441–455, 1993

Muehlenkamp JJ: Self-injurious behavior as a separate clinical syndrome. Am J Ortho-
psychiatry 75(2):324–333, 2005 15839768

Strosahl K, Robinson P, Gustavsson T: (2015). Inside this moment: A clinician's guide
to promoting radical change in Acceptance and Commitment Therapy. Oakland,
CA, New Harbinger.

참고문헌

Battle, C., Shea, M., Johnson, D., et al: Childhood maltreatment associated with adult
personality disorders: findings from the Collaborative Longitudinal Personality
Disorders Study. J Pers Disord 18(2):193–211, 2004 15176757

Dube SR, Anda RF, Felitti VJ, et al: Childhood abuse, household dysfunction, and the
risk of attempted suicide throughout the life span: findings from the Adverse
Childhood Experiences Study. JAMA 286(24):3089–3096, 2001 11754674

Gratz KL, Gunderson JG: Preliminary data on an acceptance-based emotion regula-
tion group intervention for deliberate self-harm among women with borderline
personality disorder. Behav Ther 37(1):25–35, 2006 16942958

Hawton K, Arensman E, Townsend E, et al: Deliberate self harm: systematic review of
efficacy of psychosocial and pharmacological treatments in preventing repetition.
BMJ 317(7156):441–447, 1998 9703526

Kreitman N: Parasuicide. New York, Wiley, 1977

Linehan M: Cognitive Behavioral Treatment of Borderline Personality Disorder. New
York, Guilford, 1993

Linehan MM, Armstrong HE, Suarez A, et al: Cognitive-behavioral treatment of
chronically parasuicidal borderline patients. Arch Gen Psychiatry 48(12):1060–
1064, 1991 1845222

Strosahl K: ACT with the multi-problem, therapy wise client, in A Practical Guide to
Acceptance and Commitment Therapy. Edited by Hayes S, Strosahl K. New York,
Springer Science + Media, 2004, pp 209–245

8

자살 응급 관리

위기를 긍정적 변화의 계기로 활용하기

이 장에서 우리는 협력적으로 자살위기를 관리하여 더 건강한 결과로 이끌어줄 수 있는 도구들을 제시한다. 이 장은 위기관리와 사례관리에 각기 적용할 수 있도록 구성되어 있다. 대개 이 부분이 자살경향성 환자를 치료하는 데 있어 감정적으로 지치고 많은 노력을 필요로 하기 때문이다. 많은 치료자들은 삽화적 혹은 만성적으로 증가하는 자살행동에 쉽게 마음을 졸이게 된다. 이 장에서는 더 고전적인 위기개입crisis intervention 개념보다는 위험관리risk management 측면을 강조한다. 그래서 우리는 당면한 자살삽화나 자살행동이 반복될 가능성에 대해 환자와 협력하여 계획을 수립하고 대응할 수 있는 선제적인 전략을 지칭하기 위해 *위기관리risk management*라는 용어를 사용한다. 이렇게 협력적으로 계획을 수립하는 핵심 목표는 가치기반 문제해결 행동에 보상을 해주고, 자살경향성을 단기간에 강화하는 것을 최소화할 수 있는 학습기반 프레임워크를 확립하는 것이다.

자살행동을 다차원적 실체로 만드는 그 요인들이 효과적인 위기관리를 복잡하게 만든다. 일부 환자들은 명확하게 특정할 수 있는 생활 스트레스(예, 이혼, 불치병 진단, 대학 입학, 배우자의 죽음, 실직)를 겪으면서 매우 심각한 자살 위기에 빠질 수 있다. 이러한 스트레스는 정신질환과 관련될 수도 있고 아닐 수도 있다. 이들의 병전 기능 수준은 높을 것이고, 풍부한 사회적 지지를 활용할 수도 있을 것이다. 이와 상반되는 다른 환자들은 만성적인 자살사고나 반복적인 자기파괴적 행동에 몰두한다. 후자에 속하는 환자에게는 위기관리 전략을 보다 더 일관적으로 적용해야 하지만, 이 전략에 소모되는 시간과 에너지는 매주 혹은 심지어 매일 다를 수도 있다. 두 경우 모두 어떤 자살경향성 표현이나 행동도 간과해서는 안 된다.

이 두 가지 상황에는 서로 다른 임상적 대응이 필요하다. 예를 들어, 반복적이고 쉽게 사라지지 않는 자살사고를 자살위기 자체로 보는 것은 생산적이지 않다. 상당수의 자살경향성 환자들에게 자살사고는 늘 존재하는 일상적인 현실이다. 자살사고는 감정을 조절하는 전략적 역할도 하기 때문에 그날의 스트레스 요인에 대한 불안감을 일시적으로 줄이는 역설적인 방식으로 작용하기도 한다. 따라서 자살사고가 정말로 죽고자 하는 욕구를 반영하지 않거나 환자에게 극한의 괴로움의 원인이 아닐 수 있다. 하지만 자살사고는 치료자, 약물처방의, 사례관리자 등을 포함한 많은 사람들에게 심각한 괴로움을 유발할 수 있으며, 이는 다시 맞물린 톱니바퀴처럼 환자와의 상호작용에서 위험을 높일 수 있다. 만성적인 자살사고와 반복적인 자살행동 및 자기파괴적 행동들은 종종 사례관리 시스템에 등록된다. 사례관리자와 치료자는 반복되는 자살행동, 진행 중인 치료, 지역사회 자원에 대한 환자의 욕구와 그들의 위기개입 대응이 항상 균형을 이루도록 해야 한다.

이와 반대로, 특기할 만한 자살사고의 병력이 없고 자살시도도 확인되지 않은 환자가 갑작스럽게 자살위기에 처하기도 한다. 위기라는 개념은 이전의 일반적인 행동 범주를 훨씬 넘어서는 수준으로 자살경향성이 상당히 증가하는 것을 의미한다. 그렇다. 만성적인 자살경향성 환자도 자살 위기에 놓일 수 있지만, 그 위기는 환자가 평소 나타내는 정도보다 크게 증가된 수준의 자살사고나 자살행동을 수반해야 한다.

치료의 핵심 가치는 *해를 끼치지 않는 것이다.* 이러한 핵심 가치를 통해, 자살위기가 고조되었을 때 환자를 더 괴롭게 하거나 재외상화 시킬 수 있는 침습적인 위험관리 전략을 피하고 적절한 대응을 알고 만들어 나가도록 도움을 줄 수 있다. 또한, 이 핵심 가치는 각각의 환자를 전인적으로holistically 바라보는데 도움을 주고, 병리보다는 역량에 기반한 접근을 사용하여, 환자가 안전하다고 느끼도록 도울 수 있다. 이러한 기본 지침에 따라 임상가는 위기에 처한 사람의 상황, 걱정, 선호도를 주의 깊게 다루는 것이 중요하다. 가능한 범위에서 환자가 임상가와 함께 후속 치료를 결정할 수 있도록 참여시키는 것은 위기 상황에서 흔히 나타날 수 있는 절망감과 통제력을 상실한 느낌을 줄이고 신뢰를 고취시킬 수 있다. 이런 노력은 환자들이 자신의 웰빙뿐만 아니라, 위기를 다루면서 내려야 할 거의 대부분의 결정에 대한 책임감을 지지하는데 도움이 된다. 위기관리에 대한 최적의 대응은, 자살위기 자체를 개인적 문제해결과 감정조절을 더 유연하고 적응적으로 해 나갈 수 있는 기회로 활용하도록 장려하는 것이다. 즉, 어떤 형태로든 자살경향성이 나타난 것은 기술을 훈련하는데 긍정적인 기회가 된다.

이 장의 뒷부분에서 자세히 다루겠지만 *사례관리*는 다양한 상황을 통해 효과적으로 치료를 조율하는 것으로 가장 잘 정의된다. 많은 정신의료 시설에서는 누군가를 사례관리자로 지정하고, 이는 자살경향성 환자가 요구할지도 모르는 다양한 치료적 측면들을 조율하는데 결정적인 역할을 한다. 사례관리자는 법적 문제를 다루고, 시스템 수준에서의 장애물을 극복하며, 명확한 치료계획을 전달하고, 사례관리 전략을 따르는 것에 대한 다른 치료자들의 저항을 다룬다. 만약 당신이 속한 기관이 사례관리자를 두지 않고 있으면 새로 한 명을 지정하라. 그것도 불가능하면 당신이 바로 사례관리자가 되어야 한다.

사례관리에서 한 가지 중요하고 종종 어렵기도 한 구성요소는 가까운 가족 구성원이나 치료 시스템에서 비롯되는 사회적 통제 목표와, 환자에게 가장 이익이 되는 것에 대한 임상가의 생각 사이의 잠재적인 갈등을 해소하는 것이다. 누구든 자살경향성 환자의 치료에 관계된 사람은 자신이 하는 일 속에 사례관리의 측면이 일정 부분 포함되어 있다는 것을 발견하게 될 것이다.

사례관리 업무는 상당 부분 당신과 환자 사이의 상호작용을 최적화하는 것이지만, 장기적 노력과 적극적 노력을 기울여 다른 사람들이 당신이 관리하는 환자를 돕는 데 영향력을 발휘하는 것 또한 중요하다. 이 두 개의 임무는 환자가 치료에 반응을 덜 보일수록 종종 하나로 수렴된다. 반복적인 자살경향성 환자들은 통상적으로 더 빈번하고 적극적으로 사례관리가 필요하다. 비록 효과적인 치료에서는 사례관리 요구가 강화될수록 문제해결 초점에서는 더 멀어지는 경향이 있지만, 가치기반의 문제해결과 감정적 수용은 자살위기의 반복이나 사례관리의 양에 무관하게 일관되게 추구해야 한다.

> **성공의 팁**
>
> 효과적인 위기관리를 위해서는 환자가 자살경향성 대신 가치기반 문제해결에 참여하는 것을 장려하고 보상하기 위해 상호 합의하에 단계를 밟아 나가야 한다.

> 위기관리와 별개로 장기적 치료와 사례관리는 치료 환경settings 과 치료자들을 아우르는 협력을 통해 누가 개입하든지 자살경향성에 대해 본질적으로 동일한 방식으로 대응할 수 있도록 해야 한다.

> 위기관리의 기저에 있는 근본 사상은 우선적으로 환자에게 해를 끼치지 않고 자율성과 비자살경향성 의사결정을 위한 기회를 극대화하는 것이다.

자살위기를 극복하기: 5가지 원칙

자살위기로 도움을 필요로 하는 환자에 대한 개입의 성공 여부는 늘 다음의 다섯 가지 원칙에 달려 있다.

1. 자살행동은 환자가 벗어날 수 없고, 끝낼 수 없고, 감정적으로 견딜 수 없다고 여기는 특정한 문제들을 해결하기 위한 것이다(이 3개의 I는 3장 "자살행동의 기본 모형"에서 소개되었다). 우리 중 누구도 이러한 조건에 놓이게 되면 자살경향성이 나타날 수 있다. 성공적인 치료적 개입은 단기 및 중기 문제해결 전략들을 활용하여 환자가 자살위기를 극복할 수 있도록 도와주는 것이다.

2. 당신의 태도는 위기를 악화 혹은 완화시키는데 결정적인 역할을 한다. 환자가 경험하고 있는 정서적 고통을 인정하고 그 고통을 환자의 삶의 가치를 반영하는 것으로 재구성하라. 환자가 원하는 삶과 환자가 살고 있는 삶 사이의 차이에서 감정적으로 괴로운 순간이 생긴다. 자살위기를 직접적이고, 사실에 기반하여, 솔직한 태도로 다루라. 이후에 일어날 수 있는 일들에 대해 안절부절 못하고, 두려워하고, 걱정하는 모습은 보이

지 마라. 임상가가 지나친 감정 반응을 보이는 것은 대개 환자의 이익에 부응하지 못한다.

3. 자살위기에서 자살은 드물게 나타난다. 대부분의 주요 치료 기법들은 환자가 내일도 살아 있을 것이라고 가정한다. 환자가 위기로부터 배우고 이러한 경험을 통해 이후의 위기에 덜 취약해지도록 해야 한다. 만약 당신이 치료적 동맹을 맺으려는 동기가 단지 환자를 살아 있게 하는 것뿐이라면, 환자가 한 인간으로서 성장할 수 있는 귀중한 기회를 놓치게 될 것이다. 반복적인 자살행동의 이력을 지닌 환자가 치료를 통해 각 자살 삽화로부터 배우고 성장하지 않는다면, 끝없이 이어지는 자살 삽화들에 반응하는 것 외에 당신이 할 수 있는 일은 거의 없을 것이다.

4. 상담을 하든, 약물치료를 하든, 전부 다 하든, 어떤 형태의 위기 개입도 모든 상황에서 자살을 예방할 수 있다는 근거는 거의 없다. 실제 자살위기는 자기제한적이다. 감정이 소진되는 적응 기간 없이 24-48시간을 초과해서 계속 급성 자살위기가 지속되는 사람은 거의 없다. 환자의 자살 삽화가 곧 사라지고 위기를 초래한 기저의 문제들이 다시 부상할 것을 예상하며 하루 이틀 뒤까지 견딜 수 있게끔 하는 데 치료의 초점을 맞춰야 한다.

5. 환자가 문제를 건설적이고 비자살경향적인 방식으로 해결하도록 돕는 것을 개입의 목표로 해야 한다. 개입 기법들은 절대 자살행동을 강화해서는 안 된다. 목표는 벌을 주거나 자살행동을 보상하는 것이 아닌, 자살위기를 중립적인 사건으로 만드는 것이다. 이렇게 중립적 역가를 부여함으로써 자살경향성은 더 적응적인 다른 문제해결 전략들에 대한 비교우위를 잃게 된다.

고조되는 자살행동을 극복하기 위한 전략

특정한 전략을 적절히 사용하면 급성 자살경향성 환자의 위기를 진정시킬 수 있다. 이 기법은 초진과 재진 환자 모두에게 적용될 수 있다(표 8-1).

환자의 경험과 연결함으로써 고통을 인정하라

환자가 견딜 수 없고, 벗어날 수 없고, 끝없이 계속된다고(3개의 *I*) 느끼는 고통을 통제하기 위해 어떤 전략이라도 필사적으로 찾으려고 시도하는 것이 자살행동의 토대가 된다. 고통 그 자체는 환자가 원하는 삶과 환자가 살고 있는 삶 사이의 차이를 느끼는 것에서부터 비롯된다. *환자의 감정적 고통과 좌절감을 인정해주는 것이 가장 중요하다는 것을 명심하라.* 감정적 고통을 인정하는 가장 좋은 방법은 1) 당신은 환자가 얼마나 아파하는지 알 수 있다고 얘기하고, 2) 그 고통을 환자가 추구하고자 하는 긍정적인 삶의 가치와 연결하는 것이다. 환자의 고통이 자살경향성 문제해결을 사용하는 이유이기 때문에 여기에 지나치게 많은 초점을 맞추기가 매우 쉽다. 하지만 환자가 그렇게 큰 고통을 느낄 정도면 어느 정도 강력한 가치를 가지고 있어야 함을 알아야 한다. 때로는 상대적으로 짧은 동안 상호작용하는 중에도 환자의 감정적 고통을 인정해야 할 수도 있다. 당신이 환자의 고통을 이해하며, 판단하지 않고 도움을 주기 위해 있다는 것을 환자가 확실히 믿도록 해야 한다. 비록 위기관리의 명시적 목표는 궁극적으로 문제해결 세트를 개발하고 새로운 실천 계획을 수립하는 것이지만, 치료적 동맹의 맥락에서는 환자의 어려움을 인정하고 효과적인 지지를 제공해주어야 한다.

치료자가 무엇이라도 해야 한다며 조급해 하면 그것이 환자의 고통과 괴로움을 부정하는 것처럼 작용해서 자살위기가 더 심해질 수 있다. "하면 된다just do it"는 구호는 라커룸에서나 효과가 있는 것이지 자살경향성 환자

표 8-1. 위기가 고조될 때 해야 할 것

환자의 감정적 고통과 절망을 인정한다.

차분하고 꼼꼼해진다. 기능적 분석을 기억할 것(5장, "자살 경향성 환자에서의 외래 치료" 참조)

정신상태를 검토한다. 정신병적 증상, 기분, 불안 증상을 확인한다.

바로 전에 있었을지도 모르는 물질남용 가능성을 평가한다. 알코올, 처방 약물, 불법 물질 등에 대해 확인한다.

환자의 사회적 맥락을 평가한다. 환자가 즉시 강화될 수 있는 정서적 유대감과 친밀함을 파악하는 단기 목표를 수립하도록 돕는다.

자살행동을 직접적으로 물어본다. 자살행동 평가를 위해 근거기반 방법을 활용한다.

항상 자살행동을 문제해결 행동으로 재구성 한다.

긍정적 실천 계획을 수립한다.

위기 프로토콜을 점검한다.

필요하면 추가적인 회기를 가진다. 하지만 이로 인해 자살 행동이 강화될 수 있음에 주의하라. "기분이 나아지는 것"이 아닌, 문제를 해결하는 것을 강조한다.

에게는 절대 금기이다. 그들은 이러한 태도를 거부하기 힘든 명령으로 해석하기 때문이다. 환자는 이러한 명령에 반응하여 더 자살경향성이 심해질 가능성이 높다. 덧붙여 이렇게 말할 것이다. "아니요, 선생님은 제가 정말 어떻게 느끼는지 전혀 이해하지 못해요. 제가 더 확실하게 보여드릴게요!" 할 수 있는 한 최대한 자주 환자의 감정적 고통을 인정하고, 환자가 고통을 중단하는 방법으로 자살을 생각하고 있음을 언급하라. 동시에 확신에 찬 말투로 당신과 환자가 함께 협력하면 더 나은 해결책을 찾을 수 있다는 믿음을 전달하라. 자살경향성 환자에게 시행할 수 있는 많은 기술적 방법들이 있지만, 회기 중의 정서적 분위기가 큰 틀에서의 성공을 결정짓는 데 가장 중요한 매개요인이다. 환자는 상대가 경청하고 수용해준다고 느낄 때

협력적인 문제해결 계획을 완수할 가능성이 높다.

평정심을 유지하고 하던 일을 계속하라

위기 상호작용을 하는 동안 평정심, 솔직함, 꼼꼼함을 유지하는 것이 매우 중요하다. 환자가 자살충동을 통제할 수 있는 자신의 능력에 대한 근본적인 두려움과 맞서 싸우는 바로 그 순간이, 당신이 치료자로서 편안하고 자기확신에 찬 모습을 유지해야 할 때다. 당신이 허둥지둥하거나 불안감에 흔들리지 않는다는 사실이 환자를 안심시켜줄 것이다. 이는 또한 당신이 이런 문제들을 다루는데 편안하며, 무엇을 하고 있는지 알고 있음을 전달한다. 당신의 태도는 자살행동을 촉발한 문제들을 환자가 어떻게 인식하는지, 환자가 어느 정도 범위의 문제해결 방법들을 고려해 보았는지, 단기간의 문제해결에 영향을 줄 수 있는 기분과 인지적 요소들은 무엇인지, 가용성과 치명도를 지닌 자해 수단과 같이 높은 위험성을 시사하는 상황적 특징이 있는지와 같은 중요한 정보들을 수집하는데 도움이 된다.

정신병이나 사고장애의 징후를 평가하라

환자의 문제해결 유연성과 역량을 평가할 때 정신병이나 사고장애 증상이 있는지도 파악해야 한다. 일반적으로 사고장애가 심할수록 자기주도적인 방식의 문제해결 계획은 실행성이 떨어진다. 명령조의 환청이나 망상으로 인해 환자에게 자해충동이 유발되는 것은 아닌지 확인하라. 정신병적 질환은 항상 반드시 치료해야 하고, 정신병적 증상이 환자의 자살경향성을 높일 때에는 즉각 개입해야 한다. 정신병적 질환을 앓고 있는 환자는 약물이나 단기입원의 구조화된 환경이나 장기입원과 같이 기저의 정신병적 증상에 초점을 맞춘 개입으로 도움을 받을 수 있다.

기분 및 불안 상태로 인한 장애를 평가하라

기분 및 불안과 관련된 증상을 평가하는 것은 환자의 위기를 이해하기 위한 중요한 단계다. 기분과 관련된 증상들은 환자의 동기부여, 주의력, 에너지 수준에 큰 영향을 끼친다. 심하게 우울한 환자는 문제해결을 수행할 수 있는 에너지가 부족해서 문제해결 계획을 완수하는 데 어려움을 겪을 것이다. 심하게 불안하고 초조한 환자는 소모할 수 있는 에너지는 많이 보유하고 있지만, 대처 계획을 실행하는 데 필요한 초점을 지속적으로 유지하는 데 어려움을 겪을 수 있다. 일반적으로 기분 및 불안과 관련된 기능 장애가 심각할 수록, 더 단순하고 짧은 대처 계획에 초점을 맞추어야 한다. 이 상황에서 목표는 환자가 일단 고비를 넘길 수 있도록 도와주는 것이며, 그후 치료자는 환자의 더 복잡한 삶의 문제들을 해결하는 방향으로 나아갈 수 있다. 예를 들어, 지금은 학대를 일삼는 배우자와 이혼을 신청하도록 환자를 밀어붙일 때가 아니다. 그보다는 환자가 며칠간 가정폭력으로부터 벗어나 안전하게 쉴 수 있도록, 신뢰와 안전감이 느껴지는 지역 쉼터를 알아보는 데 초점을 둬야 한다.

즉각적인 물질남용 가능성을 평가하라

환자가 현재 알코올, 처방 의약품, 그 외 합법 및 불법 약물들을 사용하는지 평가하는 것이 중요하다. 많은 자살경향성 환자들은 감정적 고통을 조절하기 위해 알코올이나 다른 중독성 약물을 사용한다. 만약 물질 사용이 자살경향성을 유발하거나 악화시키는 역할을 한다면, 물질의 부정적인 효과에 대해 가르치거나 도덕적으로 판단하려 하지 마라. 대신 물질 오남용으로 이어지는 수동적인 방식과 정반대의 문제해결 계획을 수립하라. 예를 들어 환자가 음주나 처방 의약품 남용, 불법 약물을 쉽게 사용하는 시간대에 생산적인 활동 계획을 잡거나, 환자가 중독과 같은 단기간의 해결방식을 사용하려는 유혹에 빠질 것 같으면 그 시간대에 확인전화를 해라. 물질을 사용하지 않았던 고위험 시간대가 있었는지 물어보고, 환자가 더 나은 해결 방법들을 생각해내고 이러한 전략들을 더 많이 사용하도록 주의를 기울일 수 있었는지 물어보라. 알코올, 처방 의약품, 불법 물질을 사용하는 것을 제한하거나 과몰입하지 못하게 하는 활동을 시작하는 데 도움이 되도록 환자의 사회적 연결망에 있는 다른 사람들의 힘을 빌리는 것도 종종 도움이 된다. 만약 중독 프로그램을 활용할 수 있다면, 환자가 등록하고 참여할 수 있도록 도와주어라.

환자의 사회적 맥락을 평가하라

환자의 의미 있는 감정적 관계, 소속감의 근원, 활용 가능한 모든 사회적 지지 수준을 주의 깊게 평가하는 것이 중요하다. 고립감을 느끼는 경험, 그리고 아주 중요하게는(예, 관계, 가족, 지역사회, 혹은 더 추상적으로는 삶 전체에서의) 소속감이 갑작스럽게 붕괴되는 경험은 자살경향성을 급격하게 증가시킬 수 있다. 환자가 다른 사람들과 관계 맺고 있는 느낌을 명료화하고 최근에 삶의 어떤 변동이나 어려움이 있었는지 확인하는 것은 자살행동의 기저에 있는 동기를 파악하는데 필수적이다. 게다가 환자의 이러한 상황을 이해하면 자살행동이나 자해를 통해 조절하고자 하는 감정적 고통을 유발하는 문제들을 규명할 수 있을 것이다.

자살 가능성을 평가하기 위해 근거기반 방법들을 사용하라

전통적인 자살 위험 평가 문항들만 사용해서 환자의 자살행동 위험성을 평가하지 마라. 이러한 전통적인 위험 요인들은 자살행동 위험을 정확히 예측할 수 있다고 검증되지 않았다. 환자가 자살경향성이 지속될지 평가하는 더 확실한 방법이 있다. 이 문항들은 상대적으로 질문하기 간편하며 4장 "평가 및 사례 개념화(표 4-2의 "잠재적인 자살행동의 위험성을 알려주는 핵심 요인들")에서 자세히 다루고 있다.

다음 영역에서 환자의 관점을 파악하라:

- 자살행동이 문제를 해결할 것이라는 믿음
- 문제를 해결하는 수단으로 자살행동을 사용했던 이력
- 자살행동으로 해결하고자 하는 문제의 속성
- 심한 감정적 고통을 견딜 수 있는 능력
- 이전의 강한 자살사고 삽화를 되돌아볼 때, 자살로 죽지 않는 이유
- 미래를 긍정적이고 삶을 더 나아지게 하는 것으로 볼 수 있는 능력

자살행동을 문제해결 행동으로 재구성하라

자살행동을 문제해결의 맥락으로 재구성하여, 환자가 치료에 대한 첫 인상을 현실 문제를 해결하는 데 초점을 맞추는 것으로 알게끔 하라. 이러한 접근은 자살행동에 대한 낙인을 없애고 환자가 다양한 관점에서 증상을 바라볼 수 있게 해준다. 자살행동은 비정상의 신호가 아닌 합당한 문제해결 과정의 결과라는 메시지를 전달하도록 애써라. 이러한 전략은 환자의 잠정적인 역량을 강화하는 것 뿐만 아니라, 그 자체로도 자살위기를 완화시키는데 도움이 된다.

긍정적인 실천 계획을 수립하라

효과적인 위기관리에서 바라는 결과는 당신과 환자가 협력하여 단기 계획을 수립하는 것이다. 이 계획은 자살행동을 유발한 문제들을 해결하기 위해 이후에 실행해야 할 실천을 다룬다. 좋은 계획은 다음과 같이 쉽게 정의

할 수 있다. 구체적이고, 자세하고, 환자가 달성 가능한 범위 내에 있는 것이다.

이러한 노력을 하는 데 있어 흔히 범하게 되는 두 가지 실수는 1) 환자가 완수할 수 없는 계획을 세우는 것과 2) 환자와 함께 협력해서 세우지 않은 계획을 밀어붙이는 것이다. 위기 상황에 내재되어 있는 압박을 고려할 때 당연히 당신은 결과가 좋기를 바랄 것이다. 하지만 그렇다고 해서 환자가 자신의 문제를 해결하기 위해 해야만 하는 것을 당신 혼자 생각해서 좋은 것으로 규정하지 않도록 주의하라. 당신이 좋다고 규정한 것에 환자가 동의하지 않을 수도 있고 환자가 할 수 있는 것이 아닐 수 있다. 문제를 해결하기 위해 꼭 커다란 변화가 필요한 것은 아니라는 점을 명심하라. 작고 긍정적인 단계들을 밟아 나가는 것이 삶에서 영웅적인 변화를 일으키고자 하는 환자의 관점에 큰 영향을 끼칠 수 있다. 자살행동의 기저에는 그 상황을 바꿀 수 없고 그로부터 벗어날 수 없다는 심리가 깔려 있다. 어떤 긍정적인 변화도 이러한 경직된 가정들에 의문을 제기하게 만들 수 있다. 당신과 환자가 효용성 있는 단기 계획을 수립하였다면, 당신은 환자의 성공을 담보하기 위해 최선을 다 한 것이다. 성공의 열쇠는 환자의 능력에 맞게 계획을 세우는 것이다. 만약 계획이 실행 불가능하다면, 환자는 무력감을 느끼고 포기할 것이고, 짊어져야 할 하나 이상의 실패를 더 겪게 될 것이다. 계획은 반드시 달성 가능해야 하고, 만약 성공하면 긍정적인 전진으로 여길 수 있어야 한다.

단기 문제해결 계획의 흔한 목표들은 다음과 같다.

1. 환자의 사회적 고립을 감소시킨다.
2. 환자의 소속감과 연대감을 증진시킨다.
3. 즐겁고 긍정적인 사건을 늘린다. 불쾌하고 부정적 강화 사건은 피한다.

4. 환자를 성공할 가능성이 높은 활동에 참여(혹은 재참여)하게 한다.
5. 몇몇 운동을 통해 환자의 신체적 활동 수준을 증진시킨다.
6. 환자가 이완 전략이나 자기관리 행동을 더 많이 사용하게 한다.
7. 환자가 이전의 위기 상황에서 효과가 있었던 대응 방법을 사용하도록 한다.

다음 두 개 문항에 대한 환자의 단기간 목표를 각각 물어보라.

1. "당신이 며칠 내에 _____ 을 할 수 있을 때, 그것을 좋아지는 신호로 보시겠습니까?
2. "현재 당신의 감정을 고려할 때 앞으로 며칠 내 _____ 을 실제로 할 수 있을 것 같습니까?"

고립된 사람은 강한 사회적 지지망을 지니고 있어도 짐이 되는 것이 걱정되어 상호작용을 피할 수 있다. 이 상황에서 단기 행동 계획은 한 명 이상 조력자와의 사회적 관계를 시작하는데 중점을 두어야 하며, 개인적인 문제에 대해 말하는 시간은 제한해야 한다. 또한 어쩌다 매주 일상적인 활동에서 제외되어 버린 즐거운 활동을 재개할 수 있는 방법도 찾아볼 수 있다. 여기에는 1주일에 5일간 공원에서 한두 번 산책하는 것, 영화 관람, 반려동물 키우기, 운동 배우기 등이 있다. 환자가 이전에 어려움을 겪을 때 활용했던 대처 전략들을 찾아보는 것도 종종 유용하다. 환자는 매일 기분 좋게 따뜻한 목욕을 했는가? 하루에 두어 번 정도 명상이나 간단한 이완 전략들을 활용했는가? 하루의 일과를 확인하기 위해 다른 도시에 사는 친구와 통화를 했는가?
역량기반 관점에서 볼 때 환자가 이미 할 줄 아는 것들이 무엇인지 알면 좋다. 새로운 행동을 배우기보다는 이미 알고 있던 행동을 다시 시작하는 것이 더 쉽다. 개입의 규모를 크지 않게 하고, 개입 자체도 자살사고나 자살 행동, 기분, 인지 등을 직접 대상으로 하지 않을 수 있다. 환자가 하고 싶어 하면서 할 수 있는 개입을 선택하는 것이 중요하다. 처음에 실제로 어느 정도의 성공을 경험하는 것이 큰 문제를 해결하기 위해 고군분투하는 것보다 훨씬 더 중요하다. 혹시 가능하다면 단기간의 긍정적인 실천 계획을 서면으로 작성하여 환자가 집에서 실행하도록 주는 것이 좋다. 환자가 집안 잘 보이는 곳(냉장고 문, 욕실 화장거울, 변기 등)에 실천 계획이 적힌 것을 붙여 놓고 자주 확인하게 하라.

후속 연락 일정을 잡아라

이 상황에 대한 당신의 판단에 따라, 후속 연락을 1주 이내에(혹은 필요한 경우 1–2일 이내라도) 잡아야 환자가 계획을 어떻게 실행하고 있는지 함께 평가할 수 있다. 이러한 후속 연락은 미리 정해진 시간에 간단한 통화나 문자를 통해 실행할 수 있으며, 단지 계획대로 잘 진행되고 있는지, 예상치 못한 난관은 없는지 등을 확인하는 것이 목적이다. 이 계획이 문제해결을 강화하는 것인지 확인하라. 만약 계획대로 되지 않거나 역효과가 나타나는 경우 곧바로 다시 내원할 수 있도록 첫 회기 때부터 안내해야 한다.

자살위기를 성장을 촉진하는 데 활용하라

어떤 환자라도 그럴 만한 생활 사건이 있거나 자살행동을 문제해결 방법으로 활용하려는 경향이 있는 경우, 치료 중에 다시 자살경향성이 될 수 있다. 그 가능성이 명확하게 나타나더라도, 일부 임상가들은 은연중에 치료에 참여하는 것만으로도 자살행동이 사라지게 할 수 있다고 단정한다. 만약 자살행동이 다시 나타나면 임상가가 대비를 못하거나 화가 날 수 있기 때문에, 이러한 사고방식은 위험할 수 있다. 성공적인 치료의 기술은 치료의 어느 시점에 자살사고와 자살행동이 나타날 수 있다는 것을 임상가와 환자가 함께 힘을 모아 예상하고 대비하는 것이다. 치료를 받으러 오는 것이 긍정적인 단계인 것은 분명하지만, 실생활의 문제들을 해결하는 것과 혼동되어서는 안 된다. 이것을 숙지하면 나중에 실망이나 더 큰 절망감, 무력감을 유발할 수 있는 이상적인 치료 이미지를 유지하려 하기보다는, 현실적인 수준에서 임상가-환자의 관계를 맺을 수 있을 것이다. 반복되는 모든 자살행동을 학습을 위한 실험실로 활용하면서, 가치기반의 문제해결 기술을 증진할 수 있도록 비판단적인 마음가짐을 유지하라. 이러한 수용 및 접근 지향적인 기법은 감정적 고통의 원인뿐만 아니라 환자가 생각할 수 있는 다양한 모든 해결책(자살과 관련된 것을 포함)을 기꺼이 밝힐 수 있는 공간을 마련해준다.

중요한 합의: 위기의 순간에 누가 무엇을 할 것인가?

자살사고나 자살시도의 가능성을 예측하는 효과적인 전략은 환자와 터놓고 이러한 시나리오를 논의하는 것이다. 목표는 1) 치료 중 흔히 접하게 되는 다양한 상황에 당신이 어떻게 대응할 것인지와 2) 환자가 위기 동안 지켜야 하는 특정 기본 규칙들에 동의하도록 돕는 것이다. 치료의 첫 시간에 여기에 대한 합의를 이뤄서 모든 가능성에 대한 대응 방법을 사전에 정리해 둠으로써, 당신이 새벽 2시에 자살위기의 한복판에 있는 환자에 대한 대응 전략을 만들어야 할 필요가 없게끔 하는 것이 중요하다. 여기에서 가장 중요한 단어는 '합의'이다. 당신은 환자가 해야 할 일들을 일방적으로 지시하는 것이 아니다. 대신 당신과 환자는 다음의 리트머스 시험지를 통과해야 하는 일련의 합의를 이루기 위한 협상을 해야 한다.

1. 환자는 프로토콜을 잘 이해하고 그에 동의한다.
2. 환자와 당신의 믿음과 가치는 이 프로토콜에 부합한다.
3. 환자는 프로토콜을 공정하고, 현실적이고, 실행효과가 있는 협의로 여긴
   다.

이 합의는 한편으로는 다음과 같은 환자의 질문에 답해준다. "만약 제
가 실제로 자살시도를 하면 선생님은 무엇을 하실 건가요?" 예를 들어 환
자는 당신이 자신을 비자의입원을 시킬 것이 걱정되어 자살위기에 대한 어
떤 언급도 주저할 수 있다. 따라서 당신은 잠재적 자살위기와 관련한 당신
의 믿음과 가치를 설명해야만 한다. 이 상황에서 법적, 윤리적, 도덕적 교류
crosscurrent가 치료의 성공 혹은 실패에 영향을 끼칠 수 있다. 이러한 정보는
터놓고 논의해야 한다. 어떤 협력적 실천 계획도 당신이 자살위기의 한가운
데에서 기꺼이 따를 수 있는 원칙을 반영해야 한다.

입원 병동 활용하기

당신이 어떻게, 그리고 어떤 상황에서 입원을 활용할지 잘 정립해야 한다.
일시적인 안정 가료를 위한 단기입원, 진단적 평가를 위한 자의입원, 그리
고 비자의입원 등에 대한 논의를 고려할 수 있다. 예를 들어, 장기입원에 비
해서 자의입원, 단기입원, 기간 제한 입원이 지니고 있는 가치를 제시할 수
있다. 목표는 환자를 향후 절차를 수립하는 데 참여시킴으로써, 위기 상황
이 발생하였을 때 효과적으로 공동의 의사결정을 내리고 환자의 자기조절
감을 극대화할 수 있는 시나리오를 만드는 것이다.

추가 회기 계획하기

자살위기가 발생하였을 때 추가적인 회기가 필요할 수 있으며, 당신은 이렇게 번외 회기를 필요로 하는 상황에 대해 명확히 협의해 놓아야 한다. 자살경향성이 증가되는 동안에 루틴으로 추가 회기를 잡는 것은 의도와 반대로 자살경향성으로 문제를 해결하는 것을 강화할 수 있기 때문에 위험하다. 대면 시간을 추가하는 형태로 더 많은 관심을 기울이는 것이 실질적으로 자살행동에 대한 사회적 보상으로 기능할 수 있음을 인지해야 한다. 이는 자살행동이 고조되는 기간 동안 시행하는 추가 회기를 진행하면서 많이 나타나는 문제이다.

일반적으로 긍정적인 문제해결 행동을 할 때 추가 회기를 잡는 것이 더 도움이 되며 환자는 한층 강화된 치료를 통해 더 많은 이득을 얻을 수 있다. 만약 위기로 인하여 추가적인 연락이 필요하면, 가급적 가치기반의 문제해결 행동 하나에만 조언과 보상을 해주는 식으로 환자와의 접촉 강도를 최소화하라. 대면 면담보다는 단기 추적 통화를 활용하라. 위기관리의 궁극적인 목표는 환자가 위기에서 자급자족할 수 있도록 도와주는 것이다. 즉, 고비를 넘기고 활력과 목적이 있는 삶을 증진시키는 데 중요한 것을 실행할 수 있는 자체적인 능력을 키우도록 돕는 것이다.

근무시간 이후에 연락하기

당신이 언제 어떤 상황에서 환자로부터 예정에 없는 통화, 이메일, 문자, 소셜미디어 연락을 받을지 치료의 아주 초기부터 확실히 하는 것이 중요하다. 일반적으로는 전화를 사무적으로 받고 전화통화의 맥락이 숙제 할당이 되도록 하는 것이 길고 비구조화된 대화보다 훨씬 더 건설적이다. 대개 당신은 환자가 일련의 자살행동 흐름에서 가장 첫 번째 단계에 당신에게 연락하기를 바랄 것이다. 이는 흔히 환자가 자살을 덜 강렬하고 덜 확정적인 용어로 생각할 수 있도록 한다. 환자는 당신과의 상호작용을 선택함으로써 자기조절과 개인적 책임감을 형성한다. 환자가 이 프로토콜에 따를 때, 당신은 일과 중 어떤 때에도 환자와 연락이 가능하도록 해야 하고, 그게 안 되는 경우에는 명확한 대비책을 세워놓아야 한다. 환자가 다른 모든 사람들과 마찬가지로 임상가도 근무 시간이 아닐 때 취침 시간과 일과 후 활동이 있음을 상기시키는 것이 중요하다. 이러한 규칙에 대해 미리 합의하고, 당신이 다양한 상황에서 어떻게 대응할지 환자에게 알려줘라.

자살시도가 진행 중인 상황에서는 당신이 의학적 치명도에 대한 즉각적인 평가를 시행할 것에 대해 환자와 함께 합의하는 것이 좋은 전략이다. 만약 당신이 볼 때 환자가 의학적으로 위험한 상태라면, 환자가 있는 곳으로 응급구조대를 보낼 수 있다. 지금은 더 효과적인 문제해결 방법들을 논의하는 것이 적절하지 않음을 표현하고, 그 문제에 대해서는 다음에 예정되어 있는 정규 회기 때 논의하는 쪽으로 당신의 관심을 강화하라. 환자가 정신적으로나 서면으로 이러한 특수한 위기를 다루는데 관심을 가지도록 하고, 당신이 이 상황으로부터 배울 점이 무척 많다고 믿는다는 것을 환자에게 강력히 언급하라.

만약 환자가 이메일이나 문자 메시지를 보내려고 하면, 이러한 상호작용을 실시간 전화 통화나 혹은 필요한 경우 대면 면담 때로 돌려라. 당신이 일과 후 활동을 하던 중에 환자가 전화를 하면 당신이 바쁘다고 알리고, 환자가 대처카드("대처카드 만들기" 하위 섹션을 보라)에 있는 자조 계획을 수행하도록 한 뒤 그 결과에 대해 함께 얘기할 수 있는 일정을 잡아라.

만약 환자가 전화해서 자살시도를 더 진지하게 보고하면, 단기 문제해결 논의를 실행하고 환자가 단기간 긍정적 행동 계획을 찾아낼 수 있도록 도와주어라. 이 경우 앞에서처럼 환자에게 노트를 작성해서 다음 시간에 가지고 오도록 한 뒤, 자살충동에 따라 행동하지 않고 대신 당신에게 전화한 것을 칭찬하라. 환자가 반복적인 자살경향성을 보였기 때문에 당신이 퉁명스럽게 대하거나 벌을 준다는 느낌이 들지 않게 하라.

많은 치료자들이 혹시 환자가 자살로 사망하지 않을까 하는 두려움에 전화 통화를 짧게 끝내려는 생각을 잘 하지 못한다. 이러한 딜레마는 견실한 임상적 의사결정을 내리는 대신 법적 책임을 두려워한 결과이다. 자살경향성 환자가 과도하게 환기하고ventilate 똑같은 것을 반복해서 말하도록 하는 것은 환자에게 견실한 문제해결의 기본원칙을 가르쳐주지 못할 것이다. 중요한 것은 이 상황에서 임상적으로 효과적인 것에 대해 생각하는 것이지, 법적 책임에 대한 당신의 두려움을 덜어내는 것이 아니다. 당신이 내린 임상적 결정의 근거와 환자를 돕기 위해 진행한 과정들을 기록하라.

더 난처한 상황은 자살경향성 환자가 자살 도구를 가진 채로 당신에게 전화해서 "지금 자살시도를 할 거에요!"라고 말하는 경우이다. 이럴 때는 환자가 곧바로 활용 가능한 자살 도구를 친구에게 넘기거나 다른 방식으로 일단 없애도록 지시한 뒤 다음과 같이 말하는 것이 도움이 된다. "저도 당신을 돕고 싶습니다. 하지만 당신이 자살하려고 생각하고 있는 상태에서는 얘기를 나누기가 어려울 것 같습니다. 일단 그 문제를 제쳐 놓으면 우리가 함께 힘을 모아 지금 일어나는 일들을 해결할 수 있습니다." 만약 환자가 당신의 요청에 따르지 않는다면, 통화에 기반한 어떤 문제해결도 비극적인 멜로드라마가 될 것이다. 당신은 이미 이런 상황에서 어떤 입장을 취할 것인지 얘기했고, 이제는 그대로 따를 때다.

환자들과 일과 시간 이후에 연락하는 것을 합의하는 데 있어 한 가지 어려움은, 다른 모든 사람들과 마찬가지로 당신도 일로부터 벗어나 다른 활동들을 할 시간과 휴식이 필요하다는 것이다. 임상가에게 감정적 소진은 흔히 나타나며, 이러한 직업적 위험성을 예방하는 것은 중요한 직업윤리이다. 임상가가 소진된 결과로 과실과 태만의 죄가 생긴다는 근거들이 늘어나고 있다. 더 분명한 것은 자기관리를 잘 하는 임상가들이 예방적 관리도 더 탄탄히 할 수 있다는 것이다. 근무 중이 아닐 때 서로 교차해서 환자들의 연락을 맡아주는 것은 적절한 조치이며, 이렇게 배정되는 것에 대해 반드시 환자에게 알려주어야 한다. 당신이 많은 수의 고위험 환자들을 치료하고 있다면 이와 같은 안전장치를 마련하는데 특히 더 많은 노력을 기울여야 한다.

불시에 지지 전하기와 기타 연락 방법들

환자에게 당신이 그냥 안부를 확인하는 목적으로 때때로 전화를 할 수도 있음을 얘기하고 허락을 구하라. 불시에 지지적인 전화를 하는 것의 밑바탕에 깔려 있는 전략은, 환자가 위기에 처해 있을 때 고조되는 자살행동이 추가적인 회기나 일과 시간 이후 연락과 같은 방법으로 더 많은 관심을 받는 것과 연관되는 것을 약화시키는 것이다. 환자가 자살경향성이 되고자 하는 욕구와 환자에 대한 당신의 관심과 돌봄 사이의 연결을 끊는 이러한 전략은 치료에서 중대한 긍정적인 움직임을 이끌어낼 수 있다.

불시에 하는 지지적 통화는 대개 아주 짧게, 2–3분을 넘지 않게 한다. 전화를 통해 치료를 연장하지 마라. 너무 자주 할 필요 없이 한 달에 한 번 정도면 충분히 긍정적인 효과를 볼 수 있다. 정말 불시에 하려면 3개월 전부터 미리 날짜를 보고 통화 스케줄을 잡는 것이 좋다. 때때로 격려 엽서나 편지를 보내는 것도 자살경향성을 호전시키는 데 효과적이다. 전달하고자 하는 메시지의 핵심은 "당신이 어떻게 지내시는지 궁금합니다. 행동 숙제를 잘 진행하고 계실 것으로 기대합니다. 당신은 특히 _____에 많은 관심을 가지고 계셨는데요, 어떻게 되어 가고 있는지요? 다음주에 뵙기를 진심으로 바랍니다. 안녕히 계십시오." 즉, 그 주에 무슨 일이 일어나든 환자를 지지하라.

전화는 환자의 기능 수준과 무관하게 이루어져야 한다. 환자가 위기 상황에 처해 있으면, 환자가 현재 사용하고 있는 문제해결 전략을 강화하기 위해 한두 번 정도 전화를 더 할 수 있다. 비록 환자가 위기에 처해 있더라도 메시지는 한결같아야 하며, 통화시간도 짧게 유지되어야 한다. 이러한 전략은 환자와 새로운 유형의 관계를 만들 수 있다. 자신을 수용해주는 누군가로부터 중요한 사람으로 여겨지고 이해받는 것은 자살경향성 환자의 세계관에 매우 결정적인 경험이 될 수 있으며, 그 결과 간단한 2분짜리 통화도 치료에서 중대한 사건이 되기도 한다.

대처카드 만들기

마지막이면서 가장 중요한 위기 프로토콜 전략은 대처카드를 만드는 것이다. 대처카드 혹은 위기카드로 불리는 이것은 오랫동안 임상 현장에서 사용되어 왔다. 비록 더 많은 연구가 필요하지만, 자주 자살시도를 하는 사람들을 대상으로 한 최근의 소규모 무작위 대조군 연구에서는 통상적인 치료군에 비해 대처카드를 사용한 군에서 자살행동과 핵심 증상들이 더 호전된 결과를 보고하였다(Wang 등 2016).

자원 파악

대처카드의 첫번째 구성 요소는 자원을 파악하는 것이다. 목표는 환자가 현존하는 사회적 지지와 지역사회 자원을 활용하고 당신에게 덜 의존하게끔 하는 것이다. 위기 상황에서 환자가 연락할 수 있는 하나 또는 그 이상의 역량 있고 지지적인 사람들을 파악하라. 역량 있는 사회적 지지자란 가르치려 들지 않고, 꼬드기지 않고, 환자의 문제에 대해 도덕적 가치판단을 하지 않는 대신, 환자의 감정을 있는 그대로 인정해주고 안전한 여건을 마련해주는 사람이다. 일단 사회적 지지자들이 파악되면, 환자가 그들의 이름과 전화번호를 카드에 적게 한다.

일부 환자들은 사회적 지지 집단을 구하는데 어려움을 겪을 것이다. 환자들은 별로 많은 사람들을 알지 못하거나, 이미 다른 사람들의 삶에 너무 많은 부담이 된다고 느끼기 때문에 망설일 수도 있다. 이러한 경우 환자와 함께 효과적으로 도움을 주고 모두가 동의할 수 있는 틀을 세울 수 있는 가족 구성원이나 친구들을 만나는 것을 고려하라. 예를 들어, 만약 길고, 횡설수설하고, 어느 정도 고통스러운 대화들이 빈번히 나타나면, 시간을 제한하거나(예, 5분) 그 시간 동안 다뤄야 할 요점을 제시하라. 다루어야 하는 요점에는 대처카드에 있는 자활 전략(다음 하위 섹션을 보라)이 항상 포함될 수 있다. 모든 구성원들이 창의력을 발휘하여 모든 사람들에게 도움이 되고 편한 지지 대책을 제안할 수 있도록 격려하라.

위기 상황에서 연락할 수 있는 지역사회 자원들을 파악하는 것 또한 중요하다. 지역 위기 상담센터 정신건강복지센터의 응급개입팀, 지역 응급의학과의 사회복지사 등이 그 예가 될 수 있다. 이러한 자원들을 전화번호와 함께 카드에 적는다.

자활 전략 개발

대처카드의 두번째 구성요소는 자활 전략을 개발하는 것이다. 2-4개의 지침 정도면 매우 유용할 수 있다. 만약 물질남용이 문제를 악화시킨다면, "술 마시지 말 것. 만약 내가 술을 마시고 있으면, 술 마시는 것을 멈춘다." 와 같은 것을 카드에 기입하는 것이 한가지 전략이 될 수 있다. "열 번 심호흡을 하고 50까지 세자."나 "현 상태를 유지하자."와 같은 간단한 정서조절 기법들도 유용하다. "나는 강한 사람이고 전에도 이런 순간을 여러 차례 견

대처카드

술을 마시지 않는다. 만약 내가 술을 마시고 있다면, 술 마시는 것을 멈춘다.

자리에 앉아서 50번 동안 심호흡을 한다.

"바로 지금 얼마나 나쁜 일이 일어나든 상관없어, 난 강한 사람이고 살아남을 거야."라고 스스로에게 10번 말한다.

나를 돕겠다고 말했던 뒷면에 나와 있는 친구들 중 한 명에게 연락해서 공통 관심사에 대해 5분 동안 얘기한다.

내가 왜 마음이 상했는지, 그 일을 어떻게 처리했는지 적어서 이 삽화에 대해 _____ 선생님과 다음 회기 때 논의할 수 있도록 한다.

그림 8-1. 대처카드 예시

더낸 적이 있다."와 같이 환자가 반복할 수 있는 긍정적인 멘트들도 유용할 수 있다. 마지막으로, 항상 포함시키는 문구일 수도 있는데, "나는 뒤로 물러나 바로 지금 내가 지니고 있는 문제를 바라볼 필요가 있다."와 같은 지침을 적어 놓음으로써 문제해결 관점을 촉발시켜라. 그림 8-1에 이러한 구성요소들이 담긴 대처카드의 예가 나와 있다.

e-헬스가 부상하면서 웰빙을 증진시키고 부정적 감정과 행동을 감소시킨다고 주장하는 많은 어플리케이션들이 나와 있다. 사용자의 문자와 이메일을 샅샅이 훑거나 발화 패턴을 추적하여, 우울증이나 자살경향성을 시사하는 단어들을 반복적으로 사용하는지 식별하는 것과 같은 위험성 파악을 위한 인공지능 방법들도 개발되었다. 현재까지는 이러한 e-헬스 방법들을 자살 고위험군에서 자활전략으로 활용하였을 때의 효과에 대한 근거가 거의 없다. 정서적 지지를 위한 다양한 e-헬스 기법들이 적절한지, 그 위험성

은 어떠한지에 대해 환자와 논의해야 한다(개인정보 보안 취약, 개인 자료의 부당한 사용, 사이버 폭력의 위협 등은 모두 이미 보고된 것들이다).

대처카드 절차 실행하기

일단 활용 가능한 모든 사회적 지지 및 지역사회 자원을 수록하고 환자가 자활전략 목록을 확인하고 나면, 덧붙일 이름이 하나 더 있다. 환자의 *마지막* 연락 대상은 바로 당신이기 때문에, 당신의 직장과 집 전화번호를 목록 맨 아래에 기입한다. 환자는 위에 열거되어 있는 모든 사회적 지지 및 지역사회 자원들에 우선적으로 연락을 해야 한다. 만약 지역사회 자원이 전부 실패하면, 그 다음으로 사전에 합의된 시간 동안(30-60분이 적절하다) 자활전략들을 실천해야 한다. 만약 자활전략들도 실패하면, 문제해결 지원을 위해 당신에게 연락하게 된다. 환자가 다른 모든 자원에 연락하는 시도를 시행한 뒤에는 당신에게 연락하는 것이 가능하다는 데 당신과 환자 모두 동의한다. 만약 환자가 프로토콜을 따르지 않았다면, 그 때는 환자에게 직접적이면서 지지적인 방식으로 카드에 있는 것들을 모두 시도해보고 그것들이 다 무위로 돌아가면 그 때 당신에게 다시 전화하라고 얘기하라. 만약 환자가 이러한 절차를 따르지 못한다면, 긍정적인 실천 계획 수립을 목표로 하여 단기간으로 초점화된 문제해결 접근을 활용하여 시행하라. 또한 대처카드에 기입할 더 나은 자원들이 있는지, 환자가 실행효과가 더 있는 자활 행동을 찾아낼 수 있는지 알아보기 위해 대처카드를 면밀히 검토한 다음 회기 의제에 포함시켜라.

성공의 팁
당신과 환자 각자 치료 중 자살경향성에 어떻게 대응할지 환자와 협의를 맺는다.

일방적으로 선언하기보다는 동등한 합의를 논의한다.

자기조절 행동과 문제해결 기술을 보상하고 조형한다.
- 관심을 더 가짐으로써 자살행동을 강화하지 않도록 한다.
- 자살행동 없이 감정적 고통을 다루려는 시도를 보상한다.

환자가 당신에게 연락하기 전에 활용할 대처 카드 전략을 확립한다.
- 환자가 유능한 사회적 지지를 파악할 수 있도록 돕는다.
- 지역 핫라인 정보를 제공한다.

자살사고 및 자살행동은 몇 시간 동안 지속됨을 명심한다.
- 단기간 문제해결 논의를 강조하는 명확한 기본 규칙에 동의한다.
- 다음 회기 때 검토할 긍정적인 실천 계획을 마련한다.
- 환자에게 당신의 돌봄과 관심을 보여주기 위해 가끔 불시에 짧은 지지 전화를 거는 것을 고려한다.

환자가 어떤 상황에서 임시간호respite care나 단기간 입원 치료를 요청할 수 있는지 조건을 정한다.
- 행동화 행동acting-out behaviors보다는 자기조절 행동이 우선임을 강조한다.

환자가 자살 시도 가운데 당신에게 연락할 때 당신이 취할 행동에 대해 명확히 합의한다.

끝까지 버티기: 환자가 자살위기의 한복판에서 성장하는 것을 도와줄 수 있는 원칙들

치료 중 나타나는 어떤 자살행동도 수용 및 가치기반 문제해결의 핵심 원칙들에 따르면 생산적인 사건이 될 수 있다. *첫째, 치료 중 나타나는 자살*

행동은 *치료가 실패하고 있다는 근거가 아니다.* 이러한 관점과 맥을 같이 하는 것으로, 환자의 자살행동이 임상가가 실패했음을 보여주는 징후도 아니다. 자살경향성을 지속하는 것은 단지 환자가 처음에 치료를 받으러 오게끔 한 그 행동이 여전히 환자의 문제해결 레퍼토리에 남아 있음을 의미한다. 치료를 계속하려면 환자가 자살행동을 하지 말아야 한다고 주장하는 임상가는 환자에게 해를 가하고 있는 것이다. 당신은 환자의 자살위기에 대한 자신의 실망을 활용하는 법을 배워야만 한다. 비록 영향력을 끼칠 수 있는 당신의 능력이 대단하더라도, 통제할 수 있는 힘은 매우 제한적이라는 것을 명심하는 것이 좋은 출발점이 될 수 있다.

둘째, *기본 목표는 자살행동이 강화되지 않도록 중화시키는 것이다.* 환자가 당신에게 자살행동을 드러낼 때, 당신은 직접적으로 그 행동을 수정할 수 있는 황금 같은 기회를 잡은 것이다. 즉, 당신은 결과를 조율함으로써 환자가 자살행동을 강력한 문제해결 전략으로 경험하지 않도록 해야 한다. 예를 들어, 만약 환자가 자신의 환경으로부터 벗어나기 위해 입원을 활용한다면(즉, "저 자살할지도 몰라요, 그러니까 입원시켜주세요."), 다른 형태로 한숨을 돌릴 수 있도록 하라. 만약 자살사고나 자살행동이 불안을 해소하는 데 도움이 된다면, 불안을 감소시킬 수 있는 대안적인 전략들을 고안하라. 만약 환자가 당신에게 의존적이고 해로운 수준의 치료 강도를 유지하는 데 자살행동을 활용한다면, 추가적인 접촉으로 자살경향성을 강화하지 말고 규칙적인 회기를 고수하라. 부가적인 대면 스케줄은 오히려 자살경향성이 안 나타나는 시기에 잡아라.

중화책neutralizing interventions은 자살행동이 얼마나 강화되고 있는지에 대한 당신의 판단에 달려 있다. 무엇이 환자로 하여금 장기간의 부정적 결과에도 불구하고 자살경향성에서 못 벗어나게 하는가? 명심하라, 자살에 대한 사회적 낙인에도 불구하고 자살행동은 안팎으로 강력한 효과를 낼 수 있는 단기 문제해결 전략이다.

셋째, 수용 및 가치기반의 문제해결 모형에 부합되게 하라. 자살위기가 나타나고 있는 동안 치료모형을 포기하는 임상가는 치료 효과가 없거나 조기 치료 종결로 인하여 실패할 가능성이 높다. 위기가 있든 없든 상관없이 효과적인 문제해결에 참여하는 와중에 느낄 수 있는 모든 것이 수용될 수 있음을 환자에게 보여주는 것이 핵심이다. 당신이 반복적인 자살행동을 마주할 때 사무적이고 솔직하고 낙관적일수록, 환자가 이러한 마음가짐을 더 잘 받아들이게 될 것이고, 감정적 고통을 피하는 데 중점을 두기보다는 해야 할 일을 중심으로 생각하게 될 것이다. 앞서 언급한 평가 전략들을 활용하라 ("고조되는 자살행동을 극복하기 위한 전략" 섹션을 보라). 자살사고나 자살행동을 추적 기록하는 숙제를 만들어라. 유발 상황을 파악하라. 만약 환자가 이러한 개념들을 경험적으로 입증할 수 있다면, 자살행동에 대한 환자의 관점은 달라질 것이다.

넷째, 환자는 자살행동을 반복하면서 나아지는 것이 없다고 믿으며 의기소침해질 수 있다. 당신이 자살행동에 대해 더 직접적이고, 사무적이며, 수용적일수록 그만큼 환자는 이러한 부정적인 해석을 극단으로 몰고가지 않게 된다. 많은 환자들이 치료자를 실망시키거나 치료자와 대립하게 되는 것을 피하기 위해 치료를 중간에 그만두게 된다.

다섯째, 자살행동을 건설적인 방법으로 다루는 것과 의도치 않게 이를 강화하는 것 사이의 차이를 반드시 알아야 한다. 치료적 교류에서의 쌍둥이 프레임워크twin frameworks인 문제해결 의사소통과 고통 감내에 집중함으로써 이러한 차이를 배워라. 문제해결을 실습해보는 것과 관련된 것이 아니면 자살행동 자체에 대한 관심을 줄여라. 자살경향성 의사소통의 강력함으로 인해 이러한 과정이 어려울 수 있다. 자살경향성 의사소통만큼이나 문제해결 의사소통에 관심을 유지하는 것은 어려울 수 있다. 당신이 어떻게 하고 있는지 스스로를 관찰하라. 당신은 환자가 자살에 대해 얘기할 때에는 몸을 앞당겨 의자에 걸쳐 앉다가, 문제해결에 중점을 둘 때에는 뒤로 기대어 편안히 앉아 있지는 않은가? 당신의 비언어적 표현에 주의를 기울이고, 자살경향성으로부터 멀어질수록 더 주의를 기울여라. 자살행동에 비해 수용, 기꺼이 하기, 효과적인 문제해결에 대해 얘기하는 시간이 얼마나 되는지 확인하라. 일반적으로 회기 중 85% 이상을 앞서 말한 내용들에 할애하고, 자살행동에 직접적인 초점을 맞춘 얘기는 15%를 넘지 않는 것이 좋다.

마지막으로 자살행동이 다시 나타나는 경우에는 초기 회기 때 합의했던 대로 대응해야 한다. 이는 실제 현실 상황에서 프로토콜이 도전 받는 상황에서 치료 프로토콜에 대한 당신의 믿음을 시험하는 것이다. 이는 또한 특히 만성 자살경향성 환자를 치료하는 당신의 실력을 시험하는 장이기도 하다. 만약 당신이 환자에게 비자의입원은 시행하지 않겠다고 약속해 놓고 나중에 이를 번복하면, 당신과 환자와의 치료적 관계는 위태로워질 수 있다. 당신의 약점이 있다면 드러날 것이다. 약점이 나타나면, 당신이 진정으로 믿는 것에 부합하도록 치료 계획을 수정하라. 당신은 반드시 솔직해야 한다. 실수를 인정하고, 계획을 재협상하고, 지나친 확약은 피하며, 계속 나아가라.

사례관리: 시스템 수준에서의 위기개입

환자가 다른 시스템에 속한 기관으로부터 신체 및 정신적인 치료를 받거나, 동일한 시스템에서 한 명 이상의 치료자에게 진료를 받게 되면, 필연적으로 사례관리에 대한 필요성이 제기된다. 예를 들어, 자살경향성 환자는 처음에 가정의학과 의사를 만난 뒤 평가를 위해 응급의학과로 전과될 수 있다. 그리고는 다시 평가 및 치료를 위해 약물치료나 정신사회적 개입, 혹은 둘

다 시행할 있는 정신건강의학과 입원 혹은 외래 치료로 의뢰될 수 있다. 이
들 각각의 접점은 협동적인 치료를 위한 기회가 될 수 있음과 동시에, 상충
되고 비일관적으로 되거나 의원성 반응을 유발할 가능성도 있다. 효과적인
사례관리는 각 서비스를 제공하는 주체가 자신의 전문 영역에 한해 독립적
으로 치료하되 환자가 한 시스템에서 다른 시스템으로 넘어가거나 한 시스
템 내에서 다른 수준으로 이동하더라도 일관성을 유지할 수 있도록 하는
것이다. 다시 말하면, 각각의 치료자가 자신의 역할이 무엇이며, 무엇을 해
야 하고 무엇을 하지 말아야 하는지 아는 것이다.

시스템이 서로 긴밀히 작동하면, 사례관리자는 유기적인 전과 및 전원
계획을 수립하는데 핵심적인 역할을 한다. 지역 단위의 서비스 제공 시스템
은, 자살경향성 환자에게 다양한 서비스들을 제공할 수 있는 유기적이고
상호 연결된 네트워크의 한 부분으로 기능해야 한다. 입원 정신의료시설은
환자를 연속적이고 유기적으로 치료할 책임을 외래치료 시스템과 함께 나
눠야 한다. 외래치료 또한 마찬가지로 환자에게 적용했던 모형이 일관되게
유지도록 유기적으로 기능해야 된다. 응급의학과에서 환자를 외래치료 혹
은 입원치료로 의뢰할 때, 환자가 의뢰에 충실히 따르도록 효과적으로 독
려해야 한다. 또한 환자가 이전에 치료를 받아왔던 어떤 외래나 입원 부서
와도 유기적으로 연계하여 서비스를 제공해야 한다. 이 모형은 전자의료기
록 시스템이 연계되어 있지 않으면 실행이 어렵다. 또한 이 모형은, 자신이
관리하는 대상자들을 보호하기를 원하지만, 제공되는 임상진료의 질에 대
해서는 잘 모를 수 있는 위험 관리자를 지나치게 괴롭힐 소지도 있다. 하지
만 이 모형에서는 시스템 커뮤니티가 치료의 주체가 되어 효과적인 관리 치
료 형태를 갖출 수 있다.

시스템이나 부서 사이에 인위적인 경계를 설정하거나 치료 기관들 사이
에 의미 있는 소통을 하지 않으면, 치료의 질 저하나 심한 경우 부주의를

유발할 수도 있다. 예를 들어, 환자가 응급의학과에서 다른 과 진료를 볼 것을 권고 받고 퇴원했지만 지침대로 치료를 받지 않는 경우를 생각해보자. 문제의 기관이 자신을 치료 커뮤니티의 한 부분으로 인식했다면, 환자가 다른 기관에 예약을 했는지 전화로 확인했을 것이다. 이 기관은 환자가 다음 목적지에 도착할 수 있도록 최선을 다하지 않았기 때문에 부주의했다. 환자가 시스템들 사이에 그리고 시스템 내에서 유기적으로 연계될 수 있을 때 임상진료의 질은 획기적으로 향상된다. 치료자들은 곤혹스럽거나 받아들일 수 없는 위험을 떠안는다는 느낌 없이 다른 시스템에 있는 치료자들과 논의할 수 있을 것이다. 이러한 과정은 환자의 이익을 증진시킬 뿐만 아니라 자원도 더 효율적으로 활용할 수 있게 해준다. 더 좋은 임상적 결과, 더 적은 비용, 법적 책임의 감소라는 1석3조를 결과를 얻을 수 있는 것이다.

입원 병동 및 거주시설을 생산적으로 활용하기

자살위기에 대한 치료에서 자의 및 비자의입원 없이는 어떤 위기개입이나 위기관리 원칙들도 완전하지 못할 것이다. 일반적으로 전통적인 정신과적 입원치료는 자살경향성에서 과도하게 활용되고 있다. 9장("입원과 자살행동")에서 입원치료를 적절하게 활용하기 위해 알고 있어야 하는 다양한 요인을 다룬다. 일부 임상가는 환자에 대한 올바른 치료를 시행하기보다는 환자가 자살할지 모른다는 자신의 불안감을 치료하려는 경향이 있다. 입원 병동 근무자들은 임상가들이 단지 이 문제를 직접적으로 다루기에는 너무 불안해서 자살경향성 환자들을 부적절하게 입원시켰다고 느낄 수 있다. 그 결과 애당초 혼란을 야기한 장본인인 환자로 분노가 향하기도 한다. 외래치료를 담당하는 임상가들은 특정한 환자에 대한 자신의 불안감을 낮추기 위해 적절한 자문을 구해야 하며 환자에게 최선의 이익이 되는 방향으로 치료 전략을 수립해야 한다. 치료는 임상가를 위한 것이 아니라 환자를 위한 것이다. 치료는 임상가의 불안감을 줄여주는 수단이 아니다. 치료의 목표는 환자가 임상적으로 효과적인 전략을 활용하여 자신의 문제를 해결할 수 있도록 도와주는 것이다.

이 같은 점들을 고려할 때, 행동관리 도구로써 입원을 사용할 때에는 주의 깊게 접근해야 한다. 하지만 입원 혹은 그와 관련된 다양한 상위 및 하위 수준의 거주시설들이 전체적인 치료 과정에 매우 도움이 되는 경우들이 있다. 정신과적 입원이 환자의 자살 위험성과 관련된 정신질환에 대한 우선적인 치료방법인지 여부가 중요하다. 예를 들어, 자살하라고 명령하는 내용의 환청을 듣는 조현병 환자는 약물치료를 시작할 수 있는 안전한 환경으로부터 도움을 받을 수 있다. 효과적인 치료를 시행하면 명령하는 환청이 사라질 것임을 예상할 수 있다. 자살행동 자체가 아니라 기저에 있는 정신질환에 중점을 둬야 한다. 만약 환자가 정신질환을 치료하기 위해 입원했는데 자살행동이 나타난다면, 병동 내에서 이를 강화하는 패턴이 나타나는지 자세히 관찰하면서 자살경향성이 악화되지 않도록 하는 것이 중요하다.

휴식 추구하기: 책임과 자기조절 실천하기

자살행동을 하기 전에 입원하는 환자들은 대개 아주 약한 형태로나마 적절한 문제해결 행동을 보여준다. 이 경험은 자기조절감을 증진시키며, 이러한 유형의 입원 기간이 병동 근무자들도 호의적으로 대하는 경우가 많고, 긍정적인 치료적 만남을 위한 여건을 마련해준다. 중요한 것은 입원에 대한 책임을 환자가 지게끔 함으로써 입원이 자기조절을 실천하는 행위로써 긍정적인 문제해결 사건이 되도록 하는 것이다. 기간 제한이 필요함을 인지하는 것이 자기조절을 긍정적으로 실천하는 것임을 환자에게 교육할 수 있다.
환자가 기간 제한 입원을 원하는 경우에는 가급적 스스로 적합한 응급실이
나 접수처로 가서 대략 48-72시간 정도의 단기입원을 하게끔 한다. 이 방법
은 사전에 환자와 치료자 사이에 입원에 대한 논의가 진행되어 왔던 경우
에 가장 효과적이다. 환자가 문제해결 계획을 세울 수 있는 시간을 가지도
록 해주되, 현실적인 문제들이 발생하는 환경으로부터 벗어나 있는 시간을
최소화하는 것이 목표다. 이 전략은 입원의 부정적 효과를 상쇄하기 위해
개인적인 책임감과 자기조절을 활용하도록 권장한다.

깔때기: 누군가는 책임을 져야 한다

대부분의 효과적인 사례관리 시스템에는 치료와 전원을 조율하는데 책임
을 지는 사람이 한 명씩 있다. 이 사람은 치료자가 될 수도 있고 위기개입
담당자나 정신건강 전문가가 될 수도 있는데, 환자를 적재적소의 치료 기관
으로 보내는 일을 한다. 우리의 임상적 경험상 사례관리 결정에 책임을 지
는 누군가 한 명이 지정되어 있지 않으면 치료계획이 실패하기 쉽다. 깔때기
는 환자를 책임 있는 한 명의 치료자에게 보내는 사례관리 프로토콜을 만
드는 작업이다. 환자를 보는 다른 종사자들은 책임 있는 치료자가 만든 사
례관리 지침에 따라 달라는 요청을 받는다. 적절히만 진행되면, 깔때기는
분리(치료팀 내의 분란), 자살행동에 대한 비일관적이거나 모순적인 대응,
환자의 혼란스러움을 예방해준다.
　사례관리에 깔때기를 활용하는 것은 비록 시간이 많이 들긴 하지만 효
과적인 치료의 합당하면서도 필수불가결한 구성 요소이다. 치료자로서 당
신은 반드시 다른 신체 및 정신건강 치료자들과 얘기를 나눠서 그들이 치
료의 합당한 이유를 이해하고 자신들에게 부여된 역할에 따를 수 있도록

해야 한다. 모든 사람들이 자살행동에 대해 강한 반응들을 보일 뿐만 아니라 어떻게 치료해야 할지에 대한 많은 생각들을 하기 때문에, 이러한 접근은 특히 자살경향성 환자를 치료할 때 더욱 적합하다. 환자는 같은 치료팀 내에서도 사람에 따라 다르게 행동할 수 있는데, 이는 추후에 치료팀 내에서 의견 충돌이 생기거나, 최소한 환자를 보는 관점에 차이가 나게 만든다. 그 결과 상충되는 치료 방식들이 나열되면서 환자를 당혹스럽고 혼란스럽게 만들 수 있다. 또한, 환자를 "치료해야 한다"는 압력은 자살행동을 치료하는 올바른 방법에 대해 서로 상충되는 의견을 가진 치료자들 사이에 불화를 유발할 수 있다.

안타깝게도 많은 치료 상황에서 사례관리는 합당한 임상 서비스 제공의 일부로 여겨지지 않는다. 사례관리 활동에 소요되는 시간이 행정적 소요 시간으로 산정되기도 한다. 이러한 관행은 임상가가 치료에서 가장 중요할 수도 있는 부분을 실행하는 것을 더욱 꺼리게 만들 수 있다. 특히 자살경향성 환자를 관리하는 어려움에도 불구하고 담당 사례관리 건수는 동일하게 유지된다. 조직의 이러한 방침은 직무태만 소송을 야기할 뿐만 아니라 전반적인 치료의 질도 떨어뜨린다.

깔때기 모형에서 사례관리자가 가장 중요하게 책임져야 하는 것은 주치료자로서든 팀내 다른 구성원으로서든 상관없이 안전계획을 정확하게 기록하고 알리는 것이다. 안전계획은 환자와 관련된 정보와 치료팀 내 구성원 각각의 역할을 포함하여 구체적이고 명확하게 만들어야 한다.

유능한 사례관리자의 자질

자살경향성 환자를 대하는 유능한 사례관리자는 다음의 세 가지 핵심적인 개입으로 정의할 수 있다.

1. 사례관리자는 문제에 명확히 접근하고, 그 방식이 어떻게 임상적으로 이득이 되는지 치료 시스템 내의 다른 사람들에게 분명히 표현하고 설명해야 한다.
2. 사례관리자는 다양한 치료자들이 치료적 노력을 위해 유기적으로 무엇을 해야 하는지 구체적이고 업무적인 용어로 기술해야 한다.
3. 사례관리자는 계획이 어떻게 진행되고 있는지 자주 피드백을 제공해야 하며, 다양한 치료자의 우려 사항을 다루어야 한다.

　자살경향성 환자를 치료하는 방법에 대한 문헌이 부족하기 때문에 많은 치료자들은 모호하게 사례관리 목표들을 설정하게 된다. 이러한 모호함은 치료가 무엇을 목적으로 하는지 혹은 자신들이 이 목표를 달성하기 위해 무엇을 해야 하는지 이해하지 못하는 다른 치료자들이나 치료팀 내 구성원들 사이에서 혼란을 유발한다. 최악의 경우는 이렇게 명료하지 못한 것이 자살행동이 고조될 때까지 수면 위로 드러나지 않은 채, 환자가 한 시스템 내에서 혹은 여러 시스템들 사이를 전전하기 시작하는 것이다. 이러한 상황이 발생하면, 치료자들은 자신들 각자의 전략을 개시하고 자신이 온전히 이해하지 못하거나 지지하지 않는 다른 전략을 위해 자신의 치료방식을 포기하지 않는다. 효과적인 사례관리를 위해 사례관리자는 좋은 임상적 결과를 낼 수 있는 치료 목표를 절대적으로 명확히 해야 한다. 이를 위해 관련된 모든 사람들에게 문서화된 사례관리 계획을 배포하라. 그림 8-2는 효과적인 사례관리 계획을 작성하는데 도움이 되는 모범 프로토콜이다.
　치료 전략을 갖춘 치료자는 혼자 하든지 따로 사례관리자를 파트너로 두든 간에, 다른 신체 및 정신건강 치료자들을 위해 그 전략을 구체적인 지침으로 변환시켜야 하는 일이 남아 있다. 이러한 지침은 치료자들의 훈련 배경 및 그들이 사용하는 술기들에 부합되어야 한다. 예를 들어 응급의

환자 이름: _____   주치료자: _____

A. 목표 행동과 발생 빈도 (행동만 기술하고, 그에 대한 평가는 하지 말 것)
B. 목표 행동이 발생하는 장소/상황
C. 목표 행동을 보상하고 지속시키는 요인
  1. 근무자의 대응
  2. 중요한 타인의 대응
  3. 환자의 정신적 혹은 감정적 기능의 변화
D. 행동 수정 계획
  1. 누가 할 것인가? (관여하는 모든 근무자 및 부서를 나열하시오.)
  2. 언제 시작할 것인가?
  3. 무엇을 달성할 것인가?
  4. 이것을 달성하기 위해 무엇을 할 것인가? (구체적인 행동을 나열하시오.)
  5. 계획이 효과가 있는지 판단하기 위해 무엇을 측정할 것인가?
  6. 결과를 점검할 때까지 얼마나 오래 계획을 실행할 것인가?
    a. 예정된 점검일: _____

참고: 의문이 있는 경우 주치료자에게 문의하십시오. 주치료자는 이 환자의 치료에 책임이 있는 사람입니다. 환자가 응급 상황인 경우, 즉시 아래 번호로 주치료자에게 연락하십시오.

그림 8-2. 자살행동 관리 프로토콜 샘플

학과 의사들에 대한 지침은 의학적 평가와 관련된 부분에 중점을 두어야 하며, 추가적인 진료가 필요한 경우 치료를 의뢰하는 간단한 지침을 곁들일 수 있다. 응급의학과 의사가 자살경향성 환자들에게 사회복지 서비스를 제공하거나 정신치료를 시행하기를 바라는 것은 비현실적인 기대이다.

이 시스템의 핵심 부분에 대해 끊임없이 긍정적 및 부정적 피드백이 이어지게 하는 것이 당신이 해야 할 중요한 역할이다. 아이러니하게도 대부분의 사례관리 논의들은 일이 제대로 진행되지 않을 때 이루어진다. 만약 긍

정적 및 부정적 피드백의 균형이 잘 맞춰진다면 이러한 논의로 인한 긴장은
해소될 수 있다. 지침에 따르는 치료자들에게 전화나 이메일을 보내서 그들
의 공헌이 좋은 임상적 결과를 내는 데 어떤 도움이 되었는지 알려주어라.
만약 치료자의 노력으로 치료가 연속적이고 유기적으로 제공될 수 있다면,
치료자가 그 사실을 자각하게 해야 한다. 즉, 치료 전략에 대한 이견이 생
기거나 특정 계획이 실패할 때에만 다른 치료자들과 소통하는 일이 없게끔
해야 한다.

한가지 좋은 예로 자살행동을 중립적 역가를 지닌 행동으로 만드는 것
이 있다. 이를 위해 자살경향성 환자를 대하는 치료자들은 과도한 관심이
나 보살핌, 걱정스러운 반응을 보이지 말고, 처벌이나 대립, 회유하는 반응
도 보이지 않아야 한다. 이 작업은 평정심을 유지하지 못한 상태에서는 하
기 어렵다. 응급의학과에서 이 방식에 잘 따라줄 때 사례관리자가 그들이
잘 했다는 것을 알게 해주는 것이 무엇보다 중요하다.

효과적인 사례관리에서 중요한 또 하나의 목표는, 사례관리의 우산은
사용자 친화적이라는 것을 환자가 이해하도록 하는 것이다. 성격장애나 다
른 적대적 성향 oppositional attributes 을 지닌 환자들은 사례관리 시스템의 구색
을 시험한다. 환자는 대응에 일관성이 있는지 알아보기 위해 사례관리의
다양한 시점에 자살사고나 자살행동을 나타낸다. 환자가 치료자와 협력해
서 사례관리 계획을 세웠다면, 이를 시험해보는 일은 적을 것이다. 다른 한
편으로는, 환자가 사례관리 시스템의 한계를 이해하게 하는 것도 중요하다.
예를 들어, 모든 응급의학과와 병원에 특정 환자의 사례관리 계획을 연계
시키는 것은 어렵다. 환자는 사례관리에 참여하지 않는 기관들이 비자의입
원이나 신체강박, 격리와 같은 예상치 못한 조치를 시행할 수도 있다는 것
을 이해해야 한다. 목표는 자살경향성 환자가 일관되고 임상적으로 숙련된
대응을 시행할 수 있는 치료자가 있는 서비스 제공 기관을 찾아가게끔 하

는 것이다.

환자가 사례관리의 우산 아래 계속 있는 것을 칭찬해주는 것 또한 중요하다. 이런 상황에서 치료자는 위기 요청에 응할 수 있도록 비상한 노력을 기울여야 한다. 치료자가 추가적인 주의를 기울이는 것은 환자가 사례관리 계획을 계속 유지하게 만드는 보상이 될 것이다. 비록 불편할지라도 이런 식으로 사례관리를 하는 것이 대개 끊임없이 환자에 의해 평가당하는 계획을 관리하는 것보다 훨씬 시간이 적게 든다.

자살경향성 환자는 필요로 하는 사례관리 서비스의 규모가 다르다. 어려운 환자들은 훨씬 더 집중적인 임상적 치료와 사례관리를 필요로 한다. 어렵다는 것은 혈압이 높거나 과녁발진bull's-eye rash*과 같은 중요한 임상적 징후이다. 까다로운 환자들은 더 많은 장애를 지니는 편인데, 만성 자살위기가 삶의 방식인 다문제 환자들이 그런 경우이다. 만약 자살경향성과 관련된 모든 사람들이 이 장에서 다룬 원칙을 따른다면, 서비스 제공 시스템은 환자를 도울 뿐만 아니라 치료자의 삶도 더 편안히 해줄 것이다.

요약

자살 위기에 처한 환자를 관리하기

- 효과적인 위기개입의 두 가지 핵심적인 기술들은 감정적 고통을 인정하는 것과 효과적인 문제해결 계획을 세우는 것임을 명심하라.
- 효과적인 위기개입의 가장 중요한 목표는 자살을 예방하는 것이 아니라 환자가 문제들을 통해 더 발전하고 부정적인 감정을 감당하는 법을 배우게 도와주는 것이다.
- 위기개입에서는 단기간 목표에 초점을 맞추는 동시에, 문제해결 모형에 부합

---

* 북미 등지에서 흔한 라임병Lyme disease의 특징적인 피부 병변이다.

되도록 하는 것이 또 다른 중요한 목표이다.

- 위기를 촉발한 특정 문제들을 해결하는 것을 더 많이 강조하고, 자살행동에 대한 관심은 줄이도록 노력하라.
- 자살경향성을 통해 부적응적인 방식으로 "해결해왔던" 문제를 대안적인 긍정적 행동으로 다루는 것을 강화하도록 노력하라.
- 거의 모든 진짜 자살위기는 짧은 시간 동안에만 존재하며, 24-48시간 이상 지속되는 경우는 없음을 명심하라.
- 정신과적 입원치료를 자살행동에 대한 치료로 활용하는 것은 예기치 못하게 그 행동을 강화할 수 있다는 점에 주의하라.

치료 중 발생하는 자살위기로부터 배우기

- 환자와의 첫 회기 때, 자살행동이 다시 나타나면 어떻게 할지 직접적으로 논의하고 계획을 세워라.
- 환자가 오랜 시간에 걸쳐 접할 수 있는 서비스 제공자들을 포괄하는 만능 사례관리 계획을 수립하라.
- 위기대응 계획을 수립할 때, 도움을 구하는 것에 대한 환자의 책임과 자기조절을 강화하는 단계를 강조하라.
- 자살행동에 대한 강화제를 분석하여, 의도하지 않게 자살경향성 문제해결을 강화하지 않게 하라.
- 위기에 처한 환자를 위해 긍정적인 문제해결 전략을 지원하는 데 도움이 되는 대처카드를 제작하라.
- 다른 서비스 제공 시스템들과 함께 효과적인 사례관리를 시행하기 위해서는, 치료 목표에 대한 명확한 기술, 다른 치료자들에 대한 구체적인 지침, 잦은 피드백이 필요하다.
- 가장 효과적인 사례관리 계획은, 환자 관리 및 이와 관련된 임상적 의사결정에 책임이 가지는 한 사람을 확보하는 것이다.

읽어볼 만한 문헌

Bongar B, Berman A, Maris R, et al (eds): Risk Management With Suicidal Patients. New York, Guilford, 1998

Center for Mental Health Services: Practice Guidelines: Core Elements in Responding to Mental Health Crises (HHS Publ No SMA-09-4427). Rockville, MD, Center for Mental Health Services, Substance Abuse and Mental Health Services Administration, 2009, pp 5–7

Chiles JA, Strosahl K, Cowden L, et al: The 24 hours before hospitalization: factors related to suicide attempting. Suicide Life Threat Behav 16:335–342, 1986 3764997

Ghanbari B, Malakouti SK, Nojomi M, et al: Suicide prevention and follow-up services: a narrative review. Glob J Health Sci 8(5):145–153, 2015 26656085

Joiner TE: Why People Die by Suicide. Cambridge, MA, Harvard University Press, 2005

Joiner TE, Hollar D, Van Orden KA: On Buckeyes, Gators, Super Bowl Sunday, and the Miracle on Ice: "pulling together" is associated with lower suicide rates. J Soc Clin Psychol 25(2):179–196, 2007

Kleespies P, Deleppo J, Gallagher P, et al: Managing suicidal emergencies: recommendations for the practitioner. Prof Psychol 30(5):454–463, 1999

Rudd MD, Mandrusiak M, Joiner TE Jr, et al: The emotional impact and ease of recall of warning signs for suicide: a controlled study. Suicide Life Threat Behav 36(3):288–295, 2006

Torous J, Roberts LW: The ethical use of mobile health technology in clinical psychiatry. J Nerv Ment Dis. 205(1):4–8, 2017 28005647

Trout DL: The role of social isolation in suicide. Suicide Life Threat Behav 10(1):10–23, 1980 7361340

참고문헌

Wang YC, Hsieh LY, Wang MY, et al: Coping card usage can further reduce suicide reattempt in suicide attempter case management within 3-month intervention. Suicide Life Threat Behav 46(1):106–120, 2016 26201436

9

입원과 자살 행동

복잡한 관계

입원은 자살경향성 환자들을 치료하는 장소로 남용되고 있다. 또한, 환자들은 종종 부적절하게 입원하기도 한다. 미국의 정신과적 치료 관행과 이를 둘러싼 법적 구조가 입원이 자살경향성 환자를 치료하는 중추적 역할을 하게 만들었지만, 자살행동 치료를 위한 입원의 유용성은 여전히 한계가 있다. 입원은 모든 상황에서 자살경향성에 대한 표준치료가 아니기 때문에 자동적으로 입원을 결정해서는 안 된다. 반복적으로 자살경향성을 보이는 환자에게 입원은 치유적이지 않으며, 일부 임상가들은 입원이 반치료적이라고 주장하기도 한다. 이 장에서 우리는 입원 치료의 원칙과 대안적 방법에 대해 논의한다. 먼저 입원 치료의 잠재적인 위험성에 대한 논의로 시작해서, 입원이 자살경향성 환자를 유용하게 관리하는 데 긍정적으로 활용될 수 있는 특정한 상황에 대한 언급으로 마치고자 한다.

의료시스템의 구조, 관리, 접근에서 변화가 나타나면서 정신건강에서 정신병동 입원치료가 차지하는 역할 또한 진화하고 있다. 주립 의료기관에 비자의입원하거나 혹은 아주 극소수만 존재하는 값비싼 사설 프로그램에 자의입원하는 예외적인 경우들을 제외하면, 병원이 책임지고 주된 치료를 제공하면서 자살경향성 환자가 수 주에서 수 개월 동안 입원할 수 있던 시대는 지났다. 자살경향성 환자들을 위한 일부 특화된 거주 치료 프로그램을 제외하면, 대부분의 입원 기간은 일주일 정도이거나 그에 못 미친다. 이러한 임상 관행의 변화와 이로 인한 재정적 어려움으로 인해 많은 정신의료기관들은 문을 닫거나 정신병동을 내외과 관련 병상으로 전환하였다. 더 중요한 것은 정신과적 서비스를 활용하는 것에 대한 이러한 제약이 입원병동의 역할을 외래 치료 시스템과 관련지어 재평가하게 만든 것이다. 우리가 보기에 입원은 자살경향성 환자의 치료에 중요한 역할을 하지만 어디까지나 외래기반 정신건강 관리에 부차적일 따름이다. 그 어느 때보다도 더 입원 치료 관계자는 반드시 외래 치료자와 소통하며, 입원치료 전략을 기존의 외래치료 계획과 긴밀히 연계하여야 한다.

입원치료에서 외래치료로 전환하는 것이 의료시스템의 일부가 되도록 하는 것은 어려운 일인 만큼, 우리가 자살경향성 환자의 치료에 관심을 가지고 있는 것은 더 나아지기 위한 변화가 될 수 있다. 심지어 심각한 외과적 개입이나 의학적 문제가 있을 때에도 마찬가지이다. 비록 입원하는 것이 급성 위기에서 도움이 될 수 있더라도(Inagaki 등 2015), 정신병동에서 지내는 것이 자살행동 치료에 장기적으로 이득이 되는지 여부는 제대로 입증되지 않았다. 어떤 잘 통제된 연구도 입원이 장기간의 자살 위험성을 줄여준다는 것을 밝히지 못했다. 정신병동에 입원하는 경험은 오명이 될 수 있고, 치료적 관계에 대한 신뢰를 손상시킬 수 있으며, 그 자체로 정신적 충격이 될 수도 있다. 게다가 입원 치료를 해야 하는 일련의 기준에 대한 합의도

거의 혹은 전혀 없다. 어떤 환경에서는 응급의학과로 의뢰된 대부분의 자살경향성 환자들이 정신병동에 입원하지 않지만, 또 다른 환경에서는 대부분의 자살경향성 환자가 정신병동에 입원한다.

자살경향성 환자를 입원시키는 것은 점점 더 자살과 그에 따른 의료행위의 과실 여부에 대한 법적 책임을 예방하기 위한 목적으로 진행되고 있다. 이는 자살과 잠재적인 의료과실을 예방하기 위해 무엇을 해야 하는지에 대한 견해가 모호하기 때문이다. 입원은 자살위기를 포함한 정신과적 위기에 대응하는 시스템 안에서도 극히 중요한 구성요소이기 때문에, 이런 식으로 접근하는 것은 유감스러운 일이다. 입원은 임상가로서 당신의 치료 도구상자에 들어 있는 몇 가지 필수 도구들 중 하나이다. 당신이 급성 및 만성 자살위험성 환자에 활용할 수 있는 *유일한* 수단으로 입원을 여길 때 입원은 문제가 될 수 있다. 다음과 같은 옛말이 있다: 만약 당신이 망치 밖에 가지고 있지 않다면, 당신은 모든 것을 못처럼 다룰 수밖에 없다.

미국의 모든 주에서는 *임박한 자살 위험성*을 보이는 환자에게 임상가가 입원 혹은 다른 강력한 보호 수단을 강구하게끔 정신건강 관련 법령에 명시하고 있다. 비록 사람이 자살로 죽을 수 있는 권리에 대한 다양한 개인적인 의견들이 존재하더라도 대부분 주 법령에는 이러한 의견이 반영되어 있지 않다. 법의 사회적 통제 기능이 자살로 사망하는 것을 강력하게 막기 위함이라는 것에는 이견의 여지가 없다. 게다가 대부분 주 법령은 자발적이든 비자발적이든 입원이 단기간동안 자살을 예방할 수 있는 가장 효과적인 치료법이라는 가정에 근거한다. 급박한 자살 위험이 있다고 간주되며 자의입원에 동의하지 않는 사람은 신체의 자유를 박탈당한 채 강제적으로 단기간의 자살위기 개입이 이뤄질 수 있다. 비자의입원에 대한 여러 의문들이 있다. 첫째, 정신병동에 입원하면 자살행동 및 자살을 예방할 수 있는가? 둘째, 입원 당시에 자살경향성이 있던 사람에게 입원은 그 자체로 효과적인 치료를 제공하는가? 셋째, 정신과적 입원이 자살경향성 환자에게 장기적으로 더 해로운 결과를 초래할 수 있는가?(즉, 입원이 상황을 더 악화시킬 수 있는가?)

입원은 자살을 예방하는가?

정신병동에 입원하는 것이 단기 및 장기적으로 자살로 사망할 확률을 낮춘다는 결정적인 근거는 거의 없다. 대부분의 입원 치료자들은 자신들이 근무했던 병동에 입원했던 환자가 입원 중이나 퇴원 직후에 자살한 경우를 알고 있다. 전체 자살의 약 5%는 정신병동 안에서 발생하며(Knoll 2012), 감옥 내의 자살률은 전국 평균보다 훨씬 높다(Noonan과 Ginder 2013). 이 두 시설은 모두 개인의 자율성과 선택의 자유를 제한한다는 공통적인 특징을 가지고 있다. 감옥과 정신병동 모두 문제가 많은 사람들을 수용하고 있으며, 개인적 자유를 심각하게 침해하는 수준의 환경과 규제를 당연시한다. 정신과적 입원의 경우 "정신적 문제"가 있다는 꼬리표가 붙고 자신의 행동을 조절하지 못한다는 낙인도 찍힌다. 자살사고와 자살충동에 대한 통제력을 잃는 것에 대한 두려움이 자살 위기의 핵심이다. 환자는 자신이 입원한다는 것을 심연에 있는 근본적인 두려움을 확인하는 의미로 선뜻 받아들일 수 있다. 이러한 심리적인 영향력은 모두 환자의 정서적 고통을 증가시킬 수 있고 여기에서 벗어나는 방법으로 자살을 사용하게끔 압박할 수 있다. 정신병동 내에서의 자살률이 *가장 낮지 않다*는 사실은, 자살하려는 의도를 가지고 있으면 치료자들의 우려와 면밀한 관찰 속에서도 자살을 완수할 수 있음을 시사한다.

　거의 모든 정신건강 종사자들은 입원 중 자살한 환자에 대한 사례들을 들어서 알고 있다. 이 분야에서 어느 정도의 전문성을 갖춘 정신건강 전문가들은 종종 정신병동에 입원 중인 환자가 자살로 사망한 사례에 대한 전문가 증인이 되어 달라는 법적 요청을 받고는 한다. 이러한 많은 일화와 서술은 *제17 포로수용소*나 *대탈주*와 같은 영화의 장면들을 연상시킨다. 이 영화들의 핵심 주제가 바로 포로 수용소를 탈출하고자 하는 마음으로 자신들이 해야 한다고 느낀 것을 하는 사람들의 놀라운 노련함과 지략에 대한 것이기 때문이다. 비록 대부분의 정신의료기관은 고위험 환자들을 철저히 관찰하기 위한 프로토콜을 꽤나 정교하게 만들어왔지만, 자살을 정확히 예측할 수 없다는 것은 그렇게 철저히 관찰한 환자들 대부분은 자살로 죽지 않음을 의미한다. 정신병동 근무 경험을 지니고 있는 거의 모든 정신건강 종사자들은 자살 위험도가 낮거나 낮아지고 있는 상태로 분류된 환자들이 자살을 시도하거나 자살을 완수한 사례들에 대해 알고 있다.

입원으로 자살경향성을 치료할 수 있는가?

입원이 자살경향성 자체를 임상적 문제로 설정하여 효과적으로 치료할 수 있는지에 대한 의문도 제기할 수 있다. 어떤 연구에서도 입원 장소 자체가 핵심적인 치료 요소임을 입증하지 못했다. 자살경향성 입원 환자들을 대상으로 한 연구들은 입원의 효과를 실제로 적용된 치료법의 효과와 혼동하는 경향을 보였다. 대개 그런 치료법들은 그냥 외래 치료 환경에서도 시행할 수 있었다. 입원 환자들에 대한 임상 연구 결과는 가장 좋은 경우 입원의 효과가 불분명하였으며 최악의 경우에는 그마저도 효과가 없었다. 자살경향성 환자들이 입원 병동 근무자들로부터 탐탁치 않게 받아들여진다고 보고한 여러 연구 결과들은, 입원 치료가 잠재적으로 부정적인 영향을 끼치는 것과 밀접한 관련이 있다. 자살경향성 환자는 별로 좋아하지 않는 형식과 분량의 치료를 받으면서 대립, 적대감, 상호불신으로 특징되는 상호작용을 하게 될 수 있다. 당연히 이 집단에서 의학적 조언에 반한 탈원이나 퇴원율은 정신과 입원병동에서 치료받는 다른 어떤 집단들보다도 더 높다. 효과성에 대한 논문을 검토할 때, 자살경향성 환자 중 입원을 하지 않는 경에 비해 입원을 하는 환자의 임상적 특징이 명확하지 않다는 점도 문제이다. 성공적인 입원을 위해 가장 중요한 것은, 근거에 기반하여 신중히 대상을 선별하는 것이다.

　다른 방법이 없어서 입원을 하는 경우 다양한 안 좋은 반응이 나타날 수 있다. 환자는 버림받았다고 느낄 수 있다. 병동 근무자는 외래 치료자가 적절한 치료를 하지 못했다는 생각에 화가 날 수 있다. 환자와 근무자 모두 앞서 일어난 일들과 앞으로 해야 할 일들에 대한 좌절감과 단절감을 느낄 수 있다. 이러한 반응들은 그 자체로 나쁜 영향을 끼칠 수 있고 치료 결과가 의미하는 바를 파악하기 어렵게 만든다.

자살경향성 환자의 입원에서 예기치 않게 나타나는 부작용들은 무엇인가?

입원은 매우 침습적인 치료 방법이며 일반적으로 치료가 침습적일수록 예기치 않은 부작용들은 더 많이 나타난다. 자살경향성 환자를 입원시킴으로써 나타날 수 있는 부작용으로 다음과 같은 것들이 있다.

　첫째, *꼬리표가 붙게 되면 그대로 행동을 할 수 있다.* 사람들은 자신에게 붙여진 꼬리표에 따라 기대에 부응하거나 만회하려고 한다. 정신과 환자라는 꼬리표는 이후 행동에서 확인되는 자신에 대한 부정적 관점을 유발할 수 있다. 정신병동에 입원한 것은 설령 그것이 긍정적이라 할지라도 환자가 절대 잊을 수 없는 그런 경험이다.

　둘째, *입원은 자율성에 대한 이슈를 조명한다.* 자살위기의 핵심이 자살충동에 대한 자제력과의 투쟁이라면, 입원 결정은 환자가 통제력을 상실하였다는 강력한 표현이 될 수 있으며, 곧 환자가 가장 두려워하는 것을 확인하는 것이다. 다른 모든 치료 방법들이 전부 실패한 뒤에 시도하는 최후의 필사적인 노력으로 입원을 고려하지 말고, 합리적이고 다양한 치료 계획의 한 구성 요소로 입원을 제시하는 것이 중요하다. 만약 입원이 효과가 없으면 아무것도 더 해줄 수 있는 게 없다는 메시지는 절대로 전달하지 말아야 한다.

셋째, 입원은 자살행동을 강화하는 역할을 할 수 있다. 환자는 병원에 들어가는 행동으로 즉각적인 정서적 안도감을 느낄 수 있으며, 이러한 느낌은 역설적이게도 모든 부작용 중 가장 골치 아픈 문제일 수 있다. 마찬가지로, 입원 시점에 임상가가 보이는 반응의 강렬함이 환자의 자살경향성을 강화할 수 있다. 우리는 이러한 요인들이 자살행동으로 입원한 환자들의 극도로 높은 재발률을 일부 설명해준다고 여긴다. 입원은 장기적인 문제에 대해 단기적인 안도감을 제공함으로써 환자가 자살경향성이 효과가 있다고 느끼게 만들 수 있다(예, "자살시도를 했는데 상황이 더 좋아졌다"). 입원은 스트레스를 받고 해결책이 없을 것만 같은 삶의 상황으로부터 벗어나게 해주고 불안을 감소시켜 반복적인 자살사고 및 자살행동을 강화할 수 있다. 우리는 환자가 적대감, 비판, 대립적인 환경으로부터 돌봄과 관심을 받을 수 있는 환경으로 옮겨 가기를 바란다. 치료 환경milieu이 좋은 병원에서는 환자가 경험하는 많은 갈등을 조심스럽게 다루며 이 전략이 환자의 심리적 안정성을 보호할 수 있기를 기대한다. 문제가 있는 관계들은 개선되는 것처럼 보인다. 예를 들어, 자살시도로 입원한 사람이 갑자기 그 전까지 적대적이고 소원했던, 지금은 환자가 자살시도를 하게 "만든" 것에 죄책감을 느끼고 있을지 모르는 배우자와 갑자기(최소한 일시적으로나마) 화해하기도 한다. 청소년이 자살시도를 한 뒤 그 자살행동이 문제 가족을 자극하여 마치

가족을 단합하게 만든 것처럼 보이게 만든다. 이러한 시나리오에서 대부분의 부정적인 결과는 더 장기적이며(예, 시간이 지나면서 가족 구성원들이 환자를 점점 더 피한다, 배우자가 결국 더 심하게 화를 낸다.) 곧바로 드러나지 않기 때문에 환자는 반복적으로 자살행동을 활용해서 문제들을 해결할 수 있는 힘이 있다고 느낄 수 있다.

대부분의 입원 병동은 반복적인 자살 시도가 늘어나서 어려움을 겪고 있다. 한 연구에서는(Chiles 등 1989) 자살시도로 입원한 환자들의 선행 자살시도 횟수가 평균 2회 이상임을 보고하였다. 자살시도 횟수가 늘어날수록 근무자들은 자신들이 제공하는 개입을 비관적으로 느낄 수 있다. 이러한 태도는 근무자들을 의기소침하고 체념하게 만들고 이미 심각한 수준인 근무자-환자 관계의 갈등을 더 악화시킬 수 있다.

이 곳은 치료 시설인가 감옥인가?

복잡하면서도 부정적이기까지 할 수 있는 입원 환경의 심리적, 상호작용적 요소들과 더불어, 병동의 구조가 입원의 효능을 결정하는 중요한 요소가 될 수 있다. 일부 병원의 병동들, 그 중에서 특히 오래된 곳들은 환자-근무자들이 쉽게 어울리고 긍정적인 상호작용을 촉진하기보다는 격리를 극대화하도록 설계되어 있다. 중요한 관심사는 간호사가 병동 중앙에서 환자들의 활동을 인지할 수 있는지, 직원이 환자가 어디에서 무엇을 하는지 인지하고 치료적 조치를 시행할 수 있는지 여부다. 드넓고, 널찍하고, 매우 잘 볼 수 있는 병동이 아니면, 근무자들이 환자를 통제하기 위한 수단으로 자살경향성에 대한 주의를 남용할 수 있다. 구석, 빈틈, 사각지대로 가득 찬 병동은 근무자와 환자 간에 거의 간수-죄수에 가까운 관계를 만든다. 이러한 분위기는 자율성, 자기효능감, 자기조절과 같은 자살경향성에 대한 성공적인 치료 목표를 촉진하기는 커녕 오히려 반감시킨다. 만약 당신이 입원 환경을 고를 수 있다면 여러 시설을 방문하면서 이러한 요소를 염두에 두라. 당신이 입원에 관여한다면 가장 효율적으로 유난스럽지 않게 운영하는 병동으로 정하라. 만약 당신이 운 좋게도 새로운 병동을 만들거나 기존 병동을 리모델링하는 데 발언권이 있다면, 임상 기준을 설계에 반영해야 한다고 주장하라.

입원이 변질될 때

다음의 사례 보고는 자살경향성으로 입원한 사람들의 흔한 예를 보여준다. 이 사례는 입원의 이점에 대한 장기적인 추적 설명이 거의 혹은 전혀 담겨 있지 않다. 이 사례에서는 입원을 한 뒤 자살경향성이 심해졌다.

제시카는 28살의 백인 여성으로 대형 의료기관의 실험실에서 근무하였다. 그녀는 직장을 다니기 시작한 직후이자 첫 입원 2년 전에 우울증과 대인관계 어려움 등으로 치료를 받으러 내원하였다. 당시 그녀는 엄격한 부모와 힘들었던 어린시절에 대한 얘기를 했다. 그녀는 6남매 중 첫째로 소도시에서 태어나고 자랐다. 부모는 근본주의 교회에서 활발히 활동하는 교인이었다. 가족은 종종 경제적인 어려움을 겪었으며, 제시카는 13살 때까지 일을 하면서 급여를 부모님에게 드렸다. 부모는 모두 제시카가 동생들을 돌보는 역할을 맡도록 부탁했고, 동생들과 다툼이 생길 때면 자주 그녀를 비난하였다. 부모는 종종 교회 수련회를 가면서 제시카에게 동생들을 맡겼다. 제시카는 사교 활동을 할 수 있는 시간이나 의향이 거의 없었으며 고등학교와 대학교 때에도 계속 일을 했다. 제시카가 성인이 되자 부모는 그녀에게 동생들의 옷을 사주라고 하는 등 계속해서 가족들을 부양할 것을 요구했다. 한번은 제시카가 아버지에게 트럭을 사드리기도 하였다. 제시카가 치료를 받기 직전에 부모는 긴 여행을 떠났다. 부모가 돌아왔을 때 그들은 자녀 중 일부가 곤경에 빠진 것을 알게 되었다. 그들은 다른 도시에 살고 있던 제시카에게 전화해서 그녀가 "집으로 와서 동생들을 돌보지" 않았다고 비난하였다.

제시카는 항우울제를 복용하였고 2주에 1회 정도 지지정신치료를 받았다. 제시카는 담당의가 휴가를 갔을 때 처음으로 응급실을 방문하였다. 제시카는 우울, 불안, 자살사고가 심해졌다고 호소하였다. 그녀는 혼자 살고 있었지만 도움을 받을 만한 친구들이 있었고, 그들 중 몇 명이 그녀에게 응급실에 가볼 것을 강하게 권유했다. 제시카는 담당의가 휴가를 가 있는 동안 스스로를 다잡으려고 노력하였지만 잘 되지 않았다. 응급실 의사는 그녀가 "임박한 자살 위험성"이 있다고 판단하고 입원을 강력히 권유하였다.

제시카는 입원 첫 4일 동안 잘 지내지 못하였다. 다른 환자들의 요구에 무척 신경을 많이 썼다. 그녀의 정신과적 증상들은 나아지지 않았다. 자살에 대한 질문을 받으면 자살하고 싶다고 "느꼈다"고 대답하였다. 항우울제 복용을 계속 유지하면서 benzodiazepine도 추가로 처방 받아 복용하였다. 입원 5일째에 제시카는 돌아가서 일을 해야 한다며 퇴원을 요구하였다. 이 당시에는 주립병원에 비자의입원으로 되어 있는 상태였다. 제시카는 대략 1주일 가량 입원한 뒤 외래치료를 다시 받기로 하고 퇴원하였다. 정신치료는 원래 방식대로 1-2주에 한번씩 시행되었다. 약 1달쯤 되었을 때 제시카는 밤에 정신치료자에게 전화해서 손목을 그었다고 말했다. 정신치료자는 앰뷸런스를 보냈고 제시카는 다시 근처 병원에 입원하였다. 그녀는 입원하는 것을 놓고 실랑이를 벌이다 주립병원으로 이송되어 비자의로 입원을 하게 되었다. 그 곳에서 약 3주 뒤에 퇴원하였다가, 열흘 뒤에 다시 정신치료자에게 전화를 해서 자살시도를 하였다고 얘기하였다. 이 때 그녀는 아스피린 15,000mg 정도를 한꺼번에 먹고 오른팔을 심하게 난도질했다. 의학적 조치로 며칠 동안 입원하여 심장기능에 대한 모니터링을 시행해야만 했고, 자해한 오른팔은 28바늘을 꿰맸다.

제시카가 응급실에 처음 내원하였을 때 대처가 달랐다면 이후 경과가 어떻게 되었을지 우리는 알지 못한다. 그녀의 주치료자가 다시 돌아올 때까지 대안적인 계획을 통해 적절하게 건강을 유지할 수 있었을까? 알 수 없다. 결과론적인 판단은 공정하지 못하다. 하지만 이 사례의 경우, 자살경향성이 있는 사람을 입원시킨 것은 자살행동을 감소시키지 못했고 실제로 극적으로 부정적 결과를 낳았다. 제시카는 자기조절 능력을 매우 심각하게 상실했을까? 사회적 낙인과 인권이 제한된 것이 그녀의 정체성에 중대한 영향을 끼쳤는가? 자살예방대책과 1:1의 면밀한 관찰이 침습적이고 역효과를 냈을까? 근무자들이 상주하는 곳에서 철저히 관찰된다는 느낌이 억압적으로 느껴져서 안절부절 못하고 좌절감이 들었나? 제시카에게 이러한 부정적인 감정 및 행동 중 하나라도 자살예방대책이 주었을지도 모르는 일시적인 안전한 느낌을 넘어서는 것이 있었을까? 제시카는 반복적인 자살행동 때문에 근무자들로부터 좋은 대접을 받지 못했나?

근무자-환자 상호작용은 대립적이고 신경을 거슬리게 할 수 있으며 상호 적대감, 분노 및 불신이 두드러질 수 있다. 이러한 강렬한 환경은 근무자와 환자의 판단에 모두 영향을 끼칠 수 있다. 많은 근무자들은 환자의 도발적인 행동을 분석하는 동시에 이에 신속하게 대응하는 것을 어려워 한다. 또한, 어떤 근무자는 다른 근무자가 동의하지 않는 방식으로 행동할 수 있고, 이는 근무자 간 갈등으로 이어질 수도 있다. 이러한 요인을 고려하면 입원 환경은 좋은 치료를 제공하지 못할 때가 많다.

만약 내가 입원을 안 시키면 고소당할까?

많은 임상가와 병원 관리자는 입원이 소송을 막는 방법이라고 여긴다. 거의 30년 동안 전문가 증인으로 활동해온 우리의 경험은 그 반대다. 입원은 소송을 막을 수 없다. 훌륭한 원고측 변호인은 주의태만 혐의로 고소하려 하며 당신이 "잘못한" 무언가를 찾아낼 것이다. 환자를 입원시켰기 때문에 어떻게든 법적 책임에서 벗어날 수 있을 것이라는 환상을 품지 마라. 더 중요한 것은 당신이 환자의 자살을 예측할 수 없고 자살행동 문제가 있는 모든 사람을 다 입원시킬 수 있는 병상도 없다는 것이다. 잠시 동안 이를 생각해 보라. 만약 자살사고나 자살시도로 응급실에 내원한 모든 사람들이 입원한다면, 현재 의료관리 시스템에 얼마나 더 많은 병상들이 추가로 필요하겠는가? 정확한 개수는 모르지만 엄청나게 많은 병상이 필요하다는 것만은 확실하다.

거의 모든 정신건강 임상가들은 환자가 치료를 꾸준히 받는 동안에도 자살 위험에 어느 정도 노출된 적이 있는 것을 경험한다. 이는 자신의 환자일 수도 있고 동료 환자일 수도 있다. 환자의 자살은 엄청난 충격을 가져올 수 있다. 임상가는 환자의 가족 및 친구들과 마찬가지로 고통스럽고 강박적으로 "내가 달리 어떻게 했어야 되는 것일까?"라는 질문을 하게 된다. 괴로운 사후 비판을 통해 "당신은 환자를 입원시켰어야 했다."는 비난이 제기될 수 있다. 환자가 죽으면 법적 소송이 제기될 것이라는 두려움은 많은 의료종사자의 뇌리에서 떠나지 않는다. 물론 공정하게 조사 결과를 읽어본다면 "당신은 왜 환자를 입원시켰는가?"라는 비난도 똑같이 제기될 수 있고, 당신은 "이 환자를 입원시키지 말았어야 했어."라는 강한 자기회의에 빠지게 될 수 있다. 당신은 부적절하게 환자를 입원시켰다는 혐의로 고소당할 수 있을까? 아직은 이런 일이 많지 않지만 이러한 법적 소송에 대한 두려움은 또 다른 걱정거리가 될 수 있다.

법적 테두리에 있는 개입을 수행하는 것이 꼭 좋은 치료는 아니다. 법에 명시되어 있는 것(입법적으로 구상하려 한 의료)과 가장 최선으로 문제에 적절히 접근하는 임상적 방식 사이에는 간극이 있다. 법적 책임을 최우선으로 고려한 결정은 종종 좋은 치료적 결정이 아니다. 미국과 같은 소송을 일삼는 풍조에서 법적 소송은 언제 어떤 이유로도 생길 수 있다. "소송 당하게 될까?"가 질문이 되어서는 안 된다. 중요하게 해야 할 질문은 "환자가 자살경향성 문제에 대처하는데 도움을 줄 수 있는 치료를 생각해 내기 위해 내가 받은 훈련, 경험, 지식, 그리고 전문성을 활용하였는가?"가 되어야 한다. 명확하게 생각하고 그 생각을 기록하라. *만약 기록하지 않았다면, 그건 아무것도 안 한 것이다.* 합리적인 치료 계획을 새우고 그것을 유지하라. 당신이 속한 클리닉이나 병원에서 당신이 올바른 관행이라고 여기는 위기 관리 기준을 반드시 문서화하고, 그 기준에 따르라. 절대 당신이 그러한 기준이 무엇인지 몰랐다고 진술해야 하는 입장에는 놓이지 마라.

성공의 팁

입원이 최선의 치료라고 단정짓지 않는다. 입원은 부분적으로 임상가 및 기관을 위한 위기관리 대책으로서의 역할을 하기 때문에 자살경향성 환자의 치료 장소로 남용된다.

단기적이든 장기적이든, 입원이 그 자체로 자살에 대한 효과적인 치료법이라는 설득력 있는 근거는 없음을 명심한다.

정신병동이 자살경향성 환자에게 자동적으로 "안전한 피난처"가 되는 것은 아니다. 감옥과 정신병동은 자살 위험성의 측면에서 가장 치명적인 장소다.

입원은 침습적인 특성 때문에 실제로 자살경향성 환자의 상황을 악화시킬 수 있으며 반복되는 자살경향의 위험이 커질 수 있다.

> 자살경향성 환자의 입원 여부를 결정할 때, 그 잠재적인 이점
> 및 위험을 모두 고려하는 것이 중요하다.

언제 꼭 입원시켜야 하는가?

도심과 많은 교외 지역에서 병원은 임상가의 중요한 치료 도구의 일부로 남아 있으며, 다른 가능한 개입을 우선적으로 고려하며 신중하게 입원을 검토해야 한다. 입원이 장기적으로 자살 위험을 감소시키거나 입원이 자살행동 자체를 효과적으로 치료할 수 있는 방법이라는 근거가 없다는 것을 명심하라. 자살시도자에 대한 입원이 덜 선호되는 문화나(예, 중국) 상황에서 전반적으로 자살행동이 반복될 위험이 낮다(Chiles 등 1989). 정신건강의학과 의사들은 자살위험성을 낮춘다고 입증된 약물이 거의 없다는 것을 유념해야 한다. 6장("자살행동에 대한 약물치료")에서 언급한 일부를 제외하면, 자살행동을 낮출 수 있는 약물은 없다. 약물은 그 적응증에 해당하는 정신질환을 목표로 할 때 가장 효과적이다. 이 점을 염두에 두고, 우리는 입원을 결정할 수 있는 다음의 3가지 기준을 권고한다. 심각한 정신질환이 있을 때, 단기간 안식처가 필요할 때, 자살행동을 재구성하기 위해 입원을 활용할 때이다.

기저의 주요 정신질환을 치료하기 위한 입원

병원에 입원하는 것을 가장 쉽게 정당화시켜주는 것은 입원 상황과 같이 집중적인 치료 및 평가 환경이 필요한 심각한 정신질환이 있는 경우이다. 조현병, 조현정동장애, 정신병적 양상이 동반된 우울증 환자들은 입원만 제공할 수 있는 24시간 밤낮없는 관리로 도움을 받을 수 있는 사람들 중

일부에 지나지 않는다. 입원의 또 다른 장점은 신속하게 진행할 수 있는 진단적 시설들이 집중되어 있다는 것이다. 이러한 일련의 서비스들은 다양한 질환을 앓고 있거나 중독 상태일 수도 있는, 매우 불안하거나 극심하게 혼란스러운 상태에 있는 사람을 파악하는데 결정적인 역할을 할 수 있다.

　마지막으로 환자의 문제가 한 가지 이상인 경우가 있다. 현재의 증상에 기여하는 한 개 이상의 질환들이 있는 경우가 점차 더 흔해지고 있다. 가장 흔한 경우는 정신질환과 약물사용장애가 함께 있는 조합이다. 입원 서비스는 여러 치료를 동시에 제공할 수 있으며, 이는 사람이 변화에 가장 잘 적응할 수 있는 위기 및 긴급 시기에서도 마찬가지이다. 치료를 신속히 실행할 수 있는 이러한 역량은 입원 치료에서 이중(혹은 다중) 진단 및 전체론적 접근 방식을 취할 수 있는 탁월한 구성 요소이다. 비록 기저의 정신질환이나 물질사용장애를 치료하는 것이 입원의 합당한 이유라 할지라도, 이러한 질환들의 치료가 곧 환자의 자살 위험성의 치료와 같지 않음을 명심하라. 자살을 다루는 데 과도하게 초점을 맞춘 입원 프로그램은, 환자가 경험하고 있을지도 모르는 똑같이 중요한 다른 문제들을 치료하기에는 역부족일 수 있다.

자살충동으로부터 벗어난 단기 안식처로서의 입원

입원의 두 번째 이유로 안식처의 개념이 있다. 이는 우리와 오랫동안 함께 해온 발상이다. 지난 수 세기 동안 견딜 수 없는 환경에서 벗어나고자 하는 사람들은 사원이나 교회에서 잠시 휴식을 취하고는 했다. 우리 시대에는 병원이 이러한 서비스를 제공해줄 것을 요구받고 있고, 종종 입원결정서는 자살경향성을 대변하는 것이 되기도 한다. 이러한 입원은 확실히 병원 자원을 가장 잘 사용하는 것은 아니다. 한편, 입원이 유일한 방법인 경우도 있다. 미국 여러 지역의 치료 프로그램들이 과도한 스트레스로 인해 기능이 저하된 사람들을 위해 병원 밖에서 안식처를 제공하는 개념을 재탐색하기 시작하고 있다. 현재 많은 시스템이 괴로움에 빠져 있는 환자에게 단지 전통적인 입원 환경이 아닌 다양한 장소에 대한 옵션을 제공하고 있다. 우리가 볼 때 이러한 발전은 입원의 예기치 않은 부작용들을 극복하는데 도움이 될 수 있기 때문에 매우 긍정적이다.

현재로서는 자살경향성에 대한 안식처를 제공하는 것이 병원과 다양한 세부 옵션들(예, 23시간 관찰 병상, 임시 위기 보호소, 부분 입원)을 활용하는 합법적인 방법이다. 입원 시점에 근무자와 환자 모두 입원 치료를 통해 달성하고자 하는 바가 무엇인지 이해하는 것이 중요하다. 환자는 자신의 스트레스 수준이 지나치게 높아서 입원을 통해 불편함과 불쾌함에 대처할 수 있는 계획을 만들어 가는 데 있어서, 안전한 장소와 다양하고 유용한 도움을 제공받을 수 있다는 것에 동의할 필요가 있다. 입원 기간은 짧아야 (48-72 시간 이내) 하며 환자의 스트레스를 다루는 것을 첫 단계로 명시해야 한다.

이러한 활용은 환자에게 제공되는 서비스 유형에 영향을 끼친다. 진단적 검사나 약물 시험 등은 별로 강조하지 않는 반면, 일상으로의 복귀와 외래치료로의 전환을 염두에 두고 위기 지지 및 문제해결을 더 많이 강조하게 된다. 스트레스 수준을 지속적으로 감소시키려는 전략의 일환으로 치료 과정에서 합당하고 덜 집중적인 단계로 낮병원과 주거 서비스를 이용할 수 있도록 하는 것은 매우 도움이 된다. 안타깝게도 자원이 부족한 교외나 변두리 지역에는 작은 정신병동 하나를 보유한 조그만 지역병원 하나만 있을 수도 있다. 이러한 여건에서는 병원 근무자와 관리자가 자살경향성 환자들에게 효과적인 단기 안식 치료 프로토콜을 개발하여 입원이 다른 치료 방법들의 부재로 예기치 않게 장기간 머무는 곳이 되지 않도록 해야 한다.

자살행동을 재구성하기 위한 계획된 입원

입원의 세번째 이유는 장기적인 조형 전략의 일환으로 시행하는 경우로, 병원에 여러 차례 입원한 적이 있는 반복적인 자살경향성 환자에게 도움이 될 수 있는 전략이다. 병원 입원은 거의 항상 정신적 쇠약에 근거하여 이루어진다. 계획된 입원의 장점은 건강 관리의 관점으로 향후 입원을 고려한다는 것이다. 방식은 다음과 같다. 지난 기록들을 검토하여 입원의 횟수를 결정하게 된다. 일반적으로 입원 기간의 마지막에 향후 입원 계획이 정해지는데, 대개 다음과 같은 패턴에 따른다. 만약 4개월 간격으로 입원을 한 경우라면, 다음 입원은 대략 현재의 입원이 끝나고 4개월 뒤로 계획해야 한다. 기간은 이전 입원 기간들의 평균보다 약간 짧게 한다.

외래 치료자는 이러한 접근을 여러 방식으로 활용할 수 있다. 가장 중요한 것 중 하나는 환자가 안식을 위한 입원이 이미 계획된 것을 알고 감정적 고통을 더 잘 견딜 수 있도록 시한부 계획을 세울 수 있다고 확신시키는 것이다. 처음에 계획한 입원이 마무리되면 다음 입원까지의 기간은 일반적인 입원 간격보다 더 길게 설정하도록 협의해야 한다. 반면에 입원 기간은 이전의 기간보다 짧아야 한다. 이러한 과정을 반복하면 입원을 덜 활용하면서 환자가 더 나은 대처 기술을 개발하게 해준다. 다음의 사례는 "단골 환자"에게 계획된 입원을 활용하는 것이 임상적으로 효과가 있음을 보여준다.

애슐리는 32살의 여성으로 혼합형 성격장애로 약 10년전부터 약물치료와 정신치료를 받아오고 있다. 계획된 입원 전략은 약 3년전부터 치료에 통합되었다. 그 전까지 환자는 대략 3개월에 한 번씩 입원하였고, 입원 기간은 매번 3일에서 2주 사이였다. 퇴원 후 3개월 뒤 5일간의 입원이 계획되었다. 3개월 동안 환자는 자주 괴로움을 보고하였으나 계획된 입원 시점까지 기다리는 데 동의하였다. 한번은 응급실에 내원한 적도 있었는데 예정된 입원 날짜까지 버텨 달라는 요청을 받고 그렇게 할 수 있었다. 그리고 예정대로 계획입원을 하였다. 처음 계획 입원을 할 때 위기는 없었다. 5일의 입원기간 동안 애슐리는 더 강력한 사회적 지지망을 형성하는 데 초점을 맞추었다. 다음의 계획된 입원은 5개월 후 3일간 입원하는 것으로 정했다. 중간의 5개월 동안 여러 차례 고통스러운 감정적 시기를 겪었고, 한 차례 입원시켜달라는 요청을 했다. 하지만 입원이 아닌 다른 전략들을 활용하였고(8장, "자살 위기 관리"), 애슐리는 큰 어려움 없이 다가오는 입원까지 기다리는데 동의하였다. 세 번째 입원은 두 번째 계획된 입원 7개월 뒤부터 3일 동안으로 계획되었다. 세 번째 입원 날짜가 다가오면서 애슐리는 이번에는 입원할 필요가 없고, 입원이 자신의 삶에 지장을 줄 수 있다고 느껴진다고 말했다. 치료자는 입원이 치료 프로그램에서 중요한 부분이라고 얘기하며 그녀의 주장을 반박하였다. 결국, 애슐리는 2일만 입원하기로 동의하였다. 다음 입원은 10개월 뒤로 계획했지만, 이번에는 애슐리가 더 이상 입원이 자신의 치료계획에서 필수적인 부분이 아님을 치료자에게 납득시키는 데 성공했다.

성공의 팁

입원은 신속하게 적용할 수 있는 가장 효과적인 일련의 개입으로 심각한 정신과적 기저질환이 있을 때 유용할 수 있다.

일반적으로 자살경향성에 대한 입원 치료는 짧게 유지하는 것이 중요하다(보통 24-72시간 이하). 이를 통해 환자는 보호되고 지지적인 환경에서 자살 위기를 견딜 수 있다.

> 사전에 계획된 입원은 자살행동과 입원 사이의 연관성을 분리
> 시킴으로써, 반복적인 자살 행동을 약화시키는 방향으로 조형
> 할 수 있다.

효과적인 단기 입원을 위한 임상적 목표

표 9-1에 자살경향성 환자에서 효과적인 단기 입원을 위한 7가지 임상적
목표가 기술되어 있다. 치료 목표가 몇 주에서 몇 개월에 걸쳐 이어지는 외
래치료와 달리 단기 입원은 거의 입원 첫 날부터 모든 목표 영역에서 활동
이 필요하다. 첫 번째 목표인 *정신질환의 치료*는 아마도 정신과적 입원의
본질에 해당될 것이다. 정신질환은 고통스럽다. 정신질환은 환자로 하여금
방향 감각을 잃게 만들며 확실히 자살경향성에 기여할 수 있다. 두 번째로,
감정적 고통을 인정한다. 이는 자살행동을 세 가지 I(정서적 고통으로부터
벗어날 수 없고, 견딜 수 없고, 끝없이 계속되는, 5장 "자살경향성 환자에서
의 외래 치료" 참조)에 의한 흔한 행동으로 재정립하는 것이다. 입원 당시
이러한 감정적 고통과 절망감에 공감하는 것이 가장 중요하다. 결국 인생이
잘 흘러가면 정신병동에 입원하지 않는다. 그들이 고통받고 있다는 것에 동
의하고 그 고통을 이해한다는 것을 전달하는 것이 중요하다. 세 가지 *I* 관
점에서 고통을 검토함으로써, 환자가 이 책의 요점인 수용 및 가치기반의
문제해결 프레임워크를 생각할 준비를 할 수 있다. 단기 입원의 목표는 환
자가 문제 상황을 파악하고, 이와 관련된 감정적 불편감을 수용하고 그로
부터 초연해지는 법을 배우며, 자살경향성 및 자기파괴적인 행동을 하지 않
는 방식으로 문제를 해결하기 시작하는 것이다. 당신이 이 과정을 완료할
수 있는 위치가 아닐 수도 있지만, 좋은 출발을 시작할 수는 있다.
　다양한 영역에서 특정한 기술 훈련을 제공하는 것을 고려하라. 가치 확

표 9-1. 단기입원에서의 7가지 치료 목표

1. 필요한 경우 정신질환 치료를 시작한다.
2. 정서적 고통을 확인하고, 세 가지 *I*를 약화시킨다.
3. 환자의 양면성을 논의하고 다룬다.
4. 주기적으로 격려한다.
5. 소규모의 긍정적인 행동 계획을 수립한다.
6. 외래치료 계획 및 치료자를 통합한다.
7. 사회적 지지 네트워크를 평가하고 활용한다.

립, 개인적인 문제 해결, 마음챙김, 수용, 자기확신, 갈등 해소, 자기조절 등의 여러 기술들은 거의 대부분의 정신건강의학과 환자들에게 도움이 될 수 있지만 그 중에서도 특히 자살경향성 환자들에게 효과적이다. 이러한 작업은 입원 중 활동과 퇴원 이후 치료 구조를 늘리기 위한 여건을 마련할 수 있기에 무엇보다 중요하다.

세 번째 치료 목표로 자살경향성이 있는 모든 사람들에게서 살고자 하는 이유와 죽고자 하는 이유에 대한 양면성을 다루어야 한다. 양면성을 탐색하는 훌륭한 도구는 살아야 할 이유 척도(부록 C)이다. 이 지침에서 평가되는 요인들은(생존과 대처 신념, 가족에 대한 책임감, 자녀와 관련된 걱정, 자살의 두려움, 사회적 비난에 대한 두려움, 도덕적 반대) 양면성의 긍정적인 면을 논의하는 데 초점을 맞출 수 있게 한다. 이러한 양면성의 논의는 환자가 해결해야 할 다양한 감정과 걱정이 있음을 보여줄 수 있기 때문에 문제해결에서 초기 작업으로 이동할 수 있는 맥락을 제공할 것이다. 환자가 살아가기 위한 다양한 이유를 주도적으로 평가하게끔 하는 것이 중요하다. 자살과 관련된 주제에 개방적으로 접근함으로써, 환자를 가르치거나, 회유하거나, 거들먹거리거나, 위협하려는 충동에 빠지지 않도록 노력해야 한다.

네 번째 목표, 격려는 그 내용만큼이나 이를 전달하는 마음가짐과 태도와 관련이 있다. 병원 근무자는 자살경향성에 대한 입원치료 전략이 효과가 있을 것이라는 확신을 가져야 한다. 일관된 계획을 중심으로 팀을 구성하는 것이 가장 중요하다. 대부분의 입원 환자 서비스는 진행 상황을 확인하고 치료를 조율하기 위해 매일 팀 회의를 시행한다. 각 회의마다 팀에서는 이런 질문을 해야만 한다. "우리는 적절하게 격려하고 있습니까?" 자살경향성은 입원 병동 근무자들에게 부정적인 감정을 유발할 수 있는 사안이다. 격려에 대한 논의는 근무자들이 느끼는 어려운 감정들을 이해하고 다룰 수 있는 훌륭한 방법이다. 어려운 환자를 격려하기 위해 근무자들끼리 브레인스토밍을 함으로써 대개 좋은 아이디어를 도출하고 꼭 필요한 태도 교정을 이룬다.

다섯 번째 목표인 긍정적인 행동 계획은 전통적인 자살금지서약을 대체하여 임상적으로 유용하게 활용할 수 있는 방안이다. 자살금지서약에서는 환자가 일정한 기간 동안 어떠한 형태의 자살행동도 하지 않기로 동의한다. 우선 자살금지서약이 실제로 효과가 있다는 근거는 없지만, 더 중요하게는 이러한 서약은 치료팀으로 하여금 그들이 할 수 있는 모든 치료 방법들을 마음껏 활용하는 것을 허용하지 않는다는 것이 문제다. 우리는 자살경향성 환자와 함께 긍정적인 행동 계획을 세우는 것이 훨씬 더 생산적이라고 굳게 믿는다. 긍정적인 행동 계획은 자살사고에 대한 일련의 작은 건설적인 반응을 협의하는 한 방법이다. 이러한 반응은 자기관리, 운동, 대인관계 접촉, 영적 활동, 기타 비슷한 종류의 것들이 될 수 있다. 초점은 긍정적인 자기관리 행동들을 실천하면서 감정적 고통을 수용하는 법을 발달시키는 것이다. 이러한 행동들은 환자가 급성 자살위기를 잘 이겨낼 수 있도록 도와주는 효과가 있다. 관리 가능한 행동 과제를 명확히 만들려면 기간에 대한 협

의가 필요하다. 기간은 몇 시간에서 며칠 정도로 짧아야 한다. 계획을 협의
하면서 치료자는 환자가 처음에 마음먹은 것보다 더 짧은 시간을 제안하는
것이 유용하다. 만약 계획을 실행하는 데 걸림돌이 생기면 구체적으로 무
엇을 해야 할지 환자와 함께 정하고, 계획대로 잘 진행되고 있는지 평가하
기 위해 주기적으로 확인할 수 있도록 하라. 긍정적인 행동 계획 기간이 만
료될 때는 치료자도 반드시 함께 하라. 이 시점에서는 전략들을 검토하면
서 효과가 없는 전략을 폐기하고, 새로운 전략을 수립하며, 새로운 긍정적
행동 계획을 협의한다.

　여섯 번째 목표인 외래치료는 입원 치료에서 항상 고려할 부분이다. 외
래치료에서 입원치료로 넘어가면서, 그리고 또 다시 외래치료로 넘어가면서
정보 공유 및 치료적 협력이 붕괴되는 것은 흔히 일어나며 해로운 일이다.
입원 및 외래 시스템은 개별적으로 운영되는 것이 아니다. 이들은 단일한
치료적 연속선상에 놓여 있다. 누가 환자를 "가지는지"에 대한 경쟁을 할
필요가 없다. 치료는 환자가 상세하고, 지속적이고, 잘 조율된 관리를 받도
록 보장할 수 있어야 하기 때문이다. 입원 첫날부터 *기존의 외래 계획을 입
원 계획의 일부 및 퇴원 계획의 중요한 구성요소로 통합하는 것이 중요하
다.* 만약 외래 치료자가 이미 관여하고 있다면, 치료자가 입원 프로그램에
서 역할을 하게끔 하라. 외래 치료자의 조언과 아이디어를 구하라. 만약 진
행 중인 외래치료가 없는 경우 입원 치료팀이 이를 시작해야 한다.

　입원 계획의 마지막 목표는 *환자의 사회적 지지망을 평가하고 활용하는
것이다.* 가능하면 가족 및 친구들과 면담을 하여 그들이 역량 있는 사회적
지지를 제공할 수 있는 능력이 있는지 평가하라. 가족과 친구들은 종종 돕
고 싶어도 버겁거나 소진된다고 느낄 수 있다. 그들의 말을 끝까지 들어준
뒤 역량 있는 사회적 지지를 제공하는 방법을 알려주는 것이 입원 중에 해
야 하는 주요한 일이다. 환자를 준비시키기 위해 8장("자살 위기 관리")에

나와 있는 대처카드와 같은 다양한 위기 전략들을 활용하는 것을 고려하라. 이러한 접근은 환자가 일단 퇴원한 뒤 사회적 및 공동체 지지를 적절하게 활용할 수 있는 방법을 배우는 데 도움이 될 것이다.

치료와 위기대응 시스템의 통합 모형

자살경향성 환자는 서로 다른 시스템들 간에 그리고 한 시스템 내의 다른 수준들 사이에서 잘 조율되고 일관된 관리를 받아야 한다. 시스템 사이를 이동할 때 나타나는 문제로 면책 행위*act of discharge*가 있는데, 이는 흔히 치료에서 해방되는 것과 더 이상의 책임으로부터 벗어나는 것 모두를 의미한다. 치료의 연속성 관점에서 볼 때, 정신병동을 운영하는 병원들 중 지나치게 많은 수가 외래 치료 시스템과 독립적으로 운영되고 있다. 입원 치료자는 입원을 근거로 외래기반 관리가 "실패"했다고 느낄 수 있으며, 이는 외래 치료자로 다시 넘어가도록 조율하는 데 회피적이거나 부정적인 행동을 하게 만들 수 있다. 단지 가장 집중적이고 비용이 많이 드는 치료 방식이 종료된다고 해서 치료가 끝나는 것은 아니다. 외래치료를 준비하는 것은 입원 계획에서 필수적인 부분이지만, 치료 시스템에 참여하는 것이 현재 수립하는 계획의 목표가 되어야 한다. *병원에 입원한 환자를 다음 단계의 치료로 옮기는 것을 기술하는 데 수행해야 하는 것들을 기술하는 용어로 통합적 전원 계획수립이 있다.* 입원 서비스는 장기적이고 일관된 치료의 맥락 안에서 다양한 서비스들을 제공하는, 통합적이고 상호 연결된 네트워크의 한 부분이 되어야 한다. 이러한 통합적 치료와 위기대응 시스템은 자살경향성을 치료하는데 병원에서 활용할 수 있는 흥미롭고 긍정적인 대안들을 제공해준다.

정신건강 시스템은 자살경향성이 있는 사람들에게 효율적이고 효과적인 치료를 제공해야 한다는 중대한 도전에 직면해 있다. 자살경향성 환자에게 우선적으로 적용할 옵션으로 입원을 고려할 때는 신중한 검토가 필요하다. 우리는 이미 효과성이 부족함을 짚었다. 입원 치료를 한다고 해서 자살로 인한 사망이 줄어들 것이라고 단정지을 수 없는 것이다.

게다가 입원은 매우 비싸다. 의료 재정은 부족하며, 입원에 사용되는 돈은 다른 더 나은 대안들을 개발하는 데 사용할 수 없다. 특히 공공 부문의 경우 지출되는 돈 한 푼이라도 최대한 잘 활용하는 것이 절대적으로 필수적이다. 입원 환경에서 안정된 환자들이 지속적인 외래기반 지원을 받지 못하면 제대로 기능하지 못하게 될 가능성이 높다. 불안정성은 위기 서비스 및 입원 치료에 대한 수요를 증가시킨다. 재정은 동일한데 입원 치료가 늘어나면, 그 결과 외래치료 자원은 더 줄어들 것이다. 정신건강 시스템은 이러한 붕괴의 소용돌이를 감당할 여력이 없다. 전반적으로는 위기관리가, 그 중에서도 특히 자살경향성의 치료가 타격을 받게 된다.

입원 치료는 귀하고 값비싼 자원이며 반드시 정말로 필요로 하는 사람들에게 제공되어야 한다. 미국에서 75%는 교외 및 변두리 지역이다. 이들 지역은 근처에 의료기관 및 정신의료기관 자원이 없다. 덜 비싸고 더 효과적인 비입원 대안들이 개발되어야 한다. 이러한 요구에 부응하기 위해 독립적인 구성요소들이 함께 협력해야 한다. 응급센터, 병원, 그리고 외래 시설이 효과적으로 장기적인 관리를 목표로 현재의 장벽을 맹렬히 공격해야 한다. 그것이 쉬운 일은 아니다. 철학적, 행정적, 법적 장애물들을 극복해야 한다. 각 지역사회는 서로 다른 도전에 직면할 것이고, 각 주마다 치료감호 및 다른 정신질환 절차들을 검토해야 한다. 이어지는 섹션들에서는 통합적인 5개 구성 요소 시스템의 개요를 제시하고 있다. 이는 많은 지역사회에서 충분히 가능한 것이다. 목표는 부실한 시스템에 더 많은 돈을 쏟아 부으며 자원을 낭비하는 것이 아니다. 목표는 우리가 가진 돈으로 최고의 가성비를 얻는 것이다. 즉, 좋은 가격에 좋은 상품을 구입하는 것처럼 말이다.

안타깝게도 많은 지역사회에서 10년짜리 문제를 해결하기 위해 5년 단위 계획을 수립하는데, 이는 2년 단위로 선출되는 공무원에 의해 1년 단위의 예산으로 집행된다. 이러한 시나리오는 더 장기적인 안목을 가지는 데 도움이 되지 않는다. 치료 평가를 위해 근거기반 치료와 임상적으로 상응하는 기간 간격을 지원하기 위해 노력하라. 그러는 와중에 당신은 상대편이 당신 팀의 모든 선수들을 선발한 풋볼팀에서 쿼터백을 맡고 있는 것처럼 느껴질 것이다. 하지만 포기하면 안 된다.

구성요소 1: 응급센터

응급센터는 다양한 외상 및 질환들에 대한 급성기 치료를 제공해주며 입원이나 외래치료를 받게 하는 진입 지점이기도 하다. 입원기반 센터는 응급 정신의학이 매우 효과적인 서비스가 될 수 있고, 이 시스템에 속한 정신건강 종사자들이 다양한 어려움들을 겪는다는 것을 알고 있다. 이곳에서의 의학적 평가는 매우 복합적이어서, 여러 의학적 전문가들의 개입을 필요로 한다. 흔히 발생하는 한 예로 경찰이 데리고 오는 "의식이 없는 채로 발견된" 사람들과 "혼란스럽고 정신병적 상태로 행동하는" 사람들을 평가하는 경우가 있다. 평가자는 두부 외상, 정신병적 질환, 급성 물질남용, 갑상선 기능 장애 및 당뇨병과 같은 무수히 많은 의학적 질환을 포함한 다양한 가능성을 찾아내야 한다. 그 사람은 약물을 과다복용하였는가? 중독 상태는 고의적이었는가(자살시도) 아니면 사고였는가? 이러한 상태의 사람들은 종종 응급실 근무자들에게 간과되기도 하고, 신체질환 및 정신과적 병력에 대한 정보도 확인하기 어렵다.

이러한 환자를 평가하기 위해서는 정신과적, 내과적, 신경학적 평가를 시행해야 한다. 또한, 근무자는 가능한 많은 것을 알아내기 위해 애써야 한다. 이 사람은 다른 곳에서 치료를 받고 있는 중인가? 그렇다면 그 데이터 베이스에 접근할 수 있는가? 이러한 정보는 종종 획득하기 어려운데, 밤이나 주말에 특히 그렇다. 필요한 병력을 환자로부터 얻어내기가 쉽지 않을 수도 있는데, 정신과적 상태나 자살시도의 의학적 후유증으로 인하여 면담을 효과적으로 하지 못할 때 더욱 그럴 수 있다. 그럴 때 근무자가 환자의 신원을 알고 있다면, 환자에 대한 사실관계를 확인할 준비가 되어 있어야 한다. 응급센터는 주립병원 컴퓨터, 정신건강센터, 그 외 다른 자료원들과 연결될 수 있다. 많은 기관들이 연결되어 있지 않다는 사실은, 시스템 사이에서 공조가 이루어져야 하는 다면적인 능력을 발휘해야 하는 우리에게는 슬픈 소식이다. 이는 우리가 의학 및 법적으로 두려움이 만연해 있을 때 특히 더 그렇다. 정보 교환에서 환자의 기밀 유지를 신경쓰지 않을 수 없다. 이 문제는 적절한 컴퓨터 보안장치를 활용하여 해결할 수 있다. 행정적인 수준에서 이 문제는 오랜 시간에 걸쳐 동일한 사람들과 그들의 문제를 다뤄온 기관들 간의 합의로 해결할 수 있다. 우리 모두가 이러한 도구들을 개발하려 애쓰지 않으면, 사례관리는 상당히 빠르게 그 효용성의 한계에 이르게 될 것이다. 기밀 정보 교환에는 임상적으로 관련된 모든 행위자들이 포함되어야 한다.

정보의 빠른 습득과 더불어 포괄적인 응급 센터의 또 하나의 강력한 사례관리 도구는 예약 권한이다. 정신건강의학과 환자들은 너무 자주, 기껏해야 전화번호 하나 남기고 응급실을 떠난다. 후속 조치에 대해 소원을 빌고 기도하는 식의 접근은 효과적이지 않다. 꼭 필요한 작업으로써 기술적으로도 실현 가능한 방법으로 다음과 같은 것이 있다. 응급실 환경에서 환자를 평가하고 관찰하며 치료를 시작한다. 만약 다음 단계가 외래 추시라면, 담당의 앞으로 예약을 잡아라. 예약을 잡기 전에 먼저 두 가지 일들이 진행되어야 한다. 첫째, 진료받을 병원의 치료자가 응급 센터 평가에서 얻은 모든 정보를 미리 받아야 한다. 둘째, 사례관리자 혹은 치료 코디네이터는 환자가 예약 시간에 진료를 받게끔 해야 한다. 이 과정은 환자를 태우러 가기 위해 전화를 하고 예약된 곳으로 데리러 가는 것에 이르기까지 다양한 활동들을 포함한다. 누가 이러한 관리 촉진자일까? 우리 모두다!

구성요소 2: 23시간 관찰 병상

응급 센터에서 "의식이 없는 상태로 발견된" 환자(앞의 하위 섹션에서 다룬 바 있는)의 목적지를 합리적으로 설정하기 전에 많은 일들이 진행되어야 한다. 환자는 종종 응급 센터가 바쁘고, 자리를 비켜줘야 하고, 평가가 불완전하다는 이유 등으로 병동으로 입원(비싼 선택지)하게 된다. 23시간 관찰 병동은 종종 이러한 입원 필요성을 없앨 수 있다. 근무자들은 검사를 진행하고, 정보를 수집하고, 환자를 관찰하고, 치료 중 발생하는 문제들에 대응할 수 있다. 입퇴원 시간을 맞추기 위해 환자를 "어디로든" 데려가야 한다는 압박감을 느끼는 것보다, 환자를 위한 병상이 있고 치료할 수 있는 시간을 확보하는 것이 훨씬 낫다.

구성요소 3: 단기 입원 환자 서비스

단기입원 정신병동은 통합적 위기관리 시스템에서 매우 중요한 부분이다. 우리는 단기 입원을 2일에서 21일까지로 정의한다. "의식을 잃은 채 발견된" 환자의 사례를 좀 더 들여다보자. 많은 정신건강의학과 환자들과 마찬가지로 이 환자 역시 하나 이상의 문제를 지니고 있다. 응급센터에서 우리는 다음에 대해 알게 되었다.

환자는 43세 남성이며, 20년전에 조현병 진단을 받았다. 정신건강센터에서 환자를 관리해오고 있었지만, 최근 6주 동안에는 연락이 되지 않았다. 항정신병 약물이 처방되어 왔으나 환자는 부작용을 싫어하였고 치료 순응도도 낮았다. 환자는 알코올 중독도 있어서 정신건강센터에서 새로 만든 이중 진단 프로그램에도 참여하고 있었다. 잘 조절되지 않는 인슐린 의존형 당뇨도 앓고 있다. 1년 전에 맞아서 기절한 상태에서 강도를 당한 적도 있으며, 그 이후 더욱 예상치 못한 행동을 보이게 되었다. 1주일 전에는 음주 문제로 여관에서 쫓겨났다.

응급 센터에서는 그가 중독된 상태이면서 급성 정신병적 증상을 보이고 있다고 평가하였다. 그는 "악마들"이 자신을 죽이기 전에 먼저 자살해야 한다고 말하고 있었다. 당뇨는 즉각적인 처치를 필요로 하는 지경이었다. 6시간 뒤 응급실 의사는 적절한 진단을 완료하고 신체 및 정신적 상태에 대한 치료를 시작하였다. 자명하게 입원이 필요해 보였고, 그는 입원했다.

그런데 그는 얼마나 오래 입원해 있어야 하는가? 급성 정신병적 증상은 3-6일이면 호전될 것이고 당뇨는 그보다 더 빨리 조절될 수 있다. 대부분의 환자와 마찬가지로 이 환자의 급성 자살사고는 아마도 1-3일 이내에 줄어들 것이다. 그 시점에서는 병원이 아닌 수준의 관리를 받기 위해 옮겨질 수도 있고, 입원을 유지하면서 지속적으로 신체 및 정신과적 치료를 더 받아야야 할 수도 있다. 많은 환자의 경우 이 사례와 같이 복합적인 문제들이 있는 경우에도, 1주 이후의 입원 기간은 입원 자체의 절대적 필요성보다는 다른 대안적 방법들의 수준을 더 고려하여 결정해야 한다.

구성요소 4: 위기 거주 시설

우리는 앞서 환자가 감당할 수 없는 일상적 번거로움으로부터 한숨 돌릴 수 있는 안식과 피난처가 될 수 있는 거주 가능한 안전한 환경이 필요하다고 얘기했었다("언제 반드시 입원해야 하는가?" 부분 참조). "의식을 잃은 채 발견된" 환자는 이제 신체적으로나 정신적으로 호전되었다. 하지만 그는 약물치료에 대한 지속적인 모니터링, 머무를 곳, 정신건강의학과 외래 치료와의 통합이 필요하다. 정신병적 증상이 호전되어 감에 따라 환자가 지낼 곳이 없다는 것과 통제 불가능한 중독 행동과 관련한 자살경향성도 더 명확해졌다. 문제들을 파악한 뒤 문제해결 전략을 시작한다. 이러한 필요성들은 거주 환경에서 안전하게 충족될 수 있다.

구성요소 5: 위기 안정화 외래 프로그램

이 사례에서 자살경향성 환자는 위기를 해소하고 만성질환에 대한 장기 치료를 다시 시작하게 될 것이다. 그는 신경심리검사에서 일부 낮은 수행 능력을 보였는데, 이는 머리를 맞은 결과였다. 이에 대해 재활치료를 추가하기로 했다. 하지만 어떤 환자들은 만성질환을 가지고 있지 않다. 자살경향성을 포함한 그들의 위기는 위기 개입 클리닉에서 1-3개월에 걸쳐 다루어질 수 있다. 이런 유형의 클리닉은 개인, 가족, 집단 지지 및 위기 해소 기법 훈련을 받은 정신건강 전문가들로 구성된다. 이 클리닉의 가장 중요한 역할은 위기 사례 관리이며, 통합적인 지원 시스템을 구축하거나 재확립하기 위한 확고한 도움을 줄 수 있다. 특히 자살경향성 환자들에게는 단기간 신중하게 약물을 복용하는 것을 이해하는 것이 중요하다.

모든 문을 열어놓으라

통합적 시스템이 그 이름에 걸맞게 유지되려면, 자살경향성 환자가 구성 요소들 간에 쉽게 이동할 수 있어야 한다. 시스템의 각 부분은 다른 모든 부분들에 대해 잠금 해제된 문을 지니고 있다. 이동은 *실패*가 아니다. 그것은 임상적 적합성을 기반으로 한다. 입원환자 서비스는 가장 집중적인 진단적 평가를 시행하고, 관찰 및 치료를 제공한다. 외래 서비스는 확실한 치료를 제공하고 환자를 지역사회에 통합시킨다. 거주 서비스는 입원과 외래의 중간 정도의 강도로 일시적인 안식처를 제공해준다. 각각의 구성 요소는 각 요소의 치료자가 다른 구성 요소도 활용 가능하다는 것을 알 때 최상의 기능을 발휘한다. 예를 들어, 만약 급성기 거주 시설의 근무자가 곧바로 병원의 지원을 받을 수 있다는 것을 알고 있으면, 약간 나아지기는 했어도 여전히 약간은 피폐한 상태의 자살경향성 환자를 훨씬 더 편안히 받아들일 수 있을 것이다. 외래 치료 시설 근무자는 병원 대신 거주 시설을 이용할 수 있다. 만약 시스템 전체적으로 정보가 자유롭게 공유된다면, 독특한 의료적 편집증, 즉 떠넘기기에 대한 두려움만이 문을 통과해서 이동하는데 있어 유일한 장애물이 된다.

*떠넘기기*Dumping, 즉 환자의 복지를 고려하지 않고 다른 전문 분야의 치료자에게 문제를 떠넘기는 것은 시스템 발전을 죽이는 일이다. 전염병과 싸우듯 떠넘기기에 맞서 싸우라. 모든 구성 요소들 사이의 문제들에 대해 열린 논의를 가능하게 해주는 순환 피드백이 도움이 될 것이다. 피드백 논의에서 핵심 질문은 "우리는 환자의 이익이 최선이 되도록 일하고 있는가?"이다. 두 번째 질문은 "이동은 환자를 치료하기 위해 이루어졌는가, 아니면 우리 자신의 어려움, 분노, 실패감, 업무 소진 등을 해결하기 위해서 이루어졌는가?"이다. 추가로 양측 모두에서 일하는 근무자들을 고용하는 것이 효과

적이다. 예를 들어, 응급 센터와 거주 시설에서 근무하는 것은 한 장소에서 만 근무하면서 다른 기관이 어떻게 움직이는지 막연히 추정만 하기보다, 이 들 두 단위가 어떻게 협력할 수 있을지에 대한 관점을 갖게 해줄 것이다. 통합적 시스템에서는 우리 아니면 그들이 아니다. 모두 다 우리다.

요점

- 자살경향성을 치료하기 위해 입원에만 전적으로 의존하지 마라. 입원은 남용 되고 있으며 어떤 집단에서도 입원치료가 자살로 인한 사망을 낮춘다고 확인 된 근거는 없다.
- 입원 서비스는 자살경향성 환자를 효과적이고 연속적으로 관리하는 필수적 인 구성 요소이지만 어디까지나 외래 치료계획 및 외래 치료자와 통합적으로 기능할 때에만 그렇다.
- 입원은 정신질환을 치료하거나, 단기간 안식처를 제공하거나, 자살행동을 재 구성하기 위해 활용하는 것임을 확실히 숙지하라.
- 의료과실 소송에 대한 두려움으로 때문에 입원치료가 환자에게 줄 잠재적인 위험과 이점에 대한 임상적 판단을 흐리게 하지 마라.
- 통합적 위기 대응 시스템은 입원, 중간 단계, 그리고 외래 구성 요소들을 포함 하며 이들 간에 모든 문이 이어지도록 하는 서비스 제공 모형이다.

읽어볼 만한 문헌

Huber CG, Schneeberger AR, Kowalinski E, et al: Suicide risk and absconding in psychiatric hospitals with and without open door policies: a 15-year observational study. Lancet Psychiatry 3(9):842–849, 2016 27477886

Inagaki M, Kawashima Y, Kawanishi C, et al: Interventions to prevent repeat suicidal behavior in patients admitted to an emergency department for a suicide attempt: a meta-analysis. J Affect Disord 175:66–78, 2015 25594513

Olfson M, Wall M, Wang S, et al: Short-term suicide risk after psychiatric hospital discharge. JAMA Psychiatry 73(11):1119–1126, 2016 27654151

참고문헌

Chiles JA, Strosahl KD, Ping ZY, et al: Depression, hopelessness, and suicidal behavior in Chinese and American psychiatric patients. Am J Psychiatry 146(3):339–344, 1989 2919691

Inagaki M, Kawashima Y, Kawanishi C, et al: Interventions to prevent repeat suicidal behavior in patients admitted to an emergency department for a suicide attempt: a meta-analysis. J Affect Disord 175:66–78, 2015 25594513

Knoll JL IV: Inpatient suicide: identifying vulnerability in the hospital setting. Psychiatric Times 30(6), 2012. Available at; http://www.psychiatrictimes.com/suicide/inpatient-suicide-identifying-vulnerability-hospital-setting. Accessed June 12, 2018.

Noonan ME, Ginder S: Mortality in local jails and state prisons, 2000–2011 (National Criminal Justice Reference Service No NCJ242186). Washington, DC, U.S. Department of Justice Bureau of Justice Statistics, August 2013

10

특수 집단에서의 자살경향성

이장에서는 최상의 치료 결과를 담보하기 위해 추가적이거나 특별한 기법이 필요한 환자군에 대해 다룬다. 물질남용 동반, 정신병, 아동 청소년, 노인이 여기에 해당된다. 이들 집단은 치료에 영향을 끼치는 의존성, 경제적 어려움, 치료에 대한 접근 제한, 의학적 및 발달적 이슈 등의 추가적인 문제들을 지니고 있다.

중독 행동과 자살: 천대받는 환자

하나의 유형으로서 중독 행동은 자살행동을 할 위험이 매우 높다. 중독 행동이라는 용어는 부정적인 효과를 빠르게 통제하거나 제거하는 작용을 하는 모든 행동을 일컫는다. 이런 행동 패턴은 시간이 갈수록 강화되며 더 우세한 감정 조절 전략으로 자리잡게 된다. 물질과 관련 없는 중독 행동도 있지만(예, 폭식증, 폭식거식증bulimarexia, 거식증, 강박적 도박, 포르노, 성적 행동들), 이런 것들은 전부 높은 자살 위험과 관련이 있다. 이 장에서 우리는 중독 행동의 범위를 물질남용으로 제한하고자 한다. 물질을 남용하는 자살경향성 환자의 치료 원칙은 다른 유형의 중독 행동을 지니고 있는 환자들의 치료에도 적용될 수 있다.

모든 의료인은 물질과 관련된 건강 문제들의 엄청난 폐해를 익히 알고 있다. 당신이 일반적인 의료 현장이나 외상 센터, 정신의료기관 등 어디서 근무하든, 많은 환자들이 약물남용이나 의존 문제를 덤으로 지니고 있다. 미국에서의 아편유사제opioid 유행은 전에 없던 수준의 중독 및 예측 불가능한 조기 사망을 유발하였는데, 이는 불법 약물 사용과 처방 의약품 의존의 어두운 단면을 불편하게 상기시킨다. 정신질환에 동반이된 중독의 영역은 정신의학에서 특별히 관심이 되는 영역이다. 특히 공공의료의 영역에서 치료받는 많은 사람들이 동반이환으로 고통받고 있다. 정신질환과 중독 행동이 함께 있으면 대개 다양한 영역에서 심한 장애를 유발한다. 가족과 사회적 상호작용, 취업, 거처, 음식에 대한 기본적 욕구를 충족할 능력 등 모든 기능 영역들이 부정적인 영향을 받을 수 있다.

약물 및 알코올 사용 질환은 가끔 술에 취해 주정을 부리는 것에서부터 매일 많은 약물을 사용하는 것에 이르기까지 매우 다양한 양상을 보인다. 마리화나, 코카인, 알코올을 매일 사용하는 사람들이 그로 인해 나타나거나 혹은 공존하는 여러 의학적 문제들을 지니고 있는 것은 드물지 않다. 중독관련 질환을 앓고 있는 환자는 치료하기 어려운 경우가 종종 있다. 그 주된 이유는 치료에 대한 동기가 부족하고 권장 치료에 대한 순응도가 부족하기 때문이다. 수없이 많은 문헌들에서 중독관련 질환에서 회복하고 재활하는 것에 대한 실제적인 문제들을 다루고 있다. 우리가 찾은 유용한 문헌은 이 장의 마지막에 있는 "읽어볼 만한 문헌"에 제시되어 있다. 우리의 관심사는 이 환자 집단이 온통 자살경향성 투성이어서 중독 문제가 없는 집단에 비해 훨씬 더 안 좋은 건강 예후를 보인다는 점이다. 물질관련장애는 자살사고와 자살시도를 두 배 더 높이며, 자살 사망은 물질과 관련된 맥락에서 더 흔히 나타난다고 알려져 있다(Poorolajal 등 2016). 물질사용장애가 있는 자살경향성 환자들은 치료가 어려우며, 어느 곳에서도 자신들의 문제들을 총체적으로 다루고 있지 않아서, 오도 가도 못하는 느낌을 받기도 한다. 이들에게 문제해결 접근이 효과를 볼 수도 있지만 그것을 시행하기 위해서는 누군가 거기에 있어야 한다.

물질남용 문제가 있는 자살경향성 환자를 효과적으로 치료 및 관리하는 데 주된 어려움은 정신건강 전문가들이 정신건강과 화학적 의존성에 대한 치료 시스템 양쪽 모두를 책임지려 하지 않으려 한다는 것이다. 애처로울 정도로 흔한 시나리오는 정신건강의학과 의사나 정신병동에서 약물남용을 이유로 환자의 치료를 거부하는 것이다. 취지는 환자는 정신건강 치료를 받기 전에 약물남용 문제를 깨끗이 해결해야 한다는 것이다. 그 결과 약물남용 환자는 외래 혹은 입원기반의 화학적 의존성 치료 시스템에 참여한다. 환자가 자살경향성을 경험하면, 화학적 의존성에 대한 치료를 받기 전에 먼저 자살경향성이 조절되어야 한다는 얘기와 함께 해당 시스템에서 즉시 방출된다.

일부 관계당국자들은 이러한 딜레마에 대한 답이 "이중진단"이나 동반이환 환자들의 치료를 위한 제3의 서비스 제공 시스템을 만드는 것이라고 한다. 이러한 접근은 정신건강 및 화학적 의존성 상담자들이 정신건강 혹은 약물남용 중 한 군데 시스템에서 치료를 받는 환자들이 지니고 있는 다양한 정신건강 및 약물남용 질환들을 진단하고 치료하는 데 전문적인 책임이 있다는 사실을 간과하게 만든다. 정신건강 상담사는 약물남용을 진단하고 치료할 수 있는 강력하고 정교한 기술 세트를 보유할 필요가 있고, 화학적 의존성 치료자는 자살행동에 대처하는 방법에 대한 유용하고 실용적인 지식을 보유하고 있어야 한다. 하지만 여전히 많은 수의 환자들이 두 시스템 사이를 오가면서, 동반되어 있는 복합적인 문제들에 대해 포괄적인 치료를 받지 못하고 있다.

어떤 근무 상황에서든 당신에게 드러난 문제와 관련된 진단과 치료에 관심을 기울이는 것이 당신의 직업윤리이다. 대체로 환자들은 그들을 치료하는 방식에 대한 우리 생각에 맞춰 자신들을 분류하지 않는다. 조정은 환자가 아닌 우리의 몫이다. 화학적 의존성, 정신건강, 그리고 일반적인 의료 시스템에서 근무하는 의사들은 자살경향성과 그에 동반되는 물질남용 문제를 대비해 놓고 있어야 한다.

약물남용 자살경향성 환자의 진료 원칙

AIM 모형은 약물남용 자살경향성 환자에 대한 평가 및 치료를 위한 핵심적인 3단계를 제시한다:

- A: 물어보기*Ask* 약물사용에 대해 물어보고 또 물어보라.
- I: 통합하기*Integrate* 약물남용을 자살행동의 문제해결 맥락에 통합시켜라.
- M: *관리하기Manage* 약물남용으로 인하여 악화되는 자살경향성을 다룰 수 있는 위기관리계획을 수립하라.

알코올과 약물남용이 자살경향성과 기능적으로 중요한 유사성을 공유하고 있음을 인지하는 것이 중요하다. 자살과 약물남용 모두 불편한 정서적 내용을 통제하거나 회피하는 수단이고, 둘 다 문제해결 행동으로 작동한다. 당신은 자살을 시도하거나 약물에 취해 멍하게 있음으로써 "도피할" 수 있다. 약물, 알코올, 자살경향성은 모두 유유상종하듯이 서로 직접적인 연관성이 있다. 이러한 연관성은 치료의 어려움이자 동시에 기회이기도 하다. 발견되지 않고, 통합되지 않고, 관리되지 않는다면, 물질남용은 최고의 치료계획을 망칠 수 있다. 발견되고, 통합되고, 관리된다면, 약물남용 삽화들은 자살경향성 삽화들이 할 수 있는 것과 같은 방식으로 치료 목표를 더 높이는 데 활용될 수 있다.

AIM 모형의 첫번째 단계는 물질남용에 대해 물어보는 방법을 배운 뒤 반복해서 물어보는 것이다. 이러한 진단적 업무는 복합적일 수 있다. 이것은 물어보는 것을 기억하는 것일 뿐만 아니라, 끈기와 도움이 되고자 하는 욕구를 전달하고 부정denial에 지지 않는 법을 배우는 것이기도 하다. 한 동료가 다음의 이야기를 들려주었는데 이는 문제의 범위를 보여준다.

한 여성이 우울증과 지속적인 자살경향성을 치료받기 위해 대학병원의 기분장애 클리닉을 방문하였다. 그곳은 교육기관이었기 때문에 여성은 의대 실습생, 레지던트, 교수와 면담을 하였다. 각 면담자들은 구조화된 면담 도구를 이용하여 체계적으로 약물남용을 물어보았다. 그 때마다 그녀는 어떤 어려움도 없다고 부정하였다. 1년 동안의 치열한 치료 과정 동안 그녀는 약물치료나 정신치료에 거의 반응을 보이지 않았다. 이 기간 동안 그녀는 여러 차례 자살시도를 하였다. 끝내는 여러 차례 예약 시간에 오지 못했고, 클리닉에 더 이상 나오지 않았다. 그녀가 마지막으로 방문한지 대략 1년 6개월 뒤에 클리닉 의사 한 명이 우연히 신문에 실린 여성의 기사를 보게 되었다. 그녀가 심한 코카인 중독을 성공적으로 극복한 내용에 대한 인터뷰였다. 이 인터뷰에서 그녀는 자신이 10년 가까이 중독 질환을 앓아 왔으며, 6개월 동안 성공적인 치료 프로그램을 이수하였다고 말했다. 그녀가 우울증과 자살경향성에 대해 1년 동안 치료받았다는 언급은 없었다.

이 이야기의 교훈은 다양한 방식으로 물어보고, 물어보고, 또 물어봐야 한다는 것이다. 신체 증상, 검사실 결과, 가족 및 친구들의 보고 내용상 의심스러운 점이 많다면, 알아보는 것을 멈추지 마라. 가끔은 끈기에 대한 보상을 얻을 수 있다. 진단되지 않고 치료되지 않은 중독 문제는 자살경향성을 비롯한 다른 문제의 치료를 어렵게 만든다. 그것은 치료 실패의 보증수표나 다름없다.

물질을 실제로 사용하였는지 여부와 그 물질의 효과를 모두 물어보라. 좋은 질문 방식은 다음과 같다. 알코올을 예로 들겠다. "지난 1달 동안 술을 마신 날이 얼마나 되나요? 술을 마신 날에는 얼마나 많이 마셨나요?" 물질남용에서 흔히 사용되는 머리글자로 CAGE가 있다. 이는 다음의 네 가지 질문들을 의미한다.

- C: 줄이기Cut down ─ 물질을 줄이려고 노력한 적이 있었습니까?
- A: 화남Annoyed ─ 다른 사람들이 당신의 물질 사용 때문에 화를 낸 적이 있습니까?
- G: 죄책감Guilty ─ 물질을 사용하는 것에 대해 죄책감을 느낀 적이 있습니까?
- E: 해장술Eye opener ─ 금단 증상을 안 느끼기 위해 다음날 아침에 일어나자마자 이 약물을 사용한 적이 있습니까(즉, 해장술처럼)?

예라는 대답이 하나라도 있으면 문제가 있는 것이다.

두 번째 단계는 환자의 물질남용을 자살경향성의 맥락에 통합시켜 이해하는 것이다. 자살경향성이 있다는 것은 중독성 질환이 동시에 있을 가능성을 시사한다. 자살경향성을 문제해결 방법으로 사용하는 사람들은 종종 폭식, 폭음, 그 외 다양한 약물남용을 할 수 있다. 환자를 진료할 때 항상 자살경향성의 맥락에서 알코올, 코카인, 마리화나, 그 밖의 물질들의 역할을 파악하라. 환자가 자살경향성을 만성 중독에 대한 해결책으로 생각하는가? 약물이나 알코올을 일상생활 사건이나 큰 스트레스와 관련한 정서적 고통으로부터 벗어나려는 목적으로 사용하는가? 가치기반 문제해결에 참여하고 있는 시기에 물질사용은 아주 해로운 영향을 끼칠 수 있다. 환자가 가장 명확하게 생각해야 할 바로 그 때, 약물로 인해 판단, 집중, 심사숙고에 부정적인 영향을 받을 수 있으며 더 충동적으로 될 수 있다. 이러한 조합은 치명적일 수 있는데 자살로 사망한 사람들에 대한 많은 검시관 보고서에 알코올 농도가 기록되어 있는 것이 그 근거이다. 게다가 약물 과다복용으로 자살시도를 하는 경우 특히 알코올과 같은 많은 남용 물질들은 과다복용한 약물의 치명적 효과를 더욱 강화하여 훨씬 더 죽기 쉬운 상황을 만든다.

세 번째 단계는 물질남용과 자살경향성을 대처카드(그리고 위기관리 계획)로 관리하는 것이다(8장 "자살 응급 관리" 참조). 흔한 시나리오는 다음과 같다: 환자는 대인관계 어려움과 관련한 문제 상황에 처해 있다. 환자는 좌절하고 화가 난다. 이러한 정서적 고통을 누그러뜨리기 위해 술을 마신다. 계속 술을 마시고, 갑자기 그리고 대개는 매우 빠르게, 자살이 현실적인 해결책으로 떠오른다. 이 순간 환자는 약병을 움켜잡고 충동적으로 안에 있는 약을 다 먹을 것이다. 이는 종종 촉발 사건 30분 이내에 일어난다. 알코올은 충동성을 증가시키고 과다복용하는 물질의 치명도도 높인다. 이것은 나쁜 상황이다. 이러한 상황이 발생하기 전에 대처카드(그리고 계획)로 먼저 다루어야 한다. 다음과 같은 문구를 넣는 것처럼 말이다. "술 마시지 않는다. 만약 내가 술을 마시고 있다면, 멈춘다."

술냄새를 풍기며 클리닉에 오는 경우

약물을 남용하는 자살경향성 환자가 중독된 상태로 치료를 받으러 오면 어떻게 해야 할까? 가장 큰 난관은 이 사건을 궁극적으로 환자에게 도움이 되는 방향으로 활용하는 동시에, 계속 물질을 남용할지 여부에 대한 파괴적이면서도 치료를 중단시킬 수 있는 결전을 피하는 것이다. 당신은 장애가 있는 환자와의 관계를 유지하기 위해 최선을 다 해야 한다. 이런 순간이 환자가 매우 말하기 꺼려하는 어떤 것을 다룰 수 있는 드문 기회가 될 수 있다. 그것은 바로 환자가 부정적 감정들을 필사적으로 회피하는 것이다. 회기를 취소하거나 이 상황을 무시하지 마라. 그보다는 환자가 그런 문제 행동을 직접적으로 치료받으려고 내원한 용기를 칭찬해주어라. 이 기법을 활용할 때는 자살경향성에 대한 문제해결 방식에 일관되는 철학을 지니고 있어야 한다. 즉, 치료를 불안정하게 만들지 않는 한, 치료적 맥락에서 자신의 문제를 가지고 오는 것이 허용된다. 이 전략의 목표는 당연히 물질사용을 강화하는 게 아니다. 목표는 약물과 알코올 섭취로 인한 장애(즉 술 취한 상태)를 넘어, 환자가 이렇게 장애가 있는 상태에서 경험하고 있는 것을 이해하는 것이다.

알코올은 감정과 인지적 표현을 탈억제시킨다. 비록 알코올이 뇌활동을 저하시키는 속성을 지니고 있더라도, 알코올의 영향 아래 놓여 있는 감정과 생각의 다수는 음주나 투약이라는 맥락 밖에 있는 현실적이고 실재적인 삶에서 비롯된다. 어떤 표현이 충동적이고 일시적인 것이며, 어떤 표현이 환자의 세계관에 없어서는 안 되는 생각, 감정, 반응을 나타내는 것인지 가려내는 것은 당신의 몫이다. 이 과정은 당신과 환자 사이의 라뽀를 필요로 하며, 당신은 알코올 및 약물 사용과 관련하여 비직면적인 입장을 견지해야 한다. 모든 자살시도의 약 50%는 알코올이나 약물 사용의 맥락에서 이루

어지기 때문에 회기를 계속해서 진행해 나가면 환자가 자살행동을 하게 되
는 과정에 대한 통찰을 얻을 수 있다. 만약 당신이 알코올이나 약물남용 삽
화 기간에 이러한 행동이 나타나는 방식에 대한 통합적인 관점을 지니고
있으면, 더 쉽게 충실하고 효과적인 위기관리 프로토콜을 만들 수 있다.

환자가 중독되고 동시에 급성 자살경향성이 있는 상태에서 회기에 참석
하는 경우도 있다. 이럴 때 당신이 할 일은 환자가 멀쩡한 정신으로 돌아올
때까지 충동적이며 잠재적으로 치명적일 수도 있는 순간을 벗어나도록 도
와주는 것이다. 일반적으로 환자를 안전한 환경에 있도록 하거나, 친구 또
는 가족 구성원들이 환자를 집으로 데리고 가서 멀쩡한 정신이 돌아올 때
까지 바로 가까이에 있도록 명확히 지시하는 것이 좋다. 항상 그렇듯이 기
본 철학은 환자에게 이득이 되도록 어떤 수를 써서라도 치료를 받게 하는
것이다. 이러한 관점에서 환자에게 다시 전화해서 알코올이나 약물사용 삽
화가 괴롭고 원치 않는 정신적 경험을 없애거나 통제하는 데에 효과가 있었
는지 여부를 디브리핑하게 하는 것도 종종 도움이 된다. 당신이 역기능적
문제해결을 효용성 없는 경험과 더 많이 연결할 수록 환자가 대안을 모색
하게 할 수 있는 더 많은 지렛대를 확보하게 될 것이다.

물질남용 병동

화학적 의존성을 다루는 병동 근무자는 외래 근무자와는 약간 다른 방식
으로 문제를 다룬다. 입원 치료의 주된 업무는 환자가 금단을 극복하고 중
단의 초기 단계로 들어갈 수 있게 도와주는 것이다. 금단은 자살경향성의
증가와 연관될 수 있다. 금단은 흔히 어려운 과정으로 아주 강력하면서 정
서적으로 괴로운 신체 및 심리적 증상들을 수반한다. 금단은 초조, 신체적
불편감, 심한 감정기복 등을 유발할 수 있다. 금단 증상은 2주 이상 지속될
수 있기 때문에 때때로 물질 금단으로 인한 단기적인 역기능과 장기적인 심

리적 역기능을 구분하기 어려울 때도 있다. 중독과 금단으로 인한 대부분의 신체적 변화들은 10-14일 이내에 호전되지만, 수면장애와 심리적 불편감은 어느 정도 더 지속될 수도 있으며 환자의 행동에 영향을 끼칠 수도 있다.

지속적인 물질남용에서는 기분이 안 좋거나 우울증의 증상들이 동반되기도 한다. 물질남용이 시작되기 전에 우울증이 있었던 경우가 많다. 이미 우울증이 선행되어 있는 상태에서 이중고를 겪게 되는 것이다. 기존의 우울한 경향에 약물사용(급성 및 만성 금단, 물질사용, 혹은 중독)에 따른 기질적 우울증이 더해지는 것이다. 여기에 약물과 흔히 동반되는 초조와 신체적 불편감도 종종 더해지게 되면 치명적인 자살행동을 위한 무대가 마련된다.

많은 물질남용 환자들이 정신적 문제나 질환을 함께 지니고 있다. 우울, 불안, 성격장애, 조현병 등 전부 자살경향성과 관련된다. 물질남용 병동에 입원하는 모든 환자들에게 자살경향성을 포함한 정신과적 평가를 시행하여야 한다. 어떻게 봐도 이들 집단은 자살시도 및 자살사망의 위험성이 높기 때문에, 해독을 위한 입원은 특히 이들 질환의 관리에 결정적인 단계이다. 병동 근무자들은 자살 가능성을 평가하고 관리하는 방법을 배워야 하며, 특히 집중적인 물질남용 치료기간에는 더욱 그렇다. 이러한 과정은 정신병동에서 활용되는 것과 같은 기법들을 통해 이루어진다(9장, "입원과 자살행동" 참조). 이 전략들이 물질남용 치료시설에서 덜 효과적이라고 믿을 만한 어떤 이유도 없다. 침습적이고 비치료적인 환경을 지양하면서 가능한 한 안전하고 안정적인 환경을 제공해야 한다. 병동에 자살행동 평가 방법을 체계화하는 정책과 절차를 마련해야 한다. 환자의 자살경향성을 더 심화시킬 수 있는 어떤 정신과적 문제나 질환도 적절한 관심을 가지고 기록하고 치료해야 한다.

물질남용을 하는 많은 환자들이 그렇지 않은 사람들에 비해 보이는 중요한 임상적 차이는, 금단 첫 30일 동안 진행되는 치료 기간 동안 엄청난 기분 변동을 나타낼 수 있다는 것이다. 해독 병동 안에서의 자살은 때때로 환자가 긍정적이고 안정된 기분을 보고하고 있을 때 일어난다. 다음의 임상 사례를 생각해보자.

저자들 중 한 명(K.S.)은 만성적인 자살사고를 지니고 있으면서 오랜 기간 거의 매일같이 중독 상태에 빠져 있던 환자를 치료했다. 치료가 진행될수록 환자의 자살경향성은 사라졌지만 음주 행동은 심화되었고, 그로 인해 환자는 30일 동안 입원치료 프로그램에 참여하는 것에 동의하였다. 처음에는 모든 것이 아주 잘 진행되는 것처럼 보였다. 급성 금단 증상들을 약물로 조절한지 며칠이 지나서 환자의 의식이 명확해지기 시작했으며 기분도 나아졌다. 그는 취하지 않기 위해 매일 힘겹게 싸우지 않아도 되는 삶을 바란다는 얘기를 하기 시작했다. 음주로 인해 멀어졌던 일부 가족 구성원들과도 관계를 회복하였다. 치료를 받은지 2주 만에 그는 다양한 집단 및 개인 활동들에 참여하는 모범적인 환자가 되었다. 그의 기분은 안정적이었고 퇴원에 대한 계획을 세우기 시작했다. 15일째 되던 날 그는 모든 사람들과 점심을 함께 먹었는데, 농담을 하는 등 기분이 좋아 보였다. 그는 가족에게 전화를 해야 한다며 양해를 구하고 잠시 자리를 떠난지 15분만에 병실 침대 시트로 목을 메단 채 발견되었다. 그는 현장에서 바로 사망한 것으로 확인되었다.

우리는 환자의 마음 속에서 무슨 일이 일어나서 갑자기 자살을 결심했는지 모른다. 하지만 극도로 불쾌한 미세한 삽화들이 전반적으로 호전되는 맥락에서도 나타날 수 있으며 이는 매우 급격히 발생할 수 있다. 자살 상황은 환자가 급작스럽고 파괴적인 기분 저하를 경험하고 치명적인 행동에 의지할 때 몇 초에서 몇 분 내에 발생할 수 있다. 중독 치료를 받고 있는 환자의 긍정적인 기분은, 겉으로 드러나지는 않지만 자살로 죽겠다는 결정으로 인한 것은 아니다. 그보다는 종종 알코올이나 다른 약물의 금단과 관련된 예측 불가능한 기분 변화로 인하여 자살경향성이 나타나는 것으로 보인다. 근무자들은 이러한 잠재적인 기분 변화를 경계해야 하며 특히 중독 치료를 시작할 때 환자와 자살행동 가능성을 논의해야 한다. 관찰만으로는 충분하지 않다. 환자에게 자주 기분을 물어보고, 어떤 기분 변화도 반드시 보고해야 한다고 반복적으로 얘기해야 한다. 환자가 퇴원하고 대개 여러 문제들이 산재한 실제 생활로 돌아갈 때도 잊지 말고 이 과정을 거듭해야 한다. 이 기간 동안 기분 변화가 뚜렷해지면서 간과되면 결과적으로 치명적으로 되기도 한다.

성공의 팁

물질남용과 자살행동은 함께 나타나는 경향이 있으므로 치료 초기에 환자가 그 관계를 명확히 알 수 있도록 도와주어야 한다. 물질남용과 자살행동은 둘 다 환자가 괴롭고 원치 않는 정신적 경험을 없애거나 통제하는데 사용할 만한 속효성quick-acting 전략이다.

물질 중단은 최종 목표가 아니라, 이를 위한 수단일 뿐이다. 중단은 그저 환자가 고통스러운 정신적 경험들과 더 건강하게 관계할 수 있는 방법을 배울 수 있는 기회를 갖게 해준다.

환자가 물질과 자살경향성 문제 해결을 최선의 방법으로 여기에 만드는 고위험 생활 상황들에 대해 환자와 터놓고 얘기하고 논의한다.

> 치료 중 나타나는 어떤 물질남용(회기 사이의 폭식이나 물질 중독 상태에서 내원하는 것)의 경우도 새로운 기법을 개발할 수 있는 기회로 활용한다.

정신병의 특별한 경우

정신병 환자, 특히 조현병이나 그 외 심각하고 지속적인 정신질환을 앓고 있는 환자들은 모든 형태의 자살행동에 취약하다. 흔히 이들 질환은 관계와 명료하게 집중하고 생각할 수 있는 능력을 방해한다. 우리가 볼 때 이들의 문제해결 도구는 제 기능을 발휘하지 못한다. 고립은 많은 정신병 및 조현병 환자들의 어쩔 수 없는 현실이다. 많은 이들은 어떤 형태의 사회적 지지도 받지 못한 채 떨어져 지낸다. 예를 들어, 홈리스 및 간신히 집을 구해 살고 있는 사람들 중 많은 수가 조현병이거나 그와 비슷한 만성 정신병적 장애의 증상들이 있으며, 이들 중 많은 수가 계속 홈리스로 지낼 것으로 예상된다. 이렇게 가혹한 여건 속에서 많은 이들이 치료에 접근하기 어렵거나 설령 치료를 받는다 하더라도 순응도가 낮을 것으로 여겨진다. 또한 이들이 도움을 구하더라도 적절한 치료를 제공해주지 않는 클리닉이 많다. 이들은 종종 하나 이상의 질환을 앓고 있다. 이러한 동반이환 질환은 정신 및 신체 질환을 망라한다. 물질관련 장애 역시 조현병 환자에게 자주 동반되는 질환이다.

이 모든 요인들은 우리가 경험하는 수준을 훌쩍 뛰어넘어 스트레스로 가득한 삶과 문제로 가득 찬 일상을 만들어 낸다. 문제는 너무 많고, 문제를 해결할 수 있는 도구는 빈약하며, 많은 클리닉에서 적절한 자원이 부족한 것을 고려하면, 이들 중증 만성 정신질환을 앓고 있는 환자들에게서 자살경향성이 주된 관심사안인 점에 의문의 여지가 없다.

　그 중에서도 조현병 증상을 지닌 사람들은 관심을 기울여야 할 핵심 집단이다. 이 집단에서 평생 자살률은 10% 가까이 된다. 환자들의 1/3~1/2에서 자살을 시도한 적이 있고, 자살사고는 너무 만연해서 거의 어디서나 볼 수 있다. 이러한 중증 만성 정신질환을 앓고 있는 환자 중 많은 수가 치료에 부분적인 반응만 보인다. 좋은 소식이 있다면 비정형 항정신병약물과 정신사회적 개입의 혁신으로 더 나은 치료가 가능해졌다는 것이다. 가까운 미래에 조현병 환자들의 음성증상과 인지기능, 그리고 생활 상황들이 나아지기를 기대해볼 수 있다. 미국에서 clozapine의 재도입과 더불어 비정형 약물들의 개발, 시험 중인 독특한 기전의 항정신병 약물 등으로 인해 정신병이나 조현병을 앓고 있는 환자들에게서 증상이 개선되어 가고 있는 것으로 보인다. 이는 20년 전이라면 불가능한 일이다. 만약 당신이 이러한 어려운 집단을 담당하는 임상가라면, 이 시점에서 당신이 해야 할 일 중 하나는 새롭고 더 나은 치료법들이 폭넓게 사용될 수 있을 때까지 그들이 계속 살아가도록 하는 것이다. 자살경향성은 당신이 반드시 다루어야 할 위험 요인 중의 하나이다. 다음 내용들은 당신이 그 일을 하는데 꼭 도움이 되는 특수한 기법들이다.

　첫째, *세심한 주의를 기울여 자살경향성을 평가하라.* 자살경향성을 물어보고 항상 이 규칙을 명심하라: 감정이 아닌 대답이 중요하다. 무감동과 무관심은 조현병과 다른 중증 만성 정신질환들의 전형적인 증상이다. 당신의 질문에 대해 흔히 둔마되고 짧막한 방식으로 대답이 돌아올 수 있다. 둔마된 정동을 지니고 있는 사람은, 감정이 말하는 내용을 더 뒷받침해주는, 즉 불안하고, 우울하고, 혹은 절망스러운 감정으로 자살을 얘기하는 사람과는 거리가 멀다. 조현병 환자에서 정동이 안 나타난다고 해서 말하는 내용의 중요성을 소홀하게 여기지 마라. 정동이 없는 것이 위험이 없음을 의미하지는 않는다. 말하는 방식이 아닌 말하는 내용이 중요하다.

둘째, 중증 만성 정신질환을 앓고 있는 환자에서 사회적 지지를 주의깊게 평가하고 환자가 자신의 상황을 경험하는 방식을 명료화 하라. 최근 연구에서는 조현병 증상을 지니고 있는 사람들이 다른 사람들과 상호작용을 하는 시간 대비 혼자 지내는 시간의 양은 사회적 경험의 다른 측면들(다른 사람들로부터의 혹독한 평가, 사회적 상호작용에 대한 부정적 예상, 혼자 있는 것에 대한 부정적 감정들)만큼 그렇게 자살경향성에 영향을 주지 않는다는 점을 밝혀냈다(Depp 등 2016). 예측 가능하고 긍정적인 상호작용이 다른 사람들과 함께 보내는 전체 시간의 양보다 훨씬 더 건설적인 기회가 될 수도 있음을 기대하라. 다시 말하면, 중요한 것은 사회적 유대감의 질이지 양이 아니다.

셋째, 항정신병 약물의 예기치 않은 부작용이 자살경향성을 증가시킬 수 있음을 명심하라. 이들 약물의 일부 부작용들은 불편함을 유발할 수 있다. 이러한 증상들을 기저의 정신질환의 악화로 보고 오히려 약물을 더 증량하는 것은 끔찍한 실수를 저지르는 것이다. 만약 당신이 조현병에서 약물치료의 복합성에 익숙하지 않다면 약물치료에 능숙한 다른 사람과 협업하라. 또한, 항정신병약물을 갑자기 중단할 경우 수많은 금단 증상이 발생할 수 있고 정신증을 악화시킬 수 있다는 것 역시 명심하라. 약물을 중단하려 할 때에는 항상 서서히 감량하고, 한 약물에서 다른 약물로 변경할 때에는 공인된 지침에 따르라. 항정신병약물을 갑자기 중단하는 것은 무과립구증과 같이 오직 생명에 지장을 줄 수 있는 부작용을 해결할 때에만 정당화될 수 있다.

넷째, 정신병 환자들에서 흔히 손상되는 추상*abstraction* 능력을 보완하기 위해 자살경향성에 대한 더 구체적인 문제해결 전략을 적용하라. 우리들 중 아무도 속으로 나쁜 감정을 느끼고 싶지 않으며, 우리는 단지 그런 나쁜 감정이 사라지는 방법을 찾고자 할 뿐이라는 것을 상식적인 수준에서 얘기하라. 환자가 과거에 그런 나쁜 감정을 어떻게 없앴는지 예를 들어보게 하라. 설령 환자가 나쁜 감정을 좋게 느끼지 않고 자신을 해치라는 목소리를 듣는 것을 재미있어 하지 않더라도 그것들은 그저 머릿속에서 일어나는 일들이라는 생각을 강조하라. 우리가 그것을 거기에 그냥 놔두면 그것은 실제로 우리를 해칠 수 없다. 문제가 나타나면 바로 그 때 문제를 해결하기 위해 노력하면 된다. 이러한 증상들이 나타날 때 환자가 그런 경험을 다룰 수 있는 다른 방법들을 자발적으로 찾아보게 하라. 증상에 이름을 붙이고 나타날 때마다 "안녕"이라고 인사하거나 신뢰할 만한 사회적 지지체계에 연락하는 것과 같은 긍정적인 행동을 할 수도 있다. 가족 내에서나 밖에서나 어디서든 지지적인 사람을 참여시킬 수 있도록 모든 노력을 다 하라. 과거 자살경향성 삽화에 대해 주의 깊게 물어봐야 하는데, 이는 그 때가 특히 환자가 맞서는 법을 반드시 배워야 하는 가장 위험한 상황을 나타내기 때문에 그렇다. 이전의 위험한 상황들에 대해 얘기를 나누고, 장부의 이익과 손실을 따져보며 다시 그런 상황들이 나타날 때를 대비한 관리 전략을 수립하라.

성공의 팁

조현병이나 다른 정신병적 질환들과 같이 중증 만성 정신질환을 앓고 있는 환자들도 삶의 어려움에 직면하여 자살행동 대신 수용, 마음챙김, 가치기반 문제해결을 배울 수 있다.

이 환자들과 작업할 때 감정 처리과정 및 추상적 능력의 감소, 사회적 두려움과 회피의 증가와 같은 특별한 임상적 어려움에 대해 주의하고 이를 상쇄시킨다.

환자의 정신적 경험에 대해 개방적이고, 호기심 있고, 비판단적인 태도로 다가가면 자살경향성의 동인이 될 수 있는 낙인감 sense of stigma을 상당히 낮출 수 있다.

자살경향성 아동청소년 치료하기

아동청소년에서 자살경향성의 유행이 늘어나고 있는 것처럼 보인다. 질병통제예방센터Centers for Disease Control and Prevention에서는 최근에 자살을 젊은이들 사이에서 두번째로 높은 사망원인으로 지목했다(Centers for Disease Control and Prevention 2017). 2015년에 시행된 국가청소년위험조사에서는 자살행동이 수그러들 줄 모르는 채 지속되고 있는 것으로 나타났다(Kann 등 2016). 이 조사에서 18세 이하의 18%가 심각한 자살사고를 경험한 적이 있으며, 대략 15%가 자살계획을 세운 적이 있는 것으로 나타났다. 슬프게도 9%에서는 자살시도를 한 적이 있다고 보고하였다. 비록 15-19세 집단에서 자살률은 20-24세 집단보다 낮게 유지되고 있지만, 여전히 상승하고 있다. 11-15세에서의 자살률은 2007년에 인구 10만명 당 1.6에서 2014년에 인구 10만명당 3.2로 2배 증가하였다(Centers for Disease Control and Prevention 2018). 이러한 충격적인 경향을 염두에 두고, 65세 이상 집단에서의 자살률은 9배 더 높다는 것을 기억하는 것이 중요하다. 노인들에서의 자살은 이 장의 다음 섹션에서 다룬다.

특히 어려운 것은 다양한 자살예방 계획들이 전국 학교 시스템에서 시행되고 있는 중에도 비치명적인 자살행동nonfatal suicidal behavior과 자기절단은 변함없이 유지되고 있다는 것이다. 이들 계획의 지지자들의 정반대되는 성명에도 불구하고 유병률은 낮아지지 않고 있다. 소셜 미디어는 자살경향성을 정상화하고 촉발요인과 역할모델을 제공하는데 두드러진 역할을 하는 것으로 보인다. 최근의 한가지 예로 자살경향성 청소년(나중에 자살로 사망하였다)이 소셜 미디어에 자살하는 것의 모든 긍정적인 이유들을 담은 일련의 영상과 글을 올렸던 것이 있었다. 이것들은 소셜 미디어 세계를 통해서 퍼져 나갔고, 그 청소년은 말 그대로 수백만 명의 청소년들 사이에서 삽시간에 거의 유명인사 수준으로 자살경향성에 대한 롤 모델로 등극했다. 이 연령 집단에서 또래 지지와 같은 프로그램이 치명적 및 비치명적 자살행동을 방지하는데 아주 미미한 효과만 있었을 뿐, 기대했던 만큼의 효과가 충분히 나타나지 않은 것이 그리 이상한 일도 아니다. 성소수자 청소년들은 자살 및 자해행동의 위험성이 두드러지게 높으며, 이들에게서만 필요한 것들을 다루기 위한 근거기반 개입들은 아직까지 거의 없다. 이러한 경향이 지속된다면, 일선의 임상가들은 점점 더 많은 자살경향성 청소년들을 다루는데 극도로 능숙해져야만 할 것이다.

청소년과 젊은 성인에서 자살경향성을 직접적으로 다루는 정신치료는 자살 및 자살행동을 감소시키는 것으로 나타났다. 젊은 사람들에서 자살경향성은 과거에는 주로 가족 스트레스와 미성숙하고 "관심을 얻으려고 하는" 역기능에 의한 것으로 여겨졌다. 최근 들어서는 기존의 혹은 조기 발병한 정신건강 문제들이 부정적인 또래 관계나 소셜 미디어로부터 왜곡된 압력을 받으면서 감정조절의 어려움, 감정적 고통, 자살행동을 유발하는 것으로 알려지고 있다. 정신사회적 개입이 괴로움을 감소시킬 수도 있고 정신질환 여부와 유형에 따라 약물치료가 적합할 수도 있다. 선행 정신건강 문제가 없는 상태에서 소외계층과 소수자 집단의 청소년들이 경험하는 스트레스가 자살경향성에 끼치는 영향은 점점 더 크게 나타나고 있다. 자살경향성과 자살충동을 경험하는 젊은이들에게는 가족관련 문제뿐만 아니라 생물학적, 발달적, 사회적 유발 요인을 아우르는 정신치료 전략이 최선의 결과를 낼 수 있다.

사춘기가 되기 전의 어린이에서는 무엇 때문에 자살경향성이 생기는지 알기 정말 어렵다. 이들 집단에서 죽음에 대한 생각과 자살사고가 보고되고는 있지만 자살사망은 드물다. 자살로부터 보호할 수 있는 인지적 능력이 미성숙한 것과 관련된 것 같기는 하다. 청소년기, 특히 그 중에서도 중

후반기에 자살경향성은 심각한 문제가 될 수 있다. 청소년기와 성인기에 나타나는 자살경향성 사이에는 비슷한 점들이 많다(Poorolajal 등 2015). 이 책에서 제기하고 있는 모형은 청소년들에게 성공적으로 적용되어 왔다. 유일한 주의사항이라면 반드시 가족기반 문제에 주의를 기울여야 한다는 것이다. 자살경향성 청소년들은 가족 내에서 상당한 혼란을 경험할 수 있으며, 이런 상황에서 당사자만 치료하는 것은 부정적 결과로부터 보호하는데 거의 효과가 없을 것이다.

청소년 자살행동 시나리오

청소년에서 흔히 볼 수 있는 자살행동 시나리오는 어릴 때부터 파괴적 행동을 하는 아이라는 오랜 정체성에서부터 시작된다. 청소년기 초기 및 중기에는 10대 자녀가 있는 가족이 흔히 겪는 경도에서 중등도 수준의 문제들이 심화된다. 10대는 가족 갈등의 원인이자 화합의 파괴자로 여겨진다. 부모는 청소년을 애써 외면하거나, 무관심한 척하거나, 소모적으로 여긴다. 우리는 가족치료를 하면서 부모 중 한 명 이상이, 문제를 일으키는 구성원이 없으면 가족이 더 좋아질 것이라고 은근히 암시하거나 직접적으로 말하는 경우를 접해 왔다. 그 결과 청소년은 점점 더 극단적인 행동을 통해 가족의 관심을 받게 된다. 문제를 논의할 때 비현실적이고 즉각적인 해결책이 현실적인 것보다 더 강조된다. 부모는 청소년이 자신의 행동을 변화시킬 수 있는 도구가 부족한 게 아니라 의도적으로 나쁜 행동을 한다고 여긴다. 이 시나리오에서 자살은 쉽게 긍정적 역가를 획득할 수 있다.

계속되는 가족 갈등과 결부될 때 다른 형태의 불안정성은 문제를 더 심각하게 만들 수 있다. 거주지의 변화, 학교에서의 문제, 관계의 상실(부모의 이혼 포함), *위태로운 연애fractured romance* 등이 불안정성을 야기할 수 있다. 위태로운 연애는 문제를 겪고 있는 청소년이 자신의 모든 관계를 지지를 한 곳에 다 쏟아 붓는 상황을 말한다. 대개 연애 상대는 가장 중요한 사람이면서 10대의 삶에 안정을 가져올 수 있는 유일한 힘을 지니고 있는 것으로 여겨진다. 흔히 그렇듯이 관계가 깨지면 심각한 부정적인 감정적 사건이 뒤따른다. 잠정적으로 자살경향성이 있던 청소년은 감정적 괴로움을 감내하기 어렵고, 이렇게 새로 나타난 괴로움은 압도적으로 강렬하고 지속적이다. 괴로움이 충동적인 행동 방식(말보다 행동으로 보여주는 경우)과 알코올 혹은 약물남용과 결부되면, 자살행동 시나리오가 완성된다.

가족 평가는 필수, 치료는?

가족 역동은 청소년 자살행동을 없애는 데 성공 혹은 실패하는 데 결정적인 역할을 한다. 외현화 행동의 하나로 자살경향성이 나타나 고통을 겪고 있는 가족에서 흔히 나타나는 특징들이 있다(표 10-1). 자살경향성 청소년이 있는 모든 가족이 다 문제가 있거나 역기능적인 것은 아니지만 일부에서는 그럴 수도 있다. 어떤 경우든 당신이 결정을 내리는 데 가족 평가가 유용할 것이다.

가족의 어려움과 역기능에 직면한 상황에서는 응집력을 키우고 집단 문제해결을 가르치기 위해 가족이 치료에 참여하게 하거나 혹은 청소년이 그 시스템으로부터 벗어나도록 도와줄 수 있다. 자살경향성 청소년에 대한 가족치료 자체의 효용성과 관련한 근거는 별로 없다. 몹시 힘든 노력에도 불구하고 어떤 가족은 변화에 강하게 저항하며 10대 가족 구성원에게 실질적인 도움이 되지 못한다. 일부에서는 가족 역동으로 인해, 문제해결 모형을 활용한 치료 과정을 약화시킨다. 알코올과 약물남용의 모형이 되는, 말보다 행동을 강조하고 당장의 변화를 요구하는 가족 환경에서는 청소년이 효과적으로 문제해결 기술을 실천하기가 매우 어렵다. 이러한 유형의 환경에서 시행하는 많은 치료는 청소년으로 하여금 이 시스템에서 조기에 벗어날 수

표 10-1. 자살행동과 고통을 겪고 있는 가족

A. 정서적 문제에 대한 취약성
   1. 아이가 불안정insecurity이나 불안, 반사회성 행동을 보임
   2. 다른 가족 구성원들이 치료를 요하는 정신건강 문제를 지니고 있음

B. 활성화된 부모-아이 갈등
   1. 아이가 언어적, 신체적, 혹은/그리고 성적 학대로 괴로워 함
   2. 가족들이 "일상적 싸움"을 보고함

C. 사회적 특징
   1. 사회적으로 고립되어 있는 가족
   2. 매우 이동이 잦은 가족
   3. 지속적인 생활 스트레스를 경험하는 가족 (고난의 바다sea of troubles)

D. 고정된 역할-경직된 방식
   1. 아이가 희생양이나 "부모역할parentified", 소모성으로 취급됨
   2. 상실과 분리에 대한 무관용에 의해 지위가 유지됨: 변화는 가능하지 않으며,
      오직 탈출뿐임

E. 가족 환경
   1. 이혼, 가출, 혹은/그리고 별거가 특징임
   2. 신체적 및 정서적으로 거리감이 있는 부모가 드물게 접촉하면서 매우 요구적
      임
   3. 부모 중 한 명 혹은 둘 다 알코올 혹은 약물을 남용함
   4. 경제적 스트레스가 존재함

F. 의사소통
   1. 갈등을 중재하는 기술 및/혹은 의지가 별로 없음
   2. 문제해결에 있어 언어의 활용 가치가 거의 없음-"매를 아끼면 아이를 망친다"
   3. 부모가 아이를 침묵시키기 위해 동맹을 맺으면서 외부 개입에 대한 부정적 태
      도를 강화시킴
   4. 부모의 갈등을 해결하기 위한 방도로 "희생양"이 사용됨
   5. 가족 구성원들은 사람이 의지로 변할 수 있다는 기본적 믿음을 지니고 있어서,
      어떤 새로운 것도 배울 필요성을 안 느낌

있는 준비를 시켜준다. 이러한 준비에는 흔히 구체적인 분노관리 전략뿐만 아니라 환자에게 한계 설정과 갈등 해소 기술들을 가르치는 것도 포함된 다. 때로 가장 중요한 단계는 기꺼이 의향이 있는 친구의 부모와 함께 살수 있는 대안적 거주지를 마련하거나, 더 지지적인 친지 집으로 옮기려는 청소년의 노력을 지원하는 것이다. 이렇게 하는 목적은 가족을 해체하려는 것이 아니라, 가족 내 권력의 서열이 있으며 청소년은 통상적으로 위계서열의 가장 아래에 있음을 인정하는 것이다. 실제로 청소년이 살고 있는 수준으로 이동하는 것은 문제해결의 한 방법이 되기도 한다. 이는 스트레스 환경으로부터 벗어나거나 회피하는 것이 건강한 방법인 몇 안 되는 경우 중하나일 것이다.

10대를 치료할 때에는 이 책에서 기술한 자살경향성에 대한 접근을 따를 것을 권장한다. 부정적인 가족 행동 및 가족 전체를 괴롭히는 요인들(실직 상태, 부모의 질병, 건강보험 보장 상실, 교육 자원에 접근하기 어려움)을 다루어야 한다. 항상 가족 평가를 시행해야 하며, 가능한 경우 가족을 역량 있는 사회적 지지 시스템을 조성하기 위한 치료의 한 부분으로 포함시켜야 한다. 자살경향성 청소년을 치료하는 것은 임상가의 치료 기법에 대한 큰 시험이 될 수 있다. 일부 부모는 계속 논쟁을 벌이고, 비협조적이며, 화를 낸다. 가족을 언제 다루고 언제 다루지 말아야 할지 알 수 있는 기술은 청소년을 치료하는데 필수적인 전제조건이다.

청소년의 치료에서 마지막으로 한가지 명심해야 할 것이 있다. 긍정적인 의미가 부여된 자해, 자살사고, 자살행동이 있는지 항상 찾아내야 한다. 이 문제 때문에 젊은이들 사이에서 자살이 전염되는 온상으로 여겨진다. 즉, 소셜 미디어를 통한 부적절한 관심으로 인하여 자살이 유명해질 수 있는 한 방법으로 여겨지기도 하고, 동일한 사회적 영역에 있는 다른 사람들의 자살사고와 행동을 촉발한다. 10대에게 또래집단 내에서 자해와 자살행동에 대해 어떤 "소문buzz"이 돌고 있는지 물어보는 것이 항상 중요하다. 그건 얼마나 흔한가? 환자는 그런 행동을 하고 있는 또래를 한 명이라도 알고 있는가? 그런 행동을 하는 또래들에게 무슨 일이 생겼는가? 10대가 살고 있는 사회적 환경에 대해 항상 호기심과 개방성 있는 태도를 취하라. 10대가 또래집단 내에서 자살경향성 롤 모델에 긍정적으로 반응하는 것을 훈계하거나 비뚤어진 모습인 양 다루지 마라. 10대는 일반적으로 권위적인 위치에 있는 어른으로부터 무엇을 하거나 하지 말라는 식의 얘기를 듣게 되는 모든 상황을 꺼린다. 만약 당신이 자살행동이나 자해에 반대하는 데 더 중점을 두는 것처럼 보인다면, 이 때문에 환자는 그런 행동을 훨씬 더 매력적으로 느끼게 될 수 있다.

　게다가 부정적인 자존감은 청소년들에게 두드러지면서도 거의 공통된 문제이다. 치료에 냉담한 10대는 당면한 문제에 너무 대응하기 어려울 것 같은 때조차도 회기에 와서 앉아 있는 것만으로도 칭찬을 받을 수 있다. 마찬가지로 부모에 대한 맹렬한 분노를 가지고 있는 청소년은 의리loyalty에 대해 칭찬받을 수 있다(예, "가족에 대한 너의 의리가 정말 대단하구나. 너의 화, 고통, 좌절이 아주 두드러지지만, 어쨌든 너는 가족과 함께 지낼 수 있었어. 넌 그곳에서 매일 견디며, 가족이 변화하도록 싸우고 있어. 어디서 그런 강인함을 터득했니?"). 한가지 명심해야 할 규칙이 있다. 당신이 화를 내야 할 유일한 이유는 환자가 치료에 오지 않는 것뿐이라는 것이다. 당신과 환자가 함께 노력할 때 당신이 할 가장 중요한 일은, 양면성에서 긍정적인 면을 보고 자존감을 향상시킬 수 있는 숨겨진 힘을 찾는 것이다.

성공의 팁

자살경향성 청소년과 치료 작업을 할 때에는, 행동의 사회적 영향과 상호작용이 가족, 연애, 동료 집단과의 갈등에 끼치는 영향을 살펴본다.

자살사고나 자살행동이 환자의 정신적 삶에서 차지하는 역할에 대해 호기심 있고, 개방적이고, 비판단적인 태도를 취한다.

가족은 치료의 아군이 될 수도 있고 아닐 수도 있으며, 치료 과정 초기에 이것을 파악하는 것이 중요하다.

청소년이 사회적 유대, 공부, 그리고 더 넓은 삶의 목표에 대한 가치와 접촉하고 이를 명확히 하도록 돕는다. 또한 슬픔, 분노, 외로움, 거절감은 환자에게 이러한 가치들이 얼마나 중요한지 보여주는 지표이다.

잊혀진 다수: 노인에서의 자살행동

미국에서는 70세 이상에서 자살률이 높다. 다행히도 지난 30년 동안 노인 자살률은 줄어들었다. 이러한 감소는 기분장애의 치료가 더 널리 활용되고, 선별 시스템이 더 개선되었으며, 다양한 문화적 가치를 반영한 전국적인 인구 코호트를 구축한 덕분일 것으로 짐작된다. 비록 노인에서도 남자가 여자보다 더 자살률이 높지만, 그 차이는 젊은 연령대만큼 그리 크지 않다. 흥미롭게도 85세 이상 백인 남성의 자살률은 11–14세 집단 자살률의 9배에 육박한다. 이러한 통계는 노인이 자살하게 만드는 요인이 노년기의 어떤 시점부터는 남녀 간에 비슷하다는 것을 의미한다.

노인에서 이렇게 자살률이 증가하고 성별간 차이가 없어지는 가장 주된 요인은 병약함이 아니라 그들이 속한 공동체 사회 구조로부터 소외되기 때문일 것이다. 일단 직장에서의 가치가 사라지고 나면, 노인들은 대개 남은 20년 혹은 그 이상 동안 생계를 자신의 힘으로 꾸려 나가야 하는 처지에 놓인다. 현재와 같이 고도로 유동적인 사회에서 가족 구성원들이 지리적으로 응집되지 못한 채 지내는 것은, 노인 세대에 대한 정서적이고 실제적인 지지를 제공해주기 어렵다. 사회적 자원은 활용할 만한 것이 별로 없으며, 교회나 가족과 같은 친숙한 사회 제도는 그 중요성이 상실되고 있다. 일부 노인들은 아주 잘 이행하기도 하지만 어떤 노인들은 의미 있는 삶을 찾기 위해 매우 힘겹게 고군분투한다.

비록 이 책에서 기술되어 있는 개입을 노인들에게도 적용할 수 있고 또 그렇게 해야 하지만, 여러 요인들이 노인에 대한 치료 작업을 어렵게 만든다. 첫 번째로 가장 중요한 것은 최소한 지금 세대 노인들은 정신건강 시스템에서 치료를 받으려고 할 가능성이 낮다는 사실이다. 그들은 가족 주치의를 훨씬 더 많이 찾으며, 감정적 괴로움을 가리는 만성질환이나 다수의 신체 증상들이 나아지기를 바란다. 이러한 이유로 노인들은 1차의료 의사로부터 정기적으로 자살경향성에 대한 평가를 받아야 한다. 이러한 평가는 인지기능저하와 같이 건강이 급속도로 악화되거나, 최근에 배우자나 삶의 동반자를 상실하고 그 결과 수입이나 건강보험을 잃게 되었거나, 이사 등으로 인해 사회적 고립에 처한 환자들에게서 특히 더 고려해야 한다. 다른 인구집단에 비해 자살경향성으로 치료를 안 받으려고 하는 것과 더불어 노인들은 자살경향성에 대해 얘기도 잘 안 하고 비치명적인 자살시도도 그렇게 많이 하지 않는다. 노인들에서 자살은 알게 모르게 조용히 치명적일 수 있다.

노인 환자를 치료하는 데 추가로 염두에 두어야 하는 것은 자살경향성을 자극할 수 있는 많은 요인들이 환경에서 비롯되며 현실적으로 환자의 삶의 질에 중대한 어려움을 유발할 수 있다는 점이다. 예를 들어, 거동이 불편하면서 만성 폐질환을 앓고 있는 노인은 현실적으로 상당한 삶의 질

저하를 감수해야 한다. 비록 이러한 유형의 어려움이 문제해결 모형을 통해 성공적으로 다뤄질 수 있다 하더라도, 임상가는 치료에서 긍정적이고 낙관적인 내용을 유지하도록 삶 자체의 내재적 가치에 전력해야 한다. 노인의 관점에서는 종종 삶의 질의 많은 관습적인 지표들이 무의미해진다. 외로움, 경제적 걱정, 만성 신체질환으로 위태로운 삶에서 성공과 만족은 흔히 영적인 의미를 중심으로 정의된다.

노인 학대는 점점 자살행동의 흔한 촉발 요인이 되어 가고 있는데, 환자를 책임지고 돌보는 가족 구성원이 가해자인 경우에 특히 그렇다. 이러한 유형의 가정 위기turmoil는 종종 노인에게 너무 고통스러워서, 자살만이 체면을 지킬 수 있는 유일한 방법이라고 생각하게 된다. 노인 환자를 평가할 때에는, 집에서 어떻게 사회적 및 기능적 지지를 받는지 항상 물어보는 것이 중요하다. 이를테면 가족들끼리 어떻게 어울리는지, 돌봐주는 사람에 대한 환자의 만족감은 어느 정도인지 등의 질문을 할 수 있다.

노인에서는 자살행동에 대한 정신질환, 특히 우울증의 역할을 알기 어려울 때가 종종 있다. 의기소침demoralization은 종종 임상적 우울증의 징후로 오해를 받는다. 그보다 의기소침은 특정한 환경적 상실과 관련되는 경우가 많다. 노인은 사회에, 더 크게는 통제 불가능한 생활 사건들에 대한 실망감 때문에 의기소침해진다. 예를 들어, 행복한 은퇴를 위한 계획이 예상치 못한 배우자의 죽음으로 인해 갑자기 망가진다. 은퇴 후 경제적으로 안정된 나날들에 대한 꿈은 고정 수입 부족으로 좌절된다. 친구들을 비롯하여 사랑하는 많은 사람들이 죽거나, 이사를 가거나, 양로원에 들어가기도 한다. 이러한 사건들은 생산적이고 별다른 걱정 없이 노년을 보내려는 희망을 산산조각 낸다. 이러한 사건들로 인한 슬픔과 흥미상실이 자살경향성을 촉진할 수 있는데, 이는 가치기반 문제해결 접근으로 다룰 수 있다. 노인을 치료하기 위해 항우울제와 benzodiazepine을 사용하는 것에는 신중을 기해야 한다. 약은 오직 환자가 용법대로 복용할 때에만 효과가 있으며, 한꺼번에 다 먹으면 절대 효과가 없다. 약은 다른 사람을 변화시키지도 않고 연금을 늘려주지도 않는다. 마지막으로, 약은 그 자체로 문제를 만들 수 있다. 예를 들어, 노인에서 고관절 골절을 예측할 수 있는 가장 주된 단일 요인이 바로 benzodiazepine이다. Benzodiazepine은 종종 노인에서 연령과 관련된 신장 기능 저하에 대한 우려 때문에 항우울제 대신 처방된다. 의기소침은 실제적인 문제들로 인하여 나타난다. 이러한 문제들을 찾아서 해결할 수 있는 전반적인 계획을 수립하라.

노인 환자의 치료에는 노화와 관련된 변화를 수용하도록 돕는 것도 포함된다. 말기 울혈성 심부전으로 쇠약한 환자에게 89세까지 사는 것은 들리는 것만큼 그렇게 즐겁지 않다. 단지 살기 위해 사는 것은 진정한 삶이 전혀 아니다. 이는 현대 의료기술의 기적이 만들어 낸 죽은 삶lifeless outcome이다.

목적이 있는 삶은 상실과 신체적 불편함을 새로운 삶의 계획에 통합시키는 것의 의미를 가르쳐라. 이는 삶에 대한 가치기반 문제해결 접근을 구축하는 것을 포함하는데, 예를 들면 새로운 생활 지원책을 찾거나, 영적 혹은 개인적인 성장 활동에 대한 관심을 되찾을 수 있다. 환자가 삶을 포기한 채 멀어지도록 내버려두지 말고, 대신 새로운 사람들을 만날 수 있는 기회를 강조하라. 만약 환자가 신체질환으로 인해서 전통적인 여가 시간을 가지지 못하고 활동을 못하면, 환자의 독립성과 신체적 역량을 계속해서 시험할 수 있는 대안적인 여가시간과 활동을 찾는데 초점을 맞추라. 다시 말하면, 어떤 유형의 상실을 겪었는지에 대한 환자의 믿음에 이의를 제기하기보다는, 그러한 상실을 일어났음을 인정하고 치료를 시작하며 삶의 재건rebuilding이 가능하도록 하라. 삶을 도전과 환희의 연속으로 만들어주는 기폭제를 찾는 것이 자살경향성 노인 치료의 핵심이다.

역량 있는 사회적 지지망을 구축하는 것은 아마도 자살경향성이 있거나 그런 문제로 고립된 어떤 노인의 치료에도 가장 중요한 단일 요인일 것이다. 자조모임, 동료 지지, 가족 내 젊은 세대의 적극적이고 조직화된 노력이 가장 중요하다. 자살경향성 노인의 장성한 자녀는 힘겹고 무력한 느낌을 받을 수 있다. 그들과 함께 하라. 특히 그들이 자신의 가정을 꾸리는 맥락에서 자신이 할 수 있는 것과 할 수 없는 것의 한계를 찾도록 도와주어라.

혼자 사는 노인 여성이 사고나 질병을 매우 두려워하여 딸에게 매일 전화해줄 것을 요구하였다. 딸은 다른 도시에 살고 있었으며, 돕고 싶은 마음도 있었지만 그러한 요구를 받았다는 사실과 그에 소요되는 시간 때문에 기분이 많이 상했다. 관계는 틀어졌다. 어머니는 자신의 요구가 어떤 결과를 불러왔는지 알았지만 두려움은 계속되었다. 그녀는 의기소침해지기 시작했다. 임상가는 음성메시지나 문자메시지를 남기는 방법을 제안하였다. 그녀는 매일 자부담으로 전화를 해서 메시지를 남기고는 하였다. "모두 안녕, 나는 괜찮단다." 어머니와 딸은 어머니가 메시지를 남기지 않으면 딸이 전화해서 확인하는 것에 동의하였다. 그 외에는 모두가 만족할 만한 수준인 1주일에 한번씩 통화를 하였다.

의기소침한 노인에서는 흔히 사회적으로 다시 연결되는 첫 몇 걸음이 매우 어려울 수 있다. 그런 상황에서는 작은 것부터 생각하는 것이 현명하다. 만약 가족 구성원이 근처에 살고 있지 않으면, 환자는 지역 노인복지관에서 하는 활동 일정표를 확인하려고 할까? 환자는 최근에 이사로 떠나게 된 영적 은신처를 대체하기 위해 근처에 있는 교회들을 확인해보려고 할까? 이러한 단계들은 노인이 상실한 것에 비하면 하찮게 보이지만 더 나은 미래를 위한 희망적 자세를 보여주고 구현한다. 이 단계들은 불운한 다른 사람들을 도우려는 환자의 영적인 가치나 욕구를 구현하는 방법이기도 하다. 자신의 가치에 따라 살아가는 것은 죽는 순간까지 계속되는 변치 않는 일이다. 그것은 노화로 인한 피폐함이 시작된 이후에도 여전히 환자가 할 수 있는 일이기도 하다.

요약

- 물질남용과 자살경향성은 완전히 별개로 치료할 수 없다. 하나를 치료하는 임상가는 다른 하나도 치료할 수 있어야 한다.
- 물질남용은 유형에 관계없이 거의 대부분 자살경향성과 같은 정신과적 증상을 유발한다.
- 중독과 관련된 문제가 의심되면 끈질기게 자살경향성을 물어보라.
- 물질남용 치료를 자살경향성을 다루는 맥락에서 통합시켜라.
- 환자의 대처 카드에 물질남용에 대한 구체적인 대응(그리고 위기관리 계획도)을 포함시켜라.
- 만약 회기 중 문제 행동(예, 술에 취함)이 나타나면, 그것을 이해하고 관련 정보를 환자에게 이득이 될 수 있게 활용하라.
- 약물중독을 치료하는 병동에서는 기분 변화와 자살경향성을 적극적으로 물어보라.
- 정신병 환자를 치료할 때에는 자살경향성을 평가하고, 복용 가능한 약물을 파악하며, 매우 실질적인 조치를 취할 수 있도록 하라.
- 자살경향성 청소년을 치료할 때에는 개방적이고, 호기심 있고, 비판단적인 방식으로 또래 집단의 영향과 자살의 롤 모델을 물어보라.
- 자살경향성 청소년의 가족이 지지적인지 혹은 불안정한 영향을 끼치는지 판단하기 위해 항상 가족 자원을 평가하라.
- 자살경향성은 노인에서 높으며, 효과적인 치료를 위해서는 반드시 노화와 관련한 현실세계의 어려움들을 다루어야 한다.

- 노인에서 자살경향성이 높아지는 고위험 상황들(사회적 관계의 갑작스러운 상실이나 건강의 악화 등)에 주의하라.
- 역량 있는 사회적 지지망을 구축하는 것은 흔히 시간에 따른 상실과 소멸을 대체하기 위해 시행하는데, 어쩌면 이것은 노인 환자의 자살 가능성을 다루는 데 단일한 가장 중요한 개입 방법이다.

읽어볼 만한 문헌

American Psychiatric Association: Diagnostic and Statistical Manual of Mental Disorders, 5th Edition. Arlington, VA, American Psychiatric Association, 2013

Barr Taylor C: How to Practice Evidence-Based Psychiatry: Basic Principles and Case Studies. Washington, DC, American Psychiatric Publishing, 2010

Holland KM, Vivolo-Kantor AM, Logan JE, et al: Antecedents of suicide among youth aged 11–15: a multistate mixed methods analysis. J Youth Adolesc 46(7):1598–1610, 2017 27844461

Kiriakidis S: Elderly suicide: risk factors and preventive strategies. Ann Gerontol Geriatr Res 2(2):1028, 2015

March J, Silva S, Curry J, et al: The Treatment for Adolescents With Depression Study (TADS): outcomes over 1 year of naturalistic follow-up. Am J Psychiatry 166(10):1141–1149, 2009 19723787

Riba MB, Balon R, Roberts LW: Competency in Combining Pharmacotherapy and Psychotherapy: Integrated and Split Treatment, 2nd Edition. Arlington, VA, American Psychiatric Association Publishing, 2017

참고문헌

Centers for Disease Control and Prevention: Adolescent Health. Hyattsville, MD, National Center for Health Statistics, 2017. Available at: www.cdc.gov/nchs/fastats/adolescent-health.htm. Accessed 18 May 2018.

Centers for Disease Control and Prevention: Web-based Injury Statistics Query and Reporting System (WISQARS), 2018. Available at: www.cdc.gov/injury/wisqars/index.html. Accessed May 18, 2018.

Depp CA, Moore RC, Perivoliotis D, et al: Social behavior, interaction appraisals, and suicidal ideation in schizophrenia: The dangers of being alone. Schizophr Res 172(1–3):195–200, 2016 26948502

Kann L, McManus T, Harris WA, et al: Youth Risk Behavior Surveillance—United States, 2015. MMWR Surveill Summ 65(6):1–174, 2016 27280474

Poorolajal J, Rostami M, Mahjub H, et al: Completed suicide and associated risk factors: a six-year population based survey. Arch Iran Med 18(1):39–43, 2015 25556385

Poorolajal J, Haghtalab T, Farhadi M, et al: Substance use disorder and risk of suicidal ideation, suicide attempt and suicide death: a meta-analysis. J Public Health (Oxf) 38(3):e282–e291, 2016 26503486

1차의료에서
자살경향성 환자의 치료

어려움에 대처하기

1차의료는 최근 다소 급진적인 변화를 겪었다. 우리는 주로 질병 치료를 지향하는 급성 치료 모형에서 치료의 모든 구성 요소(예방, 급성기 관리, 만성질환 관리)를 강조하는 통합적이고 연속적인 인구 기반 의료 모델로 넘어가는 것을 목격했다. 환자 중심의 메디컬 홈 모델patient-centered medical home model의 적용에 따라 1차의료관리팀의 구성도 변화하고 있다. 이러한 접근은 1차의료기관을 포괄적인 행동건강 관리를 아우르는 통합적인 서비스 장바구니에 담을 수 있는 "원스톱 쇼핑" 장소로 본다. 당연히 1차의료 의사 및 관련 의료팀 구성원의 역할 또한 재설정되었다. 의료기관을 방문하는 주기는 점점 더 짧아지고 있으며, 근무 중인 행동건강 제공자의 "따뜻한 손길"을 포함하여 급성기 관리, 만성질환 관리, 그리고 예방적 의료 서비스에 골고루 초점이 맞춰져 있다. 이 모든 시스템 변화에도 불구하고 자살경향성 환자에 대해 변하지 않는 매우 중요한 한가지 사실이 있다. 바로 이들 대부분이 자살로 사망하기 며칠 전에 1차의료 의사를 만났었다는 것이다. 자살로 사망한 환자들의 20% 정도가 사망 24-48시간 전에 의료제공자를 만났던 것으로 추정된다. 또 다른 20%는 사망전 한 달 동안 1차의료 의사를 만난 적이 있다(Luoma 등 2002; Pirkis와 Burgess 1998). 왜 이런 것일까?

많은 환자들에게 있어 1차의료는 일반적 건강, 정신 건강, 물질사용 문제, 혹은 건강과 관련된 여러 사회적 요소(가난, 폭력, 가능한 사회적 자원의 결핍) 중 하나에 대한 서비스를 받는 첫 번째 단계이다. 좋든 싫든, 서구문명에서는 오래전부터 자살사고 등 여러 개인적인 어려움을 의사에게 가서 상의하는 경향이 있다. 수많은 연구에서 정신사회적 문제들이 외래 치료 서비스의 70%까지 차지한다고 보고해왔다. 전국적으로 시행된 대규모 연구 결과에서는 정신건강이나 물질남용 문제로 도움을 구하는 환자들의 절반이 오직 1차의료 의사에게만 진료를 받은 것으로 나타났다. 정신건강이나 물질사용 문제로 고통받는 사람들의 50% 정도는 해당 질환에 대한 전문적인 치료를 전혀 받지 않은 것이다(Kessler와 Wang 2008; Kessler 등 2005). 그 대신 신체 증상들(예, 두통, 불면증, 산만한 근골격계 통증, 위장관 통증, 구역질, 소화불량)을 주로 호소하며, 근본적으로 스트레스와 관련된 문제들을 가리는 다른 질환에 대한 치료를 받으러 가는 비율이 지나치게 높다.

비정신건강 의료 서비스 제공자들은 종종 정신건강 서비스 제공자에게 제공되는 전문 교육을 받지 못했을 뿐만 아니라, 분명한 징후가 있는 경우에도 자살사고에 대해 물어보지 않는 경향이 있다. 대부분의 1차의료 의사들은 적극적으로 자살 위험을 감지하고 관리하는 데 가장 큰 장벽으로 현장에 정신건강 자원이 부족하고, 지역사회 기반 정신건강 서비스의 신뢰도와 접근성이 떨어진다는 점을 지적한다. 하지만 우리는 환자들이 이런 경향을 고려하지 않는다는 것을 명심해야 한다. 환자들은 1차의료 의사들이 넘어야 할 장벽이 있다고 해서 의사들에게 여유를 주고 자살하지 않기로 마음먹지 않는다. 시스템 수준의 변경은 시간이 지남에 따라 이러한 장벽 중 일부를 해결하는데 도움이 될 수 있지만, 결국 양질의 의료 서비스는 환자의 신체건강 뿐만 아니라 건강에 부정적인 결과를 초래하는 심리사회적 요인에도 주의를 기울여야만 한다. 이 장에서 우리는 생물학적, 심리적, 사회적 요인에 고르게 시간과 관심을 기울이는 생물심리사회적 접근을 주장한다. 이 세 가지 범주의 정보가 수집되어 하나의 치료계획으로 통합될 때 비로소 최적화된 의료 서비스의 결과를 얻게 된다.

신체건강 서비스 제공자가 정신질환과 화학적 중독을 직접 다루는 데 진료 시간의 절반을 쏟는다는 여러 연구 결과들은, 심리사회적 요인이 의료 행위에 끼치는 영향을 한층 더 명확히 보여준다. 1차의료를 받는 사람 중 현재 자살사고가 있을 것으로 추정되는 비율은 10% 가까이 된다(Bryan 등 2008). 정신질환자에게만 국한되어 자살경향성이 나타나는 것은 분명 아니지만, 1차의료 의사는 1차의료 환자 집단에서 이렇게 큰 비중을 차지하는 부분을 효과적으로 다루기 위해 자살행동에 대한 지식을 가지고 있어야 한다.

여러 연구들에서 정신건강의학과 진료가 아닌 일반 외래 진료를 받는 환자 중에 주요우울장애, 공황장애, 범불안장애, 신체화장애의 진단 범주를 충족시키는 정신질환의 유병률이 6–10%인 것으로 일관되게 보고해왔다(Kessler와 Wang 2008). 한 고전적 연구에서는 1차의료의 대기실에 있는 환자들에게서 우울 및 불안 증상을 선별하였는데, 그 유병률이 50%가 넘는 것으로 보고하였다(Von Korff 등 1987).

정신질환은 일반적으로 1차의료 환경에서 잘 파악되지 않는다. 이러한 이유로 많은 임상연구가 1차의료에서 우울증을 선별하는데 중점을 둬 왔다. 이는 부분적으로 우울증과 자살사고 및 자살행동과의 관련성이 높기 때문이기도 하다. 우울증 선별에 중점을 두고 있지만 우울증에서 자살경향성의 유병률은 불안장애, 물질남용, 중증 만성 정신질환, 그리고 일부 성격장애(예, 경계성 성격장애)에서와 비슷한 수준이다.

생물심리사회적 관점에서 볼 때 경제적 혹은 다른 자원의 한계로 인하여 자살경향성이 있는 많은 환자들은 정신건강 진료를 받지 못한다. 미국에서는 시골 및 도시에서 모두 정신건강 자원이 빈약하거나 아예 없어서 정신건강 서비스 제공자가 거의 없다. 설령 자살경향성 환자를 정신건강 서비스로 의뢰하는 것이 가능하고 그것이 받아들여지더라도 치료 회기에 참석하는데 이동 시간이 너무 오래 걸릴 수 있어서 정신건강 서비스 제공자를 만나는 것이 심각하게 제한된다. 이러한 상황에서 자살위기가 발생하면 그것을 다뤄야 하는 1차적 책임은 1차의료 의사에게 있다. 많은 경우 자살경향성 환자는 사실상 미국의 주요 정신건강 시스템인 1차의료 의사의 진료실에서 필요한 모든 치료를 받게 될 것이다. 이 장에서 우리는 환자가 자살경향성이 있거나 자살의 위험성이 있을 때 1차의료 의사에게 필요한 지침을 제시한다.

최선의 선택: 행동건강 서비스를 현장에 통합하라

환자가 진료시 나타내는 행동 문제를 모두 다루는데 도움이 될 수 있도록 행동건강 의사behavioral health clinician가 1차의료팀에 합류하는 것의 포괄적 가치를 생각해보자. 널리 사용되고 비교적 저렴한 접근 방식은 1차의료 행동건강 모형Primary Care Behavioral Health Model이라 불리는 것이다(Robinson와

Reiter 2016). 이 방식은 건강검진 영역에 행동건강 자문의를 포함시켜서 환자가 의학적 치료를 받기 위해 내원할 때 나타난 행동건강 문제를 실시간으로 다룬다. 자문의는 의뢰된 환자와 문제중심 면담을 짧게 시행하고 단기 개입을 시행한 뒤, 그 결과를 환자를 의뢰한 1차의료 의사와 공유하고 환자의 치료계획 안에 통합시킨다. 진료 현장에 행동건강 자문의를 두는 것은 환자가 자살사고나 자살행동이 있는 것으로 선별되거나 자발적으로 밝힐 때 1차의료 의사가 즉각적으로 조치할 수 있게 해준다. 1차의료 의사는 평가 일정이 조율될 때까지 기다리는 동안 환자를 모니터링하기 위해 몇시간 동안 검사실에 붙잡아 두거나 따로 보조인력을 두지 않아도 되고 행동건강 자문의가 최선의 조치를 찾도록 할 수 있다. 행동건강 자문의가 자살경향성이 있는 환자들을 선별하고 개입하는 것이 강력하고 긍정적인 치료 결과를 보인다는 근거들이 계속 축적되고 있다. 단기간의 행동 개입만으로도 자살경향성에 대해 긍정적인 영향을 미칠 수 있으며, 대부분의 경우 전문적인 수준의 치료로 의뢰할 필요가 없다(Bryan 등 2008). 이러한 효과는 종종 간과되는 고위험 집단인 우울한 노인 1차의료 환자에게도 입증된 바 있다(Bruce 등 2004).

당신 스스로 할 수 있는 준비를 하라

행동건강 자문의를 고용할 자원이 충분치 근처에 자문의가 없으면 진료시 나타나는 자살 위기를 스스로 다룰 준비를 해야 한다. 해결책은 1차의료 의사인 당신이 여기에서 설명한 개입 원칙들을 따라서 자살위기를 완화시키는 데 도움을 주는 것이다.

저자들 중 한 명(K.D.S.)은 지난 30년 동안 1차의료 의사와 함께 일해왔고 우리는 1차의료기관이 자살경향성을 적절하게 다루기에 가장 어려운 장소임을 이해한다. 많은 일이 진행되고 있고 신속한 의사결정이 이루어져야 하는데 자료는 종종 불완전하다. 환자가 자살경향성이 있는 상황은 감정적으로 부담이 되며, 무언가 빨리 해야만 한다는 압박감이 과중하게 느껴질 때가 흔하다. 자살경향성 환자들이 평가, 집중 치료, 회기 사이의 긴 간격에 항상 쉽게 맞춰지는 것도 아니다. 자살경향성을 다루기 위해 당신은 자살경향성 환자에 대한 개인적인 반응과 기본적인 개입 원칙들을 철저히 이해하고 있어야 한다. 하지만 현실에서는 안타깝게도 자살경향성 환자에 대한 당신의 반응으로 인해 효과적인 임상 진료에 방해가 되기도 한다. 우리는 당신의 도덕적, 감정적, 법적 고려사항들이 자살경향성 환자를 대하는 방식에 어떤 영향을 끼치는지 판단하기 위해 2장("임상가의 감정, 가치, 법적 취약성, 윤리")을 다시 살펴볼 것을 강력히 권고한다. 정신건강 서비스 제공자들에서와 마찬가지로 "민감한 부분"은 자살경향성을 잘 치료하는데 있어 걸림돌이 될 수 있다.

많은 1차의료 의사들은 15분 동안 의학적 평가를 시행하면서 자살경향성 환자에게 효과적인 개입을 하는 것이 매우 어렵거나 불가능하다고 생각한다. 훈련받은 정신건강 서비스 제공자들이 50분 동안의 회기에서 시행하는 개입을 그들이 15분(심지어는 5분) 동안 어떻게 할 수 있는지 의아해 하는 것은 당연하다. *핵심적인 차이가 되는 비장의 묘책은 바로 1차진료가 이루어지는 상황에 있고, 대부분의 1차의료 환자들은 이를 받아들일 준비가 기꺼이 되어 있다는 것이다.*

반대로, 정신건강 맥락은 환자의 삶의 여러 측면에서 변화를 만들어내는 것에 초점을 맞춰 신중하고 자세히 논의하는 과정을 지향한다. 빠른 진료 속도에도 불구하고 1차의료 제공자로서 당신이 정신건강 치료자에 비해서 확연한 장점을 가지는 때가 있다. 당신과 환자 모두 어떤 조치가 예상되고, 지침이 명확하며, 순응도가 높은 상황에 익숙하다. 이러한 순응은 당신과 환자가 오랜 기간에 걸쳐, 어쩌면 평생에 걸쳐 가져온 관계로서 환자가 당신을 권위적이고 질문만 해대는 낯선 사람이 아닌 신뢰할 수 있고 친절한 의사로 여긴다는 사실로부터 비롯된다.

이러한 특별한 레버리지에 의한 강점에도 불구하고 많은 1차의료 의사들은 "내 진료실에서만 문제가 안 생기면 된다(not-in-my-office)"는 식으로 대응하고 자살경향성 환자를 정신과 치료로 의뢰하려고 애쓴다. 이러한 행위는 종종 환자가 의원에서 빠져나와 정신건강 관리 시스템에 들어가야 한다는 편견에서 비롯된다. 이러한 편견이 항상 맞지는 않다. 많은 경우에 환자가 한 시스템을 떠나 다른 시스템으로 들어가기까지는 며칠에서 심지어 몇 주가 걸리기도 한다. 물론 이것도 전원이 이루어지는 경우에 한해서다. 일부 임상 상황에서는 1차의료기관에서 정신건강 진료로 의뢰된 환자들의 3/4이 첫 예약시간에 나타나지 않는다.

흔한 의뢰 행태이자 종종 실패할 수밖에 없는 관행은 환자에게 정신건강 서비스 제공자나 정신건강 단체의 전화번호를 알려주고 직접 예약하라고 하는 것이다. 환자는 아마 전화를 안 할 것이다. 이것은 또 하나의 인간미 없는 처사일 뿐이다. 환자가 전화를 했을 때 한번 혹은 그 이상 통화 중일 수 있고 혹은 자동응답 안내를 따라가다 결국 음성 메시지만 남기게 될 수도 있다. 더 안 좋은 경우 아무도 회신해주지 않을 것이다. 그에 못지 않게 실망스러운 상황은, 어찌저찌해서 바쁜 직원이 전화를 받더라도 한 달 이상 예약이 밀려 있다는 얘기를 듣는 것이다. 상황이 이렇게 되면 환자는 계속 불안한 상태로 있게 되고, 그래서 안 좋은 일이 일어나면 당신은 부주의에 대한 의료소송에서 법적 책임을 질 수도 있는 상황에 놓이게 된다.

우리의 권장 사항은 쌍방 합의를 통해 지역사회 기반의 의뢰 관계를 강화해서 전원이 완료되었다는 확인 문서를 의뢰한 기관에게 제공하는 것이다. 또한 너무 자주 간과되지만 매우 중요한, "대기 기간"을 관리할 수 있는 방법을 개발하라. 이 장의 나머지 부분에서 우리는 그러한 방법에 대해 논의하고 이 논의가 당신의 클리닉 구조 안에서 해당 환자를 치료하는 데 필요한 도구로 사용되기를 바란다.

자살경향성에 대한 신속하고 효과적인 선별과 평가 프로토콜 시행하기

내과적 평가를 시행하는 동안 자살경향성을 선별하는 것은 "자살 질문"을 그저 한번 물어보고 대답이 '아니오'면 넘어가는 식의 문제가 아니다. 행동건강 자문의가 1차의료 의사로부터 의뢰된 환자들에게서 자살경향성을 선별하는 것의 유용성을 살펴본 한 연구에서, 행동건강 자문의는 12.4%의 유병률로 자살사고를 선별해 냈다. 이는 의뢰된 환자들의 2.2%에서만 자신의 1차의료 의사에게 자살경향성을 표현한 것과 대조적이다(Bryan 등 2008). 자살경향성을 밝히는 것과 관련된 사회적 낙인 때문에, 환자에게 신뢰받는 주치의조차도 따지거나 비난한다는 느낌을 주지 않으면서 자살경향성을 여러 가지 방식으로 한 번 이상 물어보는 것이 중요하다.

　어떤 평가 절차에서도 적용되는 핵심 규칙은 *그것이 치료의 일부라는 것이다*. 설령 5분 동안 시행한다 하더라도 합리적이며 사려 깊은 평가는 환자에게 그 문제가 진지하게 받아들여지고 도움의 손길이 진행 중이라는 것을 알게 해준다. 많은 자살경향성 환자들이 자살시도 몇 시간에서 몇 주 전에 1차의료 의사를 방문하기 때문에 1차의료에서 자살행동에 대한 평가는 선제적이어야 한다. 처음 내원할 때 시행하는 초진 설문지를 통해서 자살사고와 자살행동 여부를 *모든 환자들에게* 확인해야 한다. 자살경향성에 대한 질문들은 의학적 평가를 시행하는 동안 우울이나 불안과 같은 특정 정신 상태에만 해당되는 것이 아니라, 일반적인 선별 과정의 일부분이어야

한다. 만약 당신이 의사결정 나무 형식의 구조화된 의학적 면담 서식에 의
존하고 있다면 이는 특히 중요하다. 일반 의학 검사를 표준화하고 검사속도
를 향상시키기 위해 제작된 다양한 전자의료기록 서식을 통해 현재 이 도
구들은 널리 쉽게 사용 가능하다.

이러한 유형의 선별 알고리즘을 사용할 때 범할 수 있는 흔한 실수는
우울증에 대해 물어보고 대답이 '아니요'인 경우 자살사고나 자살행동에 대
한 질문을 건너뛰는 것이다. 우리가 이 책에서 지적했듯이 자살경향성은 여
러 다양한 정신건강 상태에서, 물질사용 질환이나 진단 가능한 정신질환이
없는 환자에서도 나타날 수 있다. 선별 연구에서 앞서 논의한 바와 같이 일
부 환자들은 초기에 자살경향성이 있는 것을 부정하지만 나중에 다시 물어
보면 자살사고가 있다고 말하는 경우가 있다(Bryan 등 2008). 이를 설명할
수 있는 최선의 비유는 고혈압 환자가 "흰 가운white coat" 증후군*이 있다고
여겨질 때와 동일한 전략을 사용하는 것이다. 즉, 환자가 검사 장소와 과정
에 대해 편안하게 느끼게 한 뒤 다시 확인한다.

자살사고 및 자살행동 설문지(부록 E)는 자살 병력, 강도, 원인, 효과성
을 평가하는 데 사용할 수 있는 도구이다. 이 설문지는 환자의 과거 및 현
재 자살경향성에 대한 유용한 기초 자료를 얻을 수 있게 해준다. 우리는 이
도구의 1차의료 버전인 자살사고 및 자살행동 설문지Suicidal Behaviors and Think-
ing Questionnaire—Primary Care Version(SBTQ-PC)를 개발하였다. 이는 표 11-1에 나와
있다. 이 간단한 도구는 현재 많은 책임진료기관들과 주state 메디케어 프로
그램에서 요구하는 연간 환자 건강 설문조사에 포함될 수도 있다. 또한 환
자가 혼란스러워 보이거나 개인적이거나 감정적인 문제에 대한 치료를 받기
원하는 경우에는, 환자가 의학적 검사를 받기 위해 기다리는 동안 의료 보

---

* 흰 가운을 입고 있는 의사만 보면 혈압이 상승하는 현상

표 11-1. 자살사고 및 자살행동 설문지-1차의료 버전(SBTQ-PC)

1. 현재 자해할 생각이 있나요? 아니면 지난 2주 동안 자해하거나 자살할 생각을 해본 적이 있나요?

예(질문 2A-4)

아니요(남은 질문은 건너뜀)

2A. 지난 며칠 동안 얼마나 자주 자해하거나 자살할 생각을 했나요? (하나만)

한 번   두 번 이상   몇 번이나   매일

2B. 자해나 자살 생각을 할 때, 얼마나 오랫동안 그것에 대해 생각하시나요? (하나만)

짧게 스쳐가는 생각

수 분간 지속

최대 한 시간까지 생각

몇 시간에서 며칠 동안 지속되는 생각

2C. 자해나 자살 생각을 할 때, 그러한 생각이나 충동이 얼마나 생생하고, 강렬하며, 현실적입니까? (하나만)

모호하고 애매한 생각이나 이미지, 혹은 실제로 실천에 옮길 충동은 없음

실천에 옮길 충동이 약간 있는 다소 생생한 생각이나 심상

실천에 옮기려는 강한 충동과 관련된, 생생하고 구체화된 생각이나 심상

3. 1-10점으로 생각할 때, 1점은 자해나 자살 생각을 하는 것이 전혀 문제가 되지 않는 것을 의미하고 10점은 매우 심각한 문제임을 의미합니다. 오늘 몇 점에 해당합니까? (하나만)

1-10점 척도로 기입: _____

4. 실제로 자해하거나 자신의 삶을 끝내기 위한 시도를 한 적이 있습니까?

a) 지난 며칠 동안 있었나요?

예

아니요

b) 살면서 한 번이라도 그런 적이 있었나요?

예

아니요

조인력이 비교적 수월하게 선별 프로토콜을 진행할 수 있다.

현재의 자살경향성 평가하기

만약 환자가 지난 2주 동안 어떤 형태로든 자살행동을 하였다고 인정하면 (즉, SBTQ-PC의 문항 1 혹은 4A에서 "예"라고 응답함), 환자의 현재 자살경향성의 세 가지 중요한 측면을 명확하게 하는 것이 중요하다. 즉, 자살행동의 빈도(얼마나 자주 일어나는지), 강도(얼마나 구체적이고 상세한지), 기간(자살경향성이 얼마나 오래 지속되는지)에 대해 물어보아야 한다.

　SBTQ-PC는 당신이나 간호사, 혹은 의료보조인력이 이러한 요인을 측정하기 위해 물어볼 수 있도록 단순하고 간단하게 구성되어 있다. 일반적으로, 빈도, 강도, 기간이 증가할수록 환자가 느끼는 불안과 초조감도 덩달아 증가하게 된다. 이는 전형적으로 세 번째 문항에 높은 심각도 점수를 부여하는 것으로 반영될 것이다("10점 만점 중에서, 1점은 자해나 자살에 대해 생각하는 것이 당신에게 전혀 문제될 게 없는 것을 의미하고, 10점은 매우 심각한 문제임을 의미합니다. 오늘은 몇 점에 해당됩니까?"). 앞서 언급된 자살 가능성에 대한 네 가지 지표들("지속적인 위험에 대한 네가지 기본 지표")과 더불어 이 정보는 상황이 얼마나 긴급한 문제인지 평가하는데 도움이 될 것이다.

지속적인 위험의 지표 특징짓기

앞선 섹션에서 기술된 선별 문항들은 당신이 의학적 검사를 하는 동안 자살경향성에 대해 논의할 것인지 여부에 대한 정황을 마련해준다. 당신은 현재 진행 중인 자살경향성 및 그에 따른 개입 필요성에 참고할 만한 지표를 얻고자 할 것이다. 다음 네 가지 지표들은 자살 가능성에 대해 어느 정도 장기간(하지만 단기간은 아닌) 예측력을 지니고 있으며, 치료계획을 수립하는데 유용하다. 첫 번째 지표는 자살의 문제해결 효과성에 대한 질문이다 (부록 E, 항목 6). 이 문항은 환자가 자살이 자신의 문제를 해결해줄 것이라 고 믿는지 여부를 평가하는데 사용한다. 자살이 이러한 어려움을 해결하는 데 확실히 효과적이라고 생각한다면 자살행동을 할 가능성이 커질 것이다.

두 번째 지표는 감정적 괴로움을 감당할 수 없는 것이다. 3장("자살행동 의 기본 모형")에서 개요를 서술하였듯이 자살경향성 환자들은 자신이 겪 고 있는 감정적 괴로움을 못 견디는 것처럼 보인다. 만약 환자가 감정적 혹 은 신체적 고통을 못 견디는 것으로 나타나면, 자살행동이라도 고려하게 될 가능성이 매우 높아지게 된다. 다음은 이를 물어볼 수 있는 좋은 질문 이다. "오늘 당신이 느낀 감정적인 고통이 지금보다 더 나아지지 않거나 더 안 좋아진다고 가정해보세요. 당신은 이러한 유형의 고통을 잠시 동안 견딜 수 있습니까? 1부터 7점까지 중에, 1점은 '전혀 견딜 수 없어요, 방법이 없 어요.'이고 7점은 '별로 내키지는 않지만 잠시동안은 확실히 그것을 견딜 수 있어요.'를 의미합니다. 당신은 몇 점에 해당됩니까?" 당신은 또한 개방형 질문을 통해 환자가 지금까지 감정적 고통에 어떻게 대처해 왔는지 물어볼 수도 있다. "그럼, 당신은 지금까지 스스로 대처하기 위해 어떤 것을 시도해 보았습니까?" 가능하면 환자의 표현으로 긍정적인 대처 전략을 찾아내고, 그만한 수준의 고통을 겪고 있음에도 불구하고 환자가 긍정적인 전략을 사 용하고 당신을 찾아온 것을 칭찬하고 지지해주어라.

세 번째 지표는 절망감 혹은 미래가 현재보다 더 나아질 것이라는 믿음 이 없는 것이다. 절망감은 장기적인 자살행동을 예측할 수 있는 것으로 보 고되어 왔다. 이는 특히 우울한 사람들 및 서구 문화권에서 더욱 그렇다. 당신은 절망감을 체계적으로 평가할 수 있는 훌륭한 도구인 벡 절망감 척 도(Beck 등 1985)를 사용할 수 있다. 이 질문을 검사에서 간편하게 하는 좋 은 방법이 있다. "미래를 생각하면 마치 삶에서 당신을 위한 것이 하나도 없고, 더 나아지는 쪽으로 변화될 수 있는 것이 아무것도 없는 것처럼 깜깜한가요? 아니면 미래에는 당신의 상황이 더 나아지고 기대할 게 많은 것처럼 희망의 빛이 보이시나요?" 우리는 이런 질문을 점수로 평가하는 것보다는 개방형 질문으로 하는 것을 더 선호한다. 환자 반응의 질적인 부분에 귀를 기울여라. 어려움 속에서도 환자에게 긍정적이고 희망적인 어조가 있는가? 혹은 환자가 흑백논리에 빠져 어둡고 용서하지 못하고 경직된 것처럼 느껴지는가? 후자와 같은 반응일수록 자살경향성의 위험이 지속될 우려가 더 높다. 명심하라, 우리가 4장("평가 및 사례 개념화")에서 논의했듯이 절망감과 우울증을 같은 것으로 간주하지 마라. 절망감은 그 사람의 삶의 상황과 환경에 대한 합리적인 평가를 했을 때를 비롯한 다양한 여건에서 비롯될 수 있다.

평가해야 할 네 번째 지표는 생존능력 및 대처와 관련해 환자가 지니는 믿음의 강도이다. 이러한 믿음은 살아 있는 것에 대한 긍정적인 이유로서, 환자가 자살충동을 완충하는데 사용할 수 있다. 대처에 대한 믿음이 강하게 유지되지 않으면, 자살행동으로 이어지는 것에 대한 저항이 줄어들 수 있다. 환자가 생존과 대처 신념에 부여하는 중요성은 자살의도에 대한 중요한 예측인자가 될 수 있다. 생존과 대처신념 하위 척도(부록 C)가 바로 이러한 지표를 측정하는데 사용될 수 있다. 시간이 제한된 1차의료기관 검사 상황에서는 환자에게 자살하지 않아야 할 이유로 떠오른 생각을 알려달라고 간단히 물어볼 수 있다. 예를 들어, 환자에게 이렇게 말할 수 있다. "사람들이 자신의 삶을 끝내려는 생각을 할 때 삶을 끝내지 말아야 하는 이유를 떠올리는 것은 너무나 당연한 일입니다. 여기에는 미래에 대한 호기심, 앞으로 상황이 더 나아질 거라는 믿음, 자살이 사랑하는 사람(배우자, 애인, 자녀, 부모, 친한 친구들)에게 끼칠 영향에 대한 생각, 종교적 신념 등이 있습니다. 이 순간 당신이 살아남아야 할 모든 이유를 떠올릴 때, 어떤 생각이 두드러지게 떠오르나요?" 다시 한번 얘기하지만 개방형 질문을 통해 환자로부터 풍부한 반응을 이끌어낼 수 있다. 이 맥락에서 풍부함Richness은 환자가 비록 강하지는 않지만 믿을 만한 수준의 확신을 가지고 자신이 살아 있어야 할 여러 이유를 제시하는 것이다. 만약 환자가 살아 있는 것에 대해 몇 개 안 되는 이유만 얘기한다면, 이러한 믿음을 강하게 표현하는지, 그것이 환자에게 확실히 중요한지에 대해 주의를 기울이는 것이 중요하다.

특별한 주의를 요하는 상황: 노인과 불량한 건강 상태

자살경향성을 평가하는데 특히 중요한 두 가지 상태에 주의를 기울여야 한다. 첫 번째는 나이다. 젊은이에서, 특히 청소년기부터 20대 중반 연령에서 자살에 대한 문헌들이 훨씬 많이 있지만, 자살위험성이 가장 높은 집단은 노인이다. 75세 이상 노인 자살률은 10대와 청년 인구의 2배가 넘는다.

두 번째 상태는, 흔히 나이와 연관된 것으로, 건강하지 못한 것이다. 만성적으로 건강하지 못하거나 최근에 건강이 악화된 경우 즉시 자살위험 선별 과정을 시작해야 한다. 이러한 요인은 특히 우울증과 같은 현재의 정신질환이 동반되는 경우에는 잠재적으로 치명적인 조합이 될 수 있다. 자살로 사망하는 많은 사람들이 죽기 얼마 전에 1차의료 의사를 만나며, 이들은 흔히 고령이고 건강이 좋지 않았다.

특히 걱정스러운 상황은 부부 모두 나이가 많고 매우 건강이 안 좋은 때다. 이럴 때에는 부드럽고 중립적인 방식으로 자살사고에 대해 물어보는 것이 중요하다. 비록 이러한 상황에서 자살을 예측하거나 예방하지 못할지라도 단순히 환자의 인생관을 물어보는 것만으로도 임종 계획, 사전연명의료의향서, 삶에 대한 일반적인 관점과 같은 꼭 필요한 논의를 촉발할 수 있다.

진단적 선별검사의 역할

1차의료기관에서 활용하도록 만들어진 자살 선별 알고리즘의 대부분이 진단적 구성요소들로 구성되어 있으며, 그 중에서도 특히 우울증 및 기분장애에 대한 것이 많다. 자살경향성에서 대략 50% 정도는 기저의 정신질환과 관련되어 있기 때문에 해당 질환들에 대한 평가가 중요하며, 해당 질환에 대한 치료 또한 그 자체로 중요하다. 하지만 진단된 질환들을 치료하는데 있어서 문제는 해당 질환을 치료하는 것이 곧 자살위기를 해결하는 것이라고 가정해서는 안 된다는 것이다. 명심하라(5장 "자살경향성 환자의 외래 치료"), 기저 정신질환의 치료에도 불구하고 자살경향성이 지속되는 경우는 드물지 않다. 또한, 상당한 비율의 자살경향성 환자들이 정신질환의 어떠한 진단적 요건에도 부합되지 않는다는 점을 떠올려라. 자살경향성이 곧 자동적으로 정신질환이 있음을 의미한다는 전제를 깔고 있으면, 진단을 하려는 헛된 노력을 기울이게 될 수 있다(우울증을 진단하려는 헛된 노력이 가장 많다).

정신과 약물을 처방하기 전에 먼저 진단 기준에 부합하는지 확인하라. 진료기록에 확실한 처방 근거가 없는 상태에서는 나중에 과다복용할 수도 있는 약들을 처방하는 것을 정당화 하기가 매우 어려울 수 있다. 우리는 정신질환 및 자살경향성 둘 다 치료하는 것을 지지하고 각각에 대해 좋은 치료를 하기 위한 목표를 가지고 접근해야 한다.

표 11-2는 정신질환에 대한 선별이 필요할 때 물어볼 수 있는 간단한 질문을 보여준다. 한가지 질문에서라도 "예"라는 응답이 나오면 정신질환에 대한 추가적인 평가를 시행하여야 한다. 추가적인 정보를 수집하는 것이 진단 및 치료에 도움이 될지 여부도 결정할 수 있다. 다른 방법으로는 지난 몇 년 간 개발된 다음과 같은 짧은 1차의료 진료용 도구들을 사용할 수도 있다; 환자건강설문지Patient Health Questionnaire (우울증), 범불안장애척도Generalized Anxiety Disorders-7 (불안장애), 알코올 사용장애 선별검사Alcohol Use Disorders Identification Test (알코올 혹은 약물 남용).

표 11-2. 자살경향성을 동반할 수 있는 정신질환 선별

		1. 공황발작을 동반한 공황장애/광장공포증
예	아니요	심장이 마비될 것만 같은 극심한 공포와 불안을 느끼면서 가슴통증, 가슴조임, 호흡곤란 같은 신체 증상을 경험한 적이 있었습니까?
		2. 범불안장애
예	아니요	6개월 이상 시간동안 허약감, 피로감, 위장문제, 근육통과 같은 신체 증상과 더불어 긴장하거나 불안하다고 느꼈던 적이 있습니까?
		3. 우울증
예	아니요	2주 이상 흥미상실, 에너지 소실, 침울함, 슬픔, 우울감, 절망감, 무가치감을 느꼈던 적이 있습니까?
		4. 기분저하증
예	아니요	적어도 2년 동안, 온종일(매일은 아닐지라도 산발적으로) 우울 증상을 경험해 왔습니까?
		5. 외상후스트레스장애
예	아니요	외상 사건을 경험한 이후에 재경험되는 외상(플래시백) 및/또는 만성적 과각성(쉽게 놀라거나 신경과민) 및/또는 사회적 소외 또는 상실(자기 고립, 대인관계 갈등 및 상실)을 경험한 적이 있습니까?
		6. 조증 혹은 경조증
예	아니요	문제가 생기거나 가족이나 친구가 걱정할 정도로 너무 행복하거나 흥분하거나 짜증을 내거나 "격렬한" 상태로 최소 1주일 이상 있었던 적이 있습니까, 혹은 의사가 환자가 조증이라고 말했던 적이 있습니까?

예	아니요	수일 동안 짜증이 나거나 "격렬하거나" 흥분했다고 느끼거나, 매우 에너지가 넘치거나, 너무 충동적이거나 의기양양하다고 느끼거나, 수면에 대한 욕구가 감소했던 적이 있습니까?

7. 조현병

예	아니요	환청을 듣거나 환시를 본 적이 있습니까?
예	아니요	사람들이 자신을 조종하거나 미행하거나 따라다니거나 자신의 마음을 읽고 있다고 믿은 적이 있습니까?
예	아니요	실제로 다른 사람의 생각을 듣거나 느낄 수 있다고 믿거나, 다른 사람이 실제로 환자의 생각을 듣거나 안다고 느끼거나, 환자의 마음에 생각을 주입시킬 수 있다고 믿은 적이 있습니까?

8. 알코올 등의 물질남용

예	아니요	지난 한 주 동안 수일 이상 음주하거나, 처방받지 않은 향정신 약물을 사용한 적이 있습니까?
예	아니요	음주시 평균 몇 잔을 마십니까? 향정신 약물을 사용하면, 깨어 있을 때 몇 시간 동안 약물의 영향을 받습니까?
예	아니요	음주시 한 번에 6잔 이상을 마신 적이 있습니까? 환자가 하루 종일 약의 영향을 받기 위해 반복적으로 약물을 사용한 적이 있습니까?

9. 경계성 성격 장애

예	아니요	정서적 불안정, 강렬하고 불안정한 관계, 정서적 무감각 또는 공허함, 충동적인 자기 파괴적 행동 또는 자해 행동의 병력이 있습니까?

관리계획 수립하기

환자의 임상적 상황을 특징 지은 뒤 환자를 직접 치료할지, 혹은 더 집중적인 개입을 위해 전원해야 할지 여부를 결정해야 한다. 자살경향성 자체만으로 더 높은 수준의 치료가 필요하다고 단정짓지 마라. 우리가 기술한 원칙을 따른다면, 검사실에서 개입할 수 있는 좋은 기회들이 많이 있다. 입원은 자살경향성이 있는 사람을 치료하는 데 확실한 입지를 가지고 있지만 종종 불필요하게 침습적이어서 역효과가 날 때도 있다. 종종 비자의입원의 기준에 부합하지 않는 환자가 낙인찍히고 통제력을 상실하는 느낌 때문에 자의입원을 거부하는 경우도 있다. 9장("입원과 자살행동")에 집중적이고 비용이 많이 들어가는 이 치료 방법을 합리적으로 활용하게끔 하는 자세한 의사결정 과정이 제시되어 있다. 1차의료 경험상 입원치료는 드물며 복합적인 자살 위기 때에만 고려해야 한다. 즉 자살경향성으로 힘들어하는 많은 환자들이 오랫동안 당신의 클리닉에서 진료받게 될 것이다.

성공의 팁

많은 자살경향성 환자를 위한 첫 번째 접촉 지점으로써 건강 검진 전이나 검사 중에 자살경향성 여부를 빠르고 효과적으로 확인해 볼 수 있는 방법을 알아본다.

매년 SBTQ-PC를 자살경향성에 대한 보편적인 선별검사로 활용하고, 심란해 보이거나 정서적 또는 개인적인 문제에 대해 도움을 요청하는 환자를 위해 필요에 따라 사용하는 것을 고려한다.

환자의 자살경향성을 식별하고 특징짓고 대응하기 위해 체계적으로 시도할 수 있는 실천 철학을 채택한다.

환자가 다른 곳에 도움을 청하도록 유도함으로써 개입을 거부하는 "떠넘기듯 의뢰하기" 접근 방식을 피한다.

자살경향성 환자들은 대개 수동적인 권유는 따를 수 없거나 따르길 꺼려한다. 환자를 다른 곳에 의뢰할 경우에는 환자가 치료를 시작했다는 통지를 받을 때까지 계속 관여한다.

> 근거기반 위험 추정 접근법을 적용한다. 감정적 고통에 대한 환자의 인내력, 자살의 문제 해결 효과에 대한 믿음, 미래에 대한 전망과 긍정적인 삶의 이유를 평가한다.
>
> 현재 약물사용장애 또는 기타 정신질환이 있거나, 노인이거나 건강 상태가 좋지 않은 경우 자살경향성이 악화될 수 있는 것을 고려한다.

초기 위기를 치료하기 위한 개입 전략

이 섹션에서 우리는 당신이 5–10분 동안의 의학적 검사 시간 동안 실행할 수 있는 네 가지 기본 개입 전략을 제시한다. 이 간단한 단계들을 잘 따르면 당신과 환자가 자살위기를 극복해 나가는데 도움이 될 것이다. 이 전략은 환자가 매번 방문할 때마다 사용할 수도 있고 혹은 환자가 더 높은 수준의 전문적인 진료 기관으로 전원 하는 것을 받아들일 수 있도록 준비시키기 위해 활용할 수도 있다. 어떤 이유이든 더 높은 수준의 진료가 가능하지 않은 경우에는 오랫동안 환자를 도와주는데 사용할 수 있다. 이 개입은 앞서 기술된 평가("자살경향성에 대한 빠르고 효과적인 선별 및 평가 프로토콜")에서 이어지며, 환자가 자살경향성이 아닌 방식으로 문제를 해결하는 것을 시작하고 증진시키기 위해 만들어진 것이다.

감정적 고통을 인정하라

자살경향성 환자에 대한 개입에서 늘 첫번째 단계로 시행해야 하는 것은 환자의 감정적 고통과 좌절감을 인정하는 것이다. 5장("자살경향성 환자에서의 외래 치료")에서, 우리는 자살위기에 빠져 있는 동안 느끼는 고통을 표현하기 위해 세 개의 I를 사용하여 논의하였다. 그 고통은 벗어날 수 없고, 견딜 수 없으며, 끝없이 계속된다. 고통을 이해하고 정당화하는 것을 환자에게 반복적으로 표현하는 것은 자살충동을 완화하는데 매우 중요하다. 자살경향성이 있는 많은 사람들은 자신들의 정서적 고통을 정당한 것으로 여기지 않는다. 그들은 그것을 자신의 나약함에서 비롯된 일종의 결함으로 여긴다.

고통을 인정하는 것은 자살이 유일한 선택지라는 것에 동의하는 것이 전혀 아니다. 오히려, 정신건강 서비스 제공자들은 종종 본의 아니게 환자의 자살 의도를 증가시킬까 봐 지나치게 걱정해서 전반적으로 불필요하게 퉁명스럽거나 심지어 논쟁적으로 말하게 되기도 한다. 이는 환자가 공감받지 못했다는 느낌이 들게 한다. 자살위기의 한복판에서는 고립감,낙인감, 수치심이 강하게 느껴진다. 이로 인해 환자들은 비판단적이면서 자신의 두려움과 좌절감을 이해해줄 수 있는 사람에게 연락하려 한다. 환자와 함께하며 정서적 유대 관계를 형성할 수 있도록 노력하라.

환자의 고통을 인정하는 동시에 환자가 문제에 대한 다양한 접근 방식과 그 해결책들을 충분히 생각하는 데 어려움이 있다는 것을 이해하라. 상황을 고려하면 그런 고통이 매우 이해할 만하지만, 그 상황에 대처하는 방법이 잘못된 것임을 강조해야 한다. 환자가 종종 그 반대로 하고 있음을 명심하라. 환자는 고통을 당연하게 여기지 않지만 그에 대처하는 방법은 옳다고 생각한다.

안전하게 할 수 있는 가정은 모든 자살경향성 환자가 양면적이라는 것이다. 즉, 살고 싶은 욕구와 죽고 싶은 욕구가 모두 있다. 만약 환자가 자살하려는 절대적인 의도만 가지고 있었다면, 그렇게 했을 것이다. 치명적인 도구들은 도처에 있다. 하지만 실제로 그렇게 하지는 않았다. 왜냐하면 지금 환자는 병원에 와서 당신과 얘기하고 있기 때문이다. 환자는 어느 정도, 어렴풋하게 양면성을 지니고 있는 상태에서 당신의 진료실을 찾아온다. 다시 말하면, 환자는 유감스럽고 불확실한 태도로 죽음이 유일한 방법이라는 결론에 도달했다. 이러한 결론은 아마도 덜 극단적인 해결책은 이미 시도해보았지만 실패했다는 믿음에 근거할 것이다. 당신이 다루어야 하는 문제는 환자의 목표가 비현실적이었거나(예, 적대적인 이혼을 질질 끌고 있는 와중에 나쁜 감정을 느끼지 않기), 해결책이 부실했거나, 혹은 해결책은 좋았지만 충분히 오래 활용하지 못했다는 것이다. 환자의 양면성 중에 긍정적이고 삶을 지속시켜주는 부분을 확실하게 하면서도 도덕적 입장을 취하지 말아야 한다.

문제가 해결될 수 있고, 하나 이상의 출구가 있다는 진심 어린 낙관주의를 직접 전해라. 이 양면성을 정량화하는 좋은 방법은, 살아야 할 이유에 대한 환자의 응답에서 얻은 정보들을 활용하는 것이다. 양면성의 한두 군데를 찾아서 그에 주목하는 것이 가장 유용하다. 다른 모든 방법이 실패하면, 환자가 존재한다는 사실을 활용할 수 있다. "당신은 여기 있습니다. 당신이 여기에 있는 것이 바로 당신이 이 문제에 맞서 싸우고 있다는 증거입니다. 우리가 할 일은 그 투쟁을 지켜볼 수 있는 시간을 확보하는 것입니다. 문제들을 사려깊게 파악하고 다른 계획을 만들어 내는 것이 지금 당장은 매우 어렵게 느껴지는 것을 알고 있습니다. 하지만 당신의 일부는 그렇게 하기 원합니다. 확실히, 저는 그렇게 하고 싶습니다. 자, 이제 시작해 보죠."

자살경향성을 문제해결 행동으로 재구성하라

감정적 고통을 인정하는 것은 환자가 살아 가면서 문제를 해결할 수 있도록 건강한 격려를 할 수 있는 맥락을 만든다. 당신이 감정적 고통에 공감하며 환자가 자살을 유일한 수단으로 여기는 것에 양면적이라는 것을 이해한다는 메시지를 환자에게 확실히 전달했다면, 이제 위기를 다르게 생각하는 방법을 제안할 차례다. 자살경향성은 견딜 수 없는 고통을 겪고 있는 환자에게는 감정적 조절 "해결책"이라는 점을 기억하고, 환자의 현재 경험을 이러한 관점에서 재구성하라. 필시 환자는 전에 이런 방식으로 자살경향성을 생각해보지 않았을 것이므로, 당신이 정확하게만 표현한다면 이는 매우 강력한 개입이 될 수 있다. 자살경향성을 문제해결의 형태로 소개할 수 있는 방법들은 여러가지가 있다.

- "그러니까 당신은 이러한 고통스러운 감정들을 통제할 수 있는 방법을 찾고 있는 것 같은데요, 자살 말고 다른 해결책은 못 찾으신 것 같네요. 진짜 무서웠을 것 같습니다."
- "당신은 마치 너무나 괴로운 내면의 감정들을 해결하는 방법으로 자살을 생각하는 것 같습니다. 기분이 더 나아지기 위해 지금 혹은 과거에 무엇을 시도해보셨나요?"
- "당신이 느꼈던 만큼 기분이 나쁘면, 당연히 누구라도 강력한 정신적 고통을 해결할 수 있는 방법을 찾게 됩니다. 당신이 그런 것처럼 자살은 사람들에게 흔히 떠오르는 해결책 중 하나입니다. 이런 상황에서 자살을 떠올리는 것은 실제로 지극히 당연한 일입니다."

재구성 기법을 적절히 사용하기 위해서는 당신이 말하는 내용만큼이나 태도와 자세도 중요하다. 환자가 느끼는 고통과 다른 탈출구가 없다고 느끼는 것을 전적으로 이해하면, 환자로부터 신뢰받을 수 있는 사람으로 보이게 될 것이다. 만약 이러한 관계를 형성하지 않으면, 당신이 지니는 모호함과 양면성이 두드러지게 보일 수 있다. 괴로움에 빠져 있는 사람들은 대개 경계가 심하며, 이는 특히 비언어적 단서에 대해 그렇다. 당신이 하는 말, 당신이 표현하는 연대감, 무슨 일이 일어나고 있는지 이해하는 당신의 능력,

그리고 자살을 이렇게 새롭게 생각하는 방법에 대한 당신의 전반적인 자신감이 환자를 안심시키고 격려하는 주요소들이다.

가치기반의 긍정적 실천 계획을 만들어라

많은 의료 종사자들은 주된 전략으로 환자로부터 자살금지서약서를 받으려고 애쓰고 만약 환자가 그에 동의하지 않으면 입원을 고려할 것이다. 우리는 자살금지서약서가 효과적이지 못한 개입전략이라고 생각한다. 이 전략에 대해서는 8장("자살 응급 관리")에서 상세히 비판하였다. 우리가 자살금지서약서에 반대하는 주된 이유는 그것이 환자가 무엇을 해야 하는지에 대해서는 언급하지 못한 채 환자가 하지 말아야 하는 일만 명시한다는 점이다. 자살금지서약서를 사용하는 것은 환자가 자살행동을 하지만 않으면 치료가 성공적이라고 시사하는 것처럼 보인다. 이러한 접근은 자살행동이 문제해결 행동의 한 형태라는 매우 기본적인 가정을 무시하는 것이다. 해결해야 할 문제가 존재하며, 환자는 행동을 통해 그 문제를 해결하기 시작해야한다. 이를 위한 최선의 방법은 활력 있는 생활을 증진시키기 위해 과거에 효과가 있었던 행동 및 전략을 협력적으로 함께 파악하는 것이다.

그 대안으로, 우리는 *가치기반의 긍정적 실천계획*을 사용하며 이를 대처카드(8장)에 적용하기를 권고한다. 환자가 삶을 긍정하고 가치에 기반하는 행동을 할 때는 자살위기에 빠져드는 것이 매우 어렵다는 것을 명심해야 한다. 긍정적 실천계획에는 자기관리 하기(예, 매일 따뜻한 물로 목욕하기), 규칙적으로 운동하기, 이완 혹은 마음챙김 기법 연습하기, 사회생활 일정 잡기, 교회 관련 활동을 재개하기 등의 대처 계획들이 포함될 수 있다.

단기간의 자살위기가 지나간 이후에는 긍정적 실천계획에 구체적인 문제해결 목표도 포함시킬 수 있다. 긍정적 실천계획의 목표는 환자로 하여금 본질적으로 가치에 기반하고 삶의 질을 향상시키는 행동을 계획하고 참여하도록 만드는 것이다. 이러한 행동들은 자살행동에 정반대되는 것이다. 행동 목표들을 너무 많이 만들지 않도록 주의하라. 그것은 환자의 현재 기능 수준에 맞춰야 한다. 당신이 환자를 도와주는 것을 불안해하면, 그저 여러 가지 행동 변화들을 처방하는 것에 그치게 될 수 있으며, 환자는 성공의 여지가 없어진다. 당신은 환자가 합의된 단기 목표조차 실패하게 만들 위험을 무릅쓰고 싶지는 않을 것이다. 이러한 실패는 자살경향성을 악화시킬 수도 있다. 그러니, 오랜 격언처럼, "작게 생각하고 긍정적인 결과들을 축적하라."

또한, 첫 위기의 순간에서는, 오랜 시간동안 보다는 1−2일 정도 지속되는 실천계획을 수립하라. 위기의 순간에서 아주 기본적인 대처 전략을 강조하라. 이 시기는 환자가 매우 복합적이면서 감정이 얽혀 있는 삶의 문제들을 해결할 수 있는 적합한 때가 아닐 수 있다. 환자의 정서적 인지적 기능이 안정되어 가면서 그럴 수 있는 단계가 올 것이다. 환자의 동의 하에 당신 혹은 간호사는 긍정적인 실천계획을 어떻게 진행하고 있는지 확인 전화 계획을 수립해야 한다.

정신 혹은 물질사용장애를 치료하라

네 번째 개입 원칙은 적절하게 진단된 정신질환 및 물질사용장애에 대한 치료를 시작하는 것이다. 당신이 근무하는 곳에 있는 정신건강 자문의에게 진료를 받게 하거나, 직접 약물을 처방하거나, 정신건강 혹은 물질남용 치료 프로그램을 시행하는 기관으로 환자를 전원 보내는 것 등이 포함될 수 있다. 당신이 하게 될 가능성이 가장 높은 것은 진단된 질환에 도움이 될 만한 약물을 처방하는 것이다.

자살경향성 환자에게 약물을 처방하는 것은 까다로울 수 있으며, 일부

1차의료 의사들은 이에 대해 더 잘 훈련받고 수월하게 시행한다. 비록 정신건강이나 물질남용과 관련된 증상들을 개선하는데 매우 효과적일 수 있지만, 약물 자체만으로는 자살경향성에 대한 충분한 치료가 되지 못한다는 것을 명심하라. 확실히 진단된 정신과적 증상들이 존재하지 않으면 약물을 처방하지 마라. 역효과를 낼 수 있기 때문이다. 약물은 관련된 증상이 없는 사람에게는 효과를 발휘할 수 없으며, 한꺼번에 과다복용하면 본래의 약효를 나타낼 수 없다. 좋은 방법은 처방전을 발급하기 전에 대처카드를 만드는 것이다(자세한 내용은 다음 섹션을 참조할 것). 카드에 담긴 고통감내와 문제해결 기법들은, 환자의 어려움에 대해 단지 약을 추가하는 것보다 더 효과적이고 지속적인 해결책을 제시해준다.

　관련된 질환 중 가장 흔한 것은 우울증이다. 하지만 자살경향성은 우울증의 한가지 증상일 뿐이며 그것만으로 우울증을 진단하기에는 부족하다. 항우울제가 필요하다고 단정짓기 전에 먼저 우울증의 다른 진단적 증상들을 주의 깊게 검토해야 한다.

　자살경향성이 있고 우울한 환자에게 약물을 처방할 때 가장 중요하게 고려할 사항은 약물의 종류와 총 용량이다. 대부분의 의료 전문가들은 우울증 치료에 안전하게 사용할 수 있는 약물 계열로 SSRIs나 SNRIs(세로토닌-노르에피네프린 재흡수 억제제)를 꼽았다. 이들 약물은 대부분 환자들에게서 점진적 증량이 거의 또는 전혀 필요하지 않으며 과다복용시 치명도가 극히 낮아서 전체적인 치료 프로그램 기간에 맞춰서 처방될 수 있다. 하지만, 2003년 봄에 FDA는 취약한 사람에게 자살경향성을 촉발할 수 있다는 이유로 18세 미만 환자의 치료에 paroxetine을 사용하는 것에 대한 경고를 발령했다. 이 결정은 위약으로 치료받은 환자들과 paroxetine으로 치료받은 환자들을 비교한 FDA의 무작위 임상연구 데이터베이스 결과를 기반으로 한 것이다. 1990년대 초부터 SSRIs로 치료받는 환자에서 의원

성 자살경향성이 나타난다는 증례 보고가 있었다. FDA 데이터를 해석하는
방법에 대해 활발한 과학적 논쟁이 계속되고 있기 때문에 우리는 당신이
이 문제를 계속해서 파악할 것을 강력히 권고한다. 또한, 지금은 항우울제
의 효과에 대해 체계적으로 과대평가를 유발하는 정신의학 저널의 출판 편
향에 대해 중대한 의문들도 제기되고 있다. 출판 편향은 모든 분야의 과학
저널들에서 통계적으로 유의하지 않은 결과를 보고한 연구들의 게재를 거
절하는 경향에서 비롯된다. 저널에 게재된 결과들을 게재가 거절된 결과들
과 통합하여 함께 분석하면, 모든 계열의 항우울제의 효과성은 급격하게
낮아진다.

한동안 우리의 입장은 인구기반 연구에서 lithium을 제외한 모든 약물
이 자살행동을 감소시키는데 효과가 없다는 것이었다. 우리는 새로운 항우
울제 약물과 clozapine에 대한 FDA 데이터베이스에 대한 지속적인 분석으
로 인해 이들 약물 중 일부가 자살경향성 환자들에게 중립적인 위치에서
해로운 쪽으로 옮겨가게 될 것으로 우려한다. 우리는 6장("자살행동에 대
한 약물치료")에서 이 주제를 더 자세히 다루었다.

특히 benzodiazepine과 같은 항불안제는 자살위기에 나타날 수 있는
급성 초조와 인지적 과각성을 가라앉히기 위해 아주 짧은 기간 동안 처방
할 수 있다. 항불안제를 아주 짧은 기간 이상으로 처방하면, 자살경향성을
치료하는 데 효과가 별로 없다. 이 약물들은 종종 진정sedation작용을 하는
데, 이는 대개 자율성과 자기효능감을 높이는 데 도움이 되지 않는다. 만약
불안장애가 있는 것이 확실하다면 불안을 단기간 조절하는 용도로 benzo-
diazepine이 효과적일 수 있다. 불면증에 대한 단기간의 치료가 도움이 된
다고 판단되면 이 약제들을 불면증의 치료에도 사용할 수 있지만, 이러한
수면 문제에 대해서는 더 나은 성분의 약물들이 있다. 항불안제를 오랫동
안 사용할 때의 위험성은 잘 알려져 있다. 내성이 생겨서 용량을 늘려야 할

수도 있고, 의존성이 생길 수도 있으며, 때로는 장기 사용 후 금단으로 인해 끔찍한 증상을 경험할 수도 있다. 따라서 이 약제들은 신중히 고려해야 한다. 우리는 항불안제 약물들이 자살경향성 환자 치료에서 남용되는 것을 발견했다. 이 약물들이 불안한 환자를 일시적으로 안정시키는 효과가 있다고 해서, 장기간 사용을 정당화할 수 있는 근거가 될 수는 없다.

성공의 팁

다음의 4가지 기본적인 위기개입 전략을 추천한다.
자살경향성 환자:
- 환자의 감정적 고통과 절망감을 인정한다.
- 자살경향성 행동을 감정적 문제해결의 한 형태로 재구성한다.
- 긍정적인 행동 계획을 통해 삶을 향한 추진력을 만든다.
- 진단된 정신질환에 대한 행동 또는 약물치료를 시작한다.

진행 중인 진료가 계속 예정되어 있을 때

앞서 언급하였듯이 당신이 자살경향성 환자를 처음 진료한 이후에 다양한 계획을 수립하는 것이 가능하다. 하나는 정신건강이나 물질남용 치료를 담당하는 지역사회기반 서비스로 의뢰하는 것이다. 또 다른 방법으로, 급성 자살위기를 즉각적으로 해결하고 시간이 갈수록 진료 빈도를 줄여 나가는 방법이 있다. 세 번째 계획으로 다소 문제가 되는 것은, 초기 면담 이후 더 느린 반응을 보이면서 여전히 자살경향성을 지니고 있는 환자를 지속적으로 진료하는 것이다. 때때로 환자는 자살경향성이 반복되어 온 오랜 내력을 지니고 있으면서, 전문적인 진료 시스템에서의 치료는 거부한다. 또 어떤 경우에는, 환자가 단순히 치료 반응이 더 오래 걸리지만 여전히 당신에게 치료받는 것에 전념하기도 한다. 만약 환자에게 지속적인 진료가 필요하다고 느끼면, 몇몇 추가적인 개입 원칙을 따르는 것이 중요하다.

위기관리 계획 수립하기

대처카드는 자살경향성에 대한 지속적인 관리를 시행하는데 더 유용한 도구들 중 하나이다. 환자는 과거의 위기에 대응하기 위해 실제로 효과적인 전략들을 사용하였을 수 있고, 당신과 함께 브레인스토밍을 해서 새로운 것을 생각해 낼 수도 있다. 하지만, 또 다른 자살위기가 발생할 때, 환자는 이전에 논의하였던 것을 기억하지 못하거나 단계적으로 따르지 못할 수도 있다. 대처카드는 바로 이럴 때 효과를 발휘한다. 8장("자살 응급 관리")에서, 그림 8-1에 간단한 대처카드가 나와 있다. 비록 이 간단한 카드에 많은 사람들과 관련된 내용이 담겨 있지만, 각자에게 맞춤형으로 카드를 제작하는 것이 중요하다. 이 카드는 대개 외래 진료 마지막 3-5분 동안 만들 수 있다. 한 카드에는 대여섯 가지 이상의 내용을 담지 말아야 한다. 만약 환자가 약물이나 알코올과 관련된 병력을 지니고 있으면, 대처카드의 한 항목은 진료실 밖에서 자살경향성이 다시 나타날 때 어떤 약물이나 알코올도 사용하지 않기 위한 지침을 담고 있어야 한다. 환자는 카드를 휴대하고 사본을 만들어 놓아야 하며, 가족 및 친구들에게 자살위기 상황에서 해당 프로토콜을 따르겠다고 알려야 한다. 사본들은 약상자나 냉장고 등 편한 곳에 놓으면 된다. 고통이 심해지는 것 같은 순간에 카드를 참조하고 거기에 나와 있는 대로 따라야 한다. 대처카드 전략에 대한 더 많은 정보는 8장에 나와 있다.

환자를 사회적 및 공동체 자원에 연계하기

사회 및 공동체 자원에 연계하는 것은 환자에게 즉각적인 실천 계획과 같은 무언가 실질적인 것을 지니고 진료실을 나설 수 있게 해준다. 이를 위해, 의사는 8장에서 논의된 핵심 기능인 사례관리자의 역할을 한다. 만약 전문적인 공동체 자원을 활용할 수 있으면 이 작업은 더 쉬워진다. 당신의 클리닉이나 공동체 안의 누가 이 역할을 맡을 수 있는가? 이러한 자원을 찾아보고 그들에게 의뢰하는 것을 논의하라. 이상적으로는 환자가 검사실에 있는 동안 이러한 자원과 일정을 잡을 수 있어야 한다. 명심하라, 환자로 하여금 발품을 팔도록 요구하는 것은 환자에게 힘들고 실망스러운 경험이 될 수 있으며 환자가 공동체 자원 시스템을 끝내 이용하지 못하게 만들 수 있다. 자살경향성 환자는 이미 낙인감을 느끼며 외래 후속 방문 일정을 잡는 것을 거부할 수도 있다. 당신이 할 수 있는 한 최대한 도움이 될 수 있도록 하라. 해당 업무를 담당하는 직원이 일을 매끄럽게 처리하게끔 하라. 심지어 의뢰가 완료된 상황에서도 문제가 계속될 수 있음을 명심하라. 이러한 이유로, 회기 중간에 환자에게 정보를 제공해줄 수 있도록 전화 통화를 활용하는 것이 무척 중요하다. 하지만 당신은 그런 전문적인 도움을 받지 못하는 곳에서 근무하고 있을 수도 있다. 창의력을 발휘하라. 가족, 친구, 지역사회 센터, 교회 모임, 사회 단체, 그 외 당신과 환자가 생각할 수 있는 모든 것들을 활용하라. 자원이 빈약한 지역의 장점은 종종 그 지역사회 구성원들이 대도시의 혼돈스럽고 익명의 세계보다 훨씬 더 기꺼이 도움을 주고자 한다는 점이다.

지지적인 확인 전화 실행하기

다음 예정된 진료 날짜 전에 지지적인 전화 통화를 할 수 있도록 하라. 당신, 간호사, 혹은 다른 근무자들은 통화가 짧고 핵심적이 되게끔 구성해야 한다. 표 11-3에 있는 형식을 활용하라. 이 통화들은 치료 회기가 아니다. 이것들은 첫 내원 및 후속 방문에서 논의되었던 내용들을 확인함으로써,

408 자살경향성에 대한 임상적 평가 및 치료

표 11-3. 지지적인 전화 통화의 구조

1. 대처 카드 계획이 어떻게 실천되는지 검토하기 위해 전화를 했다고 얘기하라.
2. 향후 약속을 위한 준비 및 환자가 처방된 대로 약을 복용하고 있는지 여부와 같은 치료 세부 사항을 물어보라.
3. 감정 상태와 대처 카드 사용에 대해 물어보라. 카드가 효과가 있었나? 그렇지 않았다면 변경 사항에 대해 논의하라.
4. 격려의 말로 끝을 맺는다.

지속적으로 지지와 격려를 제공해주기 위함이다. 환자는 대처카드를 활용할 수 있는 기회가 있었는가? 환자가 특별히 관심을 가지는 주말 휴가를 고려하여 일정이 조정되었는가? 만약 환자가 이 계획을 잘 따르면 상황이 더 나아질 것이라는 확신을 갖도록 하라.

대처카드는 수정될 수 있음을 명심하라. 만약 일부 내용이 유용하지 않으면 변경하라. 환자로 하여금 아이디어를 내도록 격려하라. 치료 작업에 대한 파트너쉽 감각을 발달시켜라. 환자가 새로운 전략들을 공정하게 판단하도록 격려하라. 만약 어떤 기법이 효과가 없다면, 다른 것으로 변경하라. 이렇게 유연하고 실용적인 접근을 함으로써, 사실상 당신은 환자가 삶에서 마주하게 될 다른 문제해결 상황에 일반화할 수 있는 중요한 개인적인 문제해결 기술을 모델링하게 될 것이다.

성공의 팁

일부 자살경향성 환자가 치료에 더 느리게 반응하거나 다른 곳에서 치료받기를 꺼려하는 현실을 고려해서, 당신이 책임지고 관리가 잘 진행될 수 있도록 한다.

환자가 자살경향성 사건에 대처하기 위해 사후 대응 방식이 아닌 미리 예상하고 계획을 세울 수 있는 사전 예방적인 관리 방식을 채택한다.

> "자살 금지" 서약은 효과가 없기 때문에 사용을 피한다. 대신, 환자가 병원 방문 사이에 작지만 삶을 긍정하는 활동에 참여하는 데 도움이 되도록 가치기반 긍정적 행동 계획 접근법을 채택한다.

> 적절하고 강화적인 방식으로 환자가 기존 커뮤니티 지원 리소스에 접근하고 활용하는 방법을 교육한다. 당신이 지지망의 일부기도 하지만, 다른 많은 요소들도 있다.

> 간호사 또는 의료 보조인력이 간단한 지지적 전화를 걸게 하거나 환자 포털을 통해 무작위로 긍정적이고 독려하는 메시지를 보내는 등, 예정된 외래 방문 사이에 자살경향성 환자에게 정서적 지지 및 격려를 제공하는 대체 방법을 사용한다.

결론

1차의료 환경에서 자살사고와 자살충동을 경험하는 환자를 진료할 때 임상 진료팀은 많은 어려움에 직면한다. 1차의료 클리닉은 환자가 접한 첫번째 혹은 유일한 건강 서비스일 수 있으며, 환자는 과거에 인지하지 못했거나 치료받지 않은 상태로 지나가 버린 심각한 정신건강 문제를 경험하고 있을 수 있다. 1차의료 의사들은 환자의 극심한 괴로움에 압도당하는 느낌을 받을 수도 있다.

　그럼에도 불구하고 1차의료기관은 자살경향성 환자를 돕는 데 매우 큰 가치가 있다. 1차의료기관에서는 위험을 평가하고, 진단적 평가를 시행하며, 필요한 정신건강 자원을 확보하고, 자살경향성을 감정적 고통에 대한 반응으로 재구성하고, 환자에게 지워진 부담을 줄일 수 있는 건설적인 실천 계획을 수립하며, 낙인의 부정적 영향을 최소화하는 작업 등을 통해 긍정적인 역할을 할 수 있다.

고위험 행동에 주의하고 환자에 대한 긴밀한 후속 연락을 시행하는 것은 특히 유용하다. 임상 진료팀이 긴밀히 소통하면 그러한 복잡한 환자들이 의료 서비스 제공자에게 끼칠 수 있는 부정적인 영향을 최소화하는 것은 물론 최적의 치료를 시행할 수 있게 해준다. 환자를 담당하는 진료팀 내에서 한 명을 리더로 선정하는 것은 시간이 지나면서 치료의 예후를 향상시킬 수도 있어서, 환자가 가능한 최선의 삶을 살 수 있도록 도와주고, 자살경향성을 문제해결 전략으로 선택할 가능성을 줄인다.

요약

- 1차의료는 자살행동을 예방하는 최일선에 있다. 1차의료 의사는 대개 환자가 자살로 사망하기 전에 마지막으로 만나게 되는 의료 전문가다.

- 자살예방의 핵심적인 요소로 정신질환의 치료를 지나치게 강조하고 있는 자살 위험 선별시스템을 경계하라. 정신질환을 치료하는 것이 그 환자의 자살 위험성을 감소시킨다는 근거는 거의 없다.

- 자살경향성의 존재를 환자가 우울하다는 것을 의미한다고 단정짓지 마라. 다양한 종류의 정신질환이 자살 위험성과 관련이 있다.

- 마찬가지로, 자살경향성 환자가 정신질환을 지니고 있을 것이라고 단정짓지 마라. 자살경향성 환자의 약 50%는 어떤 정신질환의 진단기준에도 부합하지 않는다.

- 1차의료에서 자살경향성에 대한 근거기반 선별 시스템은 실제로 매우 간단할 수 있고, 1차의료 종사자가 물어보기 쉬운 비교적 간단한 질문들로 이루어져 있다.

- 높은 자살 위험성과 관련된 것으로 알려져 있는 특별한 삶의 상황은 초고령 (75세 혹은 그 이상), 만성 건강 문제의 발생 혹은 악화이다.

- 자살경향성 환자에 대한 효과적인 1차의료 대응의 네가지 기본적 특징들이 있다.

- 환자의 정신적 고통과 좌절감을 반복적으로 인정하라.
- 극심한 정신적 고통을 줄이거나 없애기 위해 고안된 문제해결의 한 형태로 환자의 자살사고와 자살행동을 재구성하라.
- 환자가 매일 작지만 삶을 긍정하는 행동을 하는데 도움이 되는 가치기반의 긍정적 실천계획 프레임워크를 만들어라.
- 환자에게 정서적 고통을 유발할 수 있는 근본적인 정신건강 및 물질남용 문제도 치료하라.

- 1차의료 의사가 자살경향성 환자를 지속적으로 관리할 책임을 지기도 한다.
- 자살경향성을 치료하기 위해 지나치게 약물치료에 의존하지 않도록 주의하라. 일부 계열의 약물들은 환자의 자살경향성을 더 증가시킬 수 있으며, 자살경향성을 1차적으로 치료하는 데 전혀 효과가 입증되지 않았다.
- 가치기반의 긍정적 실천 계획 프레임워크 안에서 수립된 대처카드 방법은, 당신이 자살위기를 예측하고 환자가 자기관리를 하고 다른 사람에게 도움을 구할 수 있는 효과적인 방법을 배우는 데 도움이 된다.

읽어볼 만한 문헌

American College of Physicians: The Advanced Medical Home: A Patient-Centered, Physician-Guided Model of Health Care. Philadelphia, PA, American College of Physicians, 2005

Bryan CJ, Morrow C, Appolonio KK: Impact of behavioral health consultant interventions on patient symptoms and functioning in an integrated family medicine clinic. J Clin Psychol 65(3):281–293, 2009 19152340

Chiles JA, Carlin AS, Benjamin GAH, et al: A physician, a nonmedical psychotherapist, and a patient: the pharmacotherapy-psychotherapy triangle, in Integrating Pharmacotherapy and Psychotherapy. Edited by Beitman BD, Klerman GL. Washington, DC, American Psychiatric Press, 1991, pp 105–118

Katon W, Robinson P, Von Korff M, et al: A multifaceted intervention to improve treatment of depression in primary care. Arch Gen Psychiatry 53(10):924–932, 1996 8857869

Koltko V, Ghahramanlou-Holloway M: Medical decision making for suicidal patients in military integrated primary care settings. Mil Behav Health 5(1):35–42, 2017

Oquendo MA, Currier D, Mann JJ: Prospective studies of suicidal behavior in major depressive and bipolar disorders: what is the evidence for predictive risk factors? Acta Psychiatr Scand 114(3):151–158, 2006 16889585

Oquendo MA, Currier D, Liu SM, et al: Increased risk for suicidal behavior in comorbid bipolar disorder and alcohol use disorders: results from the National Epidemiologic Survey on Alcohol and Related Conditions (NESARC). J Clin Psychiatry 71(7):902–909, 2010 20667292

Saini P, Windfuhr K, Pearson A, et al: Suicide prevention in primary care: general practitioners' views on service availability. BMC Res Notes 3:246, 2010 20920302

Sudak D, Roy A, Sudak H, et al: Deficiencies in suicide training in primary care specialties: a survey of training directors. Acad Psychiatry 31(5):345–349, 2007 17875616

Wells KB, Burnam MA, Rogers W, et al: The course of depression in adult outpatients: results from the Medical Outcomes Study. Arch Gen Psychiatry 49(10):788–794, 1992 1417431

참고 문헌

Beck AT, Steer RA, Kovacs M, et al: Hopelessness and eventual suicide: a 10-year prospective study of patients hospitalized with suicidal ideation. Am J Psychiatry 142(5):559–563, 1985 3985195

Bruce ML, Ten Have TR, Reynolds CF 3rd, et al: Reducing suicidal ideation and depressive symptoms in depressed older primary care patients: a randomized controlled trial. JAMA 291(9):1081–1091, 2004 14996777

Bryan C, Corso KA, Rudd D, et al: Improving identification of suicidal patients in primary care through routine screening. Prim Care Community Psychiatr 13(4):143–147, 2008

Kessler RC, Wang PS: The descriptive epidemiology of commonly occurring mental disorders in the United States. Annu Rev Public Health 29:115–129, 2008 18348707

Kessler RC, Chiu WT, Demler O, et al: Prevalence, severity, and comorbidity of 12-month DSM-IV disorders in the National Comorbidity Survey Replication. Arch Gen Psychiatry 62(6):617–627, 2005 15939839

Luoma JB, Martin CE, Pearson JL: Contact with mental health and primary care providers before suicide: a review of the evidence. Am J Psychiatry 159(6):909–916, 2002 12042175

Pirkis J, Burgess P: Suicide and recency of health care contacts: a systematic review. Br J Psychiatry 173:462–474, 1998 9926074

Robinson P, Reiter J: Behavioral Consultation and Primary Care: A Guide to Integrating Services. New York, Springer Science and Media, 2016

Schurman RA, Kramer PD, Mitchell JB: The hidden mental health network: treatment of mental illness by nonpsychiatrist physicians. Arch Gen Psychiatry 42(1):89–94, 1985 3966857

Von Korff M, Shapiro S, Burke JD, et al: Anxiety and depression in a primary care clinic: comparison of Diagnostic Interview Schedule, General Health Questionnaire, and practitioner assessments. Arch Gen Psychiatry 44(2):152–156, 1987 3813810

자살에 대한 철학

I. 자살은 잘못된 것이다

1. 자살은 사람 목숨의 존엄성에 대한 폭력이다.
2. 자살은 사람의 원초적 본성에 반하는 것이다.
3. 자살은 복합적이고 양면적인 상황에 대한 과도하게 단순화된 대응이다.
4. 자살은 국가에 대한 범죄이다.
5. 자살은 미래의 배움이나 성장을 부정하는 되돌릴 수 없는 행위이다.
6. 오직 신만이 사람의 목숨을 허락하고 거둘 수 있다. 자살은 신에 대한 반역이다.
7. 자살은 자연의 질서에 대한 폭력이다.
8. 자살은 살인과 다르지 않다.
9. 자살은 생존자들에게 부정적인 영향을 끼친다.

II. 때로는 자살이 허용될 수도 있다

당사자의 입장에서 볼 때 대안이 딱히 없을 때 자살이 허용될 수 있다. 극단적인 예로 치유될 수 없는 신체적 통증이 있다.

III. 자살은 도덕적이거나 윤리적인 문제가 아니다

1. 자살은 삶의 다른 현상들이 연구되는 것과 똑같은 방식으로 연구되어야
   하는 삶의 현상이다.
2. 자살은 도덕적으로 선하거나 나쁜 행동을 나타내지 않으며 이성의 영역
   을 벗어나 발생하는 행위이다.
3. 모든 사람은 자유의지를 지니고 있고 자신들의 의지에 따라 행동할 권리
   가 있으므로 자살은 도덕적으로 중립적인 행위이다.

IV. 자살은 특정한 여건에 대한 긍정적인 대응이다

1. 삶이 더 이상 즐겁거나 기쁘지 않을 때, 자신의 삶을 끝낼 권리가 있다.
2. 사람은 합리성과 논리적 사고에 기반한 어떤 결정도 내릴 수 있는 천부
   적 권리가 있다. 자살할 권리도 여기에 속한다.
3. 삶에서 때때로 불명예보다 죽음이 더 나을 때가 있다.
4. 어떤 경우에는 정의를 구현하기 위해 사회로부터 자살을 요구받는다.
5. 자살은 목숨의 가치를 초월하는 어떤 위대한 목적을 위해 허용될 수 있다.

V. 자살은 본질적으로 긍정적 가치를 지닌다

1. 사람은 자신을 긍정하고 결정을 내려야 한다. 자살은, 이를 수행하는 것
   이 만족스러운 경우에 사람의 영혼을 긍정하는 것일 수 있다. 그리고 이
   러한 결정을 가로막는 그 어떤 사람도 도덕적으로 나쁘다.
2. 자살은 때때로 체면을 지키는 방법이다. 예를 들어, 자신의 명예를 잃은
   뒤 할복하는 경우가 그렇다.

3. 자살은 자신이 바라는 의미 있는 내세에 들어가기 위한 수단으로 긍정적인 가치를 지니고 있다.

4. 자살은 의인화되고 에로틱한 방식으로 죽음을 받아들이는 방법이다.

5. 자살은 소중한 조상들과 사랑하는 사람들과 즉시 재회할 수 있는 수단으로써 긍정적인 가치가 있다.

자살행동의 결과 설문지

파트 1

때때로 사람들은 문제가 있을 때 자살을 시도합니다. 아래에 있는 밑줄 위에, 어떤 이유에서든 자살을 시도했는데 죽지 않은 경우에 일어날 수 있는 결과들을 쓰세요. 각 항목별로 결과가 얼마나 좋은지(혹은 나쁜지) 표기하십시오. 그리고 그 결과가 얼마나 중요한지도 표기하세요. 최소한 4개 이상의 결과들을 생각해 낼 수 있도록 노력하세요. 하지만, 그렇게 많이 생각해 내기 어렵다면, 한두 개 밑줄은 그냥 비워두셔도 됩니다. 최선을 다하세요.

결과 1: _____

○ = 좋음 ○ = 나쁨

전혀 중요하지 않음 ○ 1 ○ 2 ○ 3 ○ 4 ○ 5 매우 중요함

결과 2: _____

전혀 중요하지 않음 ○ 1 ○ 2 ○ 3 ○ 4 ○ 5 매우 중요함

결과 3: _____

○ = 좋음 ○ = 나쁨

전혀 중요하지 않음 ○ 1 ○ 2 ○ 3 ○ 4 ○ 5 매우 중요함

결과 4: _____

○ = 좋음 ○ = 나쁨

전혀 중요하지 않음 ○ 1 ○ 2 ○ 3 ○ 4 ○ 5 매우 중요함

파트 2

만약 당신이 자살을 완수한다면, 즉 자살시도의 결과로 사망한다면, 그 결과 어떤 일들이 생길 수 있을까요?

죽음 뒤 당신에게 생기는 일

결과 1: _____

○ = 좋음 ○ = 나쁨

전혀 중요하지 않음 ○ 1 ○ 2 ○ 3 ○ 4 ○ 5 매우 중요함

결과 2: _____

○ = 좋음 ○ = 나쁨

전혀 중요하지 않음 ○ 1 ○ 2 ○ 3 ○ 4 ○ 5 매우 중요함

남겨진 사람들에게 생기는 일

결과 1: _____

○ = 좋음 ○ = 나쁨

전혀 중요하지 않음 ○ 1 ○ 2 ○ 3 ○ 4 ○ 5 매우 중요함

결과 2: _____

○ = 좋음 ○ = 나쁨

전혀 중요하지 않음 ○ 1 ○ 2 ○ 3 ○ 4 ○ 5 매우 중요함

만약 당신이 자살로 죽는다면, 그 이유는 무엇이라고 생각하십니까?

이유 1: _____

이유 2: _____

이유 3: _____

이유 4: _____

파트 3

다른 사람들이 자살을 시도했지만 죽지 않았다면, 그들이 왜 자살을 시도했다고 생각하십니까?

이유 1: _____

이유 2: _____

이유 3: _____

이유 4: _____

다른 사람들이 자살로 죽은 경우, 그들이 왜 자살을 시도했다고 생각하십니까?

이유 1: _____

이유 2: _____

이유 3: _____

이유 4: _____

살아야 할 이유 척도

생존과 대처 신념

1. 나는 삶을 충분히 감당할 수 있다.
2. 나는 문제에 대한 다른 해결책을 찾을 수 있다고 믿는다.
3. 나는 아직 해야 할 일들이 많다.
4. 나는 상황이 나아질 것이고 미래에는 더 행복할 것이라는 희망을 가지고 있다.
5. 나는 삶에 맞설 용기가 있다.
6. 나는 삶에서 주어진 모든 것을 경험하기를 원하고, 내가 하고 싶은 것들 중에 아직 경험해보지 못한 것들이 많다.
7. 나는 모든 일에 최선의 방안이 있다고 믿는다.
8. 나는 삶의 목적, 살아야 할 이유를 찾을 수 있을 거라 믿는다.
9. 나는 삶을 아낀다.
10. 나는 아무리 기분이 안 좋아도 그게 계속되지는 않을 거라는 걸 안다.
11. 자살하기에는 삶이 너무 아름답고 소중하다.
12. 나는 행복하고 삶에 만족한다.
13. 나는 미래에 무슨 일이 일어날지 궁금하다.
14. 나는 죽음을 서두를 이유가 없다.

15. 나는 문제들에 적응하고 대처하는 법을 배울 수 있다고 믿는다.
16. 나는 자살로 어떤 것도 완수하거나 해결하지 못할 거라고 믿는다.
17. 나는 살고 싶다.
18. 나는 자살하기에는 너무 안정적이다.
19. 나는 이루고 싶은 계획들이 있다.
20. 나는 차라리 죽는 게 나을 정도로 끔찍하거나 희망이 없지는 않을 거라고 믿는다.
21. 나는 죽고 싶지 않다.
22. 삶은 우리가 가진 전부이며 없는 것보다는 낫다.
23. 나는 내 삶과 운명을 통제할 수 있다고 믿는다.

가족에 대한 책임

1. 나는 가족에게 너무 많은 상처를 줄 것 같고 가족이 고통받는 것을 원치 않는다.
2. 나는 나중에 가족이 죄책감을 느끼지 않기를 바란다.
3. 나는 가족이 내가 이기적이거나 겁쟁이라고 생각하지 않기를 바란다.
4. 내 가족은 나에게 의지하고 나를 필요로 한다.
5. 나는 가족을 너무나 사랑하고 좋아하기 때문에 가족을 떠날 수 없다.
6. 내 가족은 내가 그들을 사랑하지 않는다고 믿을지도 모른다.
7. 나는 가족에 대한 책임이 있고 가족에게 헌신한다.

자녀 관련 걱정

1. 내 아이들에게 해로운 영향을 끼칠 수 있다.
2. 다른 사람에게 자녀를 맡기는 것은 온당치 못하다.
3. 나는 아이들이 자라는 것을 지켜보고 싶다.

자살에 대한 두려움

1. 나는 실제로 자살하는 "행위"가 두렵다.(고통, 피, 폭력)
2. 나는 겁쟁이어서 자살할 배짱이 없다.
3. 나는 너무 서툴러서 자살 시도가 안 통할 것 같다.
4. 나는 내 방법대로 자살하는 것이 실패할까봐 두렵다.
5. 나는 미지의 세계가 두렵다.
6. 나는 죽음이 두렵다.
7. 나는 언제, 어디서, 어떻게 자살할지 정하지 못했다.

사회적 반감에 대한 두려움

1. 다른 사람들은 내가 나약하고 이기적이라고 생각할 것 같다.
2. 나는 사람들이 내가 삶을 통제하지 못했다고 생각하기를 원치 않는다.
3. 나는 사람들이 나를 어떻게 생각할지 걱정된다.

도덕적 금기

1. 나의 종교적 신념이 자살을 금지한다.
2. 나는 오직 신만이 생명을 끝낼 권능이 있다고 믿는다.
3. 나는 자살이 도덕적으로 잘못된 것이라고 생각한다.
4. 나는 지옥에 갈까 봐 두렵다.

과실 관리 평가

지침: 2장("임상가의 감정, 가치, 법적 취약성, 윤리")을 검토해주시고, 당신의 임상진료, 차트 작성 및 기록, 부서 정책이 우리가 권고하는 전략들에 견주어 볼 때 어느 정도 되는지 측정해보십시오.

권장 진료	적합도 측정 1 = 전혀 부합하지 않음 3 = 어느 정도 부합함 5 = 완전히 부합함	적합도를 개선하기 위해 취해야 할 조치들
차트에 구체적인 자살평가 자료, 해석, 임상적 결정을 기록한다		
치료, 대안, 위험, 이득에 관하여 환자 및 (가능하면) 직계 가족 구성원들에게 상세히 설명하고 인지동의를 받는다		

권장 진료	적합도 측정 1 = 전혀 부합하지 않음 3 = 어느 정도 부합함 5 = 완전히 부합함	적합도를 개선하기 위해 취해야 할 조치들
자살경향성 환자의 경우, 매 방문시마다 자살 위험성을 재평가하고, (혹시 있다면) 이에 따른 치료계획 변경을 차트에 기록한다		
팀이나 동료로부터 검토 및 자문 받은 결과 및 권고사항이 있으면 기록한다		
당신이 선택하여 사용하고 있는 평가 및 치료 방법들의 근거를 간략히 기술한다		
자살 위험성 관리를 시행한 증거로 "미리 작성된 서식"을 활용하는 것을 줄인다		
자살행동에 대해 정책 중심의 치료 지침을 줄이고, 치료자의 임상적 결정을 강조한다		

자살사고 및 자살행동 설문지

1. 처음으로 자살을 생각한 이래, 그 강도가 어느 정도로 변했습니까?

   ○ 1　　○ 2　　○ 3　　○ 4　　○ 5

   줄어들음　　　　똑같음　　　　늘어남

2. 지난 24시간 이내에 자살에 대해 생각했습니까?

   ○ 아니오　　　　○ 예

3. 당신이 자살을 생각할 때, 그런 생각을 하게 된 가장 큰 문제는 무엇입니까?

4. 여기에 오시기 전, 자살에 대해 생각하고 있다고 다른 사람에게 얘기한 적이 있습니까?

   ○ 아니오　　　　○ 예

5. 자살시도, 즉, 당신 혹은 다른 누군가가 자살을 시도한다고 여길 정도로 의도적으로 신체를 손상시키는 행동을 얼마나 자주 하셨습니까?

---

6. 만약 자살하면 당신의 문제들이 모두 해결될 것 같습니까?

      ○ 1   ○ 2   ○ 3   ○ 4   ○ 5

      확실히 아님   확실히 맞음

7. 당신을 사랑하거나 좋아하는 사람들은 몇 명이나 됩니까?

   _____

8. 당신을 사랑하거나 좋아하는 사람들 중에서, 당신을 도와줄 여력이 되는 사람은 몇 명이나 됩니까? _____

9. 자살을 시도했거나 자살로 사망한 사람을 개인적으로 알고 있습니까?

      ○ 아니오   ○ 예

Index